CUCINA REGIONALE ITALIANA

Ada Boni

CUCINA REGIONALE ITALIANA

Arnoldo Mondadori Editore

Caporedattore
Mariella De Battisti

Ricerca iconografica e coordinamento editoriale
Luciana Conforti

Progetto grafico
Giuseppe Villa

Realizzazione editoriale
Studio Menabò, Como

Ha collaborato alla stesura dei testi
Maria Luisa Magagnoli

© 1988 Arnoldo Mondadori Editore S.p.A., Milano
Creazione Libri Illustrati
Prima edizione Oscar illustrati: ottobre 1988

ISBN 88-04-32126-1

Finito di stampare nel mese di ottobre 1988
presso la Arnoldo Mondadori Editore S.p.A.
Stabilimento di Verona
Printed in Italy

PIEMONTE

Una suggestiva veduta del castello di Sarre, in Valle d'Aosta, una regione che, come il vicino Piemonte, ha una gastronomia a base di carni e di selvaggina innaffiate con ottimi vini. I laghi e i torrenti di montagna, a loro volta, offrono molti pesci d'acqua dolce come le trote e le tinche che vengono cucinate in base a ricette antiche tramandate fino a noi.

*E*dgar Allan Poe non c'entra, e l'Oscar Wilde del *Fantasma di Canterville* neppure: l'uomo silenzioso che potreste vedere di sera dopo cena aggirarsi nel buio con fare misterioso e circospetto, armato di una pila e di una piccola zappa, e seguito dal suo cane bastardo, non va a disseppellire uno scrigno colmo di ori e di gioie e non va nemmeno a compiere azioni in qualche modo delittuose. Quell'uomo, ammesso che lo vediate in una certa zona della più tipica campagna piemontese, le Langhe, è semplicemente un «trifolau». Va alla ricerca del tartufo e ci va di notte per non far sapere a nessuno il punto esatto nel quale il prezioso tubero da alcuni anni gli regala liete sorprese.

Misterioso e imprevedibile, il tartufo nasce e vegeta spontaneamente nel terreno argilloso delle Langhe, accanto alle radici dei salici e intorno ai faggi e alle querce, senza rivelare in alcun modo la sua presenza, e soltanto i «trifolau», grazie alla loro esperienza, che in molti casi si tramanda e si rinforza di generazione in generazione, riescono a individuare. Il solo aiuto è quello del cane, il cui fiuto è stato allenato a riconoscere il tartufo anche quando si nasconde ad alcuni centimetri di profondità.

Per parlare della cucina piemontese, il tartufo è indispensabile; anzi può fungere da introduzione ideale, perché vi riveste il ruolo di protagonista, un protagonista «colorito» di tante e tante portate della cucina di questa regione, dalla «fonduta» al risotto, ai piatti di selvaggina. Il tartufo, insomma, con il suo penetrante profumo nobilita da solo un'intera cucina, già di per sé preziosa e ricca, dall'aperitivo (il vermut è nato proprio qui!) fino al *dessert* (i dolci infatti sono una specialità tutta piemontese).

In fatto di cucina, i torinesi, e con loro i piemontesi, sono, e non sorprende, formali e «signori»: la loro è una «buona cucina» (nel senso antico dell'espressione), sobria ma «sostenuta» come quantità, semplice ma al tempo stesso ricca di sapori precisi e di odori «violenti». Questa aristocrazia della tavola si traduce in piatti assolutamente tipici, non solo per la loro presentazione, ma soprattutto per gli ingredienti che sono sempre prodotti locali con una chiara e ben definita impronta di genuinità.

I prodotti dell'orto, ad esempio, sono fondamentali, al punto che in Piemonte possedere e coltivare un proprio orticello è un'aspirazione generale che non ha mai risparmiato e che non risparmia neppure oggi statisti, economisti, letterati e capitani d'industria. L'aglio è un ingrediente che, guardato con un certo sospetto in molte altre cucine regionali, qui ricorre spesso, ac-

Due piatti tipici: la carbonade, nella foto sopra, e, a destra, la zuppa di cipolle, una gustosa ricetta invernale preparata con pochi, semplici elementi e insaporita da un'aggiunta generosa di formaggio.

Una veduta aerea di Torino, nella foto a sinistra, in cui spicca la cupola slanciata della Mole Antonelliana. Qui sopra, un piatto di bollito misto, a base di verdura lessata, manzo, cotiche, pollo, tacchino, salsicce, testine e zampette di maiale o di vitello. Di solito si serve con una squisita salsina verde o con una semplice salsa di pomodoro.

canto a tutte le altre verdure crude. Lo troviamo, amorevolmente sminuzzato, nella «bagna cauda» vicino ai peperoni crudi, alle patate bollite, ai sedani e ai cardi, e in cento altre ricette, a bilanciare e a correggere la pesantezza di certi piatti. Lo stesso compito, sulla base di una regola dietetica, empirica quanto si vuole ma scientificamente indiscutibile, hanno i formaggi, dei quali il Piemonte è ricco produttore, dalle «tome» alle «robiole», alla famosa «fontina». La stessa panna entra, insieme ad altri latticini, in diverse ricette. Quanto al burro, lo troviamo dovunque a mitigare la crudezza di certi piatti o a esalterne la leggerezza e la delicatezza; come condimento, esso è preferito a qualsiasi altro tipo di grasso. Anche pesci e carni in Piemonte abbondano. I pesci, con le trote in testa, nei cristallini e purissimi torrenti delle Alpi, specialmente in Val d'Aosta, sotto la protezione del massiccio del Monte Bianco, e nel Canavese; la selvaggina di montagna, che fa parte integrante del paesaggio piemontese e che oggi è ormai quasi totalmente protetta dalla ferocia dei bracconieri; le carni degli allevamenti stanziati sulle malghe alpine e nella fertile pianura tra le due Dore, il Po e il Tanaro. Le carni sono alla base di un altro tipico piatto piemontese, il «bollito», che però non ha nulla a che vedere con il classico «lesso». Nel bollito infatti il buon cuoco piemontese mette pezzi di manzo, insieme a cotiche, testine e zampette di maiale o di vitello, pollo (gallina o cappone), tacchino, salsicce e molta verdura lessata; il tutto viene poi servito con salsa verde o con salsa di pomodoro. Dal bollito al brodo, altra istituzione locale: fatta eccezione per gli agnolotti, i piemontesi preferiscono infatti le minestre in brodo a quelle asciutte. Fin dai tempi più lontani, in Piemonte si è sempre detto che una tazza di brodo non si rifiuta a nessuno... nemmeno ai condannati a morte. Le leggi di una volta prescrivevano che in Torino, prima del patibolo e della camera di tortura, fosse concesso al condannato un ottimo brodo di carne, il migliore addio alla cucina e alle gioie del mondo.

I vini, forse come in nessuna altra cucina regionale italiana, fanno parte integrante della tavola. Impossibile gustare e soprattutto... digerire bene un completo e impegnativo menú piemontese senza annaffiarlo con una buona bottiglia di Barbera, di Barolo o di Gattinara. Tutti vini robusti, quelli piemontesi, generosi nella loro gamma variata di gusti e di sapori, blasonati per origine e tradizioni. Il Barbera, che ha come centro di produzione la valle del Tignone nell'Astigiano, è un vino rosso dai 12 ai 15 gradi, particolarmente indicato per l'arrosto e per le carni rosse. Il Barolo è invece prodotto nelle Langhe, a sud-ovest di Alba, ed è caratterizzato da un *bouquet* molto intenso che diventa superbo verso il quarto-quinto anno; anch'esso eccellente per gli arrosti. Il Gattinara viene dalla provincia di Vercelli e — insieme al Ghemme, al Lessona e al Mottalciata — è prodotto dal vitigno Nebbiolo che, sulle colline del Tanaro, a nord di Alba, dà l'omonimo vino secco e profumato che gli esperti consigliano di consumare entro l'annata del raccolto. Il nome del Nebbiolo deriva dalla parola «nebbia»; la maturazione completa dei grappoli, infatti, avviene ad autunno inoltrato quando le prime nebbie hanno già fatto la loro apparizione.

Il Barbaresco è affine al Barolo, leggermente meno alcolico ma forse più delicato: è eccellente al terzo anno di invecchiamento. Caratteristico delle Langhe e ottimo con i piatti che utilizzano il tartufo è il Dolcetto delle Langhe, mentre la «bagna cauda» si sposa perfettamente con la Freisa che è prodotta nella zona compresa tra Torino e Casale, e che è caratterizzata da un

Un contadino piemontese verifica "a naso" la qualità di un tartufo. Questo profumato frutto della terra, ideale per esaltare il sapore della fonduta, dei risotti e della selvaggina, è un prodotto caratteristico delle Langhe di cui, a destra, vediamo un'immagine dall'alto.

Un contadino, nella foto a sinistra, intento a imbottigliare il vino. In Piemonte se ne produce molto, di ottima qualità e sapore robusto, come il Barbera, il Barolo e il Gattinara. Qui sopra, un piatto tipico della regione, la galantina aromatizzata con il tartufo.

basso tenore alcolico e da un giusto tono frizzante. Il panorama dei migliori vini rossi da pasto si chiude con il Grignolino delle colline di Asti e di Alessandria, purtroppo sempre più raro. Nel campo dei vini bianchi, è insuperabile per il pesce, tra quelli locali, il Cortese; dolce e delicato il Moscato d'Asti. Un capitolo a parte meritano gli spumanti di Asti, mentre per l'aperitivo Torino vanta l'invenzione del vermut, oggi diffuso in tutto il mondo.

Un menú degno di rispetto si chiude con un *dessert* altrettanto «impegnativo». In tema di pasticceria (abbiamo già avuto modo di sottolinearlo) il Piemonte ha pochi rivali: molte specialità sono nate proprio in questa regione, nella dorata atmosfera della corte dei Savoia dove i cuochi del tempo hanno inventato lo zabaione, i gianduiotti e un'infinità di creme e dolci. Anche le caramelle sono nate qui a Torino, e il cacao giunse in Italia per la prima volta importato da Emanuele Filiberto. Gli stessi grissini, *les petits bâtons de Turin*, come li chiamava Napoleone, sono una tipica produzione locale, un sinonimo di Torino, esattamente come il Po e come la Mole Antonelliana.

Crostini di tartufi
Fonduta (Fondua)
Salsa piemontese
Salsa verde alla piemontese
Bagna cauda
Agnolotti alla piemontese
Risotto alla piemontese con tartufi
Polenta e fontina in torta
Gnocchetti alla piemontese
Gnocchi alla bava
Minestrone d'Asti
Minestra di trippa
Minestra di tordi
Zuppa di cipolle
Brasato al Barolo
Tournedos con finanziera
Coda di bue alla Cavour
Costolette alla Valdostana
Vitello alla Marengo
Animelle con funghetti
Pollo alla Marengo
Budino di pollo
Spezzatino di pollo
Filetti di tacchino al marsala
Quaglie ai tartufi
Fagiano con funghi
Fagiano tartufato
Faraona alla campagnola
Piccioni alla Cavour
Lepre alla Marengo
Lepre alla piemontese
Pesce persico alla salvia
Tinche marinate
Trota alla piemontese
Uova fritte alla fontina
Uova fritte alla piemontese
Soufflé con finanziera
Crêpes piemontesi
Omelette piemontese
Uova in cocotte
Tartufi alla piemontese
Insalata con tartufi
Insalata di fontina
Insalata di sedani
Cipolline d'Ivrea
Asparagi in salsa tartara
Peperoni farciti di riso
Cardi piemontesi al gratin
Peperoni alla bagna cauda
Spinaci alla piemontese
Castagne stufate
Budino freddo Gianduia
Dolcetti Belvedere
Bicciolani di Vercelli
Pesche alla piemontese
Polenta di Marengo
Ciliege al Barolo
Torta casalinga
I crumiri di Casale

Crostini di tartufi

(per 6 persone)

12 fette di pan carré

70 grammi di tartufo bianco grattugiato

50 grammi di burro

2 cucchiai di parmigiano grattugiato

succo di 1 limone

brodo q.b.

Togliete la crosta alle fette di pane e ricavatene dei crostini di circa sette centimetri per quattro. In un tegamino fate fondere il burro a fuoco molto moderato, unite il tartufo grattugiato e fatelo scaldare per qualche minuto senza lasciar soffriggere. Aggiungete quindi il parmigiano grattugiato e mescolate. Se l'impasto risultasse troppo denso, diluitelo con mezzo cucchiaio di brodo. Da ultimo, condite con il succo di limone. Fate tostare i crostini e spalmateli caldi e croccanti con il composto. Servite subito.

Fonduta (Fondua)

300 grammi di fontina piemontese

latte q.b.

6 tuorli d'uovo

120 grammi di burro

pepe bianco macinato di fresco q.b.

1 tartufo bianco

Perché la fonduta riesca bene è necessario che la fontina sia piemontese e di ottima qualità.
Togliete la crosta al formaggio e tagliatelo a dadini piccolissimi; poneteli in una tazza e unite tanto latte quanto ne occorre per ricoprire appena il formaggio. Lasciate riposare per almeno otto ore. Versate il formaggio con il latte dell'infusione in una casseruola di materiale pesante (meglio di terracotta) e unite i tuorli d'uovo e il burro; fate cuocere a bagno-maria e su fiamma bassa, mescolando continuamente con un cucchiaio di legno o meglio ancora con una frusta. Quando il composto comincia a prendere la consistenza di una crema, toglietelo subito dal fuoco e insaporitelo con un bel pizzico di pepe bianco macinato di fresco. Servite la fonduta in piatti riscaldati e cospargete con fettine di tartufo bianco.

Salsa piemontese

1 bicchiere di acqua

1 cucchiaio di estratto di carne

4 acciughe diliscate

1 piccolo tartufo bianco grattugiato

1 piccolo scalogno

1 spicchio di aglio

1 ciuffetto di prezzemolo

1 tuorlo d'uovo sodo

1 cucchiaino di fecola di patate

olio q.b.

succo di limone q.b.

1 pizzico di pepe bianco

Mettete in una casseruolina l'acqua, portate a ebollizione e unite l'estratto di carne. Pestate in un mortaio le acciughe, il tartufo, lo scalogno, l'aglio, il prezzemolo e il tuorlo d'uovo sodo. Passate tutto al setaccio e fatelo cadere nel liquido che bolle. Unite la fecola, diluita con un poco d'acqua, qualche goccia d'olio, qualche goccia di succo di limone e il pepe.
Mescolate e servite questa salsa caldissima.

Salsa verde alla piemontese

(per 4 persone)

2 acciughe salate

1 tuorlo d'uovo sodo

6 cucchiai di prezzemolo tritato

1 spicchio di aglio tritato

1 cucchiaio di capperi

1 pugno di mollica di pane fresco

latte q.b.

olio q.b.

sale e pepe q.b.

Vi sono diverse versioni di questa salsa. Alcune tralasciano i capperi e/o il tuorlo d'uovo sodo, altre aggiungono la cipolla tritata, il peperoncino o i cetrioli sottaceto e diluiscono la salsa con succo di limone.
Lavate le acciughe, diliscatele e tritatele finemente assieme al tuorlo d'uovo sodo. Unite il prezzemolo, l'aglio, i capperi e la mollica di pane bagnata nel latte e strizzata. Pestate il miscuglio nel mortaio fino a ottenere un impasto omogeneo. Trasferite il tutto in una terrina e sempre mescolando unite a goccia a goccia olio di oliva fino a quando il composto avrà acquistato la consistenza di una salsa abbastanza liquida. Condite con sale e pepe quanto basta. La salsa verde è ottima servita con i bolliti o con il pesce lessato.

Bagna cauda

200 grammi di burro

150 grammi di olio

4 spicchi d'aglio tritati finemente

6 acciughe sotto sale diliscate e tagliate a pezzetti

sale q.b.

1 tartufo bianco

Ponete in un tegame, meglio se di terracotta, il burro, l'olio e l'aglio; fate scaldare bene, senza però far colorire l'aglio; togliete il tegame dal fuoco e unite le acciughe. Rimettete sul fuoco, sempre basso, e mescolando, lasciate sciogliere le acciughe. Ultimate con un pizzico di sale e i tartufi tagliati a fettine sottili. Questa salsa si porta in tavola sopra uno scaldavivande, perché deve essere caldissima e in essa si immergono cardi, sedani e peperoni crudi.

Agnolotti alla piemontese

(per 6 persone)

per il ripieno

80 grammi di burro

2 cucchiai di olio

1 cipolla piccola tritata

1 spicchio d'aglio tritato

1 rametto di rosmarino tritato

1 cucchiaio colmo di farina

2 mestoli di brodo

3 pomodori maturi

500 grammi di polpa di manzo

200 grammi di spinaci già lessati e tritati

sale q.b.

pepe q.b.

50 grammi di parmigiano grattugiato

2 uova

per la pasta

500 grammi di farina

5 uova

sale q.b.

Fate soffriggere in una casseruola con metà del burro e l'olio, la cipolla, l'aglio e il rosmarino. Metteteci la carne e fatela rosolare da tutte le parti, salandola e pepandola. Quando la carne avrà preso un bel colore, cospargetela con la farina e poi unite circa due mestoli di brodo e i pomodori pelati e passati al setaccio. Aggiustate di sale, coprite e lasciate cuocere pian piano per circa due ore; il sugo si dovrà addensare e vi servirà per condire gli agnolotti. Quando la carne è cotta, tritatela alla macchina e impastatela assieme agli spinaci, alla metà abbondante del parmigiano e alle uova; aggiustate di sale e di pepe e amalgamate bene il composto. Preparate la pasta con la farina, le uova e un bel pizzico di sale. Lavoratela molto per renderla liscia ed elastica; tiratela in due sfoglie il più sottili possibile. Sopra una sfoglia distribuite il composto a mucchiettini, ben distanziati gli uni dagli altri. Ricoprite con l'altra sfoglia e premete con le dita fra gli spazi vuoti. Ritagliate gli agnolotti con l'apposito stampino, o con la rotella o anche con un semplice coltello. Fateli cuocere in abbondante acqua salata bollente, scolateli dopo 10-12 minuti di cottura e conditeli con il sugo preparato e con il resto del burro. Serviteli con abbondante parmigiano grattugiato.

Risotto alla piemontese con tartufi

(per 6 persone)

600 grammi di riso

100 grammi di pancetta

50 grammi di prosciutto crudo

2 litri scarsi di brodo di carne

100 grammi di burro

1 cucchiaino di estratto di carne

100 grammi di parmigiano

1 piccolo tartufo bianco

Ponete in una larga casseruola la pancetta e il prosciutto tritati finemente assieme, metà del burro e fate soffriggere lentamente; versate il riso, mescolatelo accuratamente per farlo intridere bene di grasso. Versate poco a poco il brodo bollente, mescolando sempre. Non aggiungete ancora brodo fino a quando la porzione versata in precedenza non si sia quasi asciugata. Dopo circa 20 minuti il riso è cotto; unite l'estratto di carne diluito con un po' di brodo, il rimanente burro e il parmigiano. Disponete il risotto sopra un piatto da portata e ricopritelo con fettine di tartufo.

Polenta e fontina in torta

(per 6 persone)

1 litro e mezzo d'acqua

400 grammi di farina di granturco

1 cucchiaino abbondante di sale

200 grammi di fontina tagliata a fettine sottili

pepe bianco macinato di fresco

20 grammi di burro

In una grossa pentola portate a ebollizione l'acqua con il sale; versateci a pioggia la farina, mescolando sempre con un lungo cucchiaio di legno. Fate cuocere la polenta, mescolando spesso, fino a quando si staccherà bene dalle pareti della pentola; occorre-

ranno circa 45 minuti. Rovesciate la polenta in un recipiente profondo, risciacquato abbondantemente d'acqua, e lasciatela raffreddare. Tagliate la polenta a fette alte circa mezzo centimetro. In una pirofila imburrata, disponete le fette di polenta alternandole con le fettine di fontina. Su ogni strato di formaggio mettete un pizzico di pepe bianco. Sull'ultimo strato di polenta distribuite fiocchetti di burro e ponete in forno caldo a gratinare.

Gnocchetti alla piemontese

(per 6 persone)

75 grammi di farina bianca

25 grammi di semolino

2 tuorli d'uovo

1 pizzico di noce moscata

1 pizzico di zucchero

sale e pepe bianco q.b.

2 bicchieri di latte

50 grammi di parmigiano grattugiato

100 grammi di burro

50 grammi di groviera

1 uovo sbattuto

farina e pangrattato q.b.

olio per friggere

Mettete in una casseruola la farina, il semolino, due tuorli d'uovo, un poco di noce moscata, sale, pepe e un pizzico di zucchero. Sciogliete il tutto, fuori del fuoco, con due bicchieri di latte e quando il composto sarà amalgamato, mettetelo sul fuoco e fatelo cuocere come se si trattasse di una crema molto densa. Quando sarà ben liscio, levate la casseruola dal fuoco e condite l'impasto con parmigiano grattugiato e 75 grammi di burro di buona qualità. Mescolate e lasciate raffreddare un pochino. Quando il composto avrà perduto un po' del suo calore, unite ancora il formaggio groviera ritagliato in dadini. Mescolate per amalgamare bene il tutto e poi versate questa crema sul marmo di cucina precedentemente unto di burro. Spianate la massa con la lama di un coltello dandole lo spessore di circa un dito e lasciate raffreddare completamente. Si consiglia di aggiungere il groviera quando l'impasto è appena tiepido perché altrimenti il calore tenderebbe a liquefare i dadini di formaggio. Quando la massa sarà ben fredda, dividetela in tanti rettangoli o in tanti rombi (ne verranno circa 24). Prendete un pezzo alla volta sollevandolo con la lama di un coltello, passatelo nella farina, nell'uovo sbattuto e nel pangrattato. Quando li avrete impanati friggeteli in una padella ben calda in abbondante olio. Sistemateli infine in un piatto di portata e serviteli subito.

Gnocchi alla bava

(per 6 persone)

2 chili di patate

400 grammi di farina

sale q.b.

80 grammi di burro

200 grammi di fontina piemontese

Lessate le patate, pelatele e passatele subito allo schiacciapatate; unitevi la farina, un po' di sale e impastate il tutto sulla spianatoia di legno con molta rapidità. Formate tanti bastoncini dello spessore di un dito e tagliateli a pezzettini lunghi circa 2 cm. Premete questi pezzettini con il dito pollice contro una forchetta o una grattugia, facendoli rotolare rapidamente. Allineateli sopra un canovaccio infarinato. Versateli in una grossa pentola piena d'acqua bollente salata e scolateli non appena verranno a galla. Per una migliore cottura, è meglio cuocerli poco per volta. Via via che sono pronti poneteli in una pirofila, alternandoli a strati di fettine di fontina e irrorandoli ogni volta con il burro fuso. Coprite e mettete in forno già caldo per 5 minuti. Serviteli subito.

Minestrone d'Asti

(per 6 persone)

500 grammi di fagioli freschi sgranati
sale q.b.
1 piccolo cavolo
4 patate
2 carote
2 costole di sedano
300 grammi di pasta (o di riso)
200 grammi di lardo
2 spicchi di aglio
2-3 foglie di basilico
1 ciuffo di prezzemolo
100 grammi di parmigiano o formaggio di Bra
pepe q.b.

Misurate tre litri di acqua, versateli in una pentola e in essa cuocete i fagioli freschi sgranati. Condite con sale e, quando i fagioli saranno quasi cotti, unite un piccolo cavolo trinciato, le patate e le carote sbucciate, ridotte in dadini e le costole di sedano in pezzetti. Fate bollire per una quarantina di minuti e infine aggiungete la pasta in pezzetti o il riso. Pestate il lardo con gli spicchi di aglio, le foglie di basilico e il ciuffo di prezzemolo. Amalgamate a questo pesto il parmigiano grattugiato o il formaggio di Bra e diluitelo con qualche cucchiaiata del brodo di cottura. Versate il pesto nel minestrone e insaporite con pepe.

Minestra di trippa

(per 6 persone)

1 chilo di trippa
2 cipolle
2 chiodi di garofano
1 carota
2 costole di sedano
4 grani di pepe nero
150 grammi di lardo
1 piccolo cavolo
4 patate
2 porri
sale e pepe macinato fresco q.b.

Lavate la trippa, scottatela e tagliatela a strisce. Mettetela in una capace casseruola con una cipolla steccata con chiodi di garofano, una carota, una costola di sedano, un po' di sale e i grani di pepe nero. Coprite con abbondante acqua e fate sobbollire per 1 ora. Togliete la trippa, filtrate il brodo e teneteli da parte. Pestate il lardo per renderlo morbido come una pasta e scaldatelo in una capace casseruola, possibilmente di terracotta. Quando il lardo sarà sciolto, fatevi soffriggere, finemente tritati, la cipolla e la costola di sedano rimasti. Unite la trippa con il suo brodo, il cavolo sfrondato, lavato e spezzettato, i porri divisi in quarti, le patate tagliate in pezzetti. Salate, pepate e fate cuocere dolcemente 1 ora. Servite la trippa molto calda nel recipiente di cottura.

Minestra di tordi

(per 6 persone)

20 tordi
1 bicchiere di vino bianco secco
50 grammi di fecola di riso
100 grammi di burro
sale q.b.
300 grammi di riso lessato
parmigiano grattugiato q.b.

Nettate i tordi, privateli dei petti e ponete le carcasse, ben risciacquate, in una casseruola con mezzo etto di burro. Lasciate ben rosolare, condite con sale, bagnate con il vino bianco secco e quando questo sarà evaporato, ricoprite le carcasse d'acqua calda e lasciatele cuocere. Otterrete un profumato brodo che passerete al colabrodo e porrete in una casseruola, aggiungendo la fecola di riso, sciolta in poca acqua fredda. Fate bollire e addensare leggermente e ultimate la minestra con i petti dei tordi, che avrete cotti a parte in un po' di burro e sale e ritagliati in filetti.
Scodellate la minestra e accompagnatela con riso lessato e condito con burro e parmigiano, servito a parte.

Zuppa di cipolle

(per 6 persone)

500 grammi di cipolle
100 grammi di burro
sale q.b.
pepe bianco q.b.
2 cucchiaini di farina
1 litro e mezzo di brodo di manzo
2 sfilatini di pane
60 grammi di emmenthal grattugiato
60 grammi di parmigiano grattugiato

Tagliate a fettine sottili le cipolle e ponetele assieme a 80 grammi di burro in una casseruola; a fiamma bassa fate appassire le cipolle e unite la farina. Condite con sale e pepe, bagnate con il brodo e poi lasciate sobbollire per circa 45 minuti. Intanto tagliate il pane a fette e fatele tostare. Fatene uno strato in una zuppiera, o meglio ancora in una terrina di terracotta, e cospargetele con fiocchetti di burro e con abbondante formaggio (le due qualità mescolate assieme); continuate ad alternare strati di pane con fiocchetti di burro e con strati di formaggio. Infine sul tutto versate il brodo di cipolla. Coprite e lasciate stufare una decina di minuti.

Brasato al Barolo

(per 6-8 persone)

Una costata di manzo da 1 chilo e mezzo
1 bottiglia di vino rosso Barolo
1 cipolla tagliata in quattro
1 carota tagliata a fettine
1 costola di sedano tagliata a pezzetti
1 foglia di alloro
4-5 grani di pepe nero e sale
50 grammi di burro
30 grammi di grasso di prosciutto tritato
1 cucchiaino di fecola di patate

Ponete la costata di manzo in una grossa terrina, unite la cipolla, la carota, il sedano, un po' di sale, l'alloro, il pepe e versateci sopra la bottiglia di Barolo. Lasciatela in infusione per 24 ore. Ogni tanto rivoltatela. Al momento di cucinarla, sgocciolatela dalla marinata e asciugatela bene con una salvietta. Legatela per mantenerla in forma e ponetela in una casseruola con il burro e con il grasso di prosciutto tritato. Fatela rosolare da tutte e due le parti. Intanto passate a un colino il vino della marinata, raccoglietelo in una casseruolina e fatelo ridurre della metà su fuoco vivo. Salate la costata e poi versateci sopra il vino ridotto. Coprite e lasciate cuocere, a fuoco moderato, per circa due ore. Quando la costata sarà tenera, sgocciolatela dal sugo di cottura e disponetela sopra un piatto da portata. Tenetela in caldo e intanto sgrassate leggermente il sugo di cottura e unite la fecola; mescolate, lasciate cuocere per 5 minuti e versate un velo della salsa ottenuta sopra la costata; mettete il resto in una salsiera e servite.

Il pregio di questa costata è quello di essere molto cotta, in modo da poterla mangiare semplicemente con la forchetta senza adoperare il coltello.

Tournedos con finanziera

(per 6 persone)

200 grammi di animelle di vitello
150 grammi di filoni di vitello
1 cucchiaio di aceto
1/2 cipolla
1 carota
1 costola di sedano
50 grammi di burro
1 bicchierino di madera
100 grammi di funghetti sottaceto tagliati a dadini
50 grammi di cetriolini sottaceto tagliati a dadini
6 fette di filetto di vitello alte 2-3 cm
1 cucchiaio di farina
100 grammi di burro
sale q.b.
pepe q.b.
2 cucchiai di madera

Ponete in una casseruola le animelle e i filoni con acqua leggermente salata, unite l'aceto, la cipolla, la carota, il sedano, un po' di sale e un po' di pepe e fate bollire per una decina di minuti. Scolate le animelle (togliete loro la pellicina) e i filoni e tagliateli a dadini. In una casseruolina fate sciogliere il burro, unite le animelle e i filoni, fateli rosolare pian piano, salateli, pepateli e spruzzateli con il madera; lasciate evaporare il vino e poi unite i funghetti e i cetriolini sottaceto, tagliati anch'essi a dadini. Mescolate bene il composto, coprite e tenete al caldo. Quindi preparate i tournedos.

Legate le fette di filetto con uno spaghino sottile per mantenerle in forma e infarinatele leggermente. Ponetele in una padella in cui avrete fatto sciogliere il burro e fatele rosolare da entrambi i lati; salatele, spruzzatele con il madera e lasciate evaporare pian piano il liquido. Disponete i tournedos, a cui avrete tolto lo spaghino, sul piatto da portata e sopra ciascuna fetta di carne versate un po' di finanziera tenuta in caldo.

Coda di bue alla Cavour

(per 6 persone)

1 chilo e mezzo di coda di bue
100 grammi di cotenne di maiale
2 cipolle
4 carote
1 grossa costola di sedano
1 ciuffo di prezzemolo
1/2 bicchiere di olio
sale e pepe q.b.
1/2 litro di vino rosso

1 cucchiaino di estratto di carne
1 cucchiaino di fecola di patate
25 grammi di burro
50 grammi di funghi secchi e olio q.b.

Ritagliate la coda nelle varie vertebre, lavatela e asciugatela. Mettete in una casseruola l'olio, le cotenne di maiale nettate e ritagliate in striscioline, le cipolle, le carote, il sedano, il prezzemolo, grossolanamente tritati e infine i pezzi di coda. Condite con sale e pepe e coprite tutto con il vino. Applicate il coperchio alla casseruola, portatela su fuoco moderato e avviate la cottura. Quando il vino sarà evaporato, e le erbe si saranno appassite, aggiungete tanta acqua calda, in modo che ricopra i pezzi di coda e in essa sciogliete l'estratto di carne. Fate bollire per tre ore abbondanti, aggiungendo ancora acqua calda se l'intingolo si restringesse troppo presto. Travasate i pezzi di coda dalla casseruola in un largo tegame e addensate il liquido di cottura con la fecola impastata nel burro. Coprite la coda con questa specie di salsa e con i funghi (fatti rinvenire in acqua fredda, risciacquati, cotti in poco olio e sottilmente tritati) e lasciate cuocere per altri 10 minuti a fuoco debole.

Costolette alla Valdostana

(per 6 persone)

6 costolette di vitello
100 grammi di fontina tagliata a fettine sottilissime
pepe bianco q.b.
sale q.b.
2 cucchiai di farina
1 uovo
3 cucchiai di pangrattato
100 grammi di burro

Tagliate a metà, nel senso orizzontale, le costolette, lasciandole unite dalla parte dell'osso. Farcite queste costolette con fettine di fontina; richiudete e battete con il pestacarne i lembi per farli aderire bene. Salate e pepate leggermente da tutte e due le parti le costolette, poi passatele leggermente nella farina, quindi nell'uovo sbattuto e infine nel pangrattato. Fatele cuocere nel burro a fiamma moderata, per far prendere un leggero colore biondo da tutte e due le parti.

Vitello alla Marengo

(per 6 persone)

1 chilo di fesa di vitello
1/2 bicchiere di olio
1 cipolla tritata finemente
sale q.b.
pepe q.b.
1 cucchiaio di farina
1 bicchiere di vino bianco secco
1/2 litro di brodo
6 pomodori maturi pelati e tagliati a filettini
1 spicchio d'aglio schiacciato
1/2 foglia d'alloro
1 pizzico di timo

12 cipolline

50 grammi di burro

12 funghetti coltivati (champignons)

6 crostini di pane fritti nell'olio

prezzemolo tritato q.b.

Tagliate a grossi dadi il vitello e ponetelo in una casseruola dove avrete fatto scaldare l'olio. Fate rosolare da tutte le parti, unite la cipolla, un po' di sale e un pizzico di pepe; cospargete la carne con la farina, mescolate e fate prendere una bella tinta bruna. Bagnate con il vino bianco e con il brodo. Mescolando, staccate il fondo di cottura, fate riprendere il bollore e poi aggiungete i filettini di pomodoro, l'aglio, l'alloro e il timo. Coprite, abbassate la fiamma e lasciate cuocere per circa tre quarti d'ora. Intanto rosolate nel burro le cipolline senza farle cuocere. Staccate le cappelle dei funghetti, lavatele e asciugatele. Unite le cipolline e i funghetti alla carne e lasciate finire di cuocere per circa un quarto d'ora. Lasciate riposare la carne per un poco in modo che il grasso venga alla superficie e toglietelo con un cucchiaio. Scaldate di nuovo, versate la carne sopra un piatto da portata con la sua salsa di cottura e, attorno, disponete i crostini di pane fritti. Cospargete con una manciata di prezzemolo tritato.

Animelle con funghetti

(per 6 persone)

500 grammi di animelle di vitello

1/2 bicchiere d'aceto

50 grammi di burro

2 foglie di alloro

1 cucchiaio abbondante di salsa di pomodoro

200 grammi di funghetti sottaceto

150 grammi di piselli sgranati

sale q.b.

Mettete a bagno le animelle nell'acqua acidulata con l'aceto e lasciatevele per una mezz'ora. Sbollentatele per pochi minuti in acqua bollente, leggermente salata, scolatele e togliete loro la pellicina. Scolatele e tagliatele a fettine. Fatele rosolare in una teglia con il burro e l'alloro, salatele, unite la salsa di pomodoro diluita con un mestolo d'acqua, i funghetti sottaceto e i piselli. Lasciate cuocere a fiamma moderata e senza coperchio, in modo da ridurre il liquido.

Pollo alla Marengo

(per 4 persone)

1 pollastrello di 1 chilo

8 cucchiai di olio

2 spicchi d'aglio

4-5 pomodori

sale e pepe q.b.

1 bicchiere di vino bianco

1/2 cucchiaino di estratto di carne

4 uova

4 gamberetti cotti in vino bianco (facoltativo)

1 manciata di prezzemolo tritato

crostini fritti nel burro

Dividete in pezzi un pollastro tenero. Lavate questi pezzi, asciugateli e metteteli in una padella contenente olio caldissimo. Fate rosolare a fuoco forte e appena i pezzi di petto saranno biondi toglieteli continuando a cuocere gli altri pezzi.
Quando il pollo sarà quasi cotto, scolate l'olio e aggiungete qualche pomodoro spellato, fatto a pezzi e privato dei semi, un bicchie-

re di vino bianco e due spicchi d'aglio e condite con sale e pepe. Fate ridurre la salsa e aggiungete l'estratto di carne. Rimettete nella padella i pezzi del petto, fate cuocere ancora un paio di minuti e poi accomodate il pollo in un piatto, contornandolo con crostini di pane fritti, gamberetti e uova fritte. Cospargete il pollo con il prezzemolo tritato e servitelo.

Budino di pollo

(per 6 persone)

1 chilo e mezzo di gallina

sale e pepe q.b.

2 uova sbattute

scorza grattugiata di limone

1 tartufo nero tagliato a dadi (facoltativo)

1/2 tazza di panna da cucina

burro per lo stampo

È una ricetta ottima per cucinare una gallina un po' vecchia. Pulite il volatile, toglietegli la pelle e disossatelo. Fate passare per due volte la carne nel tritatutto. Condite con sale, pepe, le uova sbattute, un po' di scorza grattugiata di limone, la panna leggermente sbattuta, e, se volete, i tartufi. Versate il composto in uno stampo da budino imburrato, che avrete l'avvertenza di battere su una superficie dura per eliminare eventuali bolle d'aria prima di coprirlo con carta oleata e sistemarlo in una casseruola di acqua calda. Mettete il tutto a cuocere in forno a calore moderato (180°) per 1 ora circa.
Dopo avere tolto la vivanda dal forno, lasciatela riposare per qualche minuto prima di rovesciarla su un piatto di servizio, preferibilmente piano come quelli in uso per le torte.

Spezzatino di pollo

(per 6 persone)

1 chilo di pollo

50 grammi di burro

3 cucchiai di olio

sale e pepe bianco q.b.

1/2 bicchiere di vino bianco

1/2 chilo di pomodori

1 tartufo bianco (facoltativo)

Pulite, fiammeggiate, risciacquate e tagliate a pezzi il pollo. Fate rosolare in una casseruola con l'olio e il burro, a fuoco vivace, prima le cosce poi i petti. Condite con sale e pepe, abbassate la fiamma e continuate la cottura fino a quando la carne sarà diventata tenera. Togliete i pezzi di pollo dal recipiente e teneteli in caldo. Staccate il fondo di cottura con mezzo bicchiere di vino bianco e appena questo sarà evaporato, aggiungete i pomodori precedentemente lavati, scottati e passati al setaccio. Fate cuocere questa salsa per 10 minuti circa e quando si sarà un poco ristretta, rimettete nella casseruola i pezzi di pollo e lasciateli insaporire per qualche minuto. Trasferite quindi lo spezzatino di pollo, condito con la sua salsa di pomodoro, su un piatto di servizio ben caldo. Se volete, potete rifinire la vivanda con tartufo tagliato a fettine.

Filetti di tacchino al marsala

(per 6 persone)

6 filetti di tacchino

farina q.b.

100 grammi di burro

sale e pepe bianco in grani q.b.

1 bicchiere di marsala
1 tartufo bianco

Preparate i filetti di tacchino snervandoli e battendoli leggermente. Infarinate i filetti e fateli rosolare a fuoco vivace in 60 grammi di burro, condendoli con sale e pepe bianco macinato fresco. Togliete quindi la carne dal recipiente di cottura e tenetela in caldo. Staccate dal tegame il fondo di cottura con 1 bicchiere di marsala e quando questo sarà in parte evaporato, sciogliete un altro pezzetto di burro nel sugo, versando poi il tutto sui filetti sistemati su un piatto caldo di servizio. Da ultimo, cospargete i filetti con abbondante tartufo grattugiato.

Quaglie ai tartufi

(per 6 persone)

6 quaglie
6 fettine di lardo
60 grammi di burro
sale q.b.
400 grammi di riso
80 grammi di burro
2 cucchiai colmi di parmigiano grattugiato
1 tartufo bianco

Pulite accuratamente le quaglie, fiammeggiatele, lavatele e asciugatele; avvolgete ogni quaglia con una fettina di lardo e legatele con uno spaghino. Disponetele una accanto all'altra in una casseruola, bagnatele con il burro fuso e salatele. Ponetele in forno caldo e fatele cuocere a fuoco piuttosto vivo, rivoltandole ogni tanto e bagnandole con il burro di cottura. Cinque minuti prima della fine di cottura, togliete lo spaghino e le fettine di lardo, in modo che si coloriscano leggermente. Intanto fate cuocere al dente il riso in abbondante acqua bollente salata; scolatelo e conditelo con burro fuso e parmigiano. Disponetelo sul piatto da portata e sopra mettete le quaglie. Cospargete con il tartufo grattugiato.

Fagiano con funghi

(per 3-4 persone)

1 fagiano
300 grammi di funghi porcini
1 tartufo bianco
50 grammi di burro
1 cipolla
2 costole di sedano
1 ciuffo di prezzemolo
4 foglie di salvia
1 pizzico di timo
1/2 bicchiere di cognac
1 mestolo di brodo
sale e pepe q.b.
olio q.b.
succo di limone q.b.

Nettate il fagiano, fiammeggiatelo, risciacquatelo, ritagliatelo in pezzi regolari, asciugateli e poneteli in una casseruola. Aggiungete la cipolla, il sedano, il prezzemolo, la salvia, il timo finemente tritati, il burro, 2 cucchiai d'olio e lasciate rosolare adagio adagio. Quando le erbe si saranno quasi disfatte e i pezzi di fagiano rosolati a bel color bruno, spruzzateli con mezzo bicchiere di cognac, conditeli con sale, pepe, e quindi bagnateli con un mestolo di brodo. Coprite la casseruola e lasciate cuocere adagio. Mondate i funghi, ritagliateli in pezzi, risciacquateli con acqua acidulata con poche gocce di limone, scolateli bene e cuoceteli con poco olio, sale e qualche cucchiaiata d'acqua. Riunite infine funghi e fagiano in un'unica casseruola, fate bollire ancora un pochino, poi versate il tutto nel piatto di portata e cospargete con il tartufo bianco a fettine.

Fagiano tartufato

(per 4-5 persone)

1 fagiano giovane
2-3 tartufi bianchi piccoli
50 grammi di lardo pestato
3 fettine di lardo
3 cucchiai di olio
sale q.b.

Il giorno prima di cucinare il fagiano, pulitelo accuratamente, fiammeggiatelo, lavatelo e asciugatelo; ponetevi all'interno i tartufi, raschiati, lavati, asciugati e tagliati a fettine sottilissime, e il lardo pestato. Mettete il fagiano in un recipiente ben coperto e tenete in fresco fino al giorno dopo: in tal modo la carne s'impregnerà meglio dell'aroma dei tartufi. Al momento di cucinare, fasciate il petto del fagiano con le fettine di lardo e legatelo bene con uno spaghino sottile; ponetelo in una teglia, salatelo e irroratelo con l'olio. Fatelo cuocere in forno a calore moderato tre quarti d'ora. Tagliatelo a pezzi regolari, ricomponetelo sopra un piatto da portata e guarnite con ciuffetti di crescione.

Faraona alla campagnola

(per 4-5 persone)

1 faraona
2 cipolle tritate
2 carote tritate
2 costole di sedano tritate
1 ciuffetto di prezzemolo tritato
1 rametto di rosmarino tritato
40 grammi di burro
3 cucchiai di olio
sale q.b.
pepe q.b.
1 bicchiere di vino bianco secco
1 tartufo bianco

Pulite accuratamente la faraona e tenete da parte il fegato; fiammeggiatela, lavatela e asciugatela. Disponetela in una teglia con l'olio, salatela e pepatela. Ponetela in forno moderato e fatela arrostire. Intanto mettete in una casseruola tutte le verdure tritate assieme al burro; unitevi il fegato della faraona, tritato anch'esso e fate soffriggere pian piano fino a quando le verdure si saranno ammorbidite. Bagnate con il vino, salate, pepate e lasciate evaporare un poco; quindi bagnate ancora con un mestolo di acqua tiepida e lasciate cuocere per alcuni minuti. Passate il tutto al setaccio e fate scaldare bene e, se è il caso, asciugare ancora un poco: si deve ottenere una salsa di giusta consistenza. Quando la faraona è cotta, tagliatela in pezzi regolari e disponeteli su un piatto da portata. Versateci sopra la salsa preparata e cospargete con fettine sottilissime di tartufo.

Piccioni alla Cavour

(per 4 persone)

4 piccioni

100 grammi di burro

1 cucchiaio di farina

100 grammi di fegatini di pollo

2 cucchiai di marsala

sale q.b.

1 tartufo bianco

Pulite accuratamente i piccioni, fiammeggiateli, lavateli e asciugateli; legateli per mantenerli in forma e poneteli in una casseruola assieme al burro. Fateli rosolare lentamente, salateli, cospargeteli con la farina e poi spruzzateli con il marsala; lasciate evaporare un poco e infine unite un mestolo di acqua calda. Aggiustate di sale e lasciate cuocere pian piano per circa mezz'ora. A metà cottura aggiungete i fegatini di pollo tagliati a dadini, il tartufo tagliato a fettine sottili; coprite e lasciate finire di cuocere. Il sugo di cottura non si deve restringere troppo.

Lepre alla Marengo

(per 6 persone)

1 chilo e mezzo di lepre (cosciotto, filetto e lombi)

7 cucchiai di olio

2 spicchi d'aglio

1 cipolla tritata

1 carota tritata

1 costola di sedano tritata

2 foglie di salvia

1 chiodo di garofano

1 foglia di alloro

1 rametto di rosmarino

2 bicchieri di vino rosso

aceto q.b.

2 cucchiai di conserva di pomodoro

50 grammi di funghi secchi

1 bicchiere di vino bianco secco

1 manciata di prezzemolo tritato

sale q.b.

1 noce di burro

Spellate e dividete in pezzi la lepre; lavate i pezzi, asciugateli e metteteli in una marinata che preparerete nel seguente modo. Mettete in una casseruola tre cucchiaiate di olio, una cipolla, una carota e una costola di sedano tritati e lasciate cuocere su fuoco molto moderato per un buon quarto d'ora senza lasciar colorire le erbe. Aggiungete allora un chiodo di garofano, foglie di salvia, una foglia di alloro, il rosmarino e uno spicchio d'aglio diviso in fettine. Lasciate cuocere un paio di minuti e poi bagnate con due bicchieri di vino rosso e due dita di aceto. Mescolate, fate levare il bollore, togliete la casseruola dal fuoco e travasate la marinata in un recipiente di terraglia per lasciarla raffreddare.

Accomodate i pezzi di lepre in una terrina e, appena sarà trascorso il tempo necessario per il raffreddamento, versateci sopra la marinata fredda con tutti i suoi aromi. Lasciate riposare 18 ore circa. Mettete poi quattro cucchiaiate di olio in un tegame, fatelo scaldare, e aggiungetevi i pezzi di lepre tolti dalla marinata e bene asciugati e fateli rosolare a fuoco vivace.

Intanto avrete messo a rinvenire in acqua fredda i funghi secchi, li avrete risciacquati e li avrete fatti cuocere in una casseruolina con una noce di burro, qualche cucchiaiata di acqua e un pizzico di sale. Allorché i funghi saranno cotti, diluite nella casseruolina i due cucchiai di conserva di pomodoro, mescolate, poi completate con uno spicchio di aglio ben tritato. Versate questa salsa nel tegame, dove sta la lepre, aggiungete un bicchiere di vino bianco secco e fate cuocere per venti minuti. Al momento di togliere il tegame dal fuoco, cospargete la lepre con il prezzemolo tritato, poi versatela nel piatto di servizio.

Lepre alla piemontese

(per 6-8 persone)

1 lepre (o un coniglio)

1 bottiglia e mezzo di Barbera vecchia

3 chiodi di garofano

2 foglie di alloro

3 costole di sedano tagliate a pezzetti

2-3 carote tagliate a pezzetti

1 cipolla grande tagliata a fette

1 pizzico di maggiorana

1 pizzico di timo

sale q.b.

3-4 grani di pepe nero

1 noce di burro

3 cucchiai di olio

30 grammi di grasso di prosciutto tritato

1/2 cipolla piccola tritata

1 cucchiaino di zucchero

1 bicchierino di cognac

Se la lepre (o il coniglio) è stata ammazzata da poco, dopo averla scuoiata e tagliata a pezzi raccogliete il sangue in una tazzina, unitevi subito un po' di sale e un po' di vino e ponetelo in frigorifero. Lavate bene i pezzi della lepre e asciugateli. Poneteli in una terrina e sopra versate il vino; aggiungete i chiodi di garofano, le foglie di alloro, il sedano, la cipolla e le carote, la maggiorana, il timo, un po' di sale e i grani di pepe. Mescolate, coprite e lasciate in infusione per due, tre giorni in luogo fresco. Ogni tanto rigirate i pezzi di lepre. Trascorso questo tempo, ponete in una larga casseruola, meglio se di terracotta, l'olio, il burro, il grasso di prosciutto e la cipolla. Lasciate soffriggere lentamente, poi unite i pezzi di lepre, scolati dalla marinata e bene asciugati. Fateli rosolare ben bene, salateli e poi unite tutta la marinata con gli aromi. Fate cuocere lentamente per circa due ore. Tritate il fegato e il cuore della lepre e poneteli, assieme al sangue, nella casseruola. Dopo circa mezz'ora, togliete i pezzi di lepre e passate al setaccio tutto ciò che è rimasto nella casseruola. Unitevi lo zucchero e versate il tutto ancora nella casseruola; riponetevi i pezzi di lepre, fate scaldare ben bene e, all'ultimo, unite il bicchierino di cognac. Servite con una buona polenta.

Pesce persico alla salvia

(per 6 persone)

12 filetti di pesce persico

farina q.b.

2 uova

un pizzico di sale

pangrattato q.b.

3 cucchiai di olio

100 grammi di burro

12 foglie di salvia

per la marinata

1/2 bicchiere di olio

il succo di 1 limone

1 cipollotto di primavera tritato finemente

sale e pepe q.b.

Mescolate bene gli ingredienti della marinata e versatela sopra i filetti di pesce persico disposti su un piatto leggermente concavo. Lasciateli marinare per un'oretta, avendo cura di voltarli ogni tanto. Scolateli dalla marinata, asciugateli con un tovagliolino, passateli nella farina, poi nelle uova sbattute e leggermente salate e infine nel pangrattato, passato al setaccio. Fate scaldare metà del burro con l'olio in un largo tegame; deponetevi i filetti e fateli dorare bene da tutte e due le parti. Sgocciolateli dal fondo di cottura e disponeteli sopra un piatto da portata ben caldo. Aggiungete al fondo di cottura il rimanente burro, unite le foglie di salvia e fate scaldare bene. Versate subito sui filetti di pesce persico.

Tinche marinate

(per 6 persone)

12 tinche
farina q.b.
olio per friggere q.b.

per la marinata

2 spicchi d'aglio tritati
1 cipolla tritata
1/2 bicchiere di olio
2 cucchiai di aceto di vino bianco
2 cucchiai di vino bianco secco
sale q.b.
3-4 grani di pepe nero
12 foglie di salvia

Pulite le tinche e poi lavatele accuratamente per togliere bene il sapore di fango di cui di solito sono impregnate. Asciugatele, passatele nella farina, scuotetele bene in un setaccio e friggetele in abbondante olio bollente. Disponetele in un recipiente di terracotta. In una casseruolina fate soffriggere l'aglio e la cipolla con l'olio; unite l'aceto, il vino, il sale, il pepe e le foglie di salvia. Portate a ebollizione e poi versate la marinata sopra le tinche. Coprite e tenete in fresco per almeno due giorni prima di mangiarle.

Trota alla piemontese

(per 6 persone)

1 trota di circa 1 chilo
20 grammi di uvetta sultanina
1 cipolla piccola tritata
1 spicchio d'aglio tritato
1 costola di sedano tritata
1 rametto di salvia tritato
1 rametto di rosmarino tritato
3 cucchiai di olio
4 cucchiai di aceto
la scorza grattugiata di un limone
1 tazza di brodo
sale q.b.
1 cucchiaio di farina

Pulite accuratamente la trota e lavatela sotto l'acqua corrente. Mettete a bagno in acqua tiepida l'uvetta sultanina. Nel recipiente in cui farete cuocere la trota, ponete il trito di erbe e fatele soffriggere pian piano con l'olio. Unite poi il pesce, l'aceto, la scorza del limone, un po' di sale, il brodo e l'uvetta sultanina ammorbidita. Coprite e su fiamma bassa fate sobbollire per una decina di minuti, quindi togliete la trota; diliscatela e disponetela sopra un piatto da portata; tenete in caldo. Addensate il liquido di cottura con la farina sciolta in mezzo bicchiere scarso di acqua. Mescolate, fate bollire un attimo, poi versate la salsa sul pesce e servite.

Uova fritte alla fontina

(per 6 persone)

6 dischi di pan carré dal diametro di 6-7 cm
30 grammi di burro
6 fettine di fontina
4 filetti d'acciuga tritati
6 uova
80 grammi di burro
sale q.b.
pepe q.b.

Fate insaporire nel burro, da una sola parte, i dischi di pan carré e disponeteli in una teglia; sopra ciascuno appoggiate una fettina di fontina e qualche pezzettino di filetto d'acciuga; aggiustate di sale e di pepe e ponete in forno moderato, in modo che la fontina possa sciogliersi. Intanto fate friggere in 60 grammi di burro le uova e appoggiatele sopra i crostini. Sciogliete il resto del burro con i rimanenti filetti d'acciuga, e fatelo cadere a filo sopra ogni uovo. Servite immediatamente.

Uova fritte alla piemontese

(per 6 persone)

300 grammi di riso
50 grammi di burro
2 cucchiai di parmigiano
3 pomodori grossi e maturi
2 cucchiai di olio
sale q.b.
pepe q.b.
6 uova
60 grammi di burro
1 tartufo piccolo bianco

Lessate il riso in acqua bollente salata, scolatelo al dente e conditelo con burro fuso e parmigiano. Mentre cuoce il riso, fate scottare nell'olio i pomodori, tagliati a metà e privati dei semi, ridotti, così, come scodelline. Salateli e pepateli e disponete un po' di riso in ogni pomodoro e lisciate la superficie. Friggete le uova nel burro, salate il rosso, pepate il bianco e disponetele sopra il riso; decorate il piatto con fettine di tartufo.

Soufflé con finanziera

(per 6 persone)

50 grammi di funghi secchi
6 fegatini di pollo
3 cucchiai di olio
100 grammi di filoni di vitello
30 grammi di burro
1/4 di bicchiere di vino bianco secco
sale q.b.

per il soufflé

70 grammi di burro
80 grammi di farina
1/2 litro di latte

sale q.b.

pepe q.b.

1 pizzico di noce moscata

50 grammi di parmigiano grattugiato

50 grammi di prosciutto cotto tagliato a striscioline

4 uova

1 tartufo bianco

Fate rinvenire i funghi in acqua tiepida per mezz'ora: scolateli, strizzateli e fateli cuocere con olio e un pizzico di sale. Tagliate a dadini i fegatini e fateli cuocere nel burro a fuoco vivace per pochi minuti con un po' di sale. Lavate i filoni, tagliateli a pezzettini e uniteli al fegato, mescolate, bagnate con il vino e fatelo evaporare, quindi togliete dal fuoco e tenete in caldo. Intanto preparate il soufflé: per prima cosa accendete il forno a 210°-230°. In una casseruola fate fondere il burro a fiamma bassa; unite la farina e quando questa avrà assorbito il burro, versate poco a poco il latte caldo. Salate, unite un pizzico di pepe bianco, uno di noce moscata e, sempre mescolando, fate cuocere per un quarto d'ora. Togliete dal fuoco, aggiungete il parmigiano grattugiato e il prosciutto; mescolate e poi unite, uno per volta, i tuorli d'uovo, mescolando energicamente. Infine, con molta delicatezza, incorporate gli albumi d'uovo montati a neve fermissima. Versate il composto in uno stampo da soufflé, bene imburrato e ponete subito nel forno caldo. Diminuite leggermente il calore e lasciate cuocere per 25 minuti senza mai aprire il forno. Servite subito il soufflé assieme alla finanziera, che avrete scaldato e cosparso di fettine di tartufo.

Crêpes piemontesi

(per 6 persone)

125 grammi di farina

3 uova

1/4 di litro di latte

sale q.b.

20 grammi di burro

1 cucchiaio di cognac

100 grammi di burro

6 acciughe sotto sale

1 tartufo bianco

In una terrina disponete a fontana la farina e al centro poneteci le uova; salatele e poi amalgamatele pian piano con la farina, unendo un poco per volta il latte. Quando avrete ottenuto una pastella liscia e senza grumi, unite 20 grammi di burro fuso e il cognac. Lasciate riposare per una mezz'ora. Intanto togliete la lisca alle acciughe, lavatele, tagliatele a pezzetti e ponetele in un padellino con 80 grammi di burro, fate fondere, unite il tartufo tagliato a dadini e lasciate raffreddare. Preparate le crêpes: in un padellino di circa 20 cm di diametro, fate scaldare un pezzettino di burro, quanto basta per ungere il fondo, poi versateci circa due cucchiai della pastella: deve ricoprire appena di un velo il fondo; dovrete perciò rigirare la padella rapidamente. Non appena la pastella si sarà rappresa, voltate la crêpe dall'altra parte e dopo un attimo toglietela. Le crêpes non devono assolutamente colorirsi. Dopo averle preparate tutte, nel centro di ciascuna ponete un pochino del composto di acciughe, burro e tartufo; arrotolatele su se stesse, disponetele una accanto all'altra in una pirofila imburrata, cospargetele con fiocchetti di burro e ponetele in forno caldo a gratinare.

Omelette piemontese

(per 3 persone)

6 uova

60 grammi di burro

2 tartufi bianchi

sale e pepe bianco q.b.

Nettate i tartufi con uno spazzolino duro e sbucciateli. Tagliatene uno in dadi piuttosto grossi e l'altro in fette abbastanza spesse. In una padella che sia poi adatta a farvi cuocere l'omelette, fate scaldare i dadi di tartufo con il burro senza lasciar soffriggere. Togliete i dadi, fateli sgocciolare su una carta da cucina e sostituiteli con le fette di tartufo che scalderete un attimo nello stesso burro. Togliete anche le fette e tenetele da parte al caldo. Sbattete leggermente le uova, conditele con sale e pepe e friggete l'omelette nel burro precedentemente insaporito dai tartufi. Quando l'omelette si sarà ben rappresa, sistemate i dadi di tartufo lungo il centro, quindi ripiegatela. Trasferite l'omelette su un piatto caldo di portata, guarnitela con le fette di tartufo e servite subito.

Uova in cocotte

(per 6 persone)

60 grammi di burro

50 grammi di fontina tagliata a dadini

50 grammi di prosciutto cotto, tagliato a dadini

6 uova

sale q.b.

Imburrate sei cocottine (scodelline di pirofila) e distribuiteci i dadini di fontina e di prosciutto. Ponetele in forno caldo e lasciatevele il tempo necessario per far sciogliere il formaggio. Toglietele dal forno e rompete dentro a ciascuna cocottina un uovo; sopra ogni uovo mettete un pizzico di sale e una nocciolina di burro. Allineate le cocottine in una teglia contenente un po' d'acqua bollente e ponete in forno caldo per 10 minuti. Servite subito.

Tartufi alla piemontese

tartufi bianchi

parmigiano

olio q.b.

sale q.b.

pepe q.b.

spicchi di limone

Pulite accuratamente i tartufi, spazzolandoli e strofinandoli con una pezzuola umida. Tagliateli a fettine. Tagliate a lamelle il parmigiano e disponetele a strati alternati in una piccola pirofila, mettendo su ogni strato un po' d'olio, sale e pepe. Ponete in forno caldo per 10 minuti. Servite subito con spicchi di limone.

Insalata con tartufi

1 cespo di lattuga

1 grossa costola di sedano bianco

olio q.b.

sale q.b.

pepe q.b.

succo di limone q.b.

1 tartufo bianco

1 decilitro di panna liquida

Scegliete le foglie più bianche della lattuga, lavatele, asciugatele e tagliatele a striscioline. Togliete i filamenti al sedano e tagliatelo ad asticciole; riunite le verdure in un'insalatiera e conditele con olio, sale, pepe e succo di limone. Completate con fettine di tartufo e panna liquida.

Insalata di fontina

6 peperoni gialli
300 grammi di fontina tagliata ad asticciole
50 grammi di olive verdi snocciolate
1 cucchiaino di senape
olio q.b.
sale q.b.
pepe q.b.
2 cucchiai di panna liquida

Abbrustolite nel forno i peperoni; togliete loro la pelle, i torsoli e i semi e divideteli in striscioline. Poneteli in un'insalatiera assieme alla fontina e alle olive; condite con olio, sale, pepe, senape e due cucchiai di panna liquida.
Mescolate bene e tenete in fresco per due ore, prima di servire.

Insalata di sedani

(per 4 persone)
1 grosso cespo di sedano
1 tartufo bianco
1 tazza di maionese

Eliminate le costole esterne più coriacee del sedano, staccate quelle tenere, lavatele e tagliatele in dadi o in asticciole, tutte delle stesse dimensioni. Affettate sottilmente il tartufo e mescolatelo in una insalatiera con il sedano. Condite l'insalata con una salsa maionese già preparata e tenetela in fresco fino al momento di servire.

Cipolline d'Ivrea

(per 6 persone)
600 grammi di cipolline
50 grammi di burro
2 cucchiai di olio
1 bicchiere di brodo
1 foglia di alloro
1/2 bicchiere di vino bianco
sale q.b.

Sbucciate le cipolline e tuffatele per pochi istanti in una pentola di acqua in ebollizione. Scolate la verdura e mettetela in un tegame nel quale avrete fatto scaldare il burro e l'olio. Bagnate le cipolline con il brodo, unite una foglia di alloro, un pò di sale e fatele cuocere a fuoco molto moderato fino a quando saranno ben rosolate. Annaffiate quindi con il vino bianco e appena si sarà consumato sistemate le cipolline su un piatto e servitele ben calde.

Asparagi in salsa tartara

(per 6 persone)
1 chilo di asparagi
sale q.b.

per la salsa
4 tuorli d'uovo sodi
1 tuorlo d'uovo crudo
2 bicchieri di olio d'oliva

1 cucchiaino di senape
1 cucchiaio di capperi tritati
1 cucchiaio di aceto
1 cucchiaio di prezzemolo tritato
sale e pepe q.b.

Lavate gli asparagi e raschiate il gambo. Legateli a mazzetto e fateli cuocere in una alta e stretta pentola di acqua fredda salata. Sistemateli ritti in piedi; le punte verdi non devono essere coperte dall'acqua. Mettete un coperchio ma senza chiudere completamente per dare la possibilità al vapore di fuoruscire: in questo modo le punte, che sono molto delicate, verranno cotte esclusivamente dal vapore. Fate bollire per 15-20 minuti e, a cottura avvenuta, scolate con attenzione gli asparagi per non spezzarli. Lasciateli raffreddare.
Nel frattempo preparate la salsa; in una terrina unite il tuorlo d'uovo crudo a quelli sodi. Schiacciateli e lavorateli in modo da ridurli a una pasta liscia. Condite quindi il composto con senape, aceto, sale e abbondante pepe. Mescolate amalgamando bene, poi cominciate a versare goccia a goccia nella terrina circa 2 bicchieri di olio, sbattendo il composto con una forchetta o una frusta come per la preparazione di una salsa maionese. Quando la salsa tartara avrà raggiunta la consistenza desiderata, completatela con l'aggiunta dei capperi e del prezzemolo tritato e servitela con gli asparagi.

Peperoni farciti di riso

(per 6 persone)
6 peperoni grossi
300 grammi di riso
sale q.b.
1/2 bicchiere di olio
1 ciuffetto di prezzemolo tritato
4 cucchiai di olio
20 grammi di burro
2 spicchi di aglio tritati
100 grammi di acciughe tritate

Tagliate a metà, nel senso orizzontale, i peperoni; togliete i torsoli e i semi; tuffateli nell'acqua bollente per togliere loro la pellicina e allineateli in una teglia unta di olio. Fate cuocere il riso in acqua bollente salata per dieci minuti; scolatelo e conditelo con l'olio che avrete fatto scaldare con il prezzemolo. Distribuitelo nei mezzi peperoni. In un tegamino a parte fate scaldare l'olio e il burro; unite l'aglio e le acciughe e quando quest'ultime si saranno sciolte, versate questo profumato intingolo sul riso che farcisce i peperoni. Mettete un coperchio sopra la teglia e ponete in forno moderato per circa 20 minuti.

Cardi piemontesi al gratin

(per 6 persone)
1 chilo di cardi piemontesi
il succo di un limone
50 grammi di burro
30 grammi di farina
1/2 litro di latte
sale q.b.
pepe q.b.
1 pizzico di noce moscata
20 grammi di burro
3 cucchiai di parmigiano grattugiato

Togliete i filamenti ai cardi. Lavateli in acqua acidulata con succo di limone e lessateli in acqua leggermente salata. Scolateli prima che arrivino a cottura completa. Preparate la salsa besciamella; in una casseruolina fate fondere il burro, unite la farina, mescolate e poi versate, poco a poco, il latte caldo. Salate, pepate, unite un pizzico di noce moscata e, sempre mescolando, fate cuocere per un quarto d'ora. Mettete i cardi in una pirofila unta di burro, versateci sopra la salsa besciamella. Cospargete con fiocchetti di burro e parmigiano grattugiato. Ponete in forno caldo a gratinare.

Peperoni alla bagna cauda

| 1 chilo di peperoni gialli |
| 4 pomodori maturi tagliati a fettine |
| 6 filetti d'acciughe |
| 2 spicchi d'aglio tagliati a fettine |

per la bagna cauda

| 200 grammi di burro |
| 150 grammi di olio |
| 4 spicchi d'aglio |
| 6 acciughe |
| sale q.b. |
| 1 tartufo bianco |

Arrostite nel forno i peperoni e togliete loro tutta la pellicina. Levate i torsoli, i semi e ritagliateli in striscioline. Disponeteli in un piatto da portata, leggermente concavo; sopra ponete le fettine di pomodoro, i filetti d'acciuga e l'aglio. Sul tutto versate la bagna cauda che avrete preparato come è detto nella ricetta a pag. 17.

Spinaci alla piemontese

(per 4 persone)

| 1 chilo di spinaci |
| 150 grammi di burro |
| sale e pepe q.b. |
| 3-4 filetti di acciughe tritati |
| 1 spicchio d'aglio |
| 8 crostini di pane fritto |

Dopo aver mondato gli spinaci e averli abbondantemente risciacquati, fateli cuocere in una pentola con pochissima acqua, a fuoco piuttosto vivace. Quando saranno cotti, passateli in acqua fredda, operazione che conserverà loro il color verde. Poi strizzateli e metteteli da parte. Fate sciogliere il burro in una padella e lasciatelo soffriggere fino a quando avrà assunto un colore dorato. Aggiungete quindi gli spinaci, condendoli con i filetti di acciughe tritati, lo spicchio di aglio schiacciato, sale e pepe. Lasciate insaporire e sistemate gli spinaci in un piatto di portata contornandoli con i crostini fritti.

Castagne stufate

(per 4-6 persone)

| 50 grosse castagne (marroni) |
| 1 bicchiere di vino bianco secco |
| qualche cucchiaiata di sugo di carne |
| brodo e sale q.b. |

Sbucciate le castagne, arrostitele nella classica padella forata per privarle della seconda pellicola e ponetele in una casseruola con il vino, qualche cucchiaiata di sugo di carne, poco brodo e sale. Lasciate cuocere a fuoco vivace badando che le castagne si mantengano intere.

Budino freddo Gianduia

| 1 uovo intero |
| 1 tuorlo |
| 125 grammi di zucchero |
| 75 grammi di cacao |
| 75 grammi di burro |
| 50 grammi di nocciole sgusciate |
| 100 grammi di biscotti secchi (petit-beurre) |

In una terrina lavorate l'uovo, il tuorlo e lo zucchero con una frusta per un quarto d'ora. Unite il cacao (meglio se zuccherato) e poi unite il burro fuso a bagno-maria. Lavorate bene per montare il composto. Aggiungete le nocciole leggermente abbrustolite e tritate e infine i biscotti schiacciati con il mattarello. Ungete di burro due strisce di carta oleata e con esse foderate uno stampo da plum-cake. Versateci dentro il composto: livellatelo bene e ponete in frigorifero per alcune ore in modo che si rassodi bene. Sformate il dolce e tagliatelo a fette. Servitelo con panna montata.

Dolcetti Belvedere

| 1 litro di panna liquida |
| 200 grammi di zucchero |
| 1 pizzico di vaniglina |
| zucchero caramellato q.b. |

Versate la panna in una casseruola e portatela all'ebollizione; unite lo zucchero e la vaniglina. Mescolate, spegnete e lasciate depositare. Versate la crema in singole formine e ricoprite la superficie con un po' di zucchero caramellato. Fate rassodare in frigorifero e sformatele al momento di servire.

Bicciolani di Vercelli

| 375 grammi di burro |
| 190 grammi di zucchero |
| la scorza grattugiata di un limone |
| 1 pizzico di cannella |
| 1 pizzico di garofano |
| 1 pizzico di coriandolo |
| 1 pizzico di noce moscata |
| 1 pizzico di pepe bianco |
| 2 uova intere |
| 3 tuorli |
| 400 grammi di farina bianca |
| 100 grammi di farina di meliga (granturco) |

In una terrina lavorate il burro con lo zucchero, fino a ridurlo in crema. Unite la scorza del limone e tutte le spezie; poi uno ad uno le uova intere e i tuorli; sbattete bene con la frusta e poi versate a pioggia le due farine mescolate fra loro. Impastate rapidamente senza lavorare troppo. L'operazione dell'impasto viene fatta di solito alla sera per lasciar riposare tutta la notte il composto in luogo fresco. Il giorno dopo mettete un po' di questo composto in una siringa da pasticceri, munita di bocchetta con taglio dentellato; fatene uscire delle strisce lunghe circa 10 cm direttamente sulla placca imburrata del forno. Fate cuocere per una decina di minuti in forno caldo. Lasciateli raffreddare prima di gustarli o di conservarli in scatole di latta ben chiuse.

Pesche alla piemontese

(per 6 persone)

7 pesche
2 cucchiai di zucchero
30 grammi di burro
5 amaretti sbriciolati
1 tuorlo d'uovo
1 noce di burro

Lavate 6 pesche, asciugatele e tagliatele a metà; togliete i noccioli e scavate un po' di polpa al centro di ciascuna. Raccogliete questa polpa in una terrina; uniteci la polpa dell'altra pesca e frantumatele con una forchetta. Se le pesche hanno polpa dura, tritatela sul tagliere. Aggiungete alla polpa lo zucchero, il burro, gli amaretti e il tuorlo. Amalgamate bene il composto e distribuitelo sulle pesche, formando una cupola. Allineate le pesche in una pirofila, cospargetele con fiocchetti di burro e ponetele in forno moderato per circa un'ora. Sono buone sia calde sia fredde.

Polenta di Marengo

100 grammi di mandorle sgusciate
200 grammi di zucchero semolato
50 grammi di farina fine di granturco
25 grammi di farina bianca
15 grammi di fecola di patate
50 grammi di uvetta sultanina
50 grammi di burro
2 cucchiai di liquore a piacere
100 grammi di zucchero al velo
5 uova

Per prima cosa preparate una farina di mandorle. Togliete la pellicola a 50 grammi di mandorle sgusciate, facendola ammorbidire nell'acqua bollente, tostatele in forno leggero poi pestatele con 50 grammi di zucchero semolato riducendole in farina.

In una piccola pentola di rame non stagnata rompete cinque uova intere, unite alle uova 150 grammi di zucchero semolato, quindi mettete il recipiente su un fuoco leggerissimo e, continuando a sbattere il composto con una frusta, fatelo intiepidire. Badate di non far prendere troppo calore alle uova perché le cuocereste e non riuscireste più a farle montare. Quando constaterete che il composto è diventato tiepido, togliete il recipiente dal fuoco e continuate a sbattere uova e zucchero fino ad ottenere un impasto soffice, spumoso e freddo. Versate allora a pioggia nella pentola di rame 50 grammi di farina di granturco fine e setacciata, mescolate delicatamente per non sciupare le uova e aggiungete 25 grammi di farina bianca e 15 grammi di fecola di patate. Aggiungete anche la farina di mandorle preparata in precedenza e l'uvetta sultanina, lavata e messa a bagno in acqua tiepida per farla rinvenire.

In un tegamino fate liquefare il burro e unitelo agli altri ingredienti, mescolando con un cucchiaio di legno. Versate nel composto anche due cucchiai di liquore (maraschino o rhum).

Prendete uno stampo dai bordi alti, con il diametro di una ventina di centimetri, imburratelo, spolverizzatelo di farina e versatevi il dolce che farete cuocere in forno a calore moderato per un'ora o poco più. A cottura ultimata sformate la torta su una gratella da pasticceria e lasciatela raffreddare. Poi decoratela in questo modo: diluite lo zucchero al velo con due cucchiai di acqua, mescolate e versate questo zucchero colante sulla torta, ricoprendola tutta. Prima che la glassa si sia asciugata, cospargete la torta con i rimanenti 50 grammi di mandorle tritate finemente.

Ciliege al Barolo

(per 6 persone)

1 chilo di ciliege mature e grosse
400 grammi di zucchero
1/2 litro di Barolo
200 grammi di panna montata zuccherata

Lavate le ciliege, snocciolatele e ponetele in una casseruola, meglio se di terracotta. Unite lo zucchero e versate il Barolo. Portate a ebollizione, abbassate la fiamma al minimo e lasciate sobbollire per una mezz'ora abbondante. Lasciatele raffreddare, disponetele in una coppa di cristallo e ricoprite le ciliege con panna montata.

Torta casalinga

5 tuorli d'uovo
150 grammi di zucchero
il succo di un limone
1 pizzico di vaniglina
120 grammi di fecola di patate
3 albumi montati
2 cucchiaini di lievito in polvere
burro e farina q.b.

Ponete i tuorli d'uovo con lo zucchero in una terrina; immergete la terrina in una casseruola contenente acqua tiepida e lavorate energicamente con una frusta fino a ottenere un composto soffice. Unite il succo del limone, la vaniglina e poi, facendola cadere a pioggia, la fecola mescolata al lievito in polvere. Infine amalgamate con molta delicatezza gli albumi montati a neve fermissima. Versate il composto in una tortiera unta di burro e leggermente infarinata, del diametro di circa 20 cm. Ponete in forno caldo e lasciate cuocere a calore moderato per circa mezz'ora. Sformate la torta e lasciatela raffreddare sopra una gratella.

I crumiri di Casale

(per 40 biscotti)

200 grammi di farina finissima di granturco
150 grammi di farina bianca
200 grammi di burro
120 grammi di zucchero semolato
3 tuorli d'uovo
un pizzico di vaniglina
farina q.b.
burro q.b.

Impastate la farina di granturco con la farina bianca, il burro, lo zucchero, i tuorli d'uovo, la vaniglina e formate con tutti questi ingredienti una palla di pasta che lascerete riposare per mezz'ora, coperta da un tovagliolo. Dividete poi la pasta in due o tre pezzi, arrotolate ogni pezzo dandogli la forma di un salsicciotto e mettetelo in una siringa da pasticceria alla quale avrete applicato un beccuccio a stella. Infarinate leggermente il tavolo della cucina e deponetevi i lunghi cannelli rigati che farete uscire dalla siringa. Tagliate questi cannelli di pasta in tanti pezzetti lunghi una decina di centimetri e sistemateli su una piastra da forno imburrata. Date ai biscotti la forma di una mezza luna appena accennata e fateli cuocere in forno ben caldo fino a quando saranno dorati.

LOMBARDIA

Uno scorcio di piazza del Duomo, a Milano, con l'ingresso della galleria Vittorio Emanuele II. Il capoluogo lombardo conta moltissimi ristoranti dove si possono gustare saporite ricette regionali, dal risotto allo zafferano, all'ossobuco, alla costoletta alla milanese, al manzo brasato.

24 febbraio 1525: Francesco I, re di Francia, sta perdendo la battaglia di Pavia. Poche ore prima di arrendersi, capita, inseguito dappresso dagli spagnoli, in un casolare a pochi chilometri dalla città e chiede ospitalità per il pranzo. Nella fattoria si sta preparando il classico minestrone di verdura: non è certo cibo da re. La cuoca, allora, improvvisa, si affida alla fantasia: fa abbrustolire alcune fette di buon pane vecchio lombardo, le spalma di burro, ci spacca su due uova intere, aggiunge una manciata di formaggio grana grattugiato e versa sopra al tutto del brodo bollente di verdura. Francesco I consuma con curiosità questa zuppa mai vista e poi, mentre gli spagnoli sono ormai a pochi passi, ringrazia i contadini che l'hanno ospitato dichiarando: «Quella che mi avete offerto era una zuppa da re!».

Oggi il casolare in cui nacque la zuppa pavese esiste ancora e lo si può vedere, tra una risaia e l'altra, viaggiando sul treno che unisce Milano a Pavia, pochi minuti prima di raggiungere la Certosa. Tra pochi anni forse quel casolare non esisterà più: le città incalzano da vicino, e della struggente pianura lombarda, tanto cara alle nebbie e alle gelate invernali, rimarrà poco. L'entroterra dei grandi centri industriali sta scomparendo: Milano è poco lontana e si avvicina. In centro, poi, la Galleria non è più il fulcro dello spirito e della vita ambrosiana: vi si beve, è vero, ancora come una volta, a mezzogiorno, l'aperitivo, il famoso *bitter* con l'oliva e le patatine fritte. Ma i grattacieli intanto hanno dato a Milano un'impronta sempre più avveniristica: i *business-men* trionfano. La vera cucina meneghina è diventata una rarità: la si può trovare ancora in certe trattorie del centro,

Una risaia nel biellese, nella foto a sinistra, e il tipico risotto allo zafferano, qui sopra. L'usanza di conferire uno squillante colore giallo ai cibi risale al Trecento, quando, nelle cene importanti, prima di servire in tavola, si rivestiva con una patina dorata ogni pietanza per renderla più ricca d'effetto.

nei quartieri più antichi o all'estrema periferia. Qui vecchi casolari, immersi nel verde dei pioppi, occultati dalla vite rampicante, resistono eroici all'avanzata del cemento.

In queste ultime trattorie sopravvive la cucina milanese classica, quella cucina che ha dato al mondo il risotto con lo zafferano, la cotoletta impanata, l'ossobuco. Il colore giallo è una sua caratteristica e ha precedenti storici: nel Trecento a Milano, come nelle grandi città europee, si usava rivestire di oro i cibi prima di portarli in tavola. Era una raffinatezza dettata dall'opulenza delle grandi corti, ma era anche il risultato dell'invadenza degli alchimisti del tempo che vedevano nell'oro il toccasana dei mali dell'uomo. L'oro, però, non poteva essere presente su tutte le mense, in tempi di generale povertà come quelli. Fu così che, e questa è un'altra leggenda milanese, un pittore della Brianza pensò di valorizzare il risotto del suo banchetto di nozze con un colore dall'aspetto prezioso ma di nessun valore, un semplice colorante innocuo che si impiegava di solito per rinforzare il giallo. Con il risotto, dunque, l'oro giunse sulla tavola dei poveri. E anche la cotoletta alla milanese rivela l'amore dei lombardi per questo esaltante colore: pane grattugiato, uova, burro donano alla cotoletta riflessi aurei.

Un antico mulino, qui a sinistra e, nella foto sopra, un piatto di polenta taragna, un cibo contadino ammorbidito con formaggio della Valtellina, oppure con Bel Paese o mozzarella. Nella pagina seguente, una veduta dei ricchi vigneti dell'Oltrepò pavese.

La cucina lombarda non è tuttavia unitaria come quella di altre regioni italiane: ogni provincia vi ha infatti caratteristiche esclusive. A Pavia, oltre all'omonima zuppa, sono in auge le rane e, del risotto, trionfa la versione «alla certosina», vera specialità del luogo, considerato che il riso italiano ha in questa zona una delle sue capitali. Nella provincia di Bergamo il piatto principale è la polenta con gli uccelli che si può gustare a Bergamo Alta; qui, a pochi passi dalla chiesa romanica di Santa Maria Maggiore, dalla Cappella Colleoni e dal Palazzo della Ragione (che risalendo al 1199 è il più antico palazzo comunale italiano), si può avere la vera polenta bergamasca, guarnita in modo inimitabile di uccelletti allo spiedo o in tegame. A Cremona, la città di Stradivari e dei grandi liutai, le specialità sono il salame, la mostarda e il torrone. In ogni città lombarda, dunque una sorpresa; per non parlare di Mantova dove la cucina sotto i Gonzaga ebbe accenni di vera «accademia», al punto che nel nostro industrializzato secolo ventesimo, alla vigilia dei pranzi ridotti a minuscole pillole vitaminiche, si è giustamente pensato che il miglior modo di festeggiare le glorie storiche e artistiche di Mantova fosse un banchetto all'antica maniera, con decine e decine di portate da consumarsi, oggi come allora, nelle sale affrescate dal Mantegna in un'atmosfera che Rabelais avrebbe invidiato. Oggi Mantova è rimasta famosa per gli squisiti tortelli di zucca, per il riso «alla pilota» e per i pesci, meravigliosi quando sono consumati nelle osterie allineate sulla riva del Po. Per i pesci è famoso anche il Bresciano, che, sulla riva del lago di Garda, nello stupendo paesaggio di Sirmione, Gardone e Salò, suggerisce le trote salmonate alla griglia, le anguille, le carpe e i carpioni che il poeta latino Catullo eternava oltre venti secoli fa. Parlando della Lombardia, non si può dimenticare la Brianza dove le esperienze di Milano, Como, Varese e della Valtellina si fondono sulle tavole che furono care a Stendhal, ad Alessandro Manzoni e all'abate Parini: la mortadella di fegato, la faraona alla creta, il risotto con salsiccia e i formaggi.

La Lombardia è la terra dei formaggi; dal gorgonzola, che appartiene alla stirpe internazionale dei grandi formaggi da *dessert*, al taleggio, allo stracchino (di cui lo stesso gorgonzola costituisce una varietà), al grana lodigiano, alle robiole e ai caprini della Valsassina, al quartirolo e al delicatissimo mascarpone. Oggi questi formaggi sono divenute specialità internazionali grazie alla grande industria casearia che, in Lombardia, assolve una funzione economica di primaria importanza per l'agricoltura. An-

che i salumi hanno una precisa collocazione nei menú lombardi: i salami di Cremona, l'impareggiabile bresaola della Valtellina, fatta di carne di bue, e il salame di Varzi che giunge dalle colline dell'Oltrepò Pavese, dalle stesse zone dove nasce il miglior vino lombardo.

Tra i vini di questa zona eccellono il Cortese, il Clastidio, il Frecciarossa, il Sangue di Giuda, il Buttafuoco e il Montelio; altri provengono dalla Valtellina con in testa il Sassella, un grande vino da arrosti e da selvaggina; famosi anche l'Inferno della zona di Sondrio, il Grumello, con un caratteristico leggero fondo di fragola, e il Valgella; eccellenti il Chiaretto del Garda, il Retica e il Lugana, che vengono dal Bresciano.

A Milano è nato il panettone che, grazie alle grandi industrie alimentari, è divenuto un dolce nazionale che non manca nel banchetto di Natale di quasi nessuna famiglia italiana e che anzi viene spedito in tutto il mondo. La leggenda fa nascere il panettone ai tempi di Ludovico il Moro, nello stesso periodo in cui Leonardo da Vinci dava una definitiva sistemazione ai Navigli e dipingeva il Cenacolo di Santa Maria delle Grazie.

Una tipica imbarcazione del Lago di Como nelle cui acque, nei mesi di maggio e giugno, si pescano moltissimi agoni (nella foto a destra). Questi pesci d'acqua dolce, chiamati più comunemente missultitt, vengono essiccati, pressati, marinati in aceto di vino e, molto spesso, serviti con fettine di polenta appena tostata.

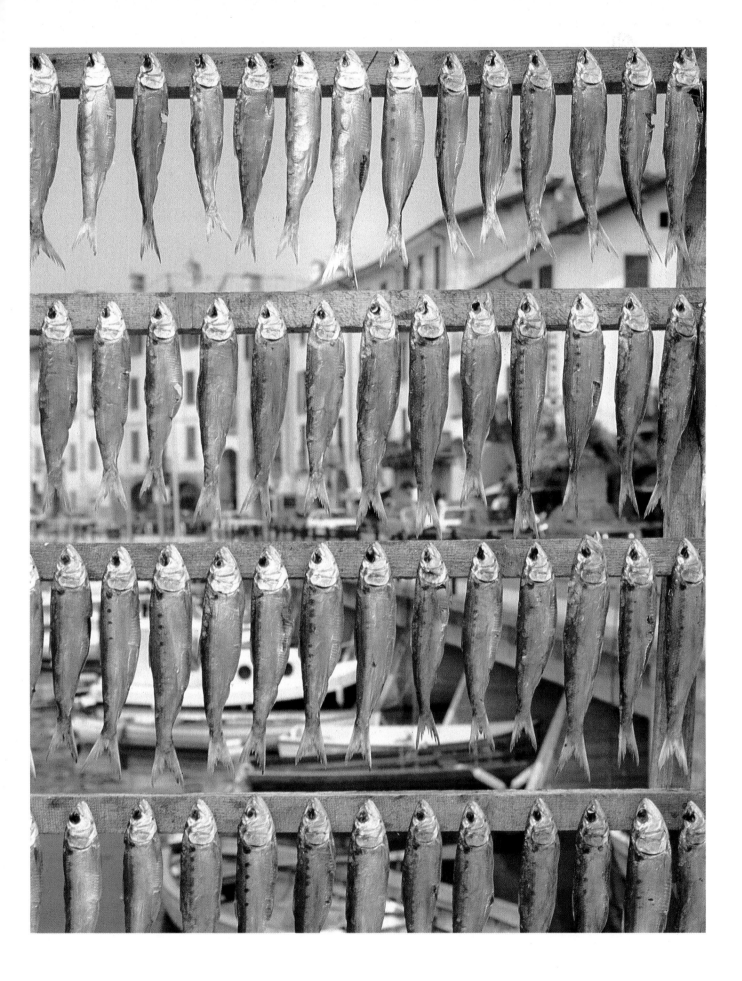

Fitascetta
Pizzette al gorgonzola
Nervêtt in insalata
«Casonsei» di Bergamo
Pizzoccheri di Teglio
Polenta taragna
Polenta lodigiana
Risotto alla certosina
Risotto alla milanese
Risotto alla valtellinese
Riso alla pilota
Risotto ai funghi
Risotto con la zucca
Risotto al salto
Omelette di riso
Tortelli di zucca
«Busecca»
Minestrone alla milanese
Zuppa alla pavese
Zuppa di ceci
Zuppa di testina
«Cazzoeula»
Costolette alla milanese
Involtini alla milanese
Vitello tonnato
Vitello in gelatina alla milanese
Manzo stufato
Messicani in bordura
Ossobuco milanese
Rane in guazzetto
Rane fritte
Fritto misto alla milanese
Lumache alla milanese
Lepre in salmì
Tacchina ripiena
Baccalà alla milanese
Tinche alla varesina
«Missultitt»
Luccio alla marinara
Carpione al vino
Filetti di pesce persico alla milanese
Trota al forno
Funghi impanati
Asparagi con le uova
Budino di panettone
Crema al mascarpone
«Pan de mei»
Pastafrolla di albicocche
Torta paradiso
«Laciaditt»
Offelle mantovane
Amaretti di Saronno
Tortionata lodigiana

Fitascetta

(per 4 persone)

500 grammi di cipolle rosse
350 grammi di pasta di pane
80 grammi di burro
3 cucchiai di olio d'oliva
sale q.b.
1 pizzico di zucchero
olio o burro per ungere q.b.
1 mozzarella tagliata a fettine (facoltativo)

Lavorate la pasta da pane incorporandovi l'olio d'oliva. Lasciatela riposare quindi al caldo mentre preparate le cipolle. Affettate le cipolle e fatele soffriggere nel burro a fuoco molto moderato per quasi 1 ora. Conditele con un po' di sale e di zucchero. Lavorate leggermente la pasta di pane e formate con essa un lungo salsicciotto. Ungete una placca da forno e disponete su di essa il salsicciotto dandogli la forma di un cerchio. Lasciatelo ancora lievitare al caldo. Quando le dimensioni del cerchio saranno quasi raddoppiate, spalmatene la superficie con le cipolle e cuocete il pane in forno a calore moderato (180°) per circa 30 minuti, fino a quando avrà acquistato un bel colore dorato. La fitascetta si serve calda o fredda, tagliata a fette e spalmata di burro.
Condita con le cipolle è ottima, ma volendo renderla ancora più gustosa si possono coprire le cipolle con sottili fette di mozzarella prima di infornare la ciambella.

Pizzette al gorgonzola

(per 6 persone)

250 grammi di farina
80 grammi di burro
170 grammi di formaggio gorgonzola
2 uova
noce moscata q.b.
sale q.b.
pepe q.b.

Lavorate il burro con il gorgonzola, poi, sulla spianatoia, impastateli assieme alla farina, a due tuorli, all'odore della noce moscata e a un pizzico di sale e di pepe. Formate una pagnottella e lasciatela riposare fra due piatti in frigorifero per una mezz'oretta. Stendetela con il mattarello in una sfoglia sottile e ricavate dei dischi di circa 8 cm di diametro. Stendeteli sopra una teglia imburrata e infarinata, spennellateli con un poco di albume sbattuto, rifiniteli intorno con le punte di una forchetta e passateli in forno ben caldo per pochi minuti.

Nervêtt in insalata

(per 4 persone)

due zampetti e due girelli di vitello
3 cipollotti tagliati a fette sottili
una carota
una costola di sedano
olio d'oliva q.b.
aceto di vino q.b.
sale q.b.
pepe q.b.

Pulite gli zampetti bruciacchiando la peluria e lavateli; lavate i girelli. Lessateli in abbondante acqua salata, con la carota e il sedano, per almeno due ore. Levateli dal brodo, lasciateli intiepidire, quindi staccate e tagliate a listerelle tutte le cartilagini. Mettete i nervetti in una terrina con i cipollotti e conditeli, ancora tiepidi, con olio, ottimo aceto, sale e pepe.

«Casonsei» di Bergamo

(per 6 persone)

per il ripieno

250 grammi di polpa di manzo tritata
1 spicchio d'aglio tritato
2-3 ciuffi di prezzemolo tritato
40 grammi di burro
2 cucchiai colmi di parmigiano grattugiato
2 cucchiai di pangrattato
1 uovo
1 pizzico di noce moscata
sale q.b.
pepe q.b.

per la pasta

400 grammi di farina
4 uova
sale q.b.

per il condimento

120 grammi di burro
80 grammi di parmigiano grattugiato

In un padellino fate soffriggere per una decina di minuti la carne, il prezzemolo e l'aglio assieme al burro. Quindi ponete il trito in una terrina e impastatelo con il parmigiano, il pangrattato e l'uovo; unite un pizzico di noce moscata, un pizzico di pepe e un po' di sale. Preparato il ripieno, fate la pasta: impastate la farina con le uova e il sale e lavorate fino a ottenere una pasta liscia ed elastica. Tiratela in una sfoglia sottilissima e ritagliate tanti rettangoli di circa 8 cm x 10 cm. Ponete un po' dell'impasto sopra ciascun rettangolo. Ripiegate la pasta sul lato più lungo, premete bene i bordi perchè il ripieno non fuoriesca e incurvate leggermente i rettangoli dando loro la forma di mezzaluna. Fateli cuocere in abbondante acqua salata in ebollizione; scolateli al giusto punto di cottura e conditeli con burro fuso e parmigiano.

Pizzoccheri di Teglio

(per 6 persone)

750 grammi di farina di grano saraceno
250 grammi di farina bianca
4 uova
sale q.b.
750 grammi di patate
750 grammi di cavolo bianco o di coste
150 grammi di burro
2-3 spicchi di aglio o 1 cipolla grossa tritata finemente
2-3 foglie di salvia
100 grammi di parmigiano grattugiato
250 grammi di formaggio valtellinese, fontina o bitto, tagliato a pezzettini

I pizzoccheri sono tagliatelle molto rustiche mescolate a verdure lessate, condite con burro e formaggio. Contrariamente alle apparenze, è una vivanda gustosa e tutt'altro che indigesta. Chi non avesse tempo di preparare la pasta in casa può acquistarla già confezionata, pronta per essere cotta al dente.

Per preparare le tagliatelle, mescolate le due farine con le uova, un pizzico di sale e acqua tiepida quanto basta per formare un impasto sodo ed elastico. Tirate la sfoglia in modo che risulti piuttosto spessa e tagliatela in striscioline grossolane. Lasciatele asciugare. Intanto pelate le patate, tagliatele a pezzi e fatele cuocere in una pentola di abbondante acqua bollente salata. Lavate e tagliate a listerelle il cavolo, o a pezzetti le coste, e aggiungete dopo 10 minuti anche questa verdura in pentola. Negli ultimi 10 minuti, quando le patate sono quasi pronte, unite i pizzoccheri che devono essere cotti al dente. Scolate e tenete in caldo. In un pentolino fate rosolare il burro con le foglie di salvia e l'aglio o, se preferite, la cipolla tritata. Disponete quindi in una grande zuppiera i pizzoccheri mescolati con le verdure lessate, condendoli a strati con i pezzetti di formaggio valtellinese, il burro fuso, le foglie di salvia, l'aglio o la cipolla e il parmigiano. Servite ben caldo.

Polenta taragna

(per 6 persone)

500 grammi di farina di grano saraceno (fraina)
100 grammi di farina gialla
1 litro e 800 di acqua
sale q.b.
300 grammi di burro
250 grammi di formaggio fresco della Valtellina

Portate a ebollizione l'acqua, salatela e versatevi a pioggia la farina di fraina mescolata a quella gialla; sempre mescolando fate cuocere per un'ora abbondante. Unite quindi alle due farine il burro fatto a pezzetti e il formaggio tagliato a listerelle. Mescolate e lasciate cuocere ancora per una decina di minuti. Poi versate la polenta sopra un piatto da portata o, meglio ancora, su un tagliere di legno dal quale ognuno potrà servirsi a piacere. La polenta taragna è una nota specialità della Valtellina.

Polenta lodigiana

(per 4 persone - 16 sandwich)

100 grammi di farina gialla
1/2 litro di latte
sale q.b.
200 grammi di formaggio groviera tagliato a fettine sottili
1 uovo
farina bianca per infarinare
pangrattato q.b.
100 grammi di burro

In una pentola portate a bollore il latte e versatevi, sempre mescolando, la farina gialla. Condite con il sale e continuate a far cuocere mescolando fino a ottenere una polenta densa e scorrevole. Quando la polenta sarà pronta versatela su una superficie bagnata, spianandola all'altezza di mezzo centimetro. Lasciate raffreddare, poi con un tagliapasta rotondo, di 3 centimetri di diametro, ricavatene tanti dischetti, che accoppierete a due a due, mettendo nell'interno una fettina di formaggio groviera. In una scodella, sbattete l'uovo. Passate quindi i dischetti imbottiti di formaggio prima nella farina bianca, poi nell'uovo sbattuto e infine nel pangrattato. Fate sciogliere il burro in un tegame e friggetevi, pochi alla volta, i sandwich di polenta.

Risotto alla certosina

(per 6 persone)

700 grammi di gamberi d'acqua dolce
1/2 cipolla tritata
1 spicchio d'aglio tritato
1 carota tritata
1 costola di sedano tritata
1 ciuffetto di prezzemolo tritato
1/2 bicchiere d'olio
1 scatola di pomodori pelati da 1/2 chilo
sale e pepe q.b.
1/2 cipolla tagliata a fettine sottilissime
80 grammi di burro
1/2 bicchiere di vino bianco secco
600 grammi di riso

Lavate accuratamente i gamberi. Ponete il trito di verdure assieme all'olio in una larga casseruola e fatelo imbiondire leggermente; unite i gamberi, mescolateli bene, quindi aggiungete i pomodori pelati e passati al setaccio. Salate, pepate e versate circa due litri di acqua. Fate bollire per una decina di minuti i gamberi, scolateli e sgusciateli; tenetene da parte circa metà e gli altri pestateli nel mortaio e poi passateli al setaccio. Ponete questo passato nel brodo di cottura. In un'altra casseruola fate imbiondire leggermente la cipolla con metà del burro; versate il vino e lasciate evaporare un poco. Unite il riso, fatelo intridere bene del soffritto e poi versate poco a poco il brodo di verdure e di gamberi. A circa metà cottura aggiungete i rimanenti gamberi interi, in modo che possano insaporirsi bene. Quando il riso è cotto, dopo circa 25 minuti, spegnete il fuoco, unite il resto del burro, mescolate e coprite. Lasciate assestare per qualche minuto e poi servite.

Risotto alla milanese

(per 6 persone)

1 piccola cipolla tagliata a fettine sottilissime
100 grammi di burro
30 grammi di midollo di bue tritato
1/2 bicchiere di vino bianco secco o rosso
600 grammi di riso arborio
1 litro e mezzo circa di buon brodo di carne
una bustina di zafferano
80 grammi di parmigiano (o lodigiano) grattugiato

In una larga casseruola mettete la cipolla, metà del burro e il midollo di bue; lasciate soffriggere a fuoco bassissimo fino a quando la cipolla si sarà ammorbidita, senza però farle prendere colore. Versate il vino e lasciate evaporare. (C'è chi preferisce il vino bianco e chi il vino rosso e alcuni lo mettono anche dopo il riso, ma noi preferiamo la prima versione). Unite il riso, mescolate bene e fatelo tostare leggermente; versate due mestoli di brodo bollente e, quando si sarà asciugato, versatene altrettanto. Continuate così la cottura, avendo cura di versare il brodo appena quello nella casseruola si asciuga e stando attenti che sia sempre bollente. Quasi a metà cottura, e cioè dopo circa 10 minuti, unite lo zafferano che avrete sciolto bene in un po' di brodo. Quando il riso è cotto, unite il rimanente burro, il formaggio e mescolate. Coprite, lasciate riposare 2 o 3 minuti, poi servite con formaggio grattugiato.

Risotto alla valtellinese

(per 6 persone)

300 grammi di fagioli borlotti
sale q.b.

300 grammi di cavolo

500 grammi di riso

150 grammi di burro

2-3 foglie di salvia

50 grammi di parmigiano grattugiato

Lasciate a bagno tutta notte i fagioli, quindi lessateli nella stessa acqua dell'ammollo, dopo averla salata e allungata se necessario. Scolateli e teneteli da parte in caldo. Mondate il cavolo, eliminando le costole dure. Tuffate per qualche minuto in una pentola di acqua in ebollizione le foglie, scolatele e tagliatele a listerelle. Ponete sul fuoco una casseruola con abbondante acqua salata, portatela a ebollizione e versatevi il riso. Fatelo cuocere a fuoco vivace per 5 minuti, quindi aggiungete il cavolo e continuate la cottura per altri 15 minuti, sempre a fuoco vivace. Da ultimo unite anche i fagioli. Scolate il contenuto della casseruola e sistematelo su un piatto di servizio. In un pentolino fate fondere il burro con le foglie di salvia, facendogli prendere un bel color nocciola. Scartate le foglie di salvia e condite il risotto con il burro fuso e il parmigiano grattugiato.

Riso alla pilota

(per 6 persone)

1 litro e 1/4 di acqua

600 grammi di riso

60 grammi di burro

300 grammi di salsiccia e salamella

1 pizzico di noce moscata

1 pizzico di cannella

80 grammi di parmigiano grattugiato

Ponete in una casseruola di terracotta l'acqua; salatela e portatela a ebollizione: versate il riso facendolo cadere da un foglio di carta ripiegata, in modo che il riso vada al centro della casseruola e formi una montagnetta. Se la cima della montagnetta di riso non sporge leggermente dall'acqua, levate un po' di liquido col mestolo. Fate bollire per 5 minuti, poi togliete la casseruola dal fuoco, scuotetela un poco per far assestare il riso, copritela con un canovaccio ripiegato in quattro, mettete il coperchio e avvolgete il tutto in un panno in modo che la cottura continui fuori dal fuoco, per 25 minuti. A cottura ultimata il riso deve rimanere quasi asciutto. Intanto che il riso cuoce, ponete in un tegame il burro, lasciatelo soffriggere e poi unite la salsiccia e la salamella, spellate e sbriciolate; quando sono cotte, aggiungete la noce moscata e la cannella e aggiustate di sale. Versate questo ragù nella pentola in cui è cotto il riso. Unite il parmigiano, mescolate bene, coprite e lasciate assestare qualche minuto.

I «piloti», quelli che «pilano» il riso (il verbo «pilano» deriva dal latino pilare, cioè pestare), hanno dato il nome a questo tradizionale piatto mantovano.

Risotto ai funghi

(per 6 persone)

1 cipolla piccola tagliata a fette sottilissime

100 grammi di burro

300 grammi di funghi freschi (porcini)

1 bicchiere scarso di vino bianco secco

600 grammi di riso arborio

1 litro e mezzo circa di buon brodo di carne

80 grammi di parmigiano (o lodigiano) grattugiato

In una larga casseruola fate soffriggere a fiamma bassissima la cipolla con metà del burro fino a quando si sarà ammorbidita,

senza però aver preso colore. Unite i funghi ben puliti e tritati; mescolate e versate il vino; lasciate evaporare un poco e poi unite il riso; mescolate, lasciatelo tostare leggermente e poi versate due mestoli di brodo bollente. Sempre mescolando, lasciate asciugare il brodo e poi versatene ancora un poco. Continuate così la cottura aggiungendo sempre brodo bollente, non appena il risotto rimane asciutto. A fine cottura, cioè dopo circa 20 minuti, unite il rimanente burro e il formaggio grattugiato.

Mescolate, ponete il coperchio e lasciate assestare il risotto per due o tre minuti prima di servirlo. Accompagnate con altro formaggio grattugiato.

Risotto con la zucca

(per 6 persone)

1/2 cipolla tritata

100 grammi di burro

2 cucchiai di olio

800 grammi di zucca

500 grammi di riso arborio

80 grammi di parmigiano grattugiato

sale q.b.

Togliete la scorza e i semi alla zucca e tagliatela a dadini. Ponete in una larga casseruola metà del burro, l'olio e la cipolla; fate soffriggere lentamente senza far colorire; unite la zucca, versate due mestoli di acqua bollente salata e lasciate cuocere per una decina di minuti; aggiungete il riso, mescolate bene e fate cuocere, versando un po' di acqua bollente salata, man mano che il riso si asciuga. Dopo circa 20 minuti di cottura, spegnete, unite il resto del burro e il parmigiano; mescolate, lasciate assestare qualche minuto prima di servire e accompagnate con altro parmigiano grattugiato.

Risotto al salto

È un modo per utilizzare il risotto avanzato. Mettete un pezzo di burro in una padella, fate scaldare e aggiungete il risotto spianandolo un poco. Fatelo cuocere a fuoco moderato scuotendo di tanto in tanto la padella. Quando il risotto avrà formato nella parte di sotto una leggera crosticina dorata, capovolgetelo e fatelo dorare anche dall'altra parte.

Servite il risotto al salto tagliato in porzioni come una torta e condito abbondantemente con parmigiano grattugiato.

Omelette di riso

(per 4 persone)

100 grammi di riso

75 grammi di burro

50 grammi di parmigiano grattugiato

50 grammi di groviera in dadini

50 grammi di salame tagliato a pezzetti

5 uova

sale q.b.

In acqua leggermente salata, portata a bollore, fate cuocere il riso al dente. Scolatelo e conditelo con 25 grammi di burro, il parmigiano grattugiato, il salame, il groviera. Tenetelo da parte, in caldo. In una scodella sbattete le uova e conditele con il sale.

In una padella di 25 centimetri di diametro fate scaldare i restanti 50 grammi di burro, poi aggiungete le uova sbattute e mescolate con un cucchiaio fino a quando le uova cominceranno a rapprendersi. Scuotete allora la padella per staccare la parte inferiore della frittata e quando sarà sufficientemente rappresa, mettete nel centro il riso condito. Ripiegate l'omelette e rovesciatela sul piatto.

Tortelli di zucca

(per 6 persone)

per il ripieno

1 chilo di zucca
100 grammi di amaretti pestati
100 grammi di mostarda di Cremona tritata finemente
100 grammi di parmigiano grattugiato
2 cucchiai di pangrattato
1 cucchiaino di zucchero
sale q.b.
noce moscata q.b.
1 bicchierino di acquavite o di brandy (facoltativo)

per la pasta

400 grammi di farina
3 uova
1 guscio d'uovo d'acqua
sale q.b.

per il condimento

100 grammi di burro
80 grammi di parmigiano grattugiato

Preparate per primo il ripieno: fate cuocere al forno la zucca; togliete la scorza e passatela al setaccio; mescolatela con gli amaretti, la mostarda di Cremona, il parmigiano, il pangrattato, lo zucchero e, se volete, l'acquavite (il brandy); unite un pizzico di noce moscata, salate e impastate bene il tutto.

Preparate ora la pasta, lavorandola con molta energia in modo da ridurla liscia ed elastica. Stendetela in una sfoglia sottilissima (o in due) e su un lato disponete a mucchietti ben distanziati tra loro il ripieno. Ripiegate la sfoglia su se stessa (o se ne avete preparate due, appoggiatevi sopra la seconda) e premete bene con le dita fra gli spazi. Ritagliate i tortelli con l'apposita rotella o con il coltello. Fateli cuocere in abbondante acqua salata in ebollizione, scolateli al punto giusto di cottura e conditeli subito con burro fuso e abbondante parmigiano grattugiato. Alcuni tengono la cottura un po' al dente, versano i tortelli, conditi con burro fuso e parmigiano, in una pirofila e li tengono in forno caldo, ma già spento, per circa dieci minuti.

«Busecca»

(per 6 persone)

1 chilo e mezzo di trippa di vitello (ciapa e francese)
sale q.b.
1 cipolla steccata con 2 chiodi di garofano
1 costola di sedano
acqua q.b.
6 cipolline tritate
2 costole di sedano tritate
2 carote tritate
50 grammi di grasso di prosciutto o pancetta tritata
1 rametto di salvia
50 grammi di burro

1 scatola da 400 grammi di pomodori pelati
400 grammi di fagioli bianchi di Spagna già lessati
sale q.b.
pepe q.b.
80 grammi di parmigiano grattugiato

Lavate la trippa, tagliatela a grossi pezzi e mettetela in una pentola con la cipolla steccata, il sedano, un poco di sale e tanta acqua quanta basta a ricoprirla. Mettete il coperchio e lasciate cuocere lentamente per circa due ore. Estraetela dall'acqua e tagliatela a listerelle sottili. In una casseruola fate rosolare nel burro e nel grasso di prosciutto (o pancetta) il trito di cipolla, sedano, carota e salvia; appena le verdure cominceranno a prendere colore, unite i pomodori, sgocciolati dal loro liquido e tagliati a pezzi. Dopo una decina di minuti aggiungete la trippa, salate leggermente, bagnate con un mestolo d'acqua calda, fate riprendere il bollore e cuocete mezz'ora. Infine versate i fagioli già lessati a parte, aggiustate di sale, pepate, lasciate insaporire per un quarto d'ora e spolverate con abbondante parmigiano grattugiato.

Minestrone alla milanese

(per 6 persone)

200 grammi di cotenne di maiale a listerelle
100 grammi di pancetta
1 spicchio d'aglio
1 cipolla tagliata a fettine
1 ciuffo di prezzemolo
3 patate grosse sbucciate
2-3 carote tagliate a dadini
3 costole di sedano tagliate a pezzetti
2 zucchine tagliate a pezzetti
1 pomodoro maturo pelato e tagliato a pezzetti
300 grammi di fagioli sgranati
1 verza tagliata a listarelle
200 grammi di piselli sgranati
200 grammi di riso
sale q.b.
1 cucchiaiata di basilico tritato (facoltativo)
parmigiano grattugiato q.b.

Tritate la pancetta, l'aglio e il prezzemolo e poneteli nella pentola in cui farete il minestrone; a fiamma bassa fate ammorbidire le cipolle e poi unite le cotenne e tutte le verdure preparate, eccetto la verza e i piselli. Volendo si può eliminare il soffritto e mettere tutto a freddo. Coprite con abbondante acqua (circa tre litri), salate e portate a ebollizione. Abbassate la fiamma in modo che il minestrone bolla lentamente e lasciate cuocere con il coperchio per circa 4 ore. Aggiungete la verza, i piselli e, dopo una ventina di minuti, anche il riso; lasciate cuocere ancora per venti minuti. Se trovate il basilico fresco, potete mettere, all'ultimo momento, una cucchiaiata di basilico tritato. Servite caldo o freddo con abbondante parmigiano grattugiato.

Zuppa alla pavese

(per 6 persone)

100 grammi di burro
12 fettine di pane francese

12 uova

sale q.b.

6 cucchiaiate di parmigiano grattugiato

1 litro e mezzo di brodo di carne

Friggete nel burro le fettine di pane francese facendo attenzione che riescano ben rosolate all'esterno e morbide all'interno. Distribuitele poi nelle scodelle; in ogni scodella rompete due uova, salate leggermente il tuorlo, condite con il parmigiano e infine versate pian piano il brodo bollente senza rompere le uova. (Se non piace il gusto degli albumi poco cotti, cuocete le uova in un padellino con il burro e poi fatele scivolare sulle fette di pane.)

Zuppa di ceci

(per 6 persone)

300 grammi di ceci secchi

1 chilo di testina di maiale

1 cipolla tagliata a fettine

1 costola di sedano tritata

1 chiodo di garofano

1 foglia di alloro

40 grammi di burro

1 bicchiere di vino bianco secco

sale q.b.

40 grammi di lardo tritato

1/2 cipolla tagliata a fettine

2 costole di sedano tagliate a pezzetti

2 carote tritate

1 rametto di salvia

1 cucchiaio di salsa concentrata di pomodoro

1 ciuffo di prezzemolo tritato

Lasciate a bagno, cambiando spesso l'acqua, i ceci per due giorni; poi lessateli in pentola con acqua fredda e un pizzico di sale per circa 3 ore. Mettete in una casseruola la testina intera ben lavata, la cipolla, il sedano, un chiodo di garofano, una foglia di alloro e il burro. Fate rosolare e bagnate con il vino. Quando il vino sarà evaporato, salate leggermente e coprite con acqua tiepida.
Mettete il coperchio e fate cuocere a fuoco lento, schiumando di tanto in tanto il brodo, per circa un'ora e mezza.
In un padellino soffriggete il lardo con la cipolla, il sedano, le carote e la salvia; unite i ceci lessati e la salsa di pomodoro diluita in un mestolo di brodo di cottura della testina. Fate insaporire per una ventina di minuti, poi tagliate la testina a fettine, unitela ai ceci e al suo brodo di cottura. Spolverate con prezzemolo tritato.

Zuppa di testina

(per 6 persone)

200 grammi di fagioli secchi già bagnati

1/2 cipolla tagliata a fettine

1 chilo di testina di vitello

40 grammi di burro

1 bicchiere di vino bianco secco

sale e pepe q.b.

1 costola di sedano tagliata a pezzetti

1 ciuffo di prezzemolo tritato

1 cucchiaino di concentrato di pomodoro

3 litri circa d'acqua tiepida

fettine di pane abbrustolito q.b.

80 grammi di parmigiano grattugiato

Mettete in una pentola i fagioli, ricopriteli d'acqua, aggiungete un pizzico di sale e fateli cuocere pian piano per circa due ore.

In una casseruola fate imbiondire nel burro la cipolla; appena comincerà a colorire, unite la testina, disossata, tagliata a listerelle e ben lavata. Fate rosolare mescolando con un cucchiaio di legno, condite con sale e pepe e innaffiate con il vino. Quando il vino sarà evaporato, aggiungete il sedano, il prezzemolo, il concentrato di pomodoro diluito in un poco d'acqua e l'acqua tiepida. Coprite e lasciate cuocere lentamente per circa un'ora e mezza. Infine unite i fagioli lessati a parte e lasciate insaporire un poco. Distribuite nelle scodelle le fette di pane abbrustolito, versateci sopra la zuppa fumante e spolverate con abbondante parmigiano grattugiato.

«Cazzoeula»

(per 6 persone)

200 grammi di cotenne fresche di maiale

1 piedino e 1 orecchio di maiale

1 cipolla tagliata a fettine sottili

30 grammi di burro

1 cucchiaio d'olio

800 grammi di costine di maiale

2 carote tritate

2 costole di sedano tritate

1/2 bicchiere di vino bianco secco

1 mestolo di brodo

6 salsicce (luganega)

1 chilo e mezzo di foglie tenere di verza bianca

sale q.b.

pepe q.b.

Fiammeggiate il piedino e l'orecchio di maiale; tagliateli a metà e riducete a grossi pezzi le cotenne; lessateli per circa un'ora in acqua bollente. In una casseruola fate imbiondire la cipolla con l'olio e il burro; unite le costine e fatele rosolare. Innaffiate con il vino e, quando sarà evaporato, aggiungete il sedano e la carota, il piedino di maiale, l'orecchio e le cotenne. Bagnate con il brodo caldo e fate cuocere una mezz'oretta.
Aggiungete le salsicce e la verza, ben lavata, e fate cuocere ancora una ventina di minuti (se non è inverno la verza deve cuocere 3/4 d'ora). Sgrassate di tanto in tanto con un cucchiaio, salate e pepate. La «cazzoeula» non deve risultare troppo liquida.

Costolette alla milanese

(per 6 persone)

6 costolette con l'osso di carré di vitello

2 uova sbattute

200 grammi di pangrattato

150 grammi di burro

sale q.b.

spicchi di limone q.b.

Preparate la carne: spuntate leggermente l'osso, battete un poco le costolette e incidetele con un coltellino nella fascia esterna perché non si arriccino durante la cottura. Battetele leggermente con il pestacarne, passatele nelle uova sbattute senza sale, poi nel pangrattato, comprimendo bene l'impanatura che deve risultare uniforme. Fate scaldare in una larga padella il burro; quando comincerà a colorirsi, unite le costolette che ci devono stare comodamente. Fate cuocere a fuoco vivace, senza smuoverle finché non si sarà formata la crosta da una parte; allora giratele con l'aiuto di una paletta di legno e appena si sarà formata la crosta anche dall'altra parte, abbassate il fuoco e fate cuocere all'interno per 5 minuti. Infine salate. Sistemate le costolette in un piatto da portata ben caldo e guarnite con spicchi di limone.

Involtini alla milanese

(per 4-6 persone)

800 grammi di fettine di maiale o vitello
2 piccole salsicce di maiale
6 fegatini di pollo tritati
1 manciata di prezzemolo tritato
1 spicchio d'aglio tritato
3 cucchiai di parmigiano grattugiato
2 tuorli d'uovo
foglie di salvia
150 grammi di pancetta tagliata a dadi
farina bianca q.b.
60 grammi di burro
sale q.b.
1/2 tazza di vino bianco
1/2 tazza di acqua o brodo bollente

Per una buona riuscita di questa ricetta occorre che la carne sia molto tenera. Battete con cura le fettine per renderle sottili e cercate di dare a tutte le stesse dimensioni: circa dieci per sette centimetri.

Togliete la pelle alle salsicce e sbriciolatele. Mescolate in una terrina salsiccia, fegatini, aglio, prezzemolo, parmigiano e i tuorli d'uovo sbattuti. Amalgamate il tutto formando un impasto da spalmare sulla carne. Arrotolate quindi le fette e fissatele con un piccolo spiedino o uno stuzzicadente sul quale infilerete anche un dado di pancetta e una foglia di salvia. Infarinate leggermente gli involtini ottenuti e fateli rosolare nel burro, rivoltandoli da tutti i lati fino a quando avranno assunto un bel colore dorato. Conditeli con il sale, unite il vino e continuate la cottura a fuoco moderato fino a quando il vino sarà evaporato. Aggiungete il brodo, coprite il tegame e continuate la cottura a calore moderato per 20 minuti circa, fino a quando gli involtini saranno ben teneri. Servite con un risotto o una polenta.

Vitello tonnato

(per 6 persone)

1 chilo di girello di vitello
200 grammi di tonno sott'olio
3 acciughe tritate
1/2 cipolla tritata
2 carote tritate
1 bicchiere di vino bianco secco
1/2 bicchiere di aceto
1/2 bicchiere d'acqua
sale q.b.
pepe q.b.

per la salsa

2 tuorli d'uovo
olio q.b.
30 grammi di capperi tritati

In una casseruola a misura mettete la carne, il tonno, le acciughe, le verdure tritate e il vino con l'aceto e l'acqua. Salate leggermente, pepate e fate cuocere, coperto, per un'ora e mezza a fuoco lento. Passate poi il sugo al setaccio o al frullatore. Preparate una salsa maionese senza sale e unitevi i capperi tritati e il sugo di cottura del vitello. Quando il vitello è freddo, tagliatelo a fette sottilissime, sistematele in un piatto e alternatele con strati di salsa. Mettete al fresco e servite il giorno dopo con sottaceti e insalatina fresca.

Vitello in gelatina alla milanese

(per 6 persone)

1 chilo di petto di vitello in un solo pezzo
2 carote
2 costole di sedano tritate
2 fette di prosciutto magro tagliate piuttosto spesse
sale q.b.
pepe q.b.
100 grammi di burro
50 grammi di lardo tritato
2 foglie d'alloro
1 piedino di vitello spaccato in due
1 spicchio d'aglio
1 bicchierino di marsala
4 fogli di colla di pesce
1 albume
sottaceti per guarnire

Stendete sulla tavola di cucina il pezzo di vitello, regolare e senza fenditure, che vi sarete fatto preparare dal macellaio assottigliato in forma di quadrato dello spessore di un centimetro. Tagliate una carota in dadini e tritate una costola di sedano, mescolateli insieme e stendeteli su metà della carne. Ripiegate la carne così da ottenere un rettangolo, condite con sale e pepe su entrambi i lati, quindi mettetela tra le due fette di prosciutto. Legate accuratamente con uno spago da cucina in modo da far aderire bene il prosciutto alla carne e da mantenere la forma durante la cottura. Sciogliete in una casseruola il burro e unite il lardo tagliato a dadini, una carota e una costola di sedano tritati, le foglie d'alloro e il pezzo di vitello. Lasciate rosolare la carne da entrambi i lati, quindi aggiungete lo spicchio d'aglio e il piedino di vitello e coprite d'acqua. Applicate il coperchio alla casseruola, portate a ebollizione, poi abbassate il fuoco e fate cuocere per circa 2 ore. Spegnete e lasciate raffreddare la carne nel brodo di cottura, quindi tagliatela a fette non troppo sottili che disporrete su un piatto fondo di portata.

Con il brodo di cottura preparerete intanto la gelatina. Mettete a bagno in una terrinetta con acqua fredda 4 fogli di colla di pesce e lasciateli per 10 minuti. Spremeteli fra le mani e metteteli in una casseruola. Versateci sopra il brodo di cottura, sgrassato e filtrato, e eventualmente un poco d'acqua, in modo da ottenere circa mezzo litro di liquido. Aggiungete un poco di sale, un albume per rendere limpido il brodo e un bicchierino di marsala per insaporirlo. Portate la casseruola sul fuoco e sbattete il liquido con una frusta fino a quando starà per bollire. Applicate il coperchio alla casseruola e lasciate che la gelatina bolla insensibilmente a fuoco dolcissimo per quattro o cinque minuti. Filtrate la gelatina calda e versatela sulle fette di carne, lasciate raffreddare e riponete in frigorifero. Potete servire la pietanza guarnita con sottaceti.

Manzo stufato

(per 6-8 persone)

1 chilo e mezzo di scamone di manzo
50 grammi di pancetta tagliata a striscioline
1 spicchio d'aglio
40 grammi di burro

3 cucchiai d'olio

1 chiodo di garofano

1 cipolla tritata

2 costole di sedano tritate

1 bicchiere di vino rosso (Barbera o Barolo)

sale q.b.

pepe q.b.

1 cucchiaio di salsina di pomodoro

1 mestolo di brodo di carne

Lardellate la carne con la pancetta e poi sfregatela con lo spicchio d'aglio. In una casseruola, meglio se di terracotta, fate scaldare il burro e l'olio, unite la carne ben legata, il chiodo di garofano e le verdure tritate. Fate rosolare e versate il vino. Quando il vino sarà evaporato, salate, pepate e unite la salsina di pomodoro sciolta nel brodo ben caldo. Coprite e lasciate cuocere lentamente, bagnando con un po' di brodo, se necessario, per circa 4 ore. Passate la salsa al setaccio e servite il giorno dopo ben caldo.

Messicani in bordura

(per 6 persone)

700 grammi di fettine di sottonoce o culaccio di vitello

50 grammi di carne di maiale tritata

50 grammi di grasso di prosciutto tritato

1 spicchio d'aglio tritato

la mollica di un panino imbevuta nel latte

la scorza grattugiata di 1/2 limone

2 cucchiai di parmigiano grattugiato

1 uovo

sale e pepe q.b.

40 grammi di burro

1 bicchiere di vino bianco secco

1 mestolo di brodo

per la purea

1 chilo di patate

50 grammi di burro

1 bicchiere di latte

2 tuorli d'uovo

sale q.b.

noce moscata q.b.

Battete bene con il pestacarne le fettine di carne. In una terrina mescolate la carne di maiale, il grasso di prosciutto, l'aglio, la mollica di pane imbevuta nel latte e ben strizzata, il parmigiano, la scorza del limone, l'uovo e un pizzico di sale e di pepe. Mettete un poco del composto su ogni fettina, arrotolate poi la carne e fermatela con uno stecchino. Fate rosolare i «messicani» nel burro; innaffiateli con il vino e, quando sarà evaporato, unite, di tanto in tanto, il brodo caldo e fate cuocere lentamente per mezz'ora. Intanto preparate la purea: lessate le patate in poca acqua salata, sbucciatele e passatele allo schiacciapatate; fatele insaporire in una casseruola con il burro e il latte, sempre sbattendo. Poi togliete via dal fuoco la purea, unite i due tuorli d'uovo e un pizzico di noce moscata; versatela in una pirofila imburrata e fatela colorire leggermente in forno ben caldo. Quando sarà pronta, versatevi sopra i messicani ben caldi con il loro sugo di cottura.

Ossobuco milanese

(per 6 persone)

6 ossibuchi di vitello tagliati alti 4-5 cm

farina q.b.

80 grammi di burro

1/2 bicchiere di vino bianco secco

1 scatola di 200 grammi di pomodori pelati (o 1/2 cucchiaino di concentrato di pomodoro sciolto in un poco d'acqua)

sale q.b.

pepe q.b.

per la gremolada

1 spicchio d'aglio tritato

la scorza grattugiata di 1/2 limone

1 ciuffo di prezzemolo tritato

1 acciuga tritata

Infarinate gli ossibuchi e stendeteli in un tegame in cui avrete fatto liquefare il burro. Fateli rosolare e innaffiateli con il vino. Quando il vino sarà evaporato, unite il contenuto della scatola di pomodori, salate, pepate e lasciate cuocere coperto a fuoco basso per circa un'ora. Cinque minuti prima di servire aggiungete il trito della «gremolada», mescolate, fate insaporire e servite con un buon risotto alla milanese.

Rane in guazzetto

(per 6 persone)

1 chilo di rane spellate e pulite

1 bicchiere di vino bianco secco

130 grammi di burro

1 cucchiaio di farina bianca

sale q.b.

2-3 ciuffi di prezzemolo tritato

il succo di un limone

Preparate ogni rana accavallandole le gambette sui fianchi e mettetele in padella con vino bianco secco e 100 grammi di burro, mettendo tutto a freddo e poi fatele cuocere finché il fondo di vino si è ristretto. Rifate il fondo con un cucchiaio di farina stemperata in uno o due cucchiai d'acqua, salate quanto basta e aggiungete da ultimo il prezzemolo tritato. Lasciate cuocere a fuoco dolce e a tegame coperto almeno quindici minuti. Prima di servire in tavola, ammorbiditele ancora con il rimanente burro e spruzzatele con succo di limone.

Rane fritte

(per 6 persone)

800 grammi di coscette di rane

olio per friggere q.b.

1 limone

per la marinata

vino bianco (o latte) q.b.

per la pastella

3 uova intere

farina q.b.

latte q.b.

sale q.b.

Mettete le coscette di rane a bagno qualche ora nel vino o nel latte. Intanto preparate la pastella: sbattete le uova, unite un poco di latte e di farina e un pizzico di sale, fino a ottenere una crema densa (oppure preparatela solo con acqua, farina e sale); lasciate riposare per un paio d'ore. Sgocciolate le rane dalla marinata, passatele nella pastella, poi friggetele in abbondante olio bollente. Asciugate la frittura su una carta che assorba l'unto e servite ben caldo con spicchi di limone.

Fritto misto alla milanese

Il fritto misto è una preparazione di cui la cucina milanese va giustamente orgogliosa. Quanto più il fritto misto alla milanese sarà variato, tanto più acquisterà pregio. Si possono adoperare: fegato, cuore, animelle, cervello, bistecchine e rognoncini, il tutto di vitello, e poi midollo, creste di pollo, crocchettine, e uno o più erbaggi, come carciofi, zucchine, cavolfiore, ecc. Vediamo ora come si preparano i vari ingredienti del fritto.

Cervello: tenete il cervello a bagno per 30 minuti in acqua tiepida, poi togliete la pelle e la membrana. Fate sobbollire per 15 minuti in acqua acidulata con un poco di aceto o di succo di limone. Scolate il cervello, asciugatelo e tagliatelo in grossi dadi. Passatelo nell'uovo sbattuto, quindi in una mistura di pane e parmigiano grattugiati e friggetelo nel burro.

Midollo: il midollo è estratto crudo dalle ossa, tagliato in fette spesse, passato nell'uovo sbattuto e nella farina e fritto nel burro.

Cuore: il cuore va tenuto a bagno per 10 minuti in acqua salata e risciacquato bene in acqua corrente per eliminare il sangue. Fatelo lessare per rendere tenera la carne e friggetelo nel burro, infarinato e tagliato a fette spesse.

Fettine di vitello: le fette di vitello devono essere sottilissime, praticate qualche piccola incisione attorno ai bordi per impedire che si arrotolino durante la cottura. Fatele cuocere nel burro, con un goccio di vino bianco, sale e pepe. Da ultimo, una spruzzata di prezzemolo tritato.

Fegato di vitello: fatevi tagliare il fegato in fettine molto sottili. Friggetele infarinate da ambo i lati in burro molto caldo.

Rognoncini di vitello: togliete la pelle dei rognoncini prima di lavarli, poi divideteli a metà e tagliate ogni pezzo in due fette lunghe. Queste fette vanno fritte nel burro su fuoco forte e condite con sale e pepe.

Animelle di vitello: lasciatele a bagno in acqua fredda salata diverse ore per eliminare il sangue. Scolatele, copritele con altra acqua fredda salata e fatele sobbollire fino a quando saranno tenere. Toglietele dal tegame, fatele raffreddare e eliminate grasso e membrane. Tagliate le animelle a fette, passatele nell'uovo sbattuto e poi nel pangrattato. Sciogliete del burro in un tegame e fate cuocere le animelle per circa 3 minuti a fuoco moderato.

Crocchette di patate: fate lessare 500 grammi di patate, schiacciatele e amalgamatele con 2 uova sbattute, 70 grammi di parmigiano grattugiato e prezzemolo tritato a piacere. Fatene delle polpette a forma di salsicciotto di circa 3 centimetri. Passatele nel pangrattato e friggetele in abbondante olio bollente.

Zucchine: lavate le zucchine, tagliatele per il lungo, a fettine. Passatele nell'uovo sbattuto e nel pangrattato e fatele soffriggere preferibilmente nell'olio, finché avranno assunto un colore dorato.

Carciofi (teneri): togliete il gambo, le punte delle foglie e togliete quelle esterne più dure. Lasciate i carciofi un poco a bagno in acqua acidulata con succo di limone. Asciugateli e tagliateli a fette rotonde, sottili. Passateli nell'uovo sbattuto e nella farina e friggeteli preferibilmente in abbondante olio bollente.

Cimette di cavolfiore: lavate e pulite un grosso cavolfiore. Mettetelo con le cimette rivolte in basso in una capace casseruola di acqua fredda salata e lasciatelo riposare per 30 minuti. Scolatelo e tagliate le cimette cercando di tenerle tutte della stessa misura. Lessatele in acqua salata bollente per 15 minuti. Scolate e lasciate raffreddare. Infarinate le cimette, passatele nell'uovo sbattuto e friggetele in abbondante burro caldo fino a ottenere un bel colore dorato.

Per il fritto misto non vi sono regole precise. Ci si può limitare a due o tre degli ingredienti sopra descritti o arrivare a una varietà di sette o otto. L'unica raccomandazione valida è che gli ingredienti siano freschi, di ottima qualità e possibilmente tutti delle stesse dimensioni, che sono quelle di un bocconcino. Ricordatevi anche che è un piatto che va servito caldo croccante, accompagnato con fettine di limone.

Lumache alla milanese

(per 6 persone)

36 lumache grosse già spurgate
1 pugno di sale grosso
1 bicchiere d'aceto
1 spicchio d'aglio
1/2 bicchiere d'olio
60 grammi di burro
4 acciughe tritate
4 semini di finocchio
1 ciuffo di prezzemolo tritato
1/2 cipolla tritata
1 cucchiaino di farina
1 bicchiere di vino bianco secco
sale q.b.
pepe q.b.
noce moscata q.b.

Lavate le lumache, spazzolatene bene i gusci e mettetele a bagno per tre volte, a distanza di un'ora, in poca acqua, sale e aceto. Ponetele quindi sul fuoco con un poco d'acqua, sale e aceto e lasciatele cuocere per 10 minuti. Toglietele dal guscio ed eliminate la loro estremità scura. In un padellino fate soffriggere l'aglio schiacciato con il manico di un coltello, nell'olio e nel burro, poi toglietelo; unite il trito di acciughe, semini di finocchio, prezzemolo e cipolla. Fate rosolare, aggiungete la farina e poi le lumache. Innaffiate con il vino, salate leggermente, pepate e profumate con un pizzico di noce moscata. Fate cuocere a fuoco moderato per circa un'ora, mescolando di tanto in tanto. Rimettete le lumache nei loro gusci, irrorate con il sugo di cottura e servitele bollenti negli appositi piattini.

Lepre in salmì

(per 6-8 persone)

Una bella lepre già frollata
farina q.b.
60 grammi di burro
3 cucchiaiate d'olio
1 cipolla tritata

per la marinata

2 carote tritate
1 cipolla tagliata a fettine

2 costole di sedano tagliate a pezzi

2 spicchi d'aglio schiacciati

1 rametto di timo e di maggiorana

1 rametto di salvia

2 foglie di alloro

3 bacche di ginepro

4-5 grani di pepe

sale q.b.

1 litro e mezzo di vino rosso (Barbera o Barolo)

Pulite la lepre, tenete da parte il sangue, il cuore, il polmone e il fegato; lavatela bene e tagliatela in pezzi. Mettetela a marinare con tutte le verdure, gli odori e un litro di vino, ben coperta, in luogo fresco (6-8 gradi) per almeno 48 ore. Sgocciolatela dalla marinata, asciugatela e spolveratela di farina. In una larga casseruola fate soffriggere con l'olio e con il burro la cipolla tritata, unite la lepre e, quando comincerà a prendere colore, aggiungete anche il sangue, il cuore, il polmone e il fegato tritati. Innaffiate con il restante vino e le verdure della marinata; salate, pepate, coprite e fate cuocere lentamente per 2-3 ore a seconda della grossezza della lepre. Mettete la lepre in un piatto, intanto passate al setaccio tutto il fondo di cottura, infine fate scaldare di nuovo tutto. Servite, meglio se il giorno dopo, con una buona polenta.

Tacchina ripiena

(per 6-8 persone)

1 tacchina di circa 2 chili e mezzo

100 grammi di burro

1 rametto di salvia

1 rametto di rosmarino

sale q.b.

per il ripieno

15 marroni (o 150 grammi di castagne secche)

50 grammi di carne di vitello tritata

100 grammi di salsiccia sbriciolata

50 grammi di pancetta tritata

3 mele tagliate a fettine

100 grammi di prugne secche

50 grammi di gherigli di noce tritati

sale q.b.

pepe q.b.

noce moscata q.b.

2 uova

3 cucchiai di parmigiano grattugiato

1 bicchiere di vino bianco secco (o un bicchiere di brandy)

Pulite la tacchina tenendo da parte il cuore e il fegato, fiammeggiatela, lavatela e asciugatela bene. In una terrina mescolate le castagne lessate, le prugne ammorbidite nell'acqua e snocciolate, la carne di vitello, la salsiccia, la pancetta, le mele a fettine, i gherigli di noce, il cuore e il fegato della tacchina tritati, le uova, il parmigiano, un pizzico di sale, di pepe e di noce moscata e un bicchiere di vino bianco. Distribuite il ripieno all'interno della tacchina e ricucitela con un filo. Mettete la tacchina in una teglia, spalmatela con il burro e un poco di sale, unite la salvia e il rosmarino; cuocetela in forno, a fuoco moderato, per circa tre ore, bagnandola di tanto in tanto con il sugo e, se è necessario, con un poco di brodo bollente. Quando la tacchina sarà pronta, toglietela dalla teglia e, con l'apposito strumento tagliatela a pezzi e sistematela su un piatto da portata. Irroratela quindi, prima di portarla in tavola, con il suo sugo di cottura ben sgrassato e caldo.

Baccalà alla milanese

(per 6 persone)

1 chilo di baccalà già bagnato

1 piccola cipolla

2-3 rametti di prezzemolo

sale q.b.

2 limoni

abbondante olio per friggere

per la pastella

2 uova

5 cucchiai di farina bianca

1 cucchiaio di olio d'oliva

Togliete al baccalà la pelle e le spine e dividetelo in pezzi regolari circa della grandezza delle carte da gioco. Sistemate i pezzi di baccalà in una casseruola assieme alla cipolla e ai rametti di prezzemolo. Coprite con acqua leggermente salata, incoperchiate e a fuoco moderato portate lentamente a bollore. Lasciate bollire 1 minuto poi togliete dal fuoco e lasciate riposare circa 15 minuti. Nel frattempo preparate la pastella. Sbattete in una terrina le uova e unite poca per volta la farina, aggiungendo acqua quanto basta a ottenere un composto abbastanza denso e omogeneo. Amalgamate alla pastella anche 1 cucchiaio di olio di oliva, quindi lasciatela riposare per 30 minuti circa. Versate abbondante olio in una padella per fritti e portatelo a bollore. Scolate i pezzi di baccalà e immergeteli nella pastella prima di friggerli. Quando avranno assunto un bel colore dorato, fateli scolare su carta da cucina e serviteli caldi, guarniti con spicchi di limone.

Tinche alla varesina

(per 6 persone)

6 tinche da 200 grammi l'una

1 cipolla piccola tritata

1 spicchio d'aglio

2 ciuffi di prezzemolo tritato

1/2 costola di sedano tritato

1 carota tritata

1 cucchiaio di erbe odorose (lauro, timo, origano salvia)

2 cucchiai di salsa concentrata di pomodoro

olio per friggere q.b.

sale q.b.

pepe q.b.

La tinca deve essere tenera e ben nutrita e deve essere stata qualche tempo nel vivaio in acqua pulita, sempre rinnovata, per perdere il sapore del limo che le sue carni hanno quando è appena pescata. Decapitate le tinche e tagliate a pezzetti le teste (che sono la parte più saporita). In una casseruola con un po' olio mettete la cipolla, l'aglio, il prezzemolo, il sedano, la carota e le erbe odorose, fate ammorbidire un poco le verdure poi unite le teste delle tinche, fate rosolare qualche minuto, quindi aggiungete la salsa di pomodoro diluita con mezzo bicchiere di acqua. Lasciate cuocere per circa venti minuti, togliete dal fuoco e passate al setaccio.

Tornate alle tinche decapitate, pulitele mozzando loro pinne e coda, mettetele con un po' d'olio a soffriggere in una padella, lasciatele rosolare, condite con sale e pepe, poi aggiungete lentamente il sugo ottenuto con le teste. Vanno servite con un contorno di verdure di stagione: spinaci, pisellini, fondi di carciofo, lessati e poi messi a prendere sapore nel sugo dei pesci.

«Missultitt»

«Missultitt» è il nome dato agli agoni conservati per mezzo della salatura e dell'essiccamento. La lavorazione dei pesci incomincia con un lavaggio in acqua; vengono quindi vuotati delle interiora, ma conservano le squame. Sono poi messi in un bagno in acqua molto salata. Gli agoni stillanti sale vengono infilati su spaghi e appesi al sole per tre-quattro giorni. L'agone si conserva in scatole di latta senza coperchio, riempite fino all'orlo e poi pressate al torchio; dai pesci cola un liquido grasso che si toglie tre-quattro volte nello spazio di sei-sette giorni. Questo primo grasso facilmente irrancidisce, il liquido che si forma in seguito viene conservato nella scatola.

I saporiti «missultitt» si mangiano d'inverno: è un cibo popolare che s'accompagna alla polenta ed è un pretesto per gran bevute di barbera. Si gustano anche cotti alla griglia e conditi quindi con olio e aceto. Servito in maniera meno rustica, il «missultitt» si passa al setaccio, si stempera con la lama del coltello mescolandolo al burro fresco e spalmandolo su fette di pane da tartine o di pan nero: è un gustoso tipico antipasto della cucina lecchese.

Luccio alla marinara

(per 6 persone)

1 chilo e mezzo di luccio
3 cucchiai di olio d'oliva
1 grossa cipolla finemente affettata
1 spicchio d'aglio schiacciato
1 piccola carota tagliata a dadini
2 ciuffi di prezzemolo
sale e pepe q.b.
1 litro di vino rosso
60 grammi di burro
1 cucchiaio di farina bianca
crostini di pane fritti nel burro

Pulite il pesce, tagliatelo in pezzi regolari e sistematelo in una terrina con l'olio, la cipolla, l'aglio, la carota, il prezzemolo tritato, un po' di sale e pepe. Bagnate tutto con il vino rosso e lasciate riposare il pesce in questa marinata per 1 ora circa.

Travasate quindi il contenuto della terrina in una casseruola e fatelo bollire lentamente a fuoco basso per 15 minuti circa. Appena il pesce sarà cotto, estraetelo e tenetelo da parte. Passate il liquido di cottura attraverso un colino e rimettetelo sul fuoco per farlo restringere.

Impastate il burro sulla tavola insieme alla farina e aggiungetelo all'intingolo in casseruola. Mescolate il tutto e vedrete che la salsa si addenserà e prenderà un aspetto vellutato.

Rimettete in casseruola anche i pezzi di pesce e scaldateli senza far bollire. Travasate su un piatto di portata la vivanda, contornandola con i crostini di pane fritto.

Carpione al vino

(per 6 persone)

1 grosso carpione di circa 1 chilo e mezzo
1 cipolla tritata finemente
3 cucchiaiate d'olio
40 grammi di burro
1 cucchiaiata di farina

1 ciuffo di prezzemolo tritato
1 bicchiere di vino bianco secco
1 cucchiaio d'aceto
1 bicchiere d'acqua
sale q.b.
pepe q.b.
1 limone

Pulite il carpione, lavatelo, asciugatelo e tagliatelo a grossi pezzi. In un tegame fate soffriggere la cipolla con l'olio; aggiungete il burro impastato con la farina, il prezzemolo e, in ultimo, il vino; unite i pezzi di carpione, sale e pepe; bagnate con l'aceto e un bicchiere d'acqua.

Coprite e lasciate cuocere lentamente per mezz'ora, mescolando di tanto in tanto. Servite il carpione caldo con il sugo di cottura e spicchi di limone.

Filetti di pesce persico alla milanese

(per 6 persone)

12 filetti di pesce persico
2 cucchiai di farina
2 uova sbattute
sale q.b.
pangrattato q.b.
100 grammi di burro

Lavate e asciugate i filetti già puliti. Infarinateli leggermente, passateli nelle uova sbattute con poco sale e infine nel pangrattato. Fate liquefare il burro e quando sarà caldo, friggete i filetti. Serviteli bollenti con un buon risotto bianco.

Trota al forno

(per 6 persone)

Una bella trota di circa un chilo e mezzo
burro per la teglia
6 patate di media grandezza
sale q.b.
pepe q.b.
3-4 cucchiaiate d'olio d'oliva
3-4 ciuffi di prezzemolo tritato
2 foglie di alloro
la scorza grattugiata di un limone

Per preparare questo piatto la trota può essere cotta intera o in fette, ma è preferibile quest'ultimo modo.

Pulite il pesce, lavatelo, asciugatelo e riducetelo in fette non troppo sottili. In una teglia imburrata fate uno strato di patate crude, ritagliate in fette, che condirete con sale e pepe e un filo d'olio. Sulle patate disponete, allineate, le fette di trota, cospargetele di prezzemolo e unite le due foglie di alloro, la scorza grattugiata di un limone, sale e pepe. Bagnate con qualche cucchiaiata d'olio, infornate la teglia e cuocete a fuoco moderato.

Funghi impanati

(per 6 persone)

12 cappelle di funghi porcini
1/2 limone
2 cucchiai di farina
2 uova sbattute

sale q.b.

pangrattato q.b.

100 grammi di burro

Strofinate le cappelle con una pezzuola umida, passatele con il limone (se sono molto grosse, tagliatele a metà orizzontalmente) e poi infarinatele. Mettetele nell'uovo sbattuto con un pizzico di sale; impanatele e friggetele nel burro ben caldo, giratele con la paletta di legno facendo attenzione a non romperle. Cuociono in un quarto d'ora.

Asparagi con le uova

(per 6 persone)

1 chilo e mezzo di asparagi da giardino

sale q.b.

3 cucchiaiate di parmigiano grattugiato

100 grammi di burro

6 uova

Raschiate gli asparagi con un coltellino, lavateli bene e lessateli per 8-10 minuti in poca acqua salata, in modo che le punte cuociano a vapore. Sgocciolateli sopra un tovagliolo pulito, disponeteli in un piatto con le punte rivolte al centro e, finché saranno caldi, spolverateli di parmigiano grattugiato. Intanto fate scaldare il resto del burro e friggete le uova; scivolatele bollenti sopra le punte degli asparagi e irrorate con il burro caldo.

Budino di panettone

300 grammi di fette di panettone avanzato

1 bicchierino di rhum

1 bicchierino di marsala

burro per lo stampo

1 litro di latte

la scorza grattugiata di un limone

1 pizzico di cannella

100 grammi di zucchero

4 uova

Spruzzate le fette di panettone con il rhum e il marsala. Intanto fate bollire il latte e profumatelo con il limone e la cannella. Appena sarà intiepidito, unite i tuorli delle uova sbattuti con lo zucchero; mescolate energicamente, poi aggiungete le fette di panettone e gli albumi montati a neve. Versate nello stampo bene imburrato e cuocete a bagno-maria in forno ben caldo per circa 40 minuti. Servite freddo.

Crema al mascarpone

(per 6 persone)

300 grammi di mascarpone

4 uova

200 grammi di zucchero

2 bicchierini di rhum

6 biscottini leggeri

In una terrinetta lavorate il mascarpone con lo zucchero; unite, uno alla volta, sempre sbattendo, i tuorli d'uovo e il rhum. Se volete, potete aggiungere anche due albumi montati a neve. Distribuite la crema in sei coppette e mettetele in frigorifero per alcune ore. Guarnite con biscotti e servite.

«Pan de mei»

(per 6 persone)

200 grammi di farina gialla fine

100 grammi di farina gialla grossa

150 grammi di farina bianca

1 pizzico di sale

3 uova

100 grammi di zucchero

150 grammi di burro

3 cucchiai di fiori di sambuco «nero»

la scorza grattugiata di un limone

1 cucchiaino di lievito di birra

2 cucchiaini di latte

1 uovo sbattuto per spennellare

zucchero vanigliato q.b.

Mescolate le farine e passatele al setaccio; unite il sale, le uova sbattute, lo zucchero, il burro tagliato a pezzetti, i fiori di sambuco e la scorza grattugiata del limone. Impastate bene poi aggiungete anche il lievito sciolto nel latte. Formate delle pagnottelle piccole e fate su ognuna un taglio a croce; copritele con un tovagliolo e lasciatele lievitare in luogo tiepido. Stendetele, ben distanziate, sulla teglia del forno, imburrata e infarinata, passatele con l'uovo sbattuto e cuocetele in forno a fuoco moderato per circa mezz'ora. Servitele con una spolverata di zucchero vanigliato.

Pastafrolla di albicocche

180 grammi di farina gialla fine

100 grammi di farina bianca

150 grammi di burro tagliato a pezzetti

125 grammi di zucchero

la scorza grattugiata di un limone

3 tuorli d'uovo

burro e farina q.b. per la tortiera

200 grammi di marmellata di albicocche

Impastate le farine con il burro, lo zucchero, il sale, la raschiatura del limone e i tuorli d'uovo. Non lavorate troppo a lungo la pasta e fatela riposare un'oretta fra due piatti in frigorifero. Stendete l'impasto e foderate una tortiera di circa 27 cm di diametro, ben imburrata e infarinata. Versate sopra la marmellata e formate tutt'intorno un bordo con un cordone di pasta. Passate in forno caldo e fate cuocere per una oretta finché la pasta avrà preso un bel colore biondo. Questo dolce oltre ad essere molto gustoso è di facile e rapida preparazione e si può condire con qualsiasi tipo di marmellata di frutta.

Torta paradiso

300 grammi di burro

300 grammi di zucchero

3 uova intere

5 tuorli d'uovo

150 grammi di farina bianca

150 grammi di fecola di patate

la scorza grattugiata di un limone

burro e pangrattato q.b. per la tortiera

zucchero al velo q.b.

Lavorate a lungo il burro con un cucchiaio di legno, versate lo zucchero e, a poco a poco, sempre lavorando energicamente, le uova sbattute. Mescolate la farina con la fecola e la raschiatura del limone e fateli cadere a pioggia pian piano; continuate a mescolare finché saranno bene incorporati. Versate il composto in una teglia di circa 27 cm di diametro e dai bordi alti, bene imburrata e spolverata di pangrattato e passate in forno caldo. Fate cuocere a fuoco moderato per circa 40 minuti. Non aprite il forno che dopo mezz'ora e controllate la cottura infilando uno stecchino. Lasciate raffreddare la torta e spolveratela con zucchero al velo.

«Laciaditt»

(per 6 persone)

| 250 grammi di farina bianca |
| 1 pizzico di sale |
| acqua e latte in egual misura |
| 1 uovo (facoltativo) |
| 2 mele sbucciate e tagliate a fettine sottili |
| la scorza grattugiata di 1/2 limone |
| 3 cucchiaiate di zucchero |
| olio per friggere |

Fate una pastella piuttosto liquida mescolando la farina, il sale, se volete l'uovo, e acqua e latte nelle stesse proporzioni. Lasciate riposare un'oretta, poi mescolate anche le mele e il limone. Versate a cucchiaiate il composto nell'olio bollente. Sgocciolate i laciaditt su una carta che assorba l'unto e spolverate con lo zucchero. Servite immediatamente.

Offelle mantovane

| 425 grammi di farina |
| 250 grammi di burro |
| 300 grammi di zucchero |
| 3 tuorli |
| 4 uova intere |
| la scorza grattugiata di un limone |
| 15 grammi di mandorle amare |
| zucchero al velo |

Mettete sul tavolo 300 grammi di farina, disponetela a fontana e ponete al centro 200 grammi di burro, 150 grammi di zucchero, i tre tuorli e la scorza grattugiata di un limone. Impastate senza lavorare troppo la pasta, fatene una palla e lasciatela riposare in luogo fresco. Mentre la pasta frolla riposa, togliete la pellicola alle mandorle amare e pestatele nel mortaio con 75 grammi di zucchero. Ottenuta la farina di mandorle, pónetela in una terrinetta, aggiungete altri 75 grammi di zucchero, quattro tuorli (uno alla volta) sempre mescolando, 50 grammi di burro liquefatto, 125 grammi di farina e, infine, gli albumi montati a neve fermissima.

Spianate ora la pasta frolla a uno spessore di mezzo centimetro, ritagliatela in dischi di una dozzina di centimetri di diametro utilizzando un tagliapaste in modo da ottenere dei bordi scanalati. In ogni disco mettete un cucchiaio del composto, ripiegate i dischi su se stessi facendo ben aderire i bordi e pigiando un poco con le dita affinché il ripieno rimanga ben racchiuso.

Allineate le offelle su una piastra da forno imburrata e fatele cuocere a calore moderato per circa venti minuti. Spolverizzatele poi con zucchero al velo.

Amaretti di Saronno

(per 24 amaretti)

| 100 grammi di mandorle dolci spellate |
| 100 grammi di mandorle amare spellate |
| 225 grammi di zucchero |
| 2 albumi |
| zucchero al velo |

Spellate le mandorle e lasciatele asciugare in forno senza che coloriscano. Pestatele nel mortaio con 125 grammi di zucchero per ottenere una farina che passerete al setaccio. In una terrinetta, montate a neve gli albumi e fateci cadere a pioggia 100 grammi di zucchero, che unirete delicatamente agli albumi per mezzo di un cucchiaio. Quando lo zucchero sarà stato assorbito, amalgamate anche la farina di mandorle e mettete il composto in una tasca da pasticceria con beccuccio liscio. Ungete e infarinate una piastra da forno e su essa deponete, un po' distanti una dall'altra perché non si attacchino, delle porzioni di composto grandi quanto una noce, che schiaccerete leggermente. Spoverizzatele di zucchero al velo e lasciate riposare per alcune ore. Cuocete infine gli amaretti a calore moderato: si allargheranno restando vuoti all'interno.

Tortionata lodigiana

(per 6 persone)

| 500 grammi di farina bianca |
| 250 grammi di zucchero |
| 250 grammi di burro |
| 180 grammi di mandorle tostate |
| 2 tuorli d'uovo |
| 1 pizzico di vaniglina |
| scorza grattugiata di un limone |
| 1 cucchiaino di lievito in polvere |
| olio o burro per ungere q.b. |

Macinate o pestate nel mortaio le mandorle tostate. Unite il lievito alla farina. In una terrina aggiungete alla farina tutti gli altri ingredienti e mescolateli con le mani lavorandoli fino a ottenere una pasta consistente. Ungete una teglia bassa di circa 25 centimetri di diametro, sistematevi l'impasto e fate cuocere in forno caldo (200°) per 30 minuti circa. Lasciate raffreddare.

VENETO

Venezia dall'alto, con piazza San Marco e il Palazzo Ducale in primo piano. La laguna veneta è ricchissima di pesce che costituisce un alimento base per antipasti, zuppe e pietanze. Molto usato è anche il merluzzo che viene impiegato per la preparazione di piatti famosi come il cosiddetto "bacalà" alla vicentina che si sposa perfettamente alla polenta e, secondo gli intenditori, è ancora più buono quando viene riscaldato.

I grandi vascelli della Serenissima, di ritorno dai lunghi viaggi nel Mediterraneo, giungevano a Venezia percorrendo il canale della Giudecca e in vista del promontorio della dogana, dove duecento anni dopo il Longhena avrebbe edificato la chiesa di Santa Maria della Salute, gettavano l'ancora e approdavano. Il campanile di San Marco stava davanti a loro e dal «Broglio» (così veniva chiamata allora la famosa «Piazzetta») le due colonne di granito con il leone e con la statua di San Teodoro davano il benvenuto. Sulla odierna Punta della Salute giunse un giorno, nel sedicesimo secolo, un vascello carico di ori, tappeti orientali, profumi e mercanzie di ogni genere, portati dai lontani possedimenti della Repubblica; era una delle tante navi che affluivano a Venezia in quello che fu il periodo del suo maggiore splendore. Quella nave però doveva restare famosa perché nella stiva portava anche un sacco di mais, il primo che giungesse in Italia, e che veniva nientemeno che dalle Americhe, scoperte poche decine di anni prima da Cristoforo Colombo. Ma evidentemente pochi lo sapevano, tant'è che, siccome tutte le belle cose portate a Venezia dal mare venivano dalla Turchia e dal vastissimo suo impero, anche questo prodotto mai visto si guadagnò l'aggettivo di «turco». A Rialto il sacco di «granturco» fece sensazione e forse proprio qui nacque la prima polenta. La polenta era destinata a dominare tutta un'intera cucina di una vastissima zona dell'Italia settentrionale, ma a trionfare essenzialmente nella cucina veneta.

Accanto alla polenta, il pesce, che ha in Chioggia, all'estremo limite occidentale della Laguna, la sua capitale, nella quale ancora oggi i «bragozzi», proprio come ai tempi di Goldoni, portano a riva il meglio della fauna marina del «pescoso e amarissimo Adriatico». In fatto di pesci i veneti sono maestri; non c'è nulla di più tipicamente «veneziano» dei ristoranti e delle rosticcerie che si affacciano, spesso in un alone di fumo e di vapore, sulle «calli», sulle «rive», sui «campi», sui «rii» e sui maggiori canali della impareggiabile Venezia. Qui il pesce si cuoce secondo le regole più classiche: fritto (galleggiante in abbondantissimo olio), ai ferri (arroventati da carbone di legna) o lessato, e in tutti i casi il suo profumo e il suo sapore sottile fanno parte dei ricordi di chiunque, da tutto il mondo, sia stato ospite di questa città.

Il pesce, infatti, fa la parte del leone nella cucina veneta: dagli antipasti magri assortiti (gamberetti, polipi, seppie, cicale di mare) ai primi piatti (la zuppa di «cappe», quella di «peoci» e l'eccellente e inimitabile «broeto»), alle pietanze (i pesci fritti e arrosto, dagli scampi ai calamaretti, alle code di rospo, alle orate, ai cefali, alle sogliole, e alle anguille; oppure i pesci lessati, dai branzini alle triglie). E, quasi che il pesce donato dalla natura al Veneto non bastasse, gli abitanti di queste zone sono andati a cercarne uno altrove, lontano dall'Adriatico, dalla laguna, dai laghi, dai grandi fiumi e dai torrenti alpini; l'hanno trovato addirittura nei gelidi e lontani mari del Nord: il merluzzo. Partendo dallo stoccafisso (cioè dal merluzzo seccato al sole), i veneti hanno creato con questo pesce uno dei primi piatti della loro cucina, il famoso «bacalà a la visentina». Il loro «bacalà» (impropriamente chiamato così, in quanto comunemente per baccalà si intende il merluzzo conservato sotto sale) è anche un piatto pittoresco, tenuto conto che la sua preparazione incomincia tre giorni prima a suon di colpi inferti con un martello di legno sullo stoccafisso e con un bagno di 48 ore per farlo rinvenire, prima di metterlo a nuotare nel latte e nell'olio accanto alle cipolle, all'aglio, alle acciughe e al prezzemolo. Si sposa perfettamente con la polenta e i veneti lo trovano ancora migliore quando è riscaldato (solo i piatti perfetti resistono a questa prova), e lo consumano nelle ore più strane, tanto che un proverbio locale dice: «Baccalà alla vicentina, buono di sera e di mattina».

Da Vicenza a Treviso, nell'entroterra della Serenissima; e a Treviso ci attende il famoso radicchio rosso, la più celebre tra le verdure venete: in dicembre, portato in tavola, è simile a un fiore purpureo, carnoso, fresco come se fosse stato inventato apposta perché sulla tavola da pranzo ci sia sempre la primavera.

Un pescatore e le sue nasse: un'immagine quotidiana che suggerisce i colori e le atmosfere della vita in laguna. Qui a destra, le gustose sarde in carpione, un piatto della più tradizionale cucina di mare che nel Veneto raggiunge livelli di grande perfezione.

Un cibo dal sapore robusto, adatto alla stagione più fredda: la minestra di patate e pancetta. La cucina del Trentino Alto Adige somiglia un poco a quella tedesca: ha molta cacciagione e carne di maiale, oltre ai caratteristici canederli. A destra, una fase di preparazione del formaggio in Val Vanegia.

Suo parente prossimo, anche se sostanzialmente diverso, (più dolce e con le foglie screziate di tutti i colori), è il radicchio di Castelfranco Veneto. Ci sono poi tante altre verdure che eccellono nella cucina veneta: per esempio, i piselli che, chiamati qui «bisi», entrano di prepotenza in un piatto classico, accolto ormai anche nella cucina internazionale, i «risi e bisi».

Del riso nel Veneto si fa grande uso e questo è un fatto singolare considerando che, eccettuato il delta del Po, i più grandi produttori di riso si trovano in Lomellina e a Vercelli. I veneti però ne hanno un concetto diverso rispetto ai loro cugini lombardi (lo zafferano, per esempio, qui è sconosciuto): non lo si

mangia mai liscio, infatti, ma sempre cotto e servito con molti ingredienti, come carni di tutti i tipi, perfino di montone, salsicce, fegatini di pollo, trippa, fagioli e uva passa, oltre naturalmente a pesci e frutti di mare (peoci, vongole, anguille, scampi e seppie). Accanto al riso, che però domina decisamente la prima parte del pranzo, ci sono anche le paste (la famosa «pasta e fagioli») e gli gnocchi di Verona. Verona ha una tradizione culinaria tutta sua e la vicinanza del lago di Garda le permette di essere specializzata nella preparazione della trota, il più prelibato tra i pesci veneti di acqua dolce.

Il Veneto porta con sé a tavola tutto un passato di grandezza e di orgoglio. Il lusso della Venezia dei dogi e delle meravigliose ville allineate tra gli alberi lungo la riviera del Brenta non è del tutto scomparso dalla tavola dei veneti, che si attribuiscono la paternità del tovagliolo (si vantano di essere stati i primi a mettere un po' di ordine sulla tavola da pranzo quando ancora di mangiava con le mani) e perfino quella della forchetta. La cucina veneta d'altra parte conferma con la sua ricchezza e naturalmente anche con le «specialità» lo spirito esigente che ogni

Un piatto classico, il risotto alle vongole, che conquista i turisti stranieri in visita all'isolotto di Burano (nella foto a destra). Il pittoresco centro di pescatori, dalle case coloratissime, oltre che per le bellezze naturali e la cucina, è noto anche per la scuola di merletti che vi ha sede da molti anni.

veneto ostenta quando si siede al suo desco. Il profumatissimo e dolcissimo prosciutto di San Daniele, oppure un inimitabile piatto di «torresani» (piccioncini di torre fatti frollare per un paio di giorni e poi messi allo spiedo e guarniti con polenta bollente) o la tacchina novella (che qui chiamano «paeta») aromatizzata con salsa di melograno, servita a Montecchio in provincia di Vicenza, o i gamberi (allevati in acqua dolce) di San Paolo di Piave, o il saporitissimo ma delicato fegato alla veneziana, o gli asparagi di Bassano, o, infine, la tradizionale «polenta e osei» che impera un po' dovunque. Per i vini, a Verona sono in lista il Valpolicella, il Bardolino, il Soave (bianco perfetto per antipasto e pesce), l'Amarone e il Recioto, quest'ultimo rosso, dolce, con un *bouquet* delicato e un pizzico di frizzantino. Dal Friuli giunge il Tocai, molto limpido, leggermente aromatico e indicato per arrosti e pesce; un po' dovunque, invece, sono diffusi i Pinot (nelle tre versioni del bianco, del grigio e del nero), il Merlot, il Riesling, il Borgogna e il Cabernet. Dall'Alto Adige (dove si accompagna a una cucina di tipo tedesco, con canederli e *würstel*, carne di maiale e cacciagione) emerge il Terlano (bianco secco), insieme al Caldaro, al Santa Maddalena, al Santa Giustina; dal Trentino infine, che è buon produttore di vini tipici, abbiamo tra gli altri il Teroldego e il Marzemino. L'elenco potrebbe continuare: nelle Venezie infatti si possono contare almeno sessanta tipi di vino.

Il «pandoro» di Verona, che ha ormai conquistato fedelissimi in tutta Italia e all'estero, conclude, assieme a una variata pasticceria (dal «baícolo» ai veneziani «storti»), il menú classico di una cucina che, se ha in ogni provincia di questa regione le sue specialità locali, ha indubbiamente in Venezia la sua vetrina più completa.

La penisoletta di San Vigilio, nella foto a sinistra, uno degli angoli più suggestivi del lago di Garda. Qui sopra, frittura di pesciolini d'acqua dolce, una ricetta semplice, esaltata, però, dalla qualità delle materie prime impiegate, pesce fresco e buon olio d'oliva.

Salsa peverada
«Pasta e fasoi col pistelo de parsuto»
«Bigoli co l'anara»
Bigoli in salsa
Polenta «pastizada»
«Risi e bisati»
«Risi e cape»
Risotto «a la sbiraglia»
«Risi e luganeghe»
«Risi e bisi»
«Risi col'ua»
Risotto con i finocchi
Risotto con le «zuchete»
«Sopa coada»
Zuppa di pollo
Risotto nero con le seppie
Risotto alla chioggiotta
Iota friulana
«Sguazeto» alla friulana
«Pastizada» alla veneta
Sguazzetto «a la bechera»
Fegato alla veneziana
Fegato «garbo e dolce»
Trippa alla trevisana
«Polastro in tecia»
Anatra ripiena
Anatra in salsa piccante
«Masoro a la valesana»
«Capon a la canevera»
Dindo alla schiavona
Tacchina arrosto con il melagrano
Faraona con «peverada»
«Polenta e osei»
«Broeto»
«Sfogi in saor»
«Bisato in tecia»
«Bacalà mantecato»
«Bacalà a la visentina»
Aringhe in insalata
Seppie alla veneziana
Granseola
«Cape sante»
«Bovoloni»
Omelette con i gamberetti
Peoci al pangrattato
«Brovada» friulana con «musett»
Frittata coi piselli
Patate alla triestina
Carciofi alla Venezia Giulia
«Papriche stufate»
Radicchio rosso fritto
Zucca gialla di Chioggia in marinata
Fugazza di Pasqua
«Fritole»
«Zaleti»
Galani di carnevale
Favette
«Baìcoli»
Pandoro di Verona

Salsa peverada

150 grammi di fegatini di pollo

3 filetti d'acciuga

120 grammi di «sopressa» veneta

la scorza grattugiata di un limone

1 ciuffo di prezzemolo tritato

1 spicchio d'aglio

1 bicchiere abbondante d'olio

2 dita di aceto (o vino bianco secco)

sale q.b.

pepe q.b.

Tritate finemente i fegatini di pollo, i filetti di acciuga, la sopressa, unite la scorzetta di limone e il prezzemolo. Fate imbiondire lo spicchio di aglio nell'olio caldo, toglietelo e unite il composto preparato, salate leggermente, pepate e lasciate soffriggere bagnando con l'aceto (o il vino) e qualche goccia di succo di limone. Servite la salsa con pollame o selvaggina.

«Pasta e fasoi col pistelo de parsuto»

(per 6 persone)

300 grammi di fagioli già bagnati

200 grammi di cotenne fresche

1 osso di prosciutto

1 cipolla tritata

1 carota tritata

1 costola di sedano tritata

3 cucchiaiate d'olio

acqua q.b.

sale q.b.

250 grammi di tagliatelle (o bigoli)

pepe q.b.

parmigiano grattugiato (facoltativo)

In una pentola mettete i fagioli, le cotenne tagliate a pezzi, l'osso di prosciutto, il trito di verdure e due cucchiai d'olio.
Coprite con abbondante acqua fredda, salate e lasciate cuocere lentamente per due ore e mezza. Passate al setaccio la metà circa dei fagioli e fate riprendere l'ebollizione. Versate le tagliatelle (o i bigoli) e, quando saranno cotte, spolverate con un pizzico di pepe e aggiungete anche una cucchiaiata d'olio crudo. Versate nelle scodelle e lasciate intiepidire. Se volete, aggiungete anche una cucchiaiata di parmigiano.

«Bigoli co l'anara»

(per 6 persone)

per i bigoli

600 grammi di farina

3 uova (o 2 uova d'anatra)

sale q.b.

50 grammi di burro fuso

1 bicchiere scarso di latte

per l'anatra

1 anatra

1 cipolla

2 carote

1 costola di sedano

sale e pepe q.b.

burro q.b.

1 ciuffo di salvia

80 grammi di parmigiano grattugiato

Impastate la farina con le uova, il burro fuso, un pizzico di sale e il latte. Lavorate bene l'impasto finché sarà omogeneo e abbastanza tenero, poi tagliate dei piccoli bastoni, ai quali darete la forma passandoli dal «torchietto».
Pulite l'anatra, tenete da parte le frattaglie e fiammeggiatela. Mettetela a cuocere in una pentola con gli odori e abbondante acqua salata per circa un'ora e mezza. Quando sarà cotta, toglietela e nel suo brodo lessate i bigoli. Se i bigoli sono stati appena fatti, scolateli quando affiorano alla superficie. Se sono stati preparati qualche ora prima lasciateli cuocere per 2-3 minuti ancora. In un padellino soffriggete le frattaglie dell'anatra tagliate a pezzetti con 60 grammi di burro, la salvia e un pizzico di sale e di pepe. Con questo intingolo condite i bigoli e aggiungete una noce di burro e abbondante parmigiano. Servite poi l'anatra con salsa peverada (vedi qui a fianco).

Bigoli in salsa

(per 6 persone)

600 grammi di bigoli scuri (con farina di grano duro integrale)

300 grammi di cipolle di Venezia o di Chioggia

1 bicchiere abbondante di olio di oliva

sale e pepe q.b.

una manciata di prezzemolo tritato (facoltativo)

Preparate i bigoli seguendo la spiegazione della ricetta precedente. Per il soffritto affettate finemente le cipolle e fatele dorare con mezzo bicchiere di olio d'oliva; quando le cipolle saranno ben colorite, bagnatele con alcune cucchiaiate d'acqua, mettete il coperchio sul recipiente e lasciatele cuocere a fuoco dolce, mescolandole spesso. Non appena le cipolle saranno ben cotte, aggiungete le acciughe precedentemente lavate, diliscate e tritate e lasciatele rosolare per due o tre minuti, schiacciandole bene con una forchetta. Spegnete il fuoco e unite all'intingolo il rimanente olio. Mettete sul fuoco abbondante acqua poco salata e, appena alzerà il bollore, cuocetevi i bigoli come spiegato nella ricetta precedente. Condite la pasta con la salsa preparata e con un pizzico di pepe: è assolutamente escluso l'uso del parmigiano, data la presenza delle acciughe. Il soffritto si può anche preparare tritando le acciughe insieme con una manciata di prezzemolo.

Polenta «pastizada»

(per 6 persone)

per la polenta

500 grammi di farina gialla

1 litro e mezzo circa d'acqua

sale q.b.

per il ragù

1 cipollina tritata

2 carote tritate

1 costola di sedano tritata

50 grammi di pancetta tritata

20 grammi di burro

3 cucchiaiate d'olio

200 grammi di carne di vitello tagliata a pezzettini

1/2 bicchiere di vino bianco secco

400 grammi di pomodori maturi (o 2 cucchiaiate di salsina di pomodoro)

sale q.b.

pepe q.b.

per condire

40 grammi di funghi secchi
40 grammi di burro
100 grammi di regaglie di pollo
60 grammi di burro
150 grammi di parmigiano (metà grattugiato e metà tagliato in scaglie)

In una casseruolina soffriggete il trito di cipolla, carota, sedano e pancetta con l'olio e il burro; unite la carne e, quando sarà rosolata, bagnatela con il vino. Aggiungete i pomodori tagliati a pezzi (o la salsina diluita in un poco di brodo caldo), salate, pepate e lasciate finire di cuocere lentamente per circa un'ora e mezza.

Preparate quindi la polenta nel solito modo (deve risultare piuttosto morbida). Fatela raffreddare e tagliatela a fette di circa un dito di spessore. Mettete a bagno i funghi in acqua tiepida e lavateli bene; dopo averli ben strizzati e tagliuzzati, fateli insaporire con un poco di burro, unite le regaglie di pollo, salate e lasciate cuocere per 5/6 minuti. In una pirofila bene imburrata fate uno strato di fettine di polenta e uno di ragù, un'altro di polenta e uno di funghi e regaglie; spolverate con un poco di parmigiano grattuggiato e in scaglie, mettete qualche fiocchetto di burro e continuate in questo modo fino all'esaurimento degli ingredienti. Terminate con fiocchetti di burro e parmigiano. Ponete in forno caldo a scaldare e servite bollente.

«Risi e bisati»

(per 6 persone)

1 spicchio d'aglio tritato
1 ciuffo di prezzemolo tritato
4 cucchiaiate d'olio
400 grammi di anguilla, pulita e spellata
1 foglia di alloro
qualche goccia di succo di limone
500 grammi di riso
2 litri circa di acqua (o brodo leggero di carne) bollente
sale q.b.
pepe q.b.

I veneziani consumano questo piatto alla vigilia di Natale: è un «primo» gustosissimo, ma pesantuccio.

Soffriggete l'aglio e il prezzemolo nell'olio, aggiungete l'anguilla, spinata e tagliata a pezzetti, una foglia di alloro e qualche goccia di limone. Quando l'anguilla sarà circa a metà cottura, dopo 20 minuti circa, unite il riso e, continuando a mescolare, l'acqua o il brodo bollente; continuate la cottura ancora per un quarto d'ora circa. Aggiustate di sale, pepate abbondantemente e servite ben caldo senza formaggio.

«Risi e cape»

(per 6 persone)

1 chilo e mezzo di vongole
2 spicchi d'aglio
1/2 bicchiere di olio d'oliva
3 acciughe
1/2 chilo di pomodori perini
sale q.b.
pepe q.b.
500 grammi di riso
abbondante prezzemolo e basilico tritati

Risciacquate le vongole, poi, per togliere loro tutta la sabbia, mettetele in una grande terrina nel cui fondo avrete posto una scodella capovolta. Sulla scodella mettete le vongole, riempite il recipiente di acqua fredda e lasciatele a bagno per qualche ora. In questo modo riuscirete a far depositare sul fondo della terrina tutta la sabbia che le vongole contengono. Infatti, la sabbia non potrà più mescolarsi ai molluschi, perché la scodella capovolta, la cui parete è in pendio, la farà scivolare sul fondo della terrina separandola da esse.

Tirate su le vongole delicatamente per non agitare troppo l'acqua, e mettetele in una padella: copritele e lasciatele cuocere con il loro vapore. Quando saranno tutte aperte toglietele dal fuoco, staccatele ognuna dal proprio guscio e ponetele in un piatto. Raccogliete e filtrate il liquido che è rimasto nella padella e mettetelo da parte per la salsa.

Tritate gli spicchi d'aglio, metteteli in una casseruola con l'olio, facendoli appena scaldare, aggiungete le acciughe lavate e diliscate e i pomodori spellati, privati dei semi e fatti a pezzi. Condite con un po' di sale e abbondante pepe e quando i pomodori cominceranno a bollire unite il liquido dei molluschi messo da parte. Fate cuocere a fuoco vivace per 20 minuti circa fino a quando la salsina si sarà addensata. Da ultimo aggiungete le vongole.

A parte, fate cuocere al dente il riso, scolatelo, mettetelo in una zuppiera e versatevi sopra la salsa bollente con le vongole. Terminate condendo la vivanda con prezzemolo e basilico tritati.

Risotto «a la sbiraglia»

(per 6 persone)

Un pollo di circa 1 chilo e mezzo
60 grammi di burro
2 cucchiai di olio d'oliva
1 piccola cipolla affettata
1 carota tritata
1 costola di sedano tritato
150 grammi di carne di vitello
1/2 bicchiere di vino bianco secco
sale e pepe q.b.
500 grammi di riso
parmigiano grattugiato

per il brodo

1 cipolla
2 carote
1 costola di sedano
sale q.b.
2 litri e mezzo d'acqua

Pulite il pollo, tagliate via le ali, la testa, le zampe e disossatelo asportando tutta la carne che potete. Preparate una casseruola con l'acqua e le verdure per il brodo. Aggiungete la carcassa del pollo, le ali, la testa, le zampe e le regaglie, escluso il fegato che metterete da parte. Fate sobbollire per 3 ore circa, quindi filtrate il brodo e tenetelo in caldo per il risotto.

In un'altra casseruola scaldate il burro e l'olio e fatevi soffriggere la cipolla, la carota e il sedano tritati. Tagliate a pezzetti la carne di vitello e di pollo cruda e assieme al fegato del pollo uniteli al soffritto e fateli rosolare. Annaffiate con il vino bianco, condite con sale e pepe, coprite e fate cuocere a fuoco moderato per 30 minuti. Scoperchiate quindi e aggiungete in pentola il riso che farete rosolare per qualche minuto. Bagnate poi con una tazza di brodo e continuate la cottura a fuoco moderato, sempre mescolando, fino a completo assorbimento del liquido. Continuate così ad aggiungere poco alla volta il brodo, sempre mescolando e sorvegliando il punto di cottura del riso. Appena pronto, servite il risotto caldo condito con abbondante parmigiano grattugiato.

«Risi e luganeghe»

(per 6 persone)

50 grammi di grasso di prosciutto
1/2 cipollina trita
40 grammi di burro
150 grammi di rape lessate (facoltativo)
200 grammi di luganeghe tagliate a pezzi
1/2 bicchiere di vino bianco secco
2 litri abbondanti di brodo di manzo e di pollo
200 grammi di riso
1 ciuffo di prezzemolo tritato
80 grammi di parmigiano grattugiato

Questa ricetta va preparata con la famosa salsiccia di Treviso, «la luganega».
Soffriggete il grasso di prosciutto con la cipolla nel burro; aggiungete le rape (facoltative) tagliate a dadini e la luganega e lasciate rosolare qualche minuto. Innaffiate con il vino e, quando sarà evaporato, versate il brodo caldo. Fate riprendere l'ebollizione e unite il riso. Lasciate cuocere lentamente, mescolando spesso. Spegnete il fuoco, lasciate riposare un attimo e da ultimo aggiungete il prezzemolo e il parmigiano.

«Risi e bisi»

(per 6 persone)

500 grammi di pisellini già sgranati
80 grammi di pancetta magra tagliata a dadini
1 cipollotto tagliato a fettine
40 grammi di burro
2 cucchiaiate d'olio
300 grammi di riso
2 litri abbondanti di brodo (preparato con i bacelli dei piselli)
sale q.b.
30 grammi di burro
80 grammi di parmigiano grattugiato
1 ciuffo di prezzemolo tritato

Soffriggete in una casseruola la pancetta e la cipolla con il burro e l'olio; aggiungete i pisellini, bagnate con qualche cucchiaiata di brodo e lasciate cuocere un quarto d'ora. Versate il rimanente brodo bollente e, quando avrà ripreso l'ebollizione, unite il riso, mescolate e lasciate cuocere lentamente (il riso deve rimanere brodoso). Aggiustate di sale e, quando il riso è cotto, spegnete il fuoco e aggiungete 80 grammi di parmigiano grattugiato e il prezzemolo tritato.

«Risi col'ua»

(per 6 persone)

100 grammi di uva malaga
2-3 cucchiai di olio d'oliva
2 spicchi d'aglio
1 cucchiaio di prezzemolo tritato
500 grammi di riso
100 grammi di parmigiano grattugiato
brodo q.b.

Mettete in una casseruola qualche cucchiaiata di olio e fatevi soffriggere l'aglio e il prezzemolo. Quando l'aglio sarà imbiondito, toglietelo e al suo posto mettete nella casseruola l'uva malaga precedentemente lavata in acqua tiepida. Infine aggiungete il riso e portatelo a cottura bagnandolo di tanto in tanto con un poco di brodo caldo. Quando il riso sarà cotto, completatelo con abbondante parmigiano grattugiato.

Risotto con i finocchi

(per 6 persone)

500 grammi di finocchi teneri
100 grammi di burro
500 grammi di riso
1 cipolla tritata
100 grammi di parmigiano grattugiato
brodo q.b.

Pulite i finocchi, lavateli e tagliateli a pezzetti. Mettete in una casseruola 80 grammi di burro e fatevi soffriggere la cipolla finemente tritata. Aggiungete i finocchi e quando saranno ben dorati e insaporiti, unite il riso, che porterete a cottura bagnandolo di tanto in tanto con un po' di brodo bollente. Quando il riso sarà cotto al dente, conditelo con abbondante parmigiano grattugiato e il restante burro. Coprite e continuate a fuoco bassissimo la cottura per altri due o tre minuti.
Un risotto simile a questo si può preparare anche con gli asparagi.

Risotto con le «zuchete»

(per 6 persone)

500 grammi di piccole zucchine
60 grammi di burro
60 grammi di pancetta tritata
1 piccola cipolla tritata
1 spicchio di aglio tritato
2-3 ciuffi di prezzemolo tritato
sale q.b.
pepe q.b.
500 grammi di riso
1 litro e mezzo circa di brodo bollente
parmigiano grattugiato q.b.

Lavate le zucchine e tagliatele a fette sottili. Fate sciogliere il burro in una casseruola e fatevi soffriggere la pancetta, l'aglio e la cipolla fino a quando quest'ultima imbiondisce. Eliminate l'aglio e unite le zucchine e il prezzemolo tritato. Fate cuocere a fuoco molto moderato fino a quando le zucchine saranno dorate, quindi condite con un po' di sale e aggiungete il riso. Fate rosolare il riso per qualche minuto, mescolando sempre; annaffiate con una tazza di brodo bollente e continuate la cottura, sempre mescolando, fino a completo assorbimento del liquido. Continuate così ad aggiungere poco alla volta il brodo fino a cottura avvenuta.
Aggiustate il sale e il pepe, condite con il parmigiano grattugiato e lasciate riposare il risotto per qualche minuto coperto, prima di servire. Si possono preparare con la stessa tecnica altri risotti, cosiddetti «primaverili», usando qualsiasi altra verdura di stagione, comprese le patate e i funghi.

«Sopa coada»

(per 6 persone)

3 bei piccioni
1 carota tritata
1 cipollina tagliata a fettine
1 costola di sedano
80 grammi di burro

1 bicchiere di vino bianco secco

sale q.b.

pepe q.b.

1 litro circa di brodo ristretto di carne

1 dozzina di fette di pane fritto

150 grammi di parmigiano grattugiato

Pulite e fiammeggiate i piccioni. Fate soffriggere il trito di carota, cipolla e sedano nel burro, poi unitevi i piccioni. Quando saranno ben rosolati, innaffiateli con il vino, salate, pepate e lasciate cuocere lentamente per circa un'ora. Disossate i piccioni, tagliate la carne a pezzetti e in una pirofila mettete uno strato di tre fettine di pane fritto inzuppato nel brodo, uno strato di carne di piccione e una spolverata di parmigiano. Continuate così fino all'esaurimento degli ingredienti e terminate con il pane. Bagnate con il rimanente brodo e passate in forno a «covare» a fuoco bassissimo per circa 4 ore, fino a quando il pane risulterà asciutto, ma ancora morbido. Se occorre versate, durante la cottura, ancora un poco di brodo caldo. La «sopa coada» è ancora più buona il giorno dopo.

Zuppa di pollo

(per 6 persone)

Un pollo di 1 chilo e mezzo circa

2 cucchiai di olio d'oliva

60 grammi di burro

60 grammi di pancetta tritata

1 rametto di rosmarino

1 piccola cipolla tritata

1/2 bicchiere di vino bianco secco

6 fette di pane tostato

100 grammi di formaggio parmigiano

Pulite il pollo, levategli la pelle e disossatelo. Tagliate la carne cruda a strisce. In una casseruola fate scaldare l'olio e il burro. Unite la cipolla, la pancetta e il rametto di rosmarino. Lasciate appassire la cipolla quindi aggiungete la carne di pollo e fatela rosolare leggermente. Scartate il rametto di rosmarino, annaffiate con il vino e con un poco di brodo e coprite la casseruola. Fate cuocere a fuoco moderato fino a quando la carne sarà diventata tenera. Da ultimo aggiungete il rimanente brodo e a fuoco vivace portate rapidamente a bollore. Versate quindi nelle scodelle, in ognuna delle quali avrete sistemato una fetta di pane tostato, la zuppa bollente, distribuendo equamente la carne di pollo. Condite con parmigiano grattugiato.

Risotto nero con le seppie

(per 6 persone)

1 chilo e mezzo di seppioline

1/2 cipolla tritata

1 spicchio d'aglio intero

1 bicchiere d'olio

1 ciuffo di prezzemolo tritato

1/2 bicchiere di vino bianco secco

1 cucchiaiata di salsina di pomodoro

450 grammi di riso

1 litro e mezzo circa di brodo di pesce

sale e pepe q.b.

Pulite le seppie, togliete loro la vescichetta con l'inchiostro e tenetele da parte. Soffriggete la cipolla e l'aglio nell'olio; quando comminceranno ad imbiondire, togliete via lo spicchio d'aglio e unite le seppie tagliate a listerelle e il prezzemolo. Bagnate con il loro inchiostro e il vino e lasciate evaporare. Quando saranno a metà cottura, dopo circa un quarto d'ora, versate il riso e, dopo un paio di minuti, aggiungete la salsina di pomodoro, diluita in un poco d'acqua calda. Unite, poco per volta, il brodo di pesce bollente e, sempre mescolando, finite di cuocere per circa un quarto d'ora. Aggiustate di sale, pepate abbondantemente e servite il risotto all'onda.

Risotto alla chioggiotta

(per 6 persone)

700 grammi di pesce della laguna (il go')

1 spicchio d'aglio tritato

1/2 cipolla tritata

2 cucchiaiate d'olio

80 grammi di burro

500 grammi di riso

1/2 bicchiere di vino bianco secco

sale q.b.

pepe q.b.

1 ciuffo di prezzemolo tritato

In una casseruola soffriggete l'aglio e la cipolla con l'olio e metà burro. Unite i pesci, ben puliti e lavati, lasciateli insaporire, salateli, copriteli e cuoceteli per un quarto d'ora circa. Passate tutto al setaccio e diluite con un po' d'acqua bollente salata. Nel rimanente burro rosolate il riso, unite poi un mestolo di passato di pesce e continuate ad aggiungerlo a mano a mano che il riso lo assorbirà. Bagnate con il vino, aggiustate di sale, pepate abbondantemente e ultimate con il prezzemolo.

Iota friulana

(per 6 persone)

250 grammi di fagioli bianchi secchi

1/2 cavolo bianco

1 spicchio d'aglio

2-3 ciuffi di prezzemolo

50 grammi di lardo

1 piccola cipolla

2 foglie di salvia

1 cespo di sedano

sale q.b.

pepe q.b.

parmigiano grattugiato

Lasciate a bagno i fagioli tutta notte o almeno per diverse ore. Lavate il cavolo, scartate le foglie avvizzite e tagliatelo a listerelle. Preparate un battuto tritando insieme il lardo con l'aglio, la cipolla, il prezzemolo e le foglie di salvia. Lavate, nettate e tritate grossolanamente il sedano.
Fate cuocere in una casseruola d'acqua, senza sale, i fagioli fino a quando saranno teneri. Unite il cavolo, il sedano e il battuto, condite con sale e pepe e allungate il liquido di cottura dei fagioli con acqua bollente portandolo a 2 litri circa. Coprite e fate bollire a fuoco moderato per 1 ora circa. Servite la zuppa condita con abbondante parmigiano grattugiato.
Nel Friuli si usa spesso sostituire il cavolo con una tazza di «brovada», cioè di rape macerate sotto vinacce.

«Sguazeto» alla friulana

(per 6 persone)

1 chilo abbondante di cosciotto d'agnello

50 grammi di burro

4 cucchiaiate d'olio

1 spicchio d'aglio intero

1 cipolla tritata

100 grammi di lardo tritato

sale q.b.

pepe q.b.

cannella q.b.

1 cucchiaino di concentrato di pomodoro

1 mestolo di brodo

polenta q.b.

Fate rosolare nel burro e nell'olio il lardo, la cipolla e lo spicchio d'aglio; quando cominceranno a colorirsi, togliete l'aglio e aggiungete la carne di agnello tagliata a pezzetti; salate, pepate e spoverate con un pizzico di cannella. Quando la carne sarà colorita uniformemente, aggiungete il concentrato di pomodoro diluito in un mestolo di brodo caldo. Coprite e lasciate finire di cuocere lentamente per un'ora circa. Lo «sguazeto» deve risultare con un sugo ben ristretto. Servitelo con polenta appena fatta, preparata con 500 grammi circa di farina gialla.

«Pastizada» alla veneta

(per 6-8 persone)

1 chilo e mezzo di coscia di manzo

1 cipollina tritata

100 grammi di burro

sale q.b.

pepe q.b.

1 bicchierino di marsala

1 bicchierino di vino bianco

per la marinata

2 spicchi d'aglio

2 chiodi di garofano

1 pizzico di cannella

1/2 litro d'aceto

2 costole di sedano

1 rametto di rosmarino

sale q.b.

5-6 grani di pepe

Mettete a marinare nell'aceto per 12 ore la carne con l'aglio, i chiodi di garofano, la cannella, il sedano, il rosmarino, sale e pepe. Dopo questo periodo, sgocciolate la carne dalla marinata e asciugatela bene. In una casseruola, possibilmente di terracotta, soffriggete con il burro la cipolla e le verdure della marinata, poi rosolate la carne, salatela, pepatela e innaffiatela con il marsala e il vino. Coprite il recipiente con un foglio di carta oleata bene imburrata e un coperchio e lasciate cuocere lentamente per 2 ore e mezza. Tagliate poi la carne a fette non troppo sottili e servitela con il suo sugo di cottura, passato al setaccio, e una buona polenta.

Sguazzetto «a la bechera»

(per 6 persone)

800 grammi di «fongadina» (cuore, fegato, polmone e milza di vitello)

1 cipolla tritata

1 spicchio d'aglio intero

1 costola di sedano tritata

2 carote tritate

60 grammi di burro

3 cucchiaiate d'olio

1/2 bicchiere di vino bianco secco

sale q.b.

pepe q.b.

1 rametto di timo

1 cucchiaio di salsina di pomodoro sciolta in un mestolo di brodo

Scottate per 5 minuti la «fongadina» in acqua bollente salata e poi tagliatela a pezzi. Soffriggete la cipolla, l'aglio, il sedano e le carote nel burro e olio e, quando cominceranno a imbiondire, togliete lo spicchio d'aglio, aggiungete la carne e innaffiatela con il vino. Quando sarà evaporato, salate, pepate e mettete il timo chiuso in un sacchettino di tela. Versate la salsina di pomodoro, coprite e lasciate cuocere lentamente finché il sugo si sarà ristretto; togliete il sacchettino del timo e servite ben caldo.

Fegato alla veneziana

(per 6 persone)

600 grammi di cipolle affettate

50 grammi di burro

50 grammi di olio

800 grammi di fettine di fegato di vitello

1 ciuffo di prezzemolo tritato

sale q.b.

fettine di polenta q.b.

Fate scaldare l'olio e il burro in padella; unite le cipolle e soffriggetele pian piano; quando le cipolle si saranno bene ammorbidite (senza colorire troppo), aggiungete le fettine di fegato di vitello, cuocetele circa 5 minuti su fiamma viva facendole rosolare da tutte e due le parti; cospargetele di prezzemolo, salatele e servitele con fettine di polenta ben calda.

Fegato «garbo e dolce»

(per 6 persone)

800 grammi di fettine di fegato di vitello

1 uovo

sale q.b.

farina q.b.

pangrattato q.b.

150 grammi di burro

1 limone

1 cucchiaino di zucchero

Sbattete l'uovo con un pizzico di sale; immergetevi le fettine di fegato infarinate leggermente e poi passatele nel pangrattato. Fate scaldare in una padella il burro e friggetevi le fettine di fegato impanate, prima da una parte e poi dall'altra. Quando saranno ben dorate, mettetele in un piatto da portata ben caldo e versatevi sopra lo zucchero sciolto nel succo di limone.

Trippa alla trevisana

(per 6 persone)

1 chilo e 200 grammi di trippa di vitello già lessata

50 grammi di lardo tritato

1 cipolla tagliata a fettine

60 grammi di burro

1 rametto di rosmarino

1/2 litro di brodo di manzo

12 fettine di pane abbrustolito

parmigiano grattugiato q.b.

Tagliate a listerelle la trippa. In una casseruola soffriggete il lardo e la cipolla con il burro, unite la trippa e un rametto di rosmarino e lasciate insaporire. Bagnate con il brodo e lasciate cuocere a fuoco lento per mezz'oretta. In ogni scodella mettete due fettine di pane e versate la trippa e il suo sugo; spolverate con abbondante parmigiano grattugiato.

«Polastro in tecia»

(per 6 persone)

1 pollo di circa 1 chilo e mezzo
1 cipolla tagliata a fette
1 carota tritata
1 costola di sedano tritata
50 grammi di burro
2 cucchiai d'olio
1/2 bicchiere di vino bianco secco
sale q.b.
2 chiodi di garofano
1 pizzico di cannella
pepe q.b.
300 grammi di pomodori spellati
500 grammi di funghetti freschi

Pulite, fiammeggiate il pollo, tagliatelo a pezzi, lavatelo e asciugatelo. In una casseruola soffriggete la cipolla, la carota e il sedano con il burro e l'olio; unite il pollo e spruzzatelo con il vino. Salate, aggiungete i chiodi di garofano, un pizzico di cannella e uno di pepe e, quando il pollo avrà preso un bel colore uniforme, versate i pomodori tagliati a pezzi e privati dei semi e lasciate cuocere per un'ora abbondante. Un quarto d'ora prima della fine di cottura, unite anche i funghi, ben lavati e tagliati a fettine; aggiustate il sale e lasciate finire di cuocere.

Anatra ripiena

(per 6-8 persone)

una bella anatra di circa 1 chilo e mezzo

per il ripieno

100 grammi di vitello tritato
50 grammi di lardo tritato
50 grammi di «sopressa» veneta
1 uovo
2 cucchiaiate di parmigiano grattugiato
1 spicchio d'aglio tritato
1 ciuffo di prezzemolo tritato
sale q.b.
pepe q.b.
la mollica di un panino bagnata nel latte e strizzata
100 grammi di fettine di pancetta
1 bicchiere d'olio
40 grammi di burro
2 rametti di rosmarino

Pulite e fiammeggiate l'anatra. In una terrina mescolate la carne di vitello, la sopressa, il lardo, l'uovo, il parmigiano, l'aglio, il prezzemolo, la mollica di un panino, sale e pepe quanto basta. Riempite con questo composto l'anatra e cucite l'apertura con un filo. Fasciatela con le fettine di pancetta e legatela. Mettete l'anatra in una casseruola con l'olio e il burro, il rosmarino e il sale e fatela rosolare uniformemente nel forno già caldo (160°), quindi portate a termine

la cottura nel forno a fuoco basso per un'ora e mezza abbondante. Servitela con il suo sugo di cottura che, volendo, potete mescolare a una salsa peverada (vedi a pag. 65).

Anatra in salsa piccante

(per 6 persone)

un'anatra di 2 chili circa
80 grammi di burro
80 grammi di pancetta tritata
1 rametto di rosmarino tritato
4-5 foglie di salvia tritate
1 limone
sale q.b.
pepe q.b.
200 grammi di salsiccia di maiale
1 spicchio d'aglio tritato
200 grammi di acciughe tritate
1/2 bicchiere di aceto

Pulite l'anatra, togliete le regaglie e il fegato e strofinate il volatile con un canovaccio umido. Sciogliete in una casseruola il burro e aggiungete il rosmarino, la salvia e la pancetta tritati. Fateli soffriggere per qualche minuto quindi mettete in casseruola l'anitra e il limone tagliato a metà. Condite con sale e pepe e mettete in forno caldo (200°). Fate arrostire l'anatra nel recipiente scoperto per 30 minuti, toglietela quindi dal forno, eliminate l'eccesso di condimento grasso e bucate la pelle del volatile sul petto e sulle cosce. Rimettete a cuocere in forno, bagnando frequentemente con il sugo di cottura. Mentre l'anitra cuoce preparate un battuto tritando la salsiccia assieme all'aglio e alle acciughe. Fatelo soffriggere in un tegame, condito con sale e pepe. Quando sarà ben rosolato, aggiungete l'aceto. In questa salsa aromatica e piccante ponete l'anatra cotta e lasciatela insaporire per circa 30 minuti prima di portarla in tavola.

«Masoro a la valesana»

(per 4 persone)

un'anitra selvatica di circa 1 chilo e mezzo
1/2 litro di aceto
1 pizzico di timo
1 pizzico di origano
sale q.b.
120 grammi di burro
4-5 fettine di pancetta
1 cipolla tritata
3 filetti di acciughe tritati
1 cucchiaio di capperi tritati
1/4 di litro di vino bianco secco

Il «masoro» è l'anitra selvatica e «alla valesana» significa cotta alla maniera dei valligiani.
Pulite e fiammeggiate l'anitra e mettetela in una terrina ricoprendola con una marinata composta di aceto, timo, origano. Lasciatela riposare per dodici ore poi estraetela dalla marinata. Fate sgocciolare l'anatra, asciugatela e sfregatela leggermente di sale all'interno, ungetela con metà del burro e bardatela con le fettine di pancetta. Sistematela in un recipiente da forno e fatela cuocere in forno caldo (200°), spennellandola due o tre volte con il sugo di cottura. Non deve cuocere più di 20 minuti.
Mentre l'anatra sta cuocendo, fate soffriggere nel rimanente burro la cipolla, le acciughe e i capperi. Togliete dal forno l'anatra, tagliatela a pezzi e unitela al soffritto, bagnate con il vino e finite di cuocere a fuoco moderato.

«Capon a la canevera»

(per 8 persone)

un cappone di 3 chili circa
250 grammi di carne di manzo
200 grammi di carne di gallina faraona
1 vescica di maiale
1 cannello di bambù
sale q.b.
pepe q.b.

Questa è una ricetta piuttosto insolita. Avrete forse qualche difficoltà a trovare il cannello di bambù, che per essere adatto allo scopo deve essere vuoto all'interno, e anche la vescica che deve essere perfetta, senza buchi. Se non trovate la carne di faraona potete sostituirla con carne di pollo o di anitra.
Pulite, fiammeggiate, lavate e asciugate il cappone. Mettetelo nella vescica di maiale insieme alla carne di manzo e di gallina faraona tagliate a pezzi. Condite con sale e pepe e ricucite la vescica lasciando solo un piccolo foro nel quale introdurrete il cannello di bambù che servirà da sfiatatoio. Ponete la vescica in una capace casseruola contenente abbondante acqua e fate bollire per un'ora circa. Quando noterete che dal cannello di bambù non esce più vapore, vorrà dire che la carne avrà raggiunto il giusto grado di cottura. Estraete quindi il cappone dalla vescica e sistematelo su un piatto di servizio contornato dai pezzi di carne di manzo e di gallina faraona.

Dindo alla schiavona

(per 6-8 persone)

1 tacchino giovane di circa 2 chili
6 castagne crude ben spellate
8 prugne secche
2 cuori di sedano
100 grammi di fettine di pancetta
sale e pepe q.b.

Pulite e fiammeggiate il tacchino. Farcitelo con le castagne, le prugne, il sedano tagliato a pezzetti e un bel pizzico di sale. Fasciatelo bene con le fettine di pancetta, legatelo con uno spaghino e infilzatelo allo spiedo. Fatelo cuocere lentamente al girarrosto, bagnandolo di tanto in tanto con il grasso che cola dalla cottura. Aggiustate di sale e pepe. Appena pronto, tagliate a pezzi il tacchino e sistematelo su un piatto di portata con il ripieno, accompagnato da patatine fritte.

Tacchina arrosto con il melagrano

(per 6-8 persone)

1 tacchina giovane di circa 2 chili ben frollata
50 grammi di burro
sale q.b.
100 grammi di fettine di pancetta
3 melagrane
2 cucchiaiate d'olio
sale e pepe q.b.

Pulite, fiammeggiate la tacchina e tenete da parte le frattaglie. All'interno mettete il burro e un bel pizzico di sale; fasciatela con la pancetta e legatela con uno spaghino. Infilzatela allo spiedo del girarrosto e cuocetela per circa un'ora e mezza, bagnandola di tanto in tanto con il grasso che cola durante la cottura. Poi innaffiatela con il succo di due melagrane e salatela leggermente. Lasciate finire di cuocere per circa un'ora. Intanto a parte soffriggete nell'olio le frattaglie della tacchina, tagliate a pezzetti, innaffiatele con il succo di mezza melagrana e aggiungete anche i granellini di melagrana; salate, pepate e lasciate finire di cuocere. Quando la tacchina sarà pronta, tagliatela a pezzi e versatevi sopra le frattaglie con il loro sugo.

Faraona con «peverada»

(per 6-8 persone)

una bella faraona
50 grammi di fettine di pancetta
50 grammi di burro
sale q.b.

per la salsa

1 bicchiere d'olio
3 fettine di limone
2 spicchi d'aglio
le interiora della faraona
1/2 bicchiere d'aceto
sale q.b.
pepe q.b.

Pulite e fiammeggiate la faraona; salate e bardate con le fettine di pancetta, spalmatela di burro e legatela con uno spaghino. Arrostitela pian piano in una casseruola, per un'ora abbondante. A parte soffriggete nell'olio il limone e l'aglio, aggiungete le interiora della faraona tritate e lasciate rosolare lentamente. Bagnate con l'aceto, salate, pepate e fate cuocere un quarto d'ora. Quando la faraona sarà pronta, tagliatela a pezzi e versateci sopra la salsa ben calda.

«Polenta e osei»

(per 6 persone)

24 uccellini
150 grammi di pancetta
un ciuffo di foglie di salvia
sale q.b.
12 fettine di polenta

Spiumate, fiammeggiate e non sventrate gli uccellini. Infilateli negli spiedini intervallandoli con una fettina di pancetta e una foglia di salvia. Salateli leggermente e fateli cuocere al girarrosto mettendo sotto una padella che raccolga il loro grasso di cottura. In questa padella friggete le fettine di polenta e con esse accompagnate gli uccellini dorati al fuoco.

«Broeto»

(per 6 persone)

1 «bosega» di circa 1 chilo e mezzo (muggine, chelone)
2 teste di «scarpena»
6 «anzoleti» (caponi)
200 grammi di «schile» (crangoni)
300 grammi di «go'» (pesce misto di laguna)
1/2 limone
3 pomodori maturi
sale q.b.
2 spicchi d'aglio tritati
1 ciuffo di prezzemolo tritato
1/2 cipolla tritata

1/2 bicchiere d'olio

12 fettine di pane fritte nell'olio

parmigiano grattugiato q.b.

Pulite, lessate e poi tagliatela a pezzi. A parte fate bollire la testa della bosega e le teste di scarpena con il limone, i pomodori, un pizzico di sale e abbondante acqua per un'oretta, poi unite gli altri pesci e lasciate cuocere un quarto d'ora. Passate tutto al setaccio. Soffriggete il trito d'aglio, prezzemolo e cipolla nell'olio, unite i pezzi di bosega e il brodo passato del pesce.

In ogni scodella mettete due fettine di pane fritto, cospargete con parmigiano e versate il «broeto» bollente.

«Sfogi in saor»

(per 6 persone)

6 sogliole di circa 300 grammi l'una

farina q.b.

olio per friggere q.b.

sale q.b.

1 bicchiere d'olio

1 cipolla tagliata a fettine

1 bicchiere d'aceto

1 bicchiere di vino bianco secco

2 foglie di alloro

50 grammi di uvetta sultanina

50 grammi di pinoli

2 chiodi di garofano

1 pizzico di cannella

pepe q.b.

«Sfogi in saor», cioè sogliole in sapore, è un piatto tradizionale di Venezia per la notte della grande festa del Redentore. Pulite e riducete in filetti le sogliole. Infarinatele, friggetele in abbondante olio bollente, sgocciolatele su una carta che assorba l'unto e salatele. In una padellina soffriggete la cipolla con l'olio; quando si sarà bene ammorbidita, senza però colorire, unite l'aceto e il vino e fate bollire per qualche minuto. Sistemate i filetti di sogliola in una terrina e versate la cipolla con il suo sugo, le foglie di alloro, l'uvetta, ammorbidita nell'acqua e poi strizzata, i pinoli, i chiodi di garofano e un pizzico di cannella e di pepe. Lasciate marinare al fresco, ma non in frigorifero, ben coperto, per due giorni prima di servire.

«Bisato in tecia»

(per 6 persone)

1 chilo e mezzo di anguille di media grossezza

pangrattato q.b.

2 spicchi d'aglio

40 grammi di burro

2 cucchiaiate d'olio

2 cucchiai d'aceto

1 bicchierino di marsala

3 cucchiaiate di salsina di pomodoro

sale e pepe q.b.

1 ciuffo di prezzemolo tritato

una polenta tagliata a grosse fette

per la marinata

3 foglie di alloro

1/2 litro di aceto

sale e pepe q.b.

Il «bisato in tecia» (anguilla in umido) è un piatto molto popolare a Venezia e va servito con una polenta densa tagliata a grosse fette.

Pulite le anguille, tagliatele a pezzi di circa 6 cm, avendo cura che le parti non si stacchino. Mettetele a marinare in una terrina per alcune ore con l'aceto, le foglie di alloro, un pizzico di sale e di pepe. Levate quindi i pezzi di anguilla dalla marinata e passateli nel pangrattato. In una padella soffriggete con l'olio e il burro gli spicchi d'aglio, schiacciati con il manico di un coltello; quando cominceranno a imbiondire, toglieteli e aggiungete l'anguilla. Lasciatela rosolare, da tutte le parti, innaffiatela con l'aceto e il marsala e lasciate evaporare. Versate la salsa di pomodoro diluita in un poco d'acqua calda, aggiustate di sale, pepate e fate cuocere lentamente fino a quando i pezzi si divideranno. Ultimate con il prezzemolo e servite ben caldo con polenta.

«Bacalà mantecato»

(per 6 persone)

1 chilo di stoccafisso già bagnato

olio q.b.

2 spicchi d'aglio tritati

1 ciuffo di prezzemolo tritato

sale q.b.

pepe q.b.

Mettete lo stoccafisso in una pentola e copritelo d'acqua fredda. Portatelo all'ebollizione, spegnete il fuoco e lasciatelo a bagno per una ventina di minuti. Poi sgocciolatelo, spellatelo e spinatelo. Riducete la carne in poltiglia, sminuzzandola finemente e aggiungendo tanto olio quanto ne assorbe. Condite con l'aglio, il prezzemolo, pochissimo sale e abbondante pepe. Servitelo freddo con una buona polenta.

«Bacalà a la visentina»

(per 6 persone)

800 grammi di stoccafisso già bagnato

2 bicchieri d'olio d'oliva

3 cipolle tagliate a fettine

2 spicchi d'aglio tritati

1 ciuffo di prezzemolo tritato

3 acciughe diliscate tritate

3 cucchiaiate di farina

2 cucchiaiate di parmigiano grattugiato

sale q.b.

pepe q.b.

1/2 litro di latte

polenta q.b.

Spellate, spinate lo stoccafisso e tagliatelo a grossi pezzi. In una casseruola soffriggete con l'olio le cipolle, l'aglio e, quando cominceranno a imbiondire unite anche il prezzemolo e le acciughe. Mettete i pezzi di «bacalà» infarinati in una teglia di giusta misura in modo che restino ben serrati; versatevi sopra il soffritto, ancora una cucchiaiata di farina e il parmigiano; aggiustate di sale e pepe e copriteli con il latte. Mettete il coperchio e fate cuocere a fuoco basso per 4-5 ore badando che il pesce non si attacchi sul fondo del recipiente. Servitelo caldo con polenta.

Aringhe in insalata

(per 4 persone)

250 grammi di aringhe

150 grammi di fagioli bianchi o rossi

1 cipolla

3 cucchiai di olio d'oliva

100 grammi di olive nere

aceto q.b.

sale q.b.

1 uovo sodo

Tenete le aringhe a bagno in acqua fresca per qualche ora per dissalarle e ammorbidirle. Togliete quindi la pelle alle aringhe, spinatele e tagliatele in pezzi regolari. Nel frattempo avrete lessato i fagioli e tagliato a fettine sottilissime e messo a bagno in acqua fredda la cipolla. Sistemate quindi in una insalatiera i fagioli, le fettine di cipolla e i pezzi di aringa. Condite con olio, aceto e sale, e unite le olive nere snocciolate e l'uovo sodo tagliato a fettine.

Seppie alla veneziana

(per 6 persone)

12 seppie (circa 1 chilo e mezzo)

2 spicchi d'aglio

1/2 bicchiere d'olio

1 ciuffo di prezzemolo tritato

1 bicchiere scarso di vino bianco secco

sale q.b.

pepe q.b.

2 cucchiaiate d'olio

1/2 limone

Pulite le seppie, tenete da parte le vescichette dell'inchiostro e tagliatele a listerelle. Nell'olio soffriggete gli spicchi d'aglio interi e, quando cominceranno a prendere colore, toglieteli e aggiungete le seppie e il prezzemolo. Bagnate con il vino e con il loro inchiostro; salate, pepate e lasciate finire di cuocere per 30-40 minuti, a seconda della grossezza delle seppie. Ultimate la preparazione con due cucchiaiate d'olio e qualche goccia di succo di limone. Servite con fette di polenta abbrustolite.

Granseola

(per 3 persone)

3 granseole di media grandezza

sale q.b.

olio d'oliva q.b.

il succo di un limone

pepe q.b.

1 cucchiaio di prezzemolo tritato

La granseola è un grosso granchio che si trova soltanto sulle rive dell'Adriatico e che a Venezia è considerato una ghiottoneria. Sbollentate le granseole in acqua bollente per 10-15 minuti. Lasciatele raffreddare poi estraetele con delicatezza dal guscio. Lavate i gusci. Tritate la carne delle granseole accertandovi che non vi sia rimasto mischiato qualche frammento dei gusci. Rimettete la carne nei gusci lavati.
Condite con abbondante olio, succo di limone, sale e pepe e guarnite con il prezzemolo. Fate raffreddare prima di portare in tavola.

«Cape sante»

(per 6 persone)

18 cape sante (o Coquilles Saint-Jacques)

1/2 bicchiere d'olio

1 spicchio d'aglio

1 ciuffo di prezzemolo

pangrattato q.b.

1 spicchio d'aglio tritato

1 ciuffo di prezzemolo tritato

2 cucchiaiate d'olio

40 grammi di burro

due dita di vino bianco secco

1 limone

Pulite le cape sante e fatele aprire in una pentola senz'acqua con l'olio, il prezzemolo e lo spicchio d'aglio schiacciato. Togliete i molluschi dal loro guscio e passateli nel pangrattato. In un padellino soffriggete l'aglio e il prezzemolo con l'olio e il burro; unite le cape sante e, quando saranno ben colorite, spruzzatele con il vino e qualche goccia di limone. Rimettetele nei loro gusci e servitele ben calde.

«Bovoloni»

(per 1-2 persone)

1 dozzina di lumache col guscio (chiocciole)

1 spicchio d'aglio tritato

1 ciuffo di prezzemolo tritato

sale q.b.

3 cucchiaiate d'olio

I «bovoli» sono grosse lumache che si preparano solitamente alla vigilia di Natale. Fatele spurgare due giorni in un cestello di vimini con qualche foglia di vite e pezzi di mollica di pane imbevuta d'acqua e coperte in modo però che circoli l'aria. Poi lavatele ripetutamente in acqua fredda e lasciatele a lungo, dalle 2 ore alle 5-6, il più possibile, in un recipiente pieno d'acqua perché spurghino bene. Mettetele poi in una pentola d'acqua fredda e ponetela sul fuoco. Man mano che l'acqua intiepidisce le lumache usciranno con la testa dal loro guscio, allora intensificate il calore in modo che non rientrino più. Lasciatele bollire per una decina di minuti e passatele di nuovo in acqua fredda.
In una padellina di terracotta soffriggete l'aglio e il prezzemolo con l'olio, unite le lumache, salatele, pepatele e lasciatele cuocere lentamente per circa tre ore.

Omelette con i gamberetti

(per 6 persone)

8 uova

300 grammi di gamberetti

30 grammi di burro

sale q.b.

pepe q.b.

2 cucchiaiate d'olio

1 ciuffo di prezzemolo tritato

Lessate una decina di minuti i gamberetti in poca acqua salata, sgocciolateli, toglieteli dai loro gusci e insaporiteli in una padellina con il burro e un pizzico di sale. In una terrina sbattete le uova con sale e pepe. Scaldate l'olio in una padella e versate le uova; fate rapprendere la frittata e, prima di ripiegarla su se stessa, mettete nel centro i gamberetti. Chiudete la frittata, capovolgetela su un piatto e guarnitela con un poco di prezzemolo tritato.

Peoci al pangrattato

1 chilo e mezzo di peoci

2 spicchi d'aglio tritati

1 ciuffo di prezzemolo tritato

4 cucchiaiate di pangrattato

sale q.b.

pepe q.b.

olio d'oliva q.b.

Pulite i peoci e metteteli al fuoco in un tegame senz'acqua e coperto, finché si saranno aperti. In un piatto mescolate l'aglio, il prezzemolo e il pangrattato; salate, pepate e bagnate con qualche goccia del liquido di cottura dei peoci, passato attraverso una garza, e un poco d'olio. Stendete i peoci aperti su una teglia e distribuite sopra ogni mollusco un poco del ripieno. Fate gratinare pochi minuti in forno ben caldo.

«Brovada» friulana con «musett»

(per 6 persone)

1 chilo di rape macerate sotto vinacce

100 grammi di lardo tritato

1 spicchio d'aglio tritato

1/2 bicchiere d'olio (o due cucchiaiate di strutto)

acqua (o brodo di cottura del cotechino)

sale q.b.

pepe q.b.

1 ciuffo di prezzemolo tritato (facoltativo)

Tagliate le rape a listerelle sottili come i crauti dopo che saranno state a macerare almeno un mese sotto vinacce. Fate soffriggere in una padella il lardo e l'aglio con l'olio (o lo strutto); unite le rape e fatele cuocere una decina di minuti, mescolandole di tanto in tanto. Bagnatele fino a coprirle con acqua calda (o il brodo del cotechino), aggiustate di sale, pepate abbondantemente e lasciate asciugare. Ultimate, se volete, con il prezzemolo. Servite le rape di contorno al «musett», il famoso cotechino friulano.

Frittata coi piselli

(per 3-4 persone)

60 grammi di burro

1 piccola cipolla finemente tritata

60 grammi di prosciutto tagliato a dadi

1 piccolo finocchio affettato

250 grammi di piselli

sale q.b.

pepe q.b.

6 uova

1 cucchiaiata di prezzemolo tritato

olio per friggere q.b.

Sciogliete il burro in un tegame e fatevi soffriggere la cipolla, il prosciutto, il finocchio e i piselli per qualche minuto. Condite con sale e pepe, aggiungete un poco di acqua o brodo bollente e lasciate sobbollire finché il finocchio è tenero. A quel punto saranno cotti a dovere anche tutti gli altri ingredienti.
Sbattete leggermente le uova con un pizzico di sale e mescolatevi il prezzemolo. Togliete dal tegame il composto di verdure, scolatelo, unitelo alle uova e sbattete ancora un poco per amalgamare.
Fate scaldare in una grande padella 2 cucchiai di olio. Versatevi la mistura di uova e fatela friggere fino a quando sarà ben rappresa e dorata. Rovesciate la frittata su un grande piatto e rimettetela in padella per dorarla dall'altro lato. Servitela senza piegarla.

Patate alla triestina

(per 4-6 persone)

1 chilo e 750 grammi di patate

sale q.b.

100 grammi di lardo tritato

35 grammi di burro

2 cucchiai di olio d'oliva

1 cipolla affettata

1/4 di litro di brodo

Spazzolate le patate e fatele bollire in acqua salata fino a quando saranno morbide. Fate soffriggere il lardo con l'olio e il burro in una capace padella. Aggiungete la cipolla e fatela dorare. Unite le patate affettate, conditele con sale e pepe, e bagnatele con il brodo. Schiacciate le patate con una forchetta, in modo grossolano, non come fareste per una purea, e fatele cuocere a calore moderato fino a quando si sarà formata sotto una crosticina croccante e dorata. Rovesciate il tortino di patate su un piatto e tornate a metterlo in padella per dorarlo anche dall'altro lato. Servite ben caldo.

Carciofi alla Venezia Giulia

(per 6 persone)

6 carciofi teneri

1 limone

6-7 cucchiai di pangrattato

1 spicchio di aglio tritato

1 cucchiaiata di prezzemolo tritato

1 bicchiere di olio d'oliva

sale q.b.

pepe q.b.

Pulite i carciofi togliendo le foglie più dure, staccate e pulite i gambi, quindi tuffateli in acqua leggermente acidulata con succo di limone. Allineateli diritti in un tegame precedentemente unto di olio, allargate le foglie e riempiteli con il pangrattato misto all'aglio e al prezzemolo, condite con sale e pepe. Accanto ai carciofi mettete i gambi. Irrorate il tutto con abbondante olio di oliva, poi versate acqua nel recipiente fino a coprire per metà i carciofi. Incoperchiate e fate cuocere a calore moderato fino a quando l'acqua si sarà tutta prosciugata. Il tempo di cottura per i carciofi più teneri sarà di 30 minuti circa, per i meno teneri anche di 1 ora. In tal caso, occorrerà forse aggiungere un poco di acqua nel recipiente durante la cottura.

«Papriche stufate»

(per 6 persone)

1 chilo di papriche gialle (peperoni gialli)

1 bicchiere abbondante d'olio

1 spicchio d'aglio

1 chilo di pomodori pelati e tagliati a pezzi

sale q.b.

pepe q.b.

1 ciuffo di prezzemolo tritato

Togliete il torsolo e i semi ai peperoni e tagliateli a listerelle. Lavateli e sgocciolateli bene. In una padella fate soffriggere l'aglio con l'olio; quando comincerà a prendere colore, toglietelo e versate i peperoni. Lasciateli rosolare un quarto d'ora, poi aggiungete i pomodori, salate, pepate e lasciate cuocere senza coperchio finché il sugo si sarà rappreso. Ultimate con il prezzemolo.

Radicchio rosso fritto

Radicchio rosso di Treviso

farina q.b.

1 uovo sbattuto

pangrattato q.b.

olio per friggere q.b.

sale q.b.

Togliete le foglie esterne al radicchio lasciando solamente il cespo centrale e dividetelo in quarti. Lavate i pezzi di radicchio, asciugateli, infarinateli, passateli nell'uovo sbattuto e nel pangrattato e friggeteli in olio bollente. Sgocciolateli su una carta che assorba l'unto e salateli.

Zucca gialla di Chioggia in marinata

(per 6 persone)

1 chilo e mezzo di zucca gialla

2 cucchiaiate d'olio

1 bicchiere abbondante d'aceto

1 cipolla tagliata a fettine

sale q.b.

pepe q.b.

1 ciuffo di basilico

Togliete la scorza e i semi alla zucca e tagliatela a fettine sottili. Mettetela in una teglia con l'olio e un pizzico di sale e passatelo in forno a calore moderato per mezz'ora. In un tegamino portate all'ebollizione l'aceto, la cipolla, con un pizzico di sale e uno di pepe. Mettete in una terrina la zucca a strati, intervallandola con le foglie di basilico, versate sopra l'aceto e tenetela a marinare almeno mezza giornata.

Fugazza di Pasqua

1 chilo e 250 grammi di farina bianca

75 grammi di lievito di birra

latte tiepido q.b.

sale

6 uova sbattute

300 grammi di zucchero semolato

250 grammi di burro

burro per ungere

uovo sbattuto per la doratura

Sciogliete il lievito in poco latte tiepido. Setacciate 250 grammi di farina in una grande terrina con un pizzico di sale. Aggiungete il lievito e mescolate gli ingredienti lavorandoli con altro latte, se necessario, in modo da ottenere un impasto morbido e omogeneo. Coprite la terrina e lasciate lievitare la pasta 1 ora circa fino a quando il volume sarà raddoppiato. Nel frattempo provvedete a setacciare anche la rimanente farina.

Quando la pasta sarà lievitata tornate a lavorarla unendo metà delle uova e metà dello zucchero, 300 grammi di farina e metà del burro ammorbidito. Lavorate energicamente l'impasto fino a quando risulterà morbido e liscio. Lasciate lievitare di nuovo fino al raddoppio del volume, stavolta per 2 ore circa.

Tornate quindi a lavorare la pasta aggiungendo le uova, la farina e il burro rimasti. Fate lievitare per altre 5 ore.

Tornate a lavorare delicatamente la pasta e fate 2 o 3 focacce, spennellatele con uovo sbattuto e cuocetele in forno preriscaldato a calore moderato (180°) per 30 o 40 minuti circa, o fino a che le focacce saranno di un bel colore dorato.

«Fritole»

500 grammi di farina

40 grammi di lievito di birra

1/2 bicchiere d'acqua tiepida

50 grammi di zucchero vanigliato

un pizzico di sale

la scorza grattugiata di un limone

50 grammi di pinoli

100 grammi di uvetta sultanina

2 bicchierini di rhum

1 pizzico di cannella

50 grammi di cedro candito tritato

olio per friggere q.b.

zucchero al velo q.b.

Sciogliete il lievito nell'acqua tiepida e mescolatelo alla farina; unite lo zucchero, il sale, la scorza del limone, i pinoli, l'uvetta ammorbidita nel rhum con il suo liquore, un pizzico di cannella e il cedro. Lavorate molto bene il composto con un cucchiaio di legno, copritelo con un tovagliolo e lasciatelo lievitare in luogo tiepido circa 4 ore. Lavoratelo di nuovo, aggiungendo, se occorre, un poco d'acqua (o latte) sino a ottenere un impasto piuttosto liquido. Friggetelo, versandolo a cucchiaiate, in abbondante olio bollente. Sgocciolate le «fritole» su una carta che assorba l'unto, spolverizzatele di zucchero al velo e servitele subito.

«Zaleti»

200 grammi di farina di granturco detta fiorello (o semolino giallo)

200 grammi di farina bianca

sale q.b.

un pizzico di vaniglina

3 tuorli d'uovo

150 grammi di zucchero

la scorza grattugiata di un limone

200 grammi di burro

1 bicchierino di rhum (o rosolio)

100 grammi di uvetta sultanina

50 grammi di pinoli

zucchero al velo q.b.

Mescolate le due farine; in una terrina sbattete i tuorli d'uovo con lo zucchero, unite a poco a poco le farine, un pizzico di sale e di vaniglina, la scorza grattugiata del limone e il burro fuso. Lavorate energicamente e in ultimo versate l'uvetta ammorbidita nel rhum (o rosolio) e ben strizzata e i pinoli. Stendete la pasta in una sfoglia piuttosto spessa; ricavate dei pezzi piuttosto piccoli a forma di losanghe, stendeteli su una teglia bene imburrata e cuoceteli in forno caldo (180°) per una ventina di minuti. Spolverizzateli di zucchero al velo. Potete servirli caldi o freddi.

Galani di carnevale

500 grammi di farina

2 rossi d'uovo

1 uovo intero

30 grammi di burro

un pizzico di sale

1 cucchiaiata di zucchero vanigliato

1 bicchiere di rosolio (o vino bianco)

olio (o strutto) per friggere q.b.

zucchero al velo q.b.

Mescolate tutti gli ingredienti e lasciate riposare la pasta un'oretta. Tiratela molto sottile e ritagliate con la rotellina scannellata dei nastri, lunghi o corti, a piacere. Friggeteli in abbondante olio bollente (o strutto), appena avranno preso una colorazione dorata sgocciolateli su una carta che assorba l'unto e spolverizzateli di zucchero al velo. Serviteli freddi.

Favette

250 grammi di farina bianca
1 cucchiaino di lievito
60 grammi di burro
2 cucchiai di zucchero semolato
2 uova
3 cucchiai di rhum
abbondante olio per friggere
zucchero al velo q.b.

Impastate insieme farina, zucchero, lievito, burro, rhum e i due cucchiai di zucchero e lavorate il miscuglio fino a ottenere una pasta morbida e elastica. Dividete la pasta in pezzi e rotolate ciascun pezzo sul tavolo di cucina, precedentemente spolverato di farina, in modo da ottenere tanti bastoncini della grossezza di un dito mignolo, che taglierete in pezzi più piccoli lunghi circa 5 cm. Tuffate, pochi alla volta, questi bastoncini in abbondante olio bollente. Quando saranno dorati, fate sgocciolare su carta da cucina i bastoncini, quindi spolverizzateli con lo zucchero al velo.

«Baìcoli»

180 grammi di farina
10 grammi di lievito di birra
20 grammi di burro
20 grammi di zucchero
un buon pizzico di sale
acqua appena tiepida q.b.

Mettete in una terrina 30 grammi di farina, sgretolateci il lievito di birra, aggiungete qualche cucchiaiata di acqua tiepida e impastate una pagnottina piuttosto dura. Fateci sopra due tagli in croce e mettetela a lievitare in luogo tiepido. Quando dopo circa mezz'ora la pagnottina avrà raddoppiato il suo volume, mettete sulla tavola gli altri 150 grammi di farina, il burro, lo zucchero, la pagnottina di lievito, il sale e sei cucchiaiate d'acqua. Impastate quanto basta per ottenere una pasta morbida sul tipo di quella del pane, quindi dividetela in due parti. Con ognuna di queste parti formate un cannello lungo circa 25 centimetri, procurando di farlo regolare, e poi mettete questi due cannelli di pasta su una piastra da forno imburrata, lasciando un po' di distanza fra l'uno e l'altro, copriteli con una salviettina ripiegata e lasciateli lievitare. Metteteli allora in forno a calore vivace e appena saranno biondi estraeteli. Dovranno risultare due sfilatini di pane di tipo comune. Dopo qualche ora, quando la pasta sarà ben consolidata, tagliate con un coltello ben affilato delle fettine di appena due millimetri di spessore e leggermente sbieche. Allineate queste fettine sulla piastra del forno e lasciatele biscottare da una parte e dall'altra.

Pandoro di Verona

275 grammi di farina
10 grammi di lievito di birra
una cucchiaiata di acqua tiepida
80 grammi di zucchero
2 uova
3 tuorli d'uovo
180 grammi di burro
un pizzico di vaniglia
una presa di sale
zucchero al velo q.b.

Mettete in una tazza una cucchiaiata colma di farina, sgretolateci il lievito di birra e bagnate con una cucchiaiata d'acqua appena tiepida. Lavorate l'impasto per qualche minuto, dategli la forma di una palla e lasciatela a lievitare una ventina di minuti, finché avrà più che raddoppiato il suo volume. Mettete ora in una terrinetta 65 grammi di farina, una cucchiaiata colma di zucchero, un uovo intero, un tuorlo e 10 grammi di burro (una piccola noce) appena fuso. Aggiungete il lievito della tazza già cresciuto e lavorate il nuovo impasto per 4-5 minuti nella stessa terrinetta in modo da amalgamare bene gli ingredienti. Coprite la terrinetta e mettetela in luogo tiepido per un'ora, fino a che questo nuovo lievito avrà raddoppiato il suo volume. Intanto mettete sulla tavola 130 grammi di farina, due altre cucchiaiate di zucchero, 20 grammi di burro fuso, un uovo intero, due tuorli, un pizzico di vanilina e una presa di sale. Unite l'impasto lievitato della terrinetta e con le mani amalgamate tutti gli ingredienti. Lavorate la pasta con forza per 10 minuti fino a farle acquistare elasticità e morbidezza. Allo scopo di indurirla ancora un po', aggiungete altri 50 grammi di farina e incorporatela man mano alla pasta, staccandola poi bene dal tavolo con la lama di un coltello. L'impasto dovrà diventare come quello di una pasta da pane molto morbida e non dovrà più attaccarsi né alle mani né alla tavola. Lavorate ancora per qualche minuto la pasta, pressandola col palmo della mano, arrotolandola e maneggiandola, poi fatene una palla e ponetela in un'altra terrina sul cui fondo spolverizzerete un po' di farina. Coprite il recipiente e lasciate lievitare per circa tre ore.

Rovesciate allora la pasta sulla tavola leggermente infarinata, sgonfiatela con dei piccoli colpi della mano e ripiegatela più volte su se stessa spianandola con la mano. Poi stendetela col rullo in forma di quadrato e nel mezzo mettete 150 grammi di burro diviso in piccoli pezzi. Riportate i quattro angoli del quadrato verso il centro, in modo da rinchiudere bene il burro, poi spianate leggermente la pasta e ripiegatela in tre, come si fa per la pasta sfoglia; stendetela di nuovo col rullo e ripiegatela in tre, lasciandola poi riposare una ventina di minuti. Trascorsi i venti minuti, stendete ancora la pasta, tornate a ripiegarla e a ridistenderla, dando cioè altri due giri alla pasta. Ripiegatela ancora e lasciatela riposare per altri venti minuti. Dovrete ora rimpastarla delicatamente sulla tavola, procurando, col cavo della mano, di farla arrotolare su se stessa. Servitevi, durante queste manipolazioni, di un pochino di farina. Quando avrete ben arrotolato la pasta, mettetela nello stampo speciale, precedentemente imburrato e zuccherato. Mettete lo stampo in luogo tiepido ed attendete che la pasta si gonfi fino all'orlo dello stampo. Mettete allora il pandoro in forno di calore moderato, avendo l'avvertenza, dopo un quarto d'ora di diminuire un po' il fuoco affinché il pandoro possa ben cuocere anche nel mezzo, senza colorirsi troppo.

Quando, dopo circa mezz'ora, il pandoro sarà ben cotto (accertatevi della cottura infilando al centro un lungo ago da cucina che dovrà uscire perfettamente pulito), sformatelo su una griglia e lasciatelo raffreddare. Servitelo cosparso di zucchero al velo.

LIGURIA

La splendida baia di Portofino, una delle
località più rinomate della Liguria, meta di
un turismo cosmopolita attratto dalle
bellezze naturali e conquistato anche da una
gastronomia ricca di profumi e di sapori.
Il condimento ligure più classico è il pesto:
miscuglio di basilico, aglio, formaggio
pecorino, pinoli e buon olio d'oliva che,
secondo un'antica leggenda, dovrebbe
risalire addirittura a duemila anni fa.

Tra via Gramsci e via Prè, tra la stazione di Porta Principe e piazza Caricamento, vive la Genova più caratteristica, quella del porto. Botteghini di cambiavalute, bar e mescite di ogni genere nelle quali si parlano dieci lingue diverse, pensioni e alberghetti di ogni livello, ristoranti e trattorie per tutte le tasche, empori al chiuso e all'aperto, più o meno autorizzati: il colore locale domina, e marinai di tutto il mondo portano un pizzico del loro paese d'origine. Quello che però trionfa in quella zona, così come in tutta la Grande Genova da Arenzano a Sestri Levante, è un odore caratteristico che riesce a farsi distinguere da quello acre e pungente della salsedine. È l'odore del pesto, una vera tradizione locale, che corrisponde per incisività all'odore dei crauti in Baveria o al profumo di cognac nelle cantine di una certa zona della Francia sud-occidentale. Il pesto è un condimento tipicamente genovese (alcuni lo fanno risalire addirittura a duemila anni fa) che ha indubbiamente trovato sul mar Ligure la sua vera patria. Basilico, aglio, formaggio pecorino, pinoli o noci e olio: il tutto deve essere messo in un mortaio e pestato senza pietà fino a ricavarne una salsa omogenea dal profumo pungente che sa soprattutto di basilico, ma che porta con sé anche l'aroma stuzzicante degli altri ingredienti. Di basilico, Genova è piena; nei quartieri popolari, in quelle case che da centinaia d'anni vengono ristrutturate, rammodernate, rabberciate, ma mai ricostruite, il basilico fa capolino da ogni finestra, messo a coltivare nei vasi, nelle pentole vecchie, nelle scatole di conserva vuote, con lo stesso spirito che gli altoatesini applicano nell'ornare di gerani le loro finestre e i loro balconi.

Fare il pesto è opera paziente, di dosatura precisa, che risponde chiaramente all'indole dei genovesi, così gelosi della loro intimità, così schiavi di grandezza pubblica ma anche così impegnati nel loro lavoro in modo caparbio, tutte qualità che solo il mare, quel meraviglioso mar Ligure che hanno sulla porta, riesce a dare.

Dal mare viene la materia prima di questa cucina, il pesce, che fa la parte del padrone nelle zuppe, la «buridda» (pesce misto cotto con pomodori, in un soffritto di cipolla, carota, sedano, prezzemolo, acciughe e pinoli, allungato con acqua bollente) e il «ciuppin» (una zuppa di pesce passata al setaccio, che assomiglia alla francese *bouillabaisse*), che comanda tutto il menù con poche ma eccellenti eccezioni per i piatti di carne. Ricompare anche lo stoccafisso dalla lontana Norvegia, già incontrato nel Veneto, mentre la verdura si fonde con tutte le portate e mirabilmente con il pesce nel «cappon magro» che è la più fantasiosa di tutte le insalate di pesce italiane.

Genova è famosa anche per aver inventato i ravioli in tempi in cui, se era facile fare la pasta alimentare con il grano duro,

La gastronomia ligure presenta molte ricette con verdure, pasta e carni ripiene. Qui sopra, i ravioli e i pansoti, conditi di solito con un sugo cremoso di noci. Nella pagina a destra, la cima alla genovese — preparata con cervella, formaggio, uova, verdure varie, sapori — e la torta pasqualina, a base di carciofi, racchiusa dentro una sfoglia croccante.

non altrettanto risolvibile era il problema di farla col grano tenero, che solo nell'uovo avrebbe trovato la possibilità di reggere la cottura. I ravioli nacquero qui a Genova e di qui passarono in altre regioni d'Italia, in particolare in Emilia dove li ritroveremo sotto altri nomi ma con la stessa sottile delicatezza di sapori. Certo, alla base della cucina ligure c'è un ingrediente indispensabile. Lo abbiamo intravisto nel pesto e lo ritroviamo in quasi tutti i piatti: l'olio. Qui l'olio ha raggiunto una perfezione invidiabile. Le coste delle due riviere sono ideali per gli ulivi: un clima con poche e lente escursioni termiche, sole in abbondanza per tutto l'anno, anche quando nella vicina pianura padana cala il sipario impenetrabile della nebbia. L'olio ligure ha il segreto della sua trasparenza e della sua leggerezza nel fatto di poter essere prodotto subito dopo il raccolto senza le eccessive soste nei magazzini che caratterizzano il ciclo nelle altre regioni italiane. La produzione infatti abbraccia, come il raccolto, oltre sei mesi e questa distribuzione nel tempo dà modo di passare le olive al frantoio senza attesa, evitando la necessità di una suc-

cessiva raffinazione. L'olio ligure ha in Oneglia la capitale. Sulla Riviera di Levante, invece, oltre Rapallo, Portofino e Sestri, si trovano le Cinque Terre: Monterosso, Corniglia, Vernazza, Manarola, Riomaggiore, i paesi arroccati sulle ripidissime coste, raggiungibili fino a ieri solo per ferrovia o per mare e famosi per i loro vini: il bianco secco delle Cinque Terre e lo Sciacchetrà bianco (da distinguersi dallo Sciacchetrà rosso di Pornassio), il primo con un *bouquet* leggermente amarognolo, il secondo adatto al *dessert*. Altri vini liguri sono il Rossese, che ha la sua migliore produzione in Val Nervia, il Vermentino, il Ligasolio (amato da Napoleone) e il Polcevera prodotto nella valle omonima.

Anche in fatto di dolci la Liguria ha una sua precisa tradizione: i confetti assortiti ripieni di cacao, di frutta e di pasta di mandorle, i canditi e la torta genovese, oggi più nota col nome di «pan dolce». Le pizze rappresentano una gradevole sorpresa mentre focacce all'olio o al formaggio completano, insieme alla famosa «torta pasqualina» e alle farinate un aspetto caratteristico e tutto intimo della massaia ligure.

Un saporito fritto misto alla ligure. Oltre che il pesce, anche l'olio, con la sua trasparenza e leggerezza, è un elemento importante di questa cucina squisita. Nella pagina a destra, una veduta di Lerici, cittadina sulla riviera di Levante, una terra famosa per i suoi vini bianchi come quello delle Cinque Terre e lo Sciacchetrà.

Focaccia alla salvia
Focaccia al formaggio
Pesto alla genovese
Agliata
Salsa di noci
Sugo di carne
Torta pasqualina
Pizza all'Andrea
Trenette col pesto
Ravioli alla genovese
«Pansoti» di Rapallo
Ravioli di magro in brodo
Minestrone alla genovese
Minestra genovese di ceci
Cima alla genovese
Negie ripiene
Stecchi alla genovese
Coniglio in umido
Bianco e nero
Buridda
Bianchetti fritti
Ciuppin
Sarde ripiene
Stoccafisso in umido
Cappon magro
Triglie alla ligure
Baccalà all'agliata
Frittata di mitili
Funghi al funghetto
Condiglione
Zucchine ripiene
Torta di noci e canditi
Ciambelline di pasta di mandorle (canestrelli)
Pesche ripiene
Pandolce genovese
Marzapane
Latte alla grotta

Focaccia alla salvia

(per 6-8 persone)

1 chilo di farina bianca
60 grammi di lievito di birra
1 tazza di acqua tiepida
olio d'oliva q.b.
sale q.b.
8-10 foglie di salvia tritate

Setacciate la farina in una terrina. Sciogliete il lievito in un poco di acqua tiepida. Fate la fontana nella farina, versatevi il lievito e copritelo con la stessa farina della terrina. Lasciate riposare il miscuglio per 20 minuti al caldo. Mescolate quindi e lavorate bene il tutto fino a ottenere una pasta soda e elastica che si stacchi dai bordi della terrina. Coprite e lasciate di nuovo riposare al caldo per la lievitazione. Occorreranno 1 o 2 ore a secondo della qualità del lievito, della farina, e del calore della stanza. Quando la pasta sarà raddoppiata di volume, lavoratela di nuovo, aggiungendo mezza tazza di olio d'oliva, un po' di sale e le foglie di salvia tritate. Dividete la pasta, stendetela dandole la forma di due focacce dello spessore di 1 cm ciascuna. Trasferitele su due placche da forno unte, coprite e lasciate ancora lievitare un poco. Pungete le superfici con una forchetta, versatevi sopra un filo d'olio, spruzzatele di sale e mettetele nel forno caldo (200°) per 30 minuti circa, o fino a quando le focacce saranno ben dorate. Servitele calde o tiepide.

Focaccia al formaggio

(per 6 persone)

500 grammi di farina
acqua q.b.
sale q.b.
300 grammi di «formaggetta» (o crescenza) tagliata a dadini
olio q.b.

Sulla spianatoia impastate la farina con un cucchiaino di sale e tanta acqua quanta basta per ottenere una pasta di giusta consistenza. Lasciatela riposare, coperta con un tovagliolo, per una mezz'oretta. Tirate poi due sfoglie non troppo sottili; con una sfoglia foderate una tortiera unta d'olio, copritela con il formaggio, poi mettete il secondo disco di pasta. Punzecchiate la superficie della focaccia con una forchetta, spennellatela con olio e sale e passate in forno già caldo (200°) a cuocere per 40 minuti. Servitela calda o tiepida.

Pesto alla genovese

(per condire 600 grammi di pasta)

2 spicchi d'aglio
4 mazzetti di foglie di basilico fresco
1 pizzico di sale grosso
1 cucchiaio di pinoli tostati al forno
3 cucchiaiate di pecorino non troppo piccante
3 cucchiaiate di parmigiano grattugiato
1 bicchiere d'olio

Per fare il pesto occorrono un mortaio di marmo e un pestello in legno, tanta diligenza e pazienza. Mettete nel mortaio l'aglio, le foglie di basilico ben lavate, il sale, che aiuta a conservare il verde delle foglie, e i pinoli (gli esperti genovesi non li mettono mai nel pesto, ma l'usanza è assai diffusa). Cominciate la lenta battitura con il pestello e aggiungete, poco per volta, i formaggi mescolati. Quando avrete ottenuto una crema omogenea, versatela in una terrina e scioglietela con l'olio. Per condire la pasta, diluite sempre il pesto con un poco di acqua di cottura della pasta.

Agliata

(per 6 persone)

la mollica di 1 grossa pagnotta
1 cucchiaio di aceto
3 spicchi di aglio tritato
2-3 ciuffi di basilico tritato
2-3 ciuffi di prezzemolo tritato
sale q.b.
1 tazza di olio d'oliva
pepe q.b.

L'agliata ricorda una salsa provenzale, l'aïoli, a base di aglio, tuorli d'uovo e olio d'oliva, e non è l'unica perché di salse simili a questa nei paesi latini e nei balcani ne troviamo diverse. Inoltre c'è chi sostiene che l'agliata, pur facendo parte ormai della cucina ligure, in realtà sia nata a Marsiglia.
Comunque è un'ottima salsa per accompagnare varie preparazioni: pezzi di baccalà fritti, fegato di vitello, coratello d'agnello, cucinati in casseruola con olio.
Bagnate nell'aceto la mollica di pane, strizzatela bene e pestatela in un mortaio con aglio, prezzemolo e basilico tritati il più finemente possibile. Mettete il trito ottenuto in una salsiera dove lo condirete con olio, sale e pepe quanto basta perché la salsa sia pronta da servire in tavola.

Salsa di noci

(per condire 600 grammi di «pansoti»)

200 grammi di gherigli di noci
50 grammi di pinoli tostati al forno
1/2 spicchio d'aglio
1 ciuffo di maggiorana (oppure prezzemolo)
sale q.b.
100 grammi di latte cagliato (o ricotta)
1/2 bicchiere d'olio

per condire

60 grammi di burro
80 grammi di parmigiano grattugiato

Mettete nel mortaio le noci con i pinoli, l'aglio, la maggiorana (o il prezzemolo) e il sale. Quando avrete ottenuto una crema omogenea, versatela in una terrina, unite il latte cagliato (oppure la ricotta lavorata con un poco d'acqua) e l'olio. Mescolate bene e condite i «pansoti» aggiungendo anche il burro e il parmigiano.

Sugo di carne

(per 800 grammi di tagliatelle)

50 grammi di grasso di rognone
60 grammi di burro
500 grammi di carne tritata di manzo
1 cipolla tritata
1/2 costola di sedano tritato
1/2 carota tritata
1/2 spicchio di aglio
1 rametto di rosmarino
1 bicchiere di vino rosso
3 grossi pomodori maturi
sale q.b.
pepe q.b.
1/2 litro di brodo di carne

Fate sciogliere in un tegame il grasso di rognone con il burro e unitevi la carne di manzo tritata. Quando la carne sarà ben rosolata aggiungete le verdure tritate, l'aglio e il rosmarino. Condite con sale e pepe e lasciate rosolare ancora qualche minuto prima di annaffiare gli ingredienti con il vino rosso. Intanto pelate i pomodori, privateli dei semi e tagliateli grossolanamente. Quando il vino sarà evaporato, mettete nel tegame anche i pomodori e continuate la cottura a fuoco molto moderato per almeno un paio d'ore, bagnando di tanto in tanto con un mestolo di brodo, fino a quando la carne sarà ben cotta e il sugo addensato. Fate passare attraverso un setaccio la carne con il suo sugo.

Torta pasqualina
(per 6-8 persone)

per la pasta

1 chilo di farina bianca
4 cucchiaiate d'olio
1 cucchiaino di sale
acqua q.b.

per il ripieno

1 chilo di erbette (oppure 10 cuori di carciofo)
sale q.b.
1/2 cipolla tritata
3 cucchiaiate d'olio
100 grammi di parmigiano grattugiato
60 grammi di burro
500 grammi di «quagliata» (o ricotta)
1 bicchiere di latte
6 uova
pepe q.b.
maggiorana q.b.
1 cucchiaio di farina per la tortiera
olio q.b. per spennellare la pasta

Sulla spianatoia impastate la farina con l'olio, il sale e tanta acqua quanto basta per ottenere una pasta di giusta consistenza. Lavoratela molto bene e dividetela in 10 pallottoline (anticamente se ne facevano fino a 33), copritele con un tovagliolo umido e sopra uno asciutto e lasciatele riposare per un quarto d'ora. Intanto lessate le erbette (o i carciofi) e insaporiteli con il soffritto di cipolla e olio. Lavorate la quagliata (o la ricotta) con il latte e unite un pizzico di sale. Tirate dieci sfoglie sottilissime con la pasta e stendete la prima su una tortiera unta e infarinata. Spennellatela con un poco d'olio e ritagliate con un coltello il cordone di pasta che cresce dalla tortiera. Stendete altre cinque sfoglie, spennellandole sempre con l'olio, poi fate uno strato con le verdure e uno con il formaggio. Preparate sul formaggio 6 fossette, mettete in ognuna un pezzetto di burro, rompeteci dentro un uovo, condite con un pizzico di sale, di pepe e di maggiorana e il parmigiano grattugiato. Coprite con le rimanenti sfoglie spennellandole con l'olio. Punzecchiate con una forchetta l'ultima sfoglia, ungetela bene e ritagliate il cordone di pasta che cresce dalla tortiera. Passate in forno a calore moderato (meglio sarebbe il forno del pane) per circa 60 minuti.
La torta pasqualina deve prendere un bel colore biondo. La si può servire, a seconda dei gusti, tiepida o fredda.

Pizza all'Andrea
(per 6 persone)

per la pasta

600 grammi di farina
30 grammi di lievito di birra
acqua q.b.
4 cucchiaiate d'olio
1 cucchiaino di sale

per il condimento

2 cipolline affettate
1/2 bicchiere d'olio
1 chilo di pomodori maturi
100 grammi di acciughe salate
sale q.b.
2 foglie di basilico
una dozzina di olive nere in salamoia (o un cucchiaio di capperi)
2 spicchi d'aglio (facoltativo)
olio q.b.

Mettete la farina sulla spianatoia a fontana, impastatela con il lievito sciolto in circa un bicchiere d'acqua tiepida, l'olio e il sale. Lavorate bene la pasta per almeno un quarto d'ora, poi raccoglietela a palla, ricopritela con un tovagliolo e lasciatela lievitare in luogo tiepido per 2 ore abbondanti. (Oppure comperate dal fornaio la pasta da pane già lievitata e lavoratela con le quattro cucchiaiate d'olio.) Intanto soffriggete a fuoco basso in una casseruolina le cipolle con l'olio; appena il soffritto comincerà a prendere colore, unite i pomodori pelati, tagliati a pezzi e privati dei semi. Fate cuocere a fuoco vivo per circa mezz'ora fino a quando l'acqua dei pomodori sarà tutta evaporata. Lavate le acciughe, diliscatele e tritatele, poi aggiungetele alla salsa di pomodoro, aggiustate di sale e lasciate insaporire per pochi minuti. In una larga teglia unta d'olio stendete la pasta dello spessore di circa 1 cm, pigiandola con le dita unte d'olio. Versate sulla pasta il condimento raffreddato, le foglie di basilico, le olive nere (o i capperi), l'aglio tagliato a fettine (facoltativo) e un filo d'olio.
Passate in forno già caldo (240°) per circa mezz'ora, fino a quando la pizza sarà ben dorata e croccante.

Trenette col pesto
(per 6 persone)

600 grammi di trenette
4 patate di media grossezza sbucciate
sale q.b.
1 tazza di pesto alla genovese (vedi pag. 85)
80 grammi di pecorino grattugiato
1 mestolo di acqua di cottura della pasta

Le trenette sono un tipo di linguine di pasta fatta in casa con poche uova, farina, acqua e sale. Vengono tagliate piuttosto larghe e si comprano anche già fatte.
In una grossa pentola mettete le patate, tagliate a cubetti, e abbondante acqua salata. Quando saranno quasi cotte, aggiungete le trenette, mescolate e finite di cuocere. Scolate la pasta al dente assieme alle patate e condite subito con il pesto, diluito con un mestolo di acqua di cottura della pasta. Servite con pecorino grattugiato.

Ravioli alla genovese
(per 6 persone)

per il ripieno

300 grammi di scarola
200 grammi di borragine
100 grammi di cervella elssata
1 animella lessata
30 grammi di filoni lessati
40 grammi di burro
100 grammi di polpa di vitello
100 grammi di magro di maiale
50 grammi di polpa e poppa (o tettina) di vitello

50 grammi di salsiccia sbriciolata (facoltativo)

4 uova

la mollica di un panino

3 cucchiaiate di parmigiano grattugiato

sale e pepe q.b.

maggiorana q.b.

per la pasta

600 grammi di farina

2 uova

1 pizzico di sale

per condire

1 tazza di sugo di carne

80 grammi di parmigiano grattugiato

Dopo aver eliminato le foglie più dure alla scarola e alla borragine, lavatele e lessatele in pochissima acqua salata per 5 minuti; scolatele, strizzatele bene e tritatele finemente. In una casseruola rosolate con il burro la carne di vitello (polpa e poppa), di maiale (magro e salsiccia), poi tritatele finemente con la cervella, l'animella e i filoni, a cui avrete tolto la pellicina. Unite le erbe tritate, le uova, la mollica di un panino inzuppata nel sugo di rosolatura della carne (o nel brodo), tre cucchiai di parmigiano grattugiato, sale, pepe e pochissima maggiorana. Mescolate bene con un cucchiaio di legno. Intanto sulla spianatoia impastate la farina con le uova, il sale e tanta acqua quanto basta per avere una pasta di giusta consistenza, poi tirate due sfoglie sottili.

Distribuite su una sfoglia tanti mucchietti di ripieno, coprite con l'altra pasta e tagliate i ravioli con l'apposita rotellina. Fate asciugare i ravioli all'aria per un paio d'ore e cuoceteli pochi per volta, in abbondante acqua bollente per 3-4 minuti dopo che avranno preso l'ebollizione, scolateli, distendeteli in un piatto da portata e conditeli con il sugo di carne e abbondante parmigiano. Sono ottimi anche in brodo e allora tagliateli leggermente più piccoli e ricordate che faranno maggior riuscita.

«Pansoti» di Rapallo

(per 6 persone)

per la pasta

500 grammi di farina

5 uova

1 pizzico di sale

per il ripieno

300 grammi di bietola

3 uova sode

60 grammi di pecorino (oppure 80 grammi di parmigiano)

per condire

1 tazza di salsa di noci (vedi pag. 85)

80 grammi di parmigiano grattugiato

Impastate sulla spianatoia la farina con le uova e un pizzico di sale; lavorate bene la pasta e lasciatela riposare coperta con un tovagliolo. Intanto lessate le foglie di bietola ben lavate; scolatele, strizzatele e tritatele finemente. Mescolatele assieme alle uova, il formaggio e un pizzico di sale. Tirate la pasta in due sfoglie sottili, distribuite sulla prima gruppetti di ripieno distanti fra loro, stendete sopra l'altra sfoglia, pigiate con le dita e tagliate i ravioli con l'apposita rotellina o un coltello. Stendeteli su un tovagliolo e fateli asciugare all'aria per circa 2 ore, se l'aria è asciutta, più a lungo se è umida. Cuoceteli in abbondante acqua bollente, scolateli al giusto punto di cottura e conditeli con la salsa di noci e il parmigiano.

Ravioli di magro in brodo

(per 6 persone)

per la pasta

300 grammi di farina

1 uovo

1 pizzico di sale

latte q.b.

per il ripieno

400 grammi di pesce lessato

120 grammi di parmigiano grattugiato

3 uova

sale q.b.

noce moscata q.b.

per cuocere

circa 3 litri di brodo magro

Impastate sulla spianatoia la farina con l'uovo, il latte e tanta acqua quanta occorre per ottenere una pasta di giusta consistenza. In una terrina mescolate il pesce lessato tritato finemente, il parmigiano, le uova, un pizzico di sale e l'odore della noce moscata. Tirate la pasta in una sfoglia sottile; ritagliatela in tanti dischi, mettete al centro di ognuno un poco di ripieno e chiudeteli a tortellino. Fateli asciugare all'aria per circa 2 ore su un tovagliolo e cuoceteli nel brodo bollente per 3-4 minuti. Servite con abbondante parmigiano grattugiato.

Minestrone alla genovese

(per 6 persone)

250 grammi di fagioli bianchi freschi

1 cipolla affettata

2 costole di sedano affettato

1 carota affettata

4 cucchiai di olio d'oliva

3 zucchine affettate

3 patate pelate e affettate

4 grossi pomodori pelati e tagliati a pezzi

1 mazzetto di boragine tritata

sale q.b.

pepe q.b.

250 grammi di maccheroncini rigati spezzettati

2 cucchiai di pesto alla genovese (vedi a pag. 85)

4 cucchiai di pecorino sardo grattugiato

Il minestrone alla genovese è caratterizzato dalla presenza del pesto. Come nelle varie minestre d'erbe, anche in questo minestrone si possono mettere tutti gli erbaggi e i legumi che si hanno a disposizione: fagioli sgranati, fagiolini, zucchine, patate, cavoli, qualche pomodoro, ecc. Adoperando i fagioli sarà bene lessarli in precedenza a parte; se adoperate il cavolo immergetelo nell'acqua bollente per togliere alle foglie il caratteristico sapore aspro.

Fatte le operazioni preliminari di pulire e tagliare le verdure, mettete a bollire in una casseruola d'acqua tutti gli ingredienti conditi con sale, pepe e 2 o 3 cucchiai d'olio, tenendo da parte solo i maccheroncini, il pesto e naturalmente il formaggio grattugiato. Quando i legumi saranno quasi cotti, aggiungete i maccheroncini spezzettati o una qualità piccola di pasta. Bisogna fare in modo che il brodo dei legumi non sia troppo abbondante né troppo scarso: aggiungendo la pasta risulterà una minestra abbastanza densa. Mentre la pasta cuoce preparate il pesto e scioglietelo con un po' di olio in modo da avere una salsa piuttosto densa da versare nel minestrone. Mescolate il pesto al minestrone, lasciate riposare e servite in tavola condito, a piacere, con pecorino grattugiato.

Minestra genovese di ceci

(per 6 persone)

300 grammi di ceci
un pizzico di bicarbonato di soda
500 grammi di cardi
25 grammi di funghi secchi
2 salsicce di maiale
1 cucchiaio di farina bianca
3 cucchiai di olio d'oliva
50 grammi di burro
sale q.b.
pepe q.b.
crostini di pane fritti o tostati

Mettete a bagno i ceci la sera prima con un pizzico di bicarbonato di soda. La mattina dopo lavateli e metteteli a cuocere in acqua tiepida, lasciandoli sobbollire. Fate rinvenire i funghi, puliteli, tritateli e poneteli in una casseruola dove aggiungerete le salsicce private della pelle e sminuzzate, l'olio e il burro. Fate soffriggere e quando il tutto sarà leggermente rosolato, spruzzatelo con un cucchiaio di farina, condite con sale e pepe e diluite con un litro d'acqua calda. Coprite il recipiente e lasciate bollire adagio per una buona mezz'ora.

Mondate intanto i cardi, tagliateli a dadini e tuffateli in una casseruola con acqua leggermente salata in ebollizione. Quando i ceci e i cardi saranno cotti, scolateli, poneteli nell'intingolo di funghi, date una buona mescolata, verificate se il liquido è sufficiente per 6 zuppe e se fosse troppo ristretto aggiungete qualche mestolo di brodo della cottura dei ceci. Coprite nuovamente il recipiente e lasciate bollire adagio per circa 1 ora. Questa saporita minestra va accompagnata con crostini di pane.

Cima alla genovese

(per 6-8 persone)

800 grammi di pancetta di vitello
1 animella
100 grammi di cervella
50 grammi di filoni
50 grammi di poppa di vitello
100 grammi di polpa di vitello
1/2 cipolla tritata
1 spicchio d'aglio tritato
50 grammi di burro
1 tazza di piselli
5 uova
4 cucchiai di parmigiano grattugiato
maggiorana q.b.
sale q.b.

per il brodo

2 litri d'acqua
1 cipolla
1 carota
1 costola di sedano
sale q.b.

Fate preparare la pancetta di vitello con la sacca pronta dal macellaio. Scottate in acqua bollente l'animella, la cervella e i filoni; togliete la pellicina e rosolateli assieme alla poppa e alla polpa di vitello nel burro, con la cipolla e l'aglio. Poi tagliateli a pezzetti, unite i piselli, le uova sbattute con il parmigiano, un pizzico di maggiorana e il sale. Mettete il ripieno nella sacca della pancetta, arrotolate ben stretto e cucite con un filo di refe. Mettete la cima nel brodo di verdura già caldo e fatela cuocere lentamente

per un'ora scoperta e un'altra ora con il coperchio. La cima si mangia calda o fredda, tagliata a fette. Il brodo di cottura della cima è ottimo per preparare squisite minestre.

Negie ripiene

(per 4-6 persone)

50 grammi di burro
1 cipolla affettata sottilmente
1 ciuffo di prezzemolo tritato
500 grammi di polpa magra di vitello
un pezzo di poppa di vitella
2 granelli di vitello (testicoli)
100 grammi di schienali (midollo)
2 carciofi
brodo q.b.
4 tuorli
1 albume
50 grammi di piselli sgranati
un piccolo tartufo affettato
30 negie (cialde)
olio per friggere q.b.

Mettete al fuoco in una casseruola 50 grammi di burro, una cipolla tagliata a fette sottili e un ciuffo di prezzemolo tritato. Fate rosolare dolcemente e aggiungete la polpa magra di vitello, la poppa e i granelli tagliati a pezzetti. Fate soffriggere per qualche minuto, bagnate con due o tre cucchiaiate di brodo e infine aggiungete i due carciofi mondati e tagliati in fettine e gli schienali. Lasciate cuocere per circa venti minuti poi rovesciate il tutto sul tagliere e tritate minuziosamente. Rimettete questo composto nella casseruola e ultimatelo con quattro tuorli, i piselli freschi sgranati e un piccolo tartufo affettato in lamine sottili. Mescolate bene affinché tutto si amalgami perfettamente.

Prendete le cialde e cominciate a bagnarle ad una ad una leggermente in acqua fresca, poi con un cucchiaio mettete sopra ciascuna un po' del composto preparato. Piegate la cialda, premete i contorni per chiuderla bene, passatela nell'albume leggermente sbattuto, poi nel pangrattato e friggetela in olio bollente. Quando avrà preso un bel colore dorato, toglietela dalla padella e confezionate allo stesso modo tutte le altre. Servitele calde.

Stecchi alla genovese

(per 6 persone)

200 grammi di fegatini di pollo
100 grammi di creste
200 grammi di fagioli (testicoli) di pollo
200 grammi di animelle
300 grammi di funghi freschi
50 grammi di burro
sale q.b.
farina q.b.
1 tuorlo leggermente sbattuto
pangrattato q.b.
olio per friggere q.b.

per la salsa

una tazza di salsa besciamella (vedi a pag. 105)
2 tuorli d'uovo
50 grammi di prosciutto
3-4 cucchiaiate di parmigiano grattugiato
1 ciuffo di prezzemolo tritato
un piccolo tartufo affettato

In una piccola casseruola con un po' di burro cuocete separatamente i fegatini, le creste, i fagioli di pollo, le animelle e i funghi, aggiungendo se necessario un po' di brodo. Tagliateli quindi in pezzi, meno i fagioli di pollo che si lasciano interi. Prendete degli stecchi sottili di legno, lunghi una dozzina di centimetri e infilzatevi i vari elementi preparati, alternandoli. Preparate una besciamella piuttosto densa e aggiungetevi abbondante parmigiano grattugiato, i tuorli d'uovo, il prosciutto e il prezzemolo tritati e, quando la salsa è ultimata, un piccolo tartufo affettato. Passate gli stecchi guarniti in questa salsa affinché se ne rivestano bene e allineateli man mano sulla tavola di cucina.

Quando la salsa sarà fredda e rappresa, prendete delicatamente gli stecchi ad uno ad uno, passateli nella farina, nell'uovo sbattuto, nel pangrattato e friggeteli in abbondante olio caldissimo.

Coniglio in umido

(per 6 persone)

1 coniglio
2 spicchi d'aglio interi
1 noce di burro
1 bicchiere d'olio
1 rametto di rosmarino
2 foglie di alloro
timo q.b.
1 cipolla tagliata a fettine
1 carota tagliata a dadini
1 costola di sedano tagliata a dadini
1 bicchiere di vino bianco secco
sale e pepe q.b.
l'odore della noce moscata (facoltativo)
200 grammi di pomodori pelati
1 cucchiaiata di pinoli

Pulite il coniglio, lavatelo e tagliatelo a pezzi. Fatelo rosolare nell'olio e il burro con l'aglio, il rosmarino, l'alloro e il timo. Quando l'aglio comincia a colorirsi, toglietelo assieme al rosmarino e all'alloro; unite la cipolla, il sedano e la carota, innaffiate con il vino, salate, pepate abbondantemente e, se volete, spolverate con un pizzico di noce moscata. Quando il vino sarà evaporato, aggiungete anche i pomodori tagliati a pezzi e in ultimo i pinoli. Coprite e lasciate finire di cuocere. Con il sugo ottenuto si condisce la pasta oppure si serve direttamente con una buona polenta.

Bianco e nero

(per 6 persone)

500 grammi di fegato
300 grammi di cervello
1 uovo leggermente sbattuto
farina q.b.
pangrattato q.b.
olio per friggere

È una pietanza genovese composta di fegato e cervello. Mettete il cervello, precedentemente ben dissanguato, in una casseruola con acqua leggermente salata. Portate sul fuoco e quando l'acqua leverà il bollore, tirate indietro il recipiente e dopo qualche minuto scolate il cervello, privatelo di qualche filamento rimasto e tagliatelo in pezzi della grossezza di una noce. Togliete al fegato la pellicola che lo ricopre e riducetelo in fettine. Infarinate i pezzi di cervello e le fettine di fegato, passateli nell'uovo sbattuto e friggeteli, pochi alla volta con abbondante olio.

Buridda

(per 6 persone)

1 chilo e mezzo di coda di rospo o grongo (o baccalà già bagnato o pesce assortito)
I spicchio d'aglio intero
1 cipolla tritata
1/2 bicchiere d'olio d'oliva
1 acciuga sott'olio tritata
1 ciuffo di prezzemolo tritato
3 grossi pomodori maturi tagliati a pezzi
4-5 gherigli di noce spellati e pestati nel mortaio
1 bicchiere abbondante di vino bianco secco
1 foglia di alloro
sale q.b.
fette di pane abbrustolite q.b.

Pulite il pesce, tagliatelo a pezzi e lavatelo bene. In una casseruola di terracotta fate soffriggere con l'olio lo spicchio d'aglio intero e la cipolla; quando l'aglio è colorito, toglietelo e unite l'acciuga, il prezzemolo e, in ultimo, i pomodori. Mescolate le noci al vino e versate il tutto nella casseruola. Quando il vino sarà evaporato, aggiungete il pesce, l'alloro e il sale (salate poco se usate il baccalà). Fate cuocere lentamente per una ventina di minuti e servite la buridda direttamente nel recipiente di cottura con fette di pane casereccio abbrustolite o in graticola o al forno.

Bianchetti fritti

(per 6 persone)

700 grammi di bianchetti (neonati di acciughe, sarde ecc.)
farina q.b.
olio per friggere q.b.
sale q.b.
1 ciuffetto di prezzemolo fritto
2 limoni tagliati a spicchi

Lavate bene i bianchetti, asciugateli, passateli nella farina e setacciateli per togliere quella superflua. Friggeteli in abbondante olio bollente cercando di tenerli separati. Dopo un paio di minuti asciugateli su una carta che assorba bene l'unto, salateli e serviteli ben caldi con il prezzemolo fritto e il limone.

Ciuppin

(per 6 persone)

2 chili di pesce assortito (cappone, gallinella, rombo, scorfano, triglie e pesci di scoglio)
1 cipolla tagliata a fettine
1 costola di sedano tritata
1 carota tritata
1 ciuffo di prezzemolo tritasto
1 spicchio d'aglio tritato
1/2 bicchiere d'olio d'oliva
1 bicchiere di vino bianco secco
3 pomodori maturi spellati (o una scatola di pomodori pelati da 300 grammi)
2 litri d'acqua bollente
sale q.b.
pepe q.b.
crostini di pane fritti nell'olio q.b.

Pulite il pesce, lavatelo, tagliatelo a grossi pezzi e dividete le carni più dure dalle carni più tenere. In una larga casseruola fate soffriggere le verdure con l'olio; quando cominceranno a prendere colore, innaffiateli con il vino e lasciate evaporare. Unite i pomodori tagliati a pezzi e l'acqua bollente. Lasciate cuocere per una ventina di minuti. Poi aggiungete i pesci a carne più dura e, a poco a poco, quelli a carne più tenera. Salate, pepate e lasciate cuocere lentamente per un'ora. Quando i pesci saranno cotti, passateli con il loro brodo al setaccio, aggiustate di sale e di pepe, e servite ben caldo con i crostini di pane fritti.

Sarde ripiene

(per 6 persone)

700 grammi di sardine fresche
250 grammi di foglie di bietole
2 cucchiai di parmigiano grattugiato
2 spicchi di aglio tritato
la mollica di un panino bagnata nel latte
6 foglie di maggiorana (o basilico) tritate
2 uova sbattute
1 bicchiere d'olio
sale q.b.
1 cucchiaiata di pinoli
1 limone

Pulite le sardine, togliete via la testa, apritele senza staccare le due metà e togliete via la lisca. Salatele leggermente all'interno e lasciatele scolare sopra un tagliere inclinato. Lessate in pochissima acqua e sale le foglie di bietole, tritatele finemente e mescolatele con la mollica di un panino, il parmigiano, l'aglio e il prezzemolo, la maggiorana, le uova, un pizzico di sale e due cucchiai d'olio. Riempite le sardine con questo composto, mettetele in una teglia con 1/2 bicchiere abbondante d'olio e cospargetele di pinoli. Passate in forno già caldo (circa 180°) per un quarto d'ora. Servite tiepido con spicchi di limone.

Stoccafisso in umido

(per 6 persone)

800 grammi di stoccafisso già bagnato
1 bicchiere d'olio
1/2 bicchiere di vino bianco secco
2 spicchi d'aglio tritati
1 ciuffo di prezzemolo tritato
1 piccola cipolla tritata
3 grossi pomodori maturi pelati
sale q.b.
pepe q.b.
1 mestolo circa di brodo
2 cucchiai di pinoli
1 chilo di patate tagliate a cubetti
1 dozzina di olive nere snocciolate

Spellate e private delle spine lo stoccafisso. Tagliatelo a grossi pezzi e fatelo rosolare nell'olio ben caldo; innaffiate con il vino e, quando sarà evaporato, unite le verdure tritate e infine i pomodori tagliati a grossi pezzi. Pepate, aggiustate di sale, bagnate con un poco di brodo caldo e lasciate cuocere lentamente per un'ora e mezza. Aggiungete le patate e i pinoli, mescolate e lasciate finire di cuocere per altri 20 minuti. Prima di servire unite anche le olive tagliate a pezzi.

Cappon magro

(per 6 persone)

pesce

1 bel pesce capone (o una spigola)
1 piccola aragosta
24 gamberi

10 fettine di musciame (filetto di delfino seccato)
1 limone
sale q.b.
olio q.b.

verdure

1 piccolo cavolfiore
200 grammi di fagiolini
4 carote
1 costola di sedano
4 carciofi
1 mazzetto di scorzonera

salsa

1 spicchio d'aglio
1 ciuffo di prezzemolo
25 grammi di pinoli
25 grammi di capperi
3-4 cetriolini
8-10 funghetti sott'olio
2 cucchiai di olive nere snocciolate
la mollica di un panino imbevuta nell'aceto
2 tuorli d'uovo sodo
2 tuorli d'uovo crudo
sale q.b.
1 bicchiere d'olio
1/2 bicchiere d'aceto
gallette di pane q.b.
aceto q.b.

Lessate il pesce capone, toglietegli la pelle, spinatelo e dividete la carne a pezzetti. Lessate anche l'aragosta e i gamberi, toglieteli dal loro involucro e tagliate l'aragosta a listerelle. Condite i pesci con olio, limone e un pizzico di sale. Lessate tutte le verdure, tagliatele a piccoli pezzi, conditele con olio, aceto e sale e tenetele divise per qualità. Intanto preparate la salsa: mettete nel mortaio le verdure, i sottaceti, la mollica di pane ben strizzata, i tuorli d'uovo e pestate bene. Passate la salsa al setaccio, unite un pizzico di sale, l'olio e l'aceto, sempre sbattendo come per una maionese. Spruzzate con metà acqua e metà aceto le gallette per ammorbidirle. Su un piatto concavo fate uno strato con le gallette, stendete sopra le fettine di musciame, poi un cucchiaio della salsa, tutte le verdure, un poco di salsa, i pesci e coprite con la rimanente salsa. Guarnite con gamberetti e sottaceti.

Triglie alla ligure

(per 6 persone)

600 grammi di triglie
1/2 bicchiere di olio d'oliva
1 spicchio d'aglio tritato
2 filetti di acciughe tritate
2-3 Ciuffi di prezzemolo tritato
1/2 bicchiere di vino bianco
5-6 pomodori freschi pelati e tritati
sale q.b.
pepe q.b.
15 olive nere snocciolate e divise a metà
1 cucchiaio di capperi
2 limoni

Lavate e pulite bene il pesce togliendo le interiora. Scaldate l'olio in una padella larga e bassa e fate leggermente rosolare il trito di aglio, prezzemolo e acciughe. Aggiungete il vino e lasciatelo evaporare un attimo, poi versate in padella anche i pomodori. Fate cuocere a fuoco molto moderato per 15 minuti circa mescolando ogni tanto. Aggiungete il pesce, condite con sale e pepe e continuate la cottura per altri 15 minuti circa.

Prima di servire in tavola, condite le triglie con i capperi, le olive snocciolate e una abbondante spruzzata di limone. Guarnite con spicchi di limone.

Baccalà all'agliata

(per 6 persone)

1 chilo di baccalà già bagnato
farina q.b.
olio per friggere
salsa agliata (vedi a pag. 85)

Se non trovate il baccalà già ammollato, bisogna lasciare il pesce a bagno per 24 ore, cambiando l'acqua di frequente.

Tagliate il baccalà in pezzi non troppo grossi, infarinateli e friggeteli, pochi per volta, in abbondante olio bollente fino a quando risulteranno di un bel colore dorato. Fateli scolare su carta da cucina e serviteli caldi accompagnati dalla salsa agliata.

Frittata di mitili

(per 6 persone)

1/2 chilo di mitili (o cozze)
4 cucchiaiate d'olio
1/2 cipolla tritata
1 ciuffo di prezzemolo tritato
6 uova
3 cucchiaiate di parmigiano grattugiato
sale q.b.
pepe q.b.

Pulite con uno spazzolino i mitili, lavateli bene e fateli aprire in padella con due cucchiaiate d'olio. Toglieteli dal loro guscio e teneteli da parte. Intanto soffriggete la cipolla e il prezzemolo in due cucchiaiate d'olio e quando il trito comincerà a prendere colore aggiungete anche i mitili a insaporire. Sbattete le uova, conditele con il parmigiano, sale e pepe, versatele nella padella, mescolate e formate una frittata.

Funghi al funghetto

(per 6 persone)

800 grammi di funghi porcini
1 spicchio d'aglio tritato
1 spicchio d'aglio intero
1 bicchiere d'olio
1 pizzico di origano
sale q.b.

Pulite e passate con una pezzuola umida i funghi, tagliateli a fettine non troppo sottili e metteteli in una casseruola con l'olio e l'aglio. Rosolate lentamente e, quando lo spicchio d'aglio intero sarà colorito, toglietelo. Spolverate con un pizzico abbondante di origano, salate e lasciate finire di cuocere a fuoco basso per circa un quarto d'ora. In questo modo si possono cuocere anche le zucchine o le melanzane.

Condiglione

(per 6 persone)

2 chili di pomodori non troppo maturi
2 acciughe
1/2 peperone giallo tagliato a listerelle
1 cetriolo sbucciato e affettato
2 cipolline tagliate a fettine
3 spicchi d'aglio interi
6 foglie di basilico tritate
1 cucchiaino di origano
1 manciata di olive nere snocciolate
1 uovo sodo
50 grammi di ventresca di tonno
sale q.b.
pepe q.b.
olio d'oliva q.b.

Il condiglione è un'insalata fresca e gustosa che si prepara sulla Riviera dei Fiori e che utilizza moltissimi ingredienti. Affettate dei pomodori non troppo maturi, un cetriolo e mezzo peperone giallo dolce, aggiungete le foglie di basilico tritate, l'origano, le acciughe lavate, diliscate e fatte a pezzi, le cipolline novelle tagliate a fette sottili, gli spicchi d'aglio interi. Mescolate il tutto e unite l'uovo, non completamente rassodato, tagliato a pezzi, le olive nere snocciolate e la ventresca di tonno. Condite con sale, pepe e abbondante olio d'oliva e mescolate bene prima di servire in tavola.

Zucchine ripiene

(per 6 persone)

12 zucchine
la mollica di un panino bagnata nel latte
2 uova
sale q.b.
pepe q.b.
1 cucchiaino di origano
2 cucchiaiate di parmigiano grattugiato
15 grammi di funghi secchi
1/2 bicchiere d'olio

Pulite le zucchine, lavatele e togliete la polpa all'interno con l'apposito scavino. Mescolate alla polpa la mollica di pane ben strizzata, le uova e sale e pepe quanto basta, l'origano, il parmigiano e i funghi, ammorbiditi in acqua tiepida, strizzati e tritati. Mettete il ripieno dentro le zucchine e fatele rosolare a fuoco vivace con l'olio; abbassate la fiamma e finite di cuocere, bagnando, se occorre, con un poco di brodo. Volendo, potete farle cuocere anche nel forno (180° circa) per 20 minuti.

Torta di noci e canditi

150 grammi di noci sgusciate
150 grammi di zucchero
un pizzico di cannella
150 grammi di cacao in polvere
50 grammi di frutta candita assortita
5 uova
1 limone
burro per ungere la teglia e 1 manciata di pangrattato

Pestate le noci in un mortaio con 2 cucchiai di zucchero e un pizzico di cannella. Unite all'impasto il cacao e la frutta candita tritata finemente. Mettete in una terrina i tuorli d'uovo e il restante zucchero e sbatteteli energicamente. Aggiungete quindi il miscuglio di noci pestate, cacao e frutta candita. Unite anche un po' di

scorza grattugiata di limone e amalgamate bene. A parte montate a neve ferma gli albumi e uniteli delicatamente al resto.
Ungete di burro una teglia per torta dai bordi bassi, di 30 centimetri di diametro, spolveratela di pangrattato e versatevi il composto. Pareggiatene la superficie con la lama di un coltello e fate cuocere la torta in forno a calore moderato (180°) per circa un'ora. La torta dovrà risultare dello spessore di un dito e mezzo. Quando sarà cotta, sformatela e lasciatela raffreddare.

Ciambelline di pasta di mandorle (canestrelli)

300 grammi di mandorle sbucciate e tostate in forno
200 grammi di zucchero
3 cucchiaini di acqua di fiori d'arancio
1 bicchierino di sciroppo
burro q.b. per ungere la teglia
granellata di zucchero q.b.

Pestate finemente le mandorle nel mortaio fino a ridurle in una polvere sottile; unitevi lo zucchero e lavorate il composto con l'aggiunta dell'acqua di fiori d'arancio. Formate delle ciambelline e mettetele sulla teglia unta del forno. Passate in forno, con poco calore di sotto e moltissimo sopra; dopo circa 15 minuti, quando avranno preso un bel colore dorato, toglietele, spennellatele con lo sciroppo e spargetevi sopra un poco di granellata di zucchero.

Pesche ripiene

(per 6 persone)

13 pesche spaccatelle
80 grammi di cedro candito
80 grammi di zucca candita
1 bicchiere di vino bianco
5 cucchiai di zucchero

Lavate bene le pesche, tagliatele a metà e togliete loro il nocciolo. Aprite 4 noccioli di pesca, sbucciate le mandorle contenute e tritatele finemente con il cedro e la zucca. Unite all'impasto anche la polpa di una pesca intera e riempite con il ripieno preparato le pesche. Ricongiungete insieme le due parti, mettetele in un tegame con il vino e lo zucchero e passatele in forno già caldo. Cuocetele a calore moderato (circa 180°) per circa 40 minuti e servitele tiepide o fredde. Ottime anche con una crema zabaione.

Pandolce genovese

1 chilo di farina per dolci
50 grammi di lievito di birra
1/2 bicchiere circa di latte tiepido
200 grammi di burro
50 grammi di acqua di fiore d'arancio
250 grammi di zucchero
50 grammi di pinoli
25 grammi di pistacchi spellati
100 grammi di uvetta sultanina bagnata nel marsala
15 grammi di semi di finocchio
100 grammi di zucca candita tagliata a pezzetti
1 pizzico di sale.

Il pandolce è il dolce genovese per eccellenza del giorno di Natale, di Capodanno e dell'Epifania. Mettete la farina a fontana sulla spianatoia, unite il lievito sciolto nel latte e poi tutti gli altri ingredienti. Impastate bene e lavorate almeno mezz'ora la pasta. Raccoglietela a palla, copritela con un tovagliolo e lasciatela lievitare per dodici ore in luogo tiepido. Mettete la pasta sulla piastra del forno bene imburrata e infarinata, fatevi nel mezzo tre tagli a forma di triangolo e passate in forno caldo (180°) per un'ora.

Marzapane

200 grammi di farina
100 grammi di burro
100 grammi di zucchero
2 tuorli
un pizzico di sale
la scorza grattugiata di un limone
200 grammi di mandorle
200 grammi di zucchero per la farina di mandorle
1/2 bicchiere di panna
3 uova
acqua di fiori d'arancio q.b.

Mettete sulla tavola di cucina 200 grammi di farina, disponetela a fontana e aggiungete 100 grammi di burro, 100 grammi di zucchero, un pizzico di sale e la scorza grattugiata di un limone. Impastate senza troppo lavorare la pasta, fatene una palla, copritela con un tovagliolo e lasciatela riposare in luogo fresco per almeno mezz'ora. Preparate intanto la farina di mandorle. Tuffate le mandorle in acqua bollente, lasciatevele qualche minuto, poi asciugatele e passatele in forno per farle appena seccare senza colorire. Pestatele quindi in un mortaio assieme a 200 grammi di zucchero per ridurle a farina. Passate questa farina in una terrina e scioglietela con mezzo bicchiere di panna non montata e aggiungete uno alla volta tre tuorli. Profumate il composto con due cucchiaini di acqua di fiori d'arancio e in ultimo aggiungete i tre albumi montati a neve. Prendete la pasta preparata, stendetela in un disco piuttosto sottile e foderate con esso una teglia del diametro di circa 25 centimetri, con i bordi alti, precedentemente imburrata. Versateci sopra il composto di mandorle, che dovrà arrivare a due terzi della teglia, pareggiandolo con la lama di un coltello e ponete la torta in forno a calore moderato per circa un'ora.

Latte alla grotta

(per 6 persone)

4 uova con tuorli e albumi separati
4-5 cucchiaiate di zucchero al velo
5 tazze di latte
3 cucchiai di zucchero
5 cucchiai di farina
100 grammi di semi di pistacchio freschi
un pizzico di cannella

Montate a neve gli albumi in una terrina quindi aggiungete poco alla volta lo zucchero al velo, lavorando delicatamente con un cucchiaio di legno, finché avrete ottenuto una massa bianchissima, piuttosto rigonfia e della consistenza di una crema piuttosto densa. Mettete al fuoco una tazza di latte in un tegamino e quando bolle lasciatevi cadere una cucchiaiata della mistura di albumi. Appena la «sciumetta» si sarà consolidata su un lato, voltatela, lasciate rassodare e poi toglietela con un cucchiaio forato e continuate così fino a esaurimento della mistura d'albumi. Togliete il latte dal fuoco e incorporate la farina, i tuorli e metà del latte rimasto, quindi aggiungete i semi tritati di pistacchio con il rimanente latte. Rimettete sul fuoco e scaldate a fuoco dolcissimo fino a ottenere una crema piuttosto morbida, che non deve bollire.
Disponete le sciumette in un piatto fondo da portata, versateci sopra la crema di latte e spolverizzate con cannella.

EMILIA-ROMAGNA

Le torri degli Asinelli e della Garisenda, simbolo della città di Bologna, una delle roccaforti della buona cucina emiliano-romagnola. In questa regione, la pasta, i prosciutti, il formaggio parmigiano sono innaffiati da vini celebri come il Lambrusco, dal profumo di violetta, il Sangiovese, rosso intenso, e il Trebbiano.

La «trattoria dei carrettieri» fu costruita ai tempi in cui la via Emilia (una delle più belle tra le bimillenarie vie romane) era ancora l'arteria stradale più famosa dell'Alta Italia. I carrettieri del tempo si fermavano in un ampio spiazzo di fronte alla trattoria, a Parola di Fidenza: i loro carri rimanevano incolonnati mentre la servitù provvedeva a distribuire alle bestie la biada e i secchi d'acqua. Più tardi lo spiazzo davanti alla trattoria si trasformò in un grande garage all'aperto ricolmo di camion. Oggi la via Emilia si è intristita perché il grande traffico turistico viaggia sulla vicina Autostrada del Sole, eppure i buongustai sono più che disposti a una deviazione pur di tornare all'antica trattoria dell'oste Romanini. Già, perché se all'esterno tante cose sono cambiate, dentro, invece, l'incontro con la cucina emiliana è rimasto intatto, come tanti anni fa: culatello, salame e prosciutto di produzione propria, tortelli di ricotta, lasagne, cappelletti, bolliti, stracotti, tagliatelle con formaggio parmigiano in abbondanza, e con una bottiglia di spumeggiante Lambrusco per prendere d'assalto la più maestosa cucina italiana.

Non a caso il ristorante di Romanini (che figura ormai su tutte le guide che si stampano in Italia e fuori) si trova a pochi chilometri da Parma, la più interessante città emiliana dopo Bologna. La cucina qui in Emilia è qualcosa di più del semplice «nutrirsi»: è una vera e propria arte che coinvolge con la stessa passione i suoi creatori e i suoi utilizzatori.

Giuseppe Verdi e Arturo Toscanini nacquero in questa zona.

Il sacrario di Verdi è Busseto, e proprio tra Busseto, la via Emilia e il paesino di Zibello, in quella verde pianura immersa

Le buone paste emiliane "fatte in casa" il cui segreto sta tutto nella sfoglia. Nella foto a destra, altri tipi di pasta, questa volta ripiena, tanti fagottini morbidi che possono essere a base di ricotta ed erbette, di carne, di pollo o, ancora, di mortadella.

per cinque o sei mesi all'anno nelle nebbie del Po, popolata di pioppi e di gelsi, segnata all'orizzonte dalle merlate e rossicce rocche dei Pallavicino, viene confezionato l'autentico «culatello». Un nome che fa sorridere il forestiero che l'ascolta per la prima volta e che invece è così pieno di promesse per i parmensi e per quanti abbiano dimestichezza con la città emiliana. Gli «eccellentissimi culatelli» che i marchesi di Pallavicino inviavano come dono — anziché arche d'argento o monili preziosi — ai matrimoni dei più illustri signori d'allora e che facevano pervenire ogni anno d'estate, a mezzo di fidatissimi corrieri, al cugino Galeazzo Sforza; gli «squisiti culatelli» che D'Annunzio glorificava con entusiasmo, sono stati spesso oggetto di accurata attenzione da parte di piccoli industriali che volevano trarne, forse, una lavorazione in serie come è del prosciutto, del salame

e del «grana». Ma finora non è stato possibile. Affine al prosciutto ma più piccante e con un profumo penetrante e aggressivo, riconoscibile dalla sua forma a pera, il culatello viene lavorato solo artigianalmente da poche famiglie che si tramandano di generazione in generazione il segreto del suo profumo. Anche i migliori prosciutti sono quelli prodotti direttamente dai contadini, abituati a «perfezionarli» con una tecnica antichissima che prevede, nei mesi di maturazione, veri e propri assaggi a mano per rendere sempre più morbida e appetitosa la carne e farvi penetrare le spezie e il sale. La stessa zona di Parma è la patria del famoso parmigiano, un formaggio che già nel Trecento si era meritato una citazione nel *Decamerone* del Boccaccio, e la cui paternità, come succede per tutte le cose ben riuscite, viene disputata da almeno tre provincie: Parma, Reggio e Piacenza. La

La fase di stagionatura di salumi, prosciutti e culatelli. Questi ultimi sono lavorati in modo artigianale, secondo un rituale antico, da famiglie che si tramandano tutti i segreti per renderli particolarmente appetitosi e ricchi di profumo.

questione è stata risolta con una denominazione di compromesso: «parmigiano reggiano» che permette ai produttori locali di tutelare a norma di legge la qualità e l'esclusività. Uno degli spettacoli più stimolanti dell'intero panorama culinario emiliano è la visita ai grandi magazzini di stagionatura del parmigiano: qui centinaia di forme luccicanti, immerse in uno stuzzicante profumo, sono amorevolmente sorvegliate da un esperto che di tanto in tanto ne saggia la maturazione asportandone un frammento con un succhiello. Ma dove finisce tutto questo formaggio da grattugiare? Finisce sulla grande famiglia delle tagliatelle, delle lasagne, dei tortellini, insomma sulla famosa pasta emiliana «fatta in casa». Famosa perché ha la sua base nella «sfoglia», un lenzuolo dorato — lavorato con passione e precisione, ridotto col mattarello allo spessore necessario per i diversi impieghi — in cui si amalgamano, farina, uova, sale e acqua.

Le tagliatelle sono il prodotto più semplice della sfoglia: costituiscono un piatto tipicamente bolognese e vennero inventate nel 1487, in occasione delle nozze di Lucrezia Borgia con il Duca di Ferrara da un cuoco del paese di Bentivoglio, certo Mastro Zafirano, che si ispirò alle lunghe e meravigliose chiome bionde dell'avvenente signora.

Per le tagliatelle, i bolognesi avevano già pronto da tempo il ragù, un ricco condimento fatto di carne di bue, di prosciutto, sedano, cipolla, pomodori, carote, noce moscata, burro e panna. Il ragù serve anche per condire molti altri piatti di pasta asciutta, principalmente i tortellini, gli incantevoli fagottini di pasta contenenti un ripieno magro o grasso, secondo le diverse ricette. La paternità dei tortellini viene disputata da tempo immemorabile tra bolognesi e modenesi: e hanno ragione entrambi, se il piatto più illustre di tutta la cucina emiliana fu inventato, secondo la leggenda, da un cuoco petroniano in terra geminiana; a rigor di legge, comunque, la cittadinanza sarebbe modenese. Per raccontare l'invenzione del tortellino, gli emiliani si rifanno alle tradizioni letterarie seicentesche: la leggenda è quella garbatamente impudica, dell'«ombelico di Venere» che la ridancianità toscana del Ceri ha innestato sulla satirica fantasia del Tassoni. Si narra dunque che, ai tempi della Secchia rapita, Ve-

Il castello Estense di Ferrara, a sinistra, e sopra, garofani, crocette e montasù, prodotti tipici della città romagnola che gode fama di avere un pane ottimo, tra i migliori d'Italia. Della stessa zona è originaria la salama da sugo, anticamente considerata afrodisiaca, preparata secondo una ricetta complicata in cui rientrano il vino, le spezie e la cenere.

nere, Marte e Bacco, protettori dei modenesi contro i bolognesi, si riposarono una sera in una locanda di Castelfranco. Marte e Bacco, al mattino, lasciarono per tempo l'alcova dove Venere, affranta, continuava il suo riposo. Quando più tardi la dea si destò, vistasi abbandonata, suonò energicamente il campanello facendosi sorprendere dal cuoco, subitamente accorso, ancora meravigliosamente discinta. Ne rimase talmente impressionato, il bravo oste, che, tornato in cucina dove stava preparando una grande sfoglia, ne trasse uno stampo simile all'ombelico della dea.

Sensualità, amore, piacere, si mischiano abbondantemente nel modo di vivere emiliano; le gioie della mensa ne sono una componente essenziale. Non per nulla il gusto è uno dei cinque sensi! Dal tortellino nacquero, provincia per provincia, diversi adattamenti: i tortelli d'erbetta del Parmigiano (conditi di solo burro e formaggio grattato), i cappelletti di Reggio, i ravioli di Modena (con la loro forma quadrata) e i veri e propri tortellini di Bologna che utilizzano per il ripieno anche la mortadella.

I salumi, come si vede, abbondano in tutti i piatti, e la mortadella, che i bolognesi fabbricavano già nel Medioevo, ne è la

capostipite. Ogni provincia emiliana ha il suo salume caratteristico: nel Piacentino la coppa e la pancetta, nel Reggiano il fiorettino e lo zucco, a Ferrara la famosa salama da sugo, che gli Estensi consideravano un perfetto afrodisiaco e che richiede una preparazione complicatissima in cui entrano il vino, diverse spezie, la cenere, nella quale viene messa a stagionare per un anno, e l'abbondante pentola d'acqua dove viene messa a bollire per diverse ore prima di finire in tavola. A Modena, dove si preparano i migliori bolliti emiliani, si mangia lo zampone, tanto famoso quanto la Ghirlandina, la torre campanaria del Duomo. Lo zampone è nato duecento anni fa, insieme al «cappello da prete» che ne differisce solo per la forma: entrambi sono fatti di carne di maiale e di cotenne macinate con una concia di pepe, aglio, sale e spezie.

Ad onta di tutto questo maiale, di questi condimenti abbondanti, di questa opulenza «pagana», la cucina emiliana, secondo i suoi creatori, non è pesante; un segreto della facilità di digerire degli emiliani è indubbiamente nei loro vini, alcuni dei quali non possono essere dimenticati. Il Lambrusco, che ha in Sorbara, provincia di Modena, la sua patria, di breve invecchiamento, da bere preferibilmente in luogo perché sopporta poco il trasporto e caratterizzato da un inimitabile profumo di violetta, è uno dei più adatti per i cibi grassi e molto conditi. Il Sangiovese, prodotto nella provincia di Forlì, è un vino rosso granata con un profumo intenso, che è già maturo in un anno ma che raggiunge la perfezione dopo quattro. Della stessa zona è l'Albana bianco, ideale per lo squisito pesce che viene preparato sulle coste della Romagna, mentre da tutta l'Emilia viene una serie di vini eccellenti tra i quali il Trebbiano, già amato dagli antichi Romani, la Malvasia di Maiatico, la Fortanella.

La cucina della riviera romagnola propone soprattutto una grande varità di ottimi pesci, di crostacei, di anguille, preparati secondo ricette di sapiente tradizione, che ne valorizzano il gusto e la freschezza. Nella pagina accanto, pescherecci nel porto-canale di Cesenatico.

Crescente
Erbazzone
Torta fritta
Ragù
Salsa besciamella
Salsa per il pesce
Pasta all'uovo
Pasta verde
Cappelletti di Romagna
Tortelli di erbette
Lasagne bolognesi
Timballo di lasagne alla modenese
Anolini di Parma
Paglia e fieno
Risotto alla bolognese
Tortellini in brodo
Minestra di passatelli
Minestra del paradiso
Cacciatora di capretto
Il grande fritto misto all'emiliana
Agnello dorato in salsa d'uovo
Scaloppine di vitello alla bolognese
Noce di vitello farcito
Lombatine alla parmigiana
Trippa dorata alla bolognese
Cappone ripieno
Salame di tacchino
Zampone con lenticchie
Salama da sugo
Fegatelli alla petroniana
Anguilla in gratella
Anguilla marinata
Zuppa di anguille di Comacchio
Brodetto di Rimini
Canocchie fritte
Seppie in umido con piselli
Pesce in graticola alla maniera dell'Adriatico
Crauti alla modenese
Tortino di zucchine
Verdure alla parmigiana
Cipolline in salsa
Castagnole fritte
Certosino
Ciambellone bolognese
Raviole di San Giuseppe
Sfrappole di carnevale
Torta di riso
Zuppa a due colori
Gialletti
Crostata di amarene

Crescente

(per 6 persone)

1 chilo di farina bianca

1 cucchiaio di sale

70 grammi di lievito di birra

2 cucchiaini di zucchero semolato

2 bicchieri di latte tiepido

250 grammi di prosciutto o pancetta o carne non troppo magra

Setacciate la farina mescolata con il sale in una grande terrina. Sciogliete il lievito con lo zucchero e un po' di latte, disponete la farina a fontana e versatela al centro. Lavorate la farina aggiungendo poco alla volta il latte fino a quando avrete ottenuto una pasta morbida e elastica, che si stacca facilmente dal bordo della terrina. Unite il condimento, cioè prosciutto, pancetta o carne tagliata a dadini, e lavorate la pasta per amalgamare il tutto. Stendetela quindi con il mattarello a 1 cm circa di spessore e mettetela su una piastra da forno unta. Fate incisioni a croce su tutta la superficie, coprite e lasciate lievitare al caldo fino a quando il volume della pasta sarà raddoppiato. Cuocete in forno caldo (200°) per 15 minuti, poi abbassate il fuoco e continuate per altri 30 minuti fino a quando la pagnotta sarà dorata.

Erbazzone

(per 6 persone)

2 chili di spinaci

sale q.b.

25 grammi di burro

50 grammi di lardo tritato

1 spicchio d'aglio tritato

6 cipollotti verdi tritati

300 grammi di farina bianca

30 grammi di strutto o burro

2 uova

100 grammi di parmigiano grattugiato

Mondate e lavate accuratamente gli spinaci. Fateli cuocere dolcemente in una casseruola, umidi ma senza aggiungere acqua, finché saranno teneri. Scolateli, strizzateli e tritateli finemente.
In una padella fate soffriggere il burro e il lardo tritato. Unite l'aglio e i cipollotti tritati finemente, parte verde compresa, e appena saranno dorati aggiungete gli spinaci, mescolate e fate cuocere per 5 minuti. Aggiustate il sale e tenete da parte.
Versate la farina in una terrina con un pizzico di sale, 30 grammi di burro o strutto e lavoratela aggiungendo acqua quanta basta per ottenere una pasta soda e elastica. Formate una palla e dividetela a metà. Stendete i due pezzi di pasta formando due dischi uno più grande dell'altro. Foderate una tortiera rotonda e bassa con il disco più grande e riempitela con il composto di spinaci. Sbattete le uova con il parmigiano grattugiato e versate il miscuglio sugli spinaci. Coprite con il secondo disco di pasta, sigillate i bordi, forate in diversi punti la superficie con una forchetta e mettete a cuocere in forno caldo per 20 minuti o fino a quando la torta sarà dorata.

Torta fritta

(per 4-6 persone)

500 grammi di farina

50 grammi di strutto

40 grammi di lievito di birra

sale q.b.

1 bicchiere di latte (o acqua) tiepido

strutto per friggere (o olio) q.b.

Impastate la farina con lo strutto, il sale e il lievito sciolto nel latte tiepido (o acqua). Lavorate bene la pasta e lasciatela lievitare in luogo tiepido, coperta con un tovagliolo per almeno un'ora. Tiratela con il mattarello in una sfoglia dello spessore di circa 3 mm. Tagliatela a rombi con l'apposita rotellina (o coltello) e friggetela nello strutto bollente (o olio). Quando sarà ben dorata e gonfia, sgocciolatela su una carta che assorba l'unto e servitela molto calda con formaggio tenero o salumi affettati.

Ragù

(per 6 persone)

1 cipolla tritata

1 carota tritata

1 costola di sedano tritata

100 grammi di pancetta tritata

50 grammi di burro

2 cucchiaiate d'olio

150 grammi di carne di maiale macinata

150 grammi di polpa di manzo macinata

50 grammi di salsiccia sbriciolata

2-3 fegatini di pollo (facoltativo)

1 bicchiere di vino bianco secco

sale e pepe q.b.

1 cucchiaio di salsina di pomodoro

1 bicchiere circa di brodo

30 grammi di burro

3 cucchiai di panna liquida (o latte)

funghi insaporiti al burro, aglio e prezzemolo (facoltativi)

Soffriggete in una casseruola a fuoco basso la cipolla, la carota, il sedano e la pancetta con il burro e l'olio. Quando cominceranno a imbiondire, unite le carni e la salsiccia; lasciate rosolare e innaffiate con il vino. Appena il vino sarà evaporato, salate, pepate e aggiungete la salsina di pomodoro diluita in un poco di brodo. Coprite e lasciate cuocere lentamente, mescolando di tanto in tanto e bagnando con il rimanente brodo. Dopo circa un'ora e mezza unite la panna (o il latte) e lasciate asciugare. In ultimo aggiungete anche una noce di burro e, se volete, i funghi tritati e insaporiti a parte.

Salsa besciamella

(per 1 litro di besciamella)

100 grammi di burro

4 cucchiai rasi di farina

1 cucchiaino scarso di sale

1 litro di latte

Mettete il burro, tagliato a pezzetti, la farina e il sale in una casseruola possibilmente di rame con il fondo ricurvo (polsonetto); ponete su fuoco basso e, sempre mescolando con la frusta, versate, a poco a poco, il latte. Continuate a mescolare e lasciate bollire per una ventina di minuti, finché sarà scomparso il sapore della farina. Togliete la besciamella dal fuoco, versatela in una terrina, mescolatela ancora un poco e aggiungete parmigiano grattugiato, pepe o un tuorlo d'uovo, secondo l'uso che ne dovete fare.

Salsa per il pesce

2 tuorli sodi

2-4 filetti di acciughe

1 bicchiere d'olio

qualche goccia di succo di limone

Tritate separatamente i tuorli e i filetti di acciughe, poi mescolateli in un mortaio e pestateli fino a ottenere un impasto morbido e ben amalgamato. Unite goccia a goccia l'olio e il succo di limone fino a quando la consistenza della salsa risulterà piuttosto cremosa, come una maionese. È una salsa molto gustosa, che si sposa bene soprattutto con pesce cotto sulla griglia.

Pasta all'uovo

per la pasta asciutta

1 uovo a persona

circa 100 grammi di farina (o poco meno a seconda della grandezza dell'uovo)

per la pasta in brodo

1 uovo ogni due persone

circa 100 grammi di farina

Scegliete le uova dal guscio scuro perché vi daranno una pasta più gialla. Mettete la farina a fontana sulla spianatoia, tenendone da parte sempre un pugnino; rompeteci dentro le uova (apritele eventualmente prima su un piatto perché, se sono fresche, devono rimanere intere), sbattete le uova con una forchetta (o con la punta delle dita), impastatele bene con la farina e lavorate energicamente la pasta che dovrà risultare piuttosto soda. Dopo circa un quarto d'ora di lavoro «di gomito», se la pasta diventerà liscia e cominceranno a formarsi delle bollicine d'aria, allora raccoglietela a palla e lasciatela riposare sulla spianatoia leggermente infarinata, coperta con un piatto, per 15-20 minuti. Poi, tiratela con il mattarello, facendolo rotolare sotto le mani aperte; usate un poco di farina perché la pasta non si attacchi e ricavate una sfoglia uniforme e sottile. Non tirate mai la pasta in mezzo a correnti d'aria o in luoghi troppo caldi e asciutti perché si rischierebbe di farla seccare prima di poterla stendere.

Ecco alcuni formati tipici che si possono ricavare prima che la sfoglia asciughi:

Stricchetti (alcuni usano aggiungere all'impasto con le uova anche l'odore della noce moscata e un poco di parmigiano grattugiato): tagliate con l'apposita rotellina la pasta a strisce larghe circa 2 mm e a pezzetti lunghi circa 4 cm. Con le dita stringete al centro ogni rettangolino di pasta.

Gli stricchetti si mangiano generalmente in brodo. Se si desiderano asciutti, preparateli leggermente più grandi e conditeli con un buon ragù o salsa di pomodoro.

Lasagne: tagliate dei quadrati di circa 8 cm di lato, oppure, se usate una tortiera rotonda piccola, tagliate dei cerchi della grandezza della tortiera stessa. Lasciate poi asciugare bene la pasta e lessatela, non troppo, in abbondante acqua salata (circa 2 minuti di cottura se la pasta è stata fatta da un paio d'ore); scolatela e stendetela subito ad asciugare su un tovagliolo.

Tortellini di Bologna: con un tagliapaste rotondo liscio di circa 4 centimetri di diametro ricavate dei dischetti sui quali metterete un po' di ripieno. Quindi tenendo il dischetto tra le mani ripiegatelo in due, una metà sull'altra, avvertendo che le due metà non combacino, ma che la metà che resta al di sopra rimanga un pochino più indietro di quella che resta al disotto. Premete con le dita sul bordo affinché le due parti si chiudano bene, poi ripiegate l'orlo superiore sull'altro, chiudendo il tortellino sulla punta del dito medio della mano sinistra ed ottenendo così la tradizionale forma ad anellino. Secondo una leggenda garbatamente impudica il tortellino sarebbe «l'ombelico di Venere». I tortellini si servono in brodo e anche asciutti conditi con panna, parmigiano e tartufi oppure ragù.

Anolini di Parma: tagliate la pasta a strisce larghe due dita circa, mettete delle pallottoline di ripieno lungo la metà delle strisce, a spazi intervallati di circa 4 cm, coprite con le altre strisce e tagliate con l'apposito stampo a disco del diametro di 3 cm abbondanti. Lasciate asciugare gli anolini su un tovagliolo. Si servono in brodo di manzo e cappone con abbondante parmigiano.

Cappelletti di Romagna: tagliate subito la pasta in dischi di circa 7 cm di diametro, riempiteli con il ripieno di magro o anche con carne e chiudeteli immediatamente a «cappello».

Si servono asciutti con ragù di carne; sono ottimi anche in brodo, naturalmente preparati un poco più piccoli.

Tortelli: tagliate la pasta a dischi di circa 5 cm di diametro e riempiteli con un ripieno di formaggio ed erbette; chiudeteli dando ad essi la forma di un grande tortellino. Fateli asciugare su un canovaccio e serviteli in brodo oppure con burro fuso e parmigiano.

Tortelloni: tagliate subito la pasta a dischi di circa 7 cm di diametro, mettete su ogni disco una pallottolina di ripieno a base di formaggio; chiudetelo dandogli la forma di un tortello. Cuocete i tortelloni e serviteli con abbondante burro e parmigiano.

Facendo asciugare la sfoglia di pasta una mezz'ora circa, si possono ricavare:

Tagliatelle: arrotolate la sfoglia della larghezza di 4-5 cm e, con il coltello, tagliate delle strisce di 1 cm o più. Stendetele sulla spianatoia oppure su un tovagliolo e lasciatele asciugare. Servitele sempre asciutte.

Tagliolini: Procedete come per le tagliatelle, ma tagliate delle strisce molto più sottili. Serviteli di preferenza in brodo o anche asciutti.

Quadrucci: arrotolate la sfoglia e tagliatela in pezzi lunghi 1 cm, srotolate le strisce ottenute e ritagliatele in quadretti. I quadrucci si servono in brodo di carne o di verdure.

Maltagliati: arrotolate la sfoglia e, con il coltello, tagliate delle strisce larghe più di 1 cm e poi ritagliatele in diagonale in modo da formare dei triangoli. Cucinateli con il minestrone o nel brodo con fagioli o piselli e prenderanno il nome di «malmaritati».

Pasta verde

per la pasta asciutta

ogni due persone un uovo

200 grammi di farina

150 grammi di spinaci (lessati e strizzati devono avere il volume di un uovo)

per la pasta in brodo

ogni quattro persone 1 uovo

200 grammi di farina

150 grammi di spinaci (lessati e strizzati devono avere il volume di un uovo)

Procedete come per la pasta all'uovo, unendo in più gli spinaci. Tirate la sfoglia e, prima che asciughi ricavate:

Maccheroncini: tagliate delle strisce alte circa un centimetro, tagliatele a pezzetti lunghi un centimetro e mezzo e posateli sull'apposito ferro (che assomiglia a un ferro da calza), premendo e ruotando in modo da ottenere dei piccoli maccheroni. Lasciateli asciugare sulla spianatoia o su un canovaccio. Lessateli e conditeli con panna, salsiccia e funghi oppure salsa di pomodoro o ragù.

Stricchetti, lasagne e tortellini: preparateli come descritto per la pasta all'uovo.

Facendo asciugare una mezz'ora circa la sfoglia si possono ricavare invece:

Tagliatelle, tagliolini e quadrucci: preparateli come descritto per la pasta all'uovo.

Cappelletti di Romagna

(per 6 persone)

per il ripieno

500 grammi di ricotta romana

200 grammi di formaggio squaquarò (o stracchino)

2 uova

180 grammi di parmigiano grattugiato

1 pizzico di sale

1/2 noce moscata grattugiata

per la pasta

5 uova

500 grammi circa di farina

per il condimento

brodo q.b.

150 grammi di burro fuso (o ragù)

80 grammi di parmigiano grattugiato

In una terrina lavorate la ricotta con lo squaquarò (o lo stracchino), le uova, il parmigiano, un pizzico di sale e la noce moscata. Preparate la pasta (vedi ricetta pag. 106), tagliatela a dischi di circa 7 cm di diametro, mettete su ognuno un poco di ripieno e chiudeteli a «cappello». Lasciateli asciugare su un canovaccio e cuoceteli nel brodo bollente. Conditeli con il burro (oppure il ragù ben caldo) e il parmigiano.

Tortelli di erbette

(per 6 persone)

per il ripieno

500 grammi di erbette (oppure bietole o spinaci)

550 grammi di ricotta romana

8 cucchiai di parmigiano grattugiato

2 uova

sale q.b.

1/4 di noce moscata grattugiata

per la pasta

6 uova

600 grammi circa di farina

per il condimento

150 grammi di burro fuso

80 grammi di parmigiano grattugiato

Pulite le erbette, lessatele in poca acqua salata, strizzatele bene e tritatele finemente. In una terrina mescolate la ricotta con le erbette, il parmigiano, le uova, un pizzico di sale e la noce moscata. Preparate la pasta (vedi ricetta pag. 106), tagliatela a dischi di circa 5 cm di diametro, mettete su ognuno un poco di ripieno e chiudeteli (vedi a pag. 106). Lasciate asciugare i tortelli su un canovaccio, cuoceteli in abbondante acqua salata (o brodo) bollente, e serviteli conditi con il burro fuso e il parmigiano.

Lasagne bolognesi

(per 6-8 persone)

per la pasta

3 uova

300 grammi circa di farina

per la salsa besciamella

80 grammi di burro

5 cucchiai di farina

1 cucchiaino di sale

1 litro e mezzo di latte

per il condimento

400 grammi di ragù con poco pomodoro

50 grammi di funghi secchi ammorbiditi in acqua tiepida

1 spicchio d'aglio

30 grammi di burro

1 bicchiere di latte

1 ciuffo di prezzemolo tritato

120 grammi di parmigiano grattugiato

50 grammi di burro

Preparate la pasta come è descritto a pag. 106, il ragù con poco pomodoro (pag. 105) e fate la besciamella (pag. 105), lasciatela cuocere per una ventina di minuti, poi versatela in una terrina. Soffriggete in un padellino uno spicchio d'aglio; quando è colorito, toglietelo e unite i funghi ben strizzati e tagliati a pezzi, un pizzico di sale, il latte e il prezzemolo; lasciate cuocere pian piano per un quarto d'ora circa. Imburrate una teglia (o una pirofila) rotonda del diametro di circa 22 cm; fate uno strato di pasta, uno strato sottile di besciamella, uno di ragù bel caldo e spolverate con un pugnetto di parmigiano. Continuate in questo modo fino all'esaurimento degli ingredienti. In due o tre strati, al posto del ragù, stendete i funghi (questo accorgimento vi permetterà di far sentire di più il loro sapore). Terminate con uno strato di pasta, qualche cucchiaiata di ragù, alcune noci di burro e una spolveratina di parmigiano. Passate in forno caldo, a calore moderato (circa 180°), per circa un'ora, fino a quando le lasagne avranno formato una leggera crosticina. Servitele bollenti direttamente nella loro teglia.

Timballo di lasagne alla modenese

(per 6 persone)

500 grammi di farina

200 grammi di spinaci lessati

2 uova

sale q.b.

ragù di carne (vedi a pag. 105)

1/2 litro di besciamella (vedi a pag. 105)

30 grammi di burro per ungere la teglia

Preparate in precedenza il ragù di carne. Per le lasagne, versate sulla tavola la farina a fontana e mettete le uova, gli spinaci lessati e passati al setaccio e un pizzico di sale. Impastate il tutto come per una comune pasta da tagliatelle e stendetela in una sfoglia non troppo sottile. Con un coltello dividetela in tanti quadrati di circa 10 cm di lato, utilizzando anche i ritagli. Ponete sul fuoco una capace casseruola d'acqua leggermente salata, portatela a bollore e fatevi cuocere le lasagne poche alla volta. Tenete la cottura molto al dente, scolatele e appoggiatele su tovaglioli umidi, lasciandole raffreddare.

Nel frattempo preparate la besciamella. Ungete quindi una teglia da forno e disponetevi un primo strato di lasagne condendolo con il ragù e abbondante parmigiano grattugiato. Continuate a disporre le lasagne alternandole sempre con il ragù e il formaggio. Sull'ultimo strato di lasagne versate anche la besciamella, spandendola con la lama di un coltello in modo che ne ricopra omogeneamente tutta la superficie. Spolverizzate con il parmigiano e spargete qua e là qualche fiocchetto di burro. Cuocete la vivanda in forno a calore moderato per circa 1 ora o fino a quando la superficie sarà dorata. Servite caldo.

Anolini di Parma

(per 6 persone)

per il ripieno

600 grammi di coscia di manzo
50 grammi di pancetta
1/4 di cipolla tagliata a fettine
1 spicchio d'aglio
2 cucchiaiate d'olio
50 grammi di burro
1 bicchiere di vino rosso
sale q.b.
pepe q.b.
1/2 litro circa di brodo
1 cucchiaiata di salsina di pomodoro
1 costola di sedano tagliata a pezzetti
3 carote tagliate a fettine
3 chiodi di garofano
3 cucchiaiate di pangrattato
1 uovo
150 grammi di parmigiano grattugiato
noce moscata q.b.

per la pasta

3 uova
300 grammi circa di farina

Soffriggete in una casseruola di terracotta la cipolla, l'aglio e la pancetta con l'olio e il burro; togliete poi l'aglio, unite la carne, fatela rosolare e innaffiatela con il vino. Quando il vino sarà evaporato, salate e pepate, bagnate con un poco di brodo bollente, al quale avrete aggiunta la salsina di pomodoro, il sedano, le carote e i chiodi di garofano. Fate cuocere molto lentamente per 4-5 ore, bagnando di tanto in tanto con il brodo caldo. Togliete poi la carne e passate il sugo al setaccio. In una terrina mescolate la metà circa di questo sugo con il pangrattato, il parmigiano, l'uovo e l'odore della noce moscata. Preparate la pasta (vedi ricetta a pag. 106) e, su metà delle sfoglie, distribuite tanti mucchietti di ripieno. Coprite con altre sfoglie e tagliate con l'apposito tagliapasta. Lasciate asciugare gli anolini su un tovagliolo e cuoceteli in abbondante brodo bollente. Conditeli con burro e abbondante parmigiano.

Paglia e fieno

(per 6 persone)

pasta all'uovo (vedi a pag. 106)
pasta verde (vedi a pag. 106)

per il condimento

500 grammi di funghi freschi
60-100 grammi di burro
1 spicchio d'aglio schiacciato
sale q.b.

250 grammi di salsiccia di maiale
1 bicchiere di panna da cucina
100 grammi di parmigiano grattugiato

Preparate la pasta verde e la pasta all'uovo (vedi ricette a pag. 106). Stendetele in sfoglie sottili, lasciatele asciugare per 30 minuti, poi tagliatele in tagliatelle o tagliolini, cioè in strisce larghe o sottili. Lasciatele asciugare su un canovaccio.

Nel frattempo preparate il condimento. Pulite e affettate i funghi. Fate sciogliere metà del burro in una padella e fatevi soffriggere l'aglio che poi scarterete. Nel burro insaporito fate soffriggere i funghi, leggermente salati, per 10 minuti. In un'altra padella fate rosolare nel restante burro le salsicce tritate. Sopra un pentolino scaldate la panna a bagno-maria. Tenete al caldo tutti questi ingredienti.

Portate a bollore due casseruole di acqua salata e fate cuocere al dente separatamente le due qualità di pasta. Scolate le paste, versatele in una zuppiera e mescolatele. Conditele con i funghi, le salsicce, la panna e il parmigiano grattugiato e servite in tavola ben caldo.

Risotto alla bolognese

(per 6 persone)

600 grammi di riso
100 grammi di pancetta tritata
50 grammi di prosciutto crudo tritato
100 grammi di burro
1 bicchiere di vino bianco secco
1 litro circa di brodo
ragù di carne (vedi a pag. 105) o salsa di pomodoro
100 grammi di parmigiano grattugiato
1 tartufo medio tagliato a fettine sottili

Mettete in una casseruola la pancetta e il prosciutto tritati con 50 grammi di burro e fateli soffriggere per qualche minuto. Unite il riso, fatelo rosolare per 5 minuti perché assorba un po' del grasso e si insaporisca. Versate il vino, fatelo evaporare e poi bagnate a più riprese con mestoli di brodo sempre mescolando e facendo cuocere dolcemente finché il riso sarà tenero. Pochi minuti prima di completare la cottura, condite con una presa di sale e il ragù o la salsa di pomodoro. Mescolate quindi al risotto altri 50 grammi di burro e il parmigiano grattugiato. Prima di portare in tavola spruzzate il risotto con le fettine di tartufo.

Tortellini in brodo

(per 200 tortellini circa)

per il ripieno

100 grammi di lombo di maiale
50 grammi di petto di tacchino o cappone
60 grammi di midollo di bue
50 grammi di mortadella di Bologna
30 grammi di prosciutto
40 grammi di burro
100 grammi di parmigiano grattugiato
2 uova
sale q.b.
pepe q.b.
l'odore della noce moscata

per la pasta

300 grammi circa di farina

3 uova

brodo di carne q.b.

Rosolate la carne di maiale, il petto di tacchino (o di cappone) e il midollo di bue nel burro; passateli alla macchinetta (o tritateli finemente con la lunetta) assieme alla mortadella e al prosciutto. Mescolate con il parmigiano e le uova, aggiustate di sale, pepate e spolverate con un poco di noce moscata. Riempite con questo ripieno i dischi di pasta preparati (vedi ricetta pag. 106) e chiudeteli a «tortello». Fateli asciugare su un canovaccio e cuoceteli in abbondante brodo bollente calcolandone circa una ventina per ciascun commensale.

Minestra di passatelli

(per 6 persone)

140 grammi di pangrattato

90 grammi di parmigiano grattugiato

4 uova

30 grammi di burro (o midollo di bue)

1/2 noce moscata (o la scorza di un limone grattugiata)

1/2 cucchiaino di sale fino

1 litro e mezzo di brodo di carne

In una terrina mescolate il pangrattato con il parmigiano e le uova intere; unite, per ammorbidire, la noce di burro (oppure il midollo di bue tritato) e poi l'odore della noce moscata (o la scorza di limone oppure anche noce moscata e limone insieme in quantità minore) e il sale. Lavorate un pcoo l'impasto con un cucchiaio e coprite la terrina con un piatto. Intanto fate scaldare il brodo e, dopo circa un quarto d'ora, passate l'impasto dall'apposito ferro bucato, premendo con forza sui due manici laterali. Gettate subito i passatelli nel brodo in ebollizione e, appena affiorano alla superficie e il brodo non farà più schiuma, portateli in tavola.

Minestra del paradiso

(per 4 persone)

4 uova

sale q.b.

pepe q.b.

1 pizzico di noce moscata

7 cucchiaiate di parmigiano grattugiato

4 cucchiaiate di pangrattato

1 litro e mezzo di brodo di carne

burro q.b. (facoltativo)

Alcune versioni di questa minestra consigliano di rosolare il pangrattato nel burro per farlo dorare prima di mescolarlo con le uova. Mettete sul fuoco la casseruola con il brodo di carne. In una terrina a parte versate le uova, quattro cucchiai di parmigiano grattugiato e altrettanto di pangrattato e condite con sale, pepe e un pizzico di noce moscata. Sbattete bene le uova e unite il composto al brodo quando comincerà a bollire. Dopo un istante mescolate, lasciate cuocere per un minuto, quindi versate la minestra in una zuppiera e conditela con il rimanente formaggio grattugiato.

Cacciatora di capretto

(per 6 persone)

1 chilo e mezzo di capretto

3 cucchiaiate d'olio

80 grammi di burro

1 spicchio d'aglio

1/2 cipolla tritata

80 grammi di prosciutto (o lardo) tritato

1 bicchiere di vino rosso (Sangiovese)

200 grammi di pomodori pelati

sale q.b.

pepe q.b.

1 ciuffo di prezzemolo tritato

Tagliate a pezzi il capretto; fate rosolare nell'olio e burro lo spicchio d'aglio intero, poi toglietelo e unite la cipolla e il prosciutto tritato (o il lardo). Unite i pezzi di capretto e, quando saranno ben rosolati, innaffiateli con il vino e lasciatelo evaporare. Versate i pomodori tagliati a pezzi, salate, pepate e aggiungete anche il prezzemolo. Coprite e lasciate finire di cuocere lentamente per circa un'ora.

Il grande fritto misto all'emiliana

Il fritto all'emiliana è composto di una grande varietà di piccole preparazioni e riuscirà tanto più buono quanto più sarà vario. Generalmente entrano in questo fritto: crocchette di pollo, crema dolce, costolette di agnello, cotolette di vitello, stecchini alla bolognese, piccoli bignè, frittelle di mele, di semolino e di ricotta, fiori di zucca, zucchine, carciofi, melanzane, schienali e cervella fritti, bombine di riso, frittelle di tagliatelle...

Crocchette di pollo: tritate finemente del pollo avanzato, lesso o arrosto; unite ugual quantità di besciamella piuttosto soda, un poco di prosciutto cotto tagliato a dadini, qualche cucchiaiata di parmigiano grattugiato, un uovo, sale, pepe e l'odore della noce moscata. Mescolate bene e formate delle crocchette allungate, passatele nel pangrattato, poi nell'uovo sbattuto e ancora nel pangrattato. Friggetele in abbondante olio bollente.

Crema dolce (dosi per 4-5 persone; circa 20 pezzi): lavorate 5 tuorli d'uovo e un albume con 6 cucchiai di zucchero, la scorza intera di un limone, 8 cucchiai di farina e un pizzico di sale; unite 1/2 litro di latte e, sempre mescolando, fate cuocere la crema per un quarto d'ora. Stendetela in un piatto bagnato d'acqua, togliete il limone e, quando sarà fredda, tagliatela a losanghe. Passatela negli albumi montati a neve e poi nel pangrattato e friggetela in abbondante olio bollente. Sgocciolatela su una carta che assorba l'unto e spolveratela con zucchero semolato.

Costolettine di agnello: infarinate leggermente le costolettine, cuocetele a metà cottura in un poco di burro, poi passatele nell'uovo, sbattuto con un poco di sale, e nel pangrattato. Friggetele in abbondante olio bollente.

Cotolette di vitello (o di maiale o di petto di pollo): battete la carne leggermente, scottatela da una parte in un poco di burro e, sulla parte cotta, mettete una fettina di prosciutto e un poco di besciamella soda, condita con abbondante parmigiano e una spolverata di pepe. Passate le cotolette nell'uovo sbattuto con un pizzico di sale, poi nel pangrattato e friggetele in abbondante olio bollente.

Stecchini alla bolognese (dosi per una dozzina di stecchini): tagliate a piccoli dadi 150 grammi di polpa di vitello, 100 grammi di cervella e filoni, 70 grammi di mortadella, 100 grammi di fegato di vitello, 70 grammi di gruviera. Infilate i dadini preparati in stecchini, alternandoli per sapore. Passate gli stecchini in una besciamella molto liquida, poi nell'uovo sbattuto con un pizzico di sale e nel pangrattato. Friggeteli in abbondante olio bollente.

Frittelle di mele: fate la pastella mescolando un rosso d'uovo con 4 cucchiai di farina, un cucchiaio d'acqua, un bicchiere di latte e un pizzico di sale; lasciatela depositare una mezz'oretta. Unite due albumi montati a neve, poi tuffateci le mele, pelate e tagliate a fette circolari un po' grosse, e togliete il torsolo (devono avere la forma di ciambelline). Friggete le mele nell'olio bollente, sgocciolatele su una carta che assorba l'unto e spolveratele di zucchero al velo.

Bignè salati (dosi per una trentina di bignè): fate bollire 100 grammi di acqua con 45 grammi di burro e 1/2 cucchiaino di sale; togliete dal fuoco e gettate in un sol colpo, sempre mescolando energicamente con la frusta, 60 grammi di farina e poi due uova intere. Lavorate l'impasto ancora per un poco e poi, facendolo cadere a mucchietti, friggetelo in abbondante olio bollente.

Frittelle di semolino (dosi per una quarantina di frittelle): fate bollire 3/4 di litro di latte: versatevi a pioggia 150 grammi di semolino con un po' di sale e, sempre mescolando, fate cuocere per una ventina di minuti. Quando il semolino sarà pronto, toglietelo dal fuoco e incorporatevi un uovo e 30 grammi di burro. Versatelo in un piatto fondo, bagnato d'acqua e, quando sarà freddo, tagliatelo a losanghe. Passate le losanghe nell'uovo, sbattuto con un pizzico di sale, e nel pangrattato e friggete in abbondante olio bollente. Asciugatele su una carta che assorba l'unto e spolveratele di zucchero semolato.

Frittelle di ricotta (dosi per una ventina di frittelle): mescolate 200 grammi di ricotta con 3 cucchiai di farina, un uovo e un cucchiaio di marsala (o di rhum). Gettate l'impasto a cucchiaiate nell'olio bollente e sgocciolatelo su una carta che assorba l'unto. Spolverate le frittelle di zucchero al velo.

Zucchine fritte: tagliate le zucchine a bastoncini. Infarinatele e friggetele in abbondante olio bollente.

Melanzane fritte: tagliate le melanzane a fette, lasciatele in un piatto inclinato con un pizzico di sale in modo che perdano l'amaro. Asciugatele, passatele nell'uovo sbattuto con un pizzico di sale e poi nel pangrattato. Friggetele subito in abbondante olio.

Carciofi fritti: lavate i carciofi in acqua acidulata con succo di limone, dopo aver tolto le foglie esterne. Tagliateli a fettine sottili e asciugateli. A parte preparate una pastella con un tuorlo d'uovo, 3 cucchiai di farina, un pizzico di sale, un bicchiere scarso di latte e lasciatela riposare mezz'ora. Unite alla pastella due albumi montati a neve, mescolate delicatamente e immergetevi le fettine di carciofo. Friggetele subito in abbondante olio bollente.

Frittelle di fiori di zucca: immergete i fiori di zucca nella pastella preparata come per i carciofi e friggeteli in abbondante olio.

Schienali e cervella: mettete a insaporire un attimo in un poco d'olio caldo la cervella e gli schienali. A parte preparate una pastella con farina, acqua, parmigiano grattugiato, un pizzico di sale e un po' d'olio. Lasciatela riposare una mezz'oretta e unite uno o più tuorli d'uovo e, in ultimo, gli albumi montati a neve. Immergetevi la cervella e gli schienali, tagliati a pezzi, e friggeteli in abbondante olio bollente.

Bombine di riso (dosi per una dozzina di bombine): cuocete 200 grammi di riso in un soffritto di cipolla e pancetta, poi aggiungete circa 1/2 litro di brodo bollente. Appena il riso sarà cotto al dente, toglietelo dal fuoco, unite un pugnetto di parmigiano grattugiato, un uovo e l'odore della noce moscata. Formate delle palline al cui centro metterete un poco di ragù (o di funghi insaporiti al burro). Infarinate le bombine e friggetele in abbondante olio bollente.

Frittelle di tagliatelle: mescolate un piatto di tagliatelle tagliuzzate, già cotte e avanzate, con parmigiano, uova, sale e pepe. Diluite con un poco di latte e versate a cucchiaiate il composto in abbondante olio bollente (o strutto). Sgocciolatele su una carta che assorba l'unto, servitele caldissime e, se volete, spolveratele di zucchero.

Agnello dorato in salsa d'uovo

(per 6 persone)

1 chilo e mezzo di agnello
2-3 cucchiai d'olio d'oliva
100 grammi di burro
100 grammi di prosciutto tagliato a dadini
sale q.b.
pepe q.b.
1/2 bicchiere di vino bianco secco
1 cucchiaino di salsa di pomodoro
3 tuorli d'uovo
1/2 limone
1 cucchiaio di parmigiano grattugiato
crostoni di pane fritto

Dividete l'agnello in pezzi regolari non troppo grossi e fateli soffriggere in una teglia con qualche cucchiaiata d'olio. Quando l'agnello sarà rosolato, scolate il grasso e in sua vece aggiungete il burro e il prosciutto tagliato a dadini. Lasciate soffriggere un poco, condite con sale e pepe e bagnate con il vino bianco.
Quando il vino sarà evaporato, aggiungete la salsa di pomodoro diluita con due mestoli e più di acqua. A cottura completa, aggiungete i tre tuorli conditi con un cucchiaio di parmigiano grattugiato e diluiti con il succo di mezzo limone. Servite l'agnello nel recipiente di cottura accompagnato con crostoni di pane fritto.

Scaloppine di vitello alla bolognese

(per 6 persone)

800 grammi di fesa di vitello tagliata in 12 fettine
farina q.b.
2 cucchiaiate d'olio
40 grammi di burro
sale q.b.
pepe q.b.
2 cucchiaiate di marsala (o di vino bianco secco)
12 fettine di prosciutto crudo
12 fettine di gruviera (o 12 cucchiai di parmigiano grattugiato)

Battete sottili le fettine di fesa, infarinatele e cuocetele nell'olio e burro ben caldi; salatele, pepatele e stendetele in una teglia. Fate rapprendere sul fuoco il loro sugo di cottura aggiungendo anche il marsala (o il vino); quando sarà evaporato, innaffiate con questo sugo le scaloppine. Mettete su ognuna il prosciutto e il formaggio. Passate in forno caldo (a circa 200°) fino a quando il formaggio si sarà sciolto.

Noce di vitello farcito

(per 6-8 persone)

1 chilo di noce di vitello
sale q.b.
pepe q.b.
succo di limone q.b.
rosmarino tritato q.b.
250 grammi di carne di maiale o di tacchino
noce moscata q.b.
2-3 cucchiai di marsala
60 grammi di prosciutto cotto
60 grammi di lingua salmistrata
60 grammi di mortadella
60 grammi di fegato di vitello
4-5 ovette di pollo lessate
1 carota lessata e tagliata a pezzi
120 grammi di piselli lessati
4 cucchiai di olio d'oliva
latte (facoltativo)

Le ovette sono le uova che si trovano talvolta all'interno di una gallina. Non hanno né guscio né albume. Sostituiscono i tuorli di 2 uova grosse.
Battete bene il pezzo di vitello e con un coltello tagliente apritelo in due senza intaccare però gli orli che dovranno rimanere di circa 2 centimetri in modo da ottenere come una borsa.
Condite l'interno della carne con un po' di sale, pepe, rosmarino tritato e qualche goccia di limone e lasciatela riposare per mezz'ora. Nel frattempo preparate l'impasto per farcire la borsa. Tritate la carne di maiale o di tacchino e conditela con sale, noce moscata e marsala. Aggiungete il prosciutto, la lingua salmistrata e la mortadella tagliata a dadini, il fegato diviso in pezzetti, le ovette, la carota e i piselli lessati. Mescolate il tutto e riempite la borsa di noce di vitello con questo composto. Cucite l'apertura, mettete la carne in una pirofila e dopo averla irrorata con l'olio mettetela a cuocere in forno a calore moderato (160°) per 1 ora e mezza circa, finché la carne di vitello sarà diventata tenera. Se necessario, durante la cottura si potrà aggiungere un po' di latte per tenere umida la carne. Servite la vivanda calda o fredda, tagliata a fette.

Lombatine alla parmigiana

(per 3 o 6 persone)

6 lombatine di vitello
sale q.b.
4 cucchiai di burro
60 grammi di prosciutto crudo tritato
2-3 ciuffi di prezzemolo tritato
3 cucchiai di parmigiano grattugiato
1/2 bicchiere di marsala

Battete leggermente le lombatine di vitello per spianarle e allineatele in una teglia imburrata. Fatele rosolare adagio da una parte e dall'altra, spruzzatele di sale e quando saranno ben colorite guarnitele con il prosciutto e il prezzemolo tritati che avrete amalgamati in precedenza con il parmigiano grattugiato. Stendete bene il composto su tutte le lombatine e bagnatele con il marsala. Coprite il recipiente e lasciate che il vapore del marsala faccia fondere il formaggio. Servite in tavola ben caldo.

Trippa dorata alla bolognese

(per 6 persone)

1 chilo di trippa di bue
sale q.b.
4 cucchiai di olio d'oliva
1 spicchio d'aglio tritato
2-3 ciuffi di prezzemolo tritato
250 grammi di pancetta affumicata e tritata
1 cipolla tagliata a fette sottili
pepe q.b.
1 cucchiaino di estratto di carne
4 uova
5 cucchiai di parmigiano grattugiato

Lavate la trippa e fatela lessare in acqua bollente salata per circa 1 ora. Scolatela e tagliatela in pezzi quadrati. Mettete quindi sul fuoco un tegame con qualche cucchiaiata di olio e la pancetta tritata. Quando i grassi saranno caldi, aggiungete la cipolla affettata, l'aglio e il prezzemolo tritato. Lasciate leggermente imbiondire, unite la trippa, condite con sale e pepe e fate insaporire per una ventina di minuti, mescolando spesso.
Pochi minuti prima di portare in tavola, rompete in una scodella i tuorli d'uovo e diluiteli con due cucchiai d'acqua nella quale avrete sciolto il cucchiaino di estratto di carne. Ritirate il tegame con la trippa dal fuoco, versateci le uova, aggiungete qualche cucchiaiata di parmigiano e lasciate al caldo fino a che le uova si saranno accremate senza stracciarsi. Servite immediatamente.

Cappone ripieno

(per 8-10 persone)

1 cappone (oppure 1 tacchino)

per il ripieno

200 grammi di carne di virello macinata
300 grammi di carne di maiale macinata
150 grammi di mortadella tagliata a dadini
100 grammi di prosciutto cotto tagliato a listerelle
100 grammi di prosciutto crudo tagliato a listerelle
1 fegatino di pollo
1 bicchierino di marsala
1 piccolo tartufo (facoltativo)
1 cucchiaio di pistacchi spellati
2 uova sode
100 grammi di parmigiano grattugiato
sale q.b.
pepe q.b.
noce moscata q.b.

per il brodo

1 cipolla
1 costola di sedano
1 carota
2 foglie di alloro
sale q.b.
acqua q.b.
circa 1 litro di gelatina
oppure:
1 bicchiere d'olio
1 rametto di rosmarino
1 mestolo di brodo

Pulite e disossate il cappone (o il tacchino) asportando le ali e le cosce e tenete da parte il petto. Mescolate in una terrina le carni, i salumi, le interiora del cappone (o tacchino) e il fegato di pollo tritati, le uova sode tritate, i pistacchi, il formaggio, sale, noce moscata e pepe quanto basta; bagnate con il marsala e, se volete, aggiungete anche il tartufo tagliato a lamelle. Riempite il ventre del cappone (o tacchino) alternando strati di petto di cappone (o tacchino), tagliato a listerelle, con strati del ripieno preparato. Cucite bene e fate cuocere con gli odori, le ali e le cosce asportate, un poco di sale e tanta acqua quanta è necessaria per ottenere un buon brodo. Dopo circa due ore, a seconda della grossezza del cappone, toglietelo dal brodo e mettetelo a raffreddare sotto un peso. Tagliatelo poi a fette, disponetele in un piatto e bagnatele con la gelatina. Oppure cuocete il cappone (o il tacchino) nel forno, a fuoco lento (circa 160°), con l'olio, sale e rosmarino per circa 3 ore. Bagnate di tanto in tanto con un poco di brodo caldo.

Salame di tacchino

1 collo di tacchino
150 grammi di petto di tacchino
2 fegatini di gallina
100 grammi di prosciutto crudo
1 uovo
sale e pepe q.b.
un pizzico di noce moscata
1 carota
1 cipolla
1 costola di sedano

Per questa facile preparazione ci si dovrà servire della pelle di un collo di tacchino. Si toglie la pelle dal collo, rovesciandola come un guanto ed evitando lacerazioni. La pelle verrà via facilmente. Risciacquate questo cilindro vuoto e cucitelo con filo da cucina da una sola parte, in modo che risulti come un sacchetto vuoto. Per il ripieno, tritate il petto di tacchino, i fegatini di gallina e il prosciutto crudo, mettete in una terrina e condite con un uovo intero, sale, pepe, noce moscata, quindi impastate con le mani e quando il composto sarà ben amalgamato riempite il sacchetto di pelle e cucite l'apertura col filo. Questo sacchetto avrà così l'aspetto di un salame piuttosto morbido. Punzecchiatelo con un ago e avvolgetelo in un tovagliolo che cucirete e legherete in più punti. In una casseruola (possibilmente ovale) mettete due litri di acqua fredda, il collo del tacchino da cui avete tolto la pelle, altri cascami di carne se ci sono, e unite la carota, la cipolla, la costola di sedano, un po' di sale e fate scaldare. Quando questo brodo sarà prossimo all'ebollizione immergeteci la galantina racchiusa nel tovagliolo e fatela bollire dolcemente, per circa un'ora e mezzo, poi mettetela in un piatto con un leggero peso sopra a raffreddare. Con il profumato brodo ricavato si può preparare una gelatina (vedi a pag. 46) che servirà d'accompagnamento.

Zampone con lenticchie

(per 6 persone)

uno zampone da 1 chilo
500 grammi di lenticchie già bagnate
sale q.b.
1 cipolla
1 costola di sedano
olio q.b.
50 grammi di grasso di prosciutto tritato
1 cipolla e 1/2 costola di sedano tritate

Risciacquate lo zampone, punzecchiatelo in più parti con una forchetta, avvolgetelo in un panno, legandolo ben stretto. Mettete quindi lo zampone a cuocere immerso in acqua fredda, in una pentola di dimensioni appropriate perché non vi stia né stretto né largo. Portate l'acqua lentamente a ebollizione e fate cuocere lo zampone molto dolcemente per due ore circa.

Intanto mondate le lenticchie e lessatele in acqua aromatizzata con sale, una cipolla, una costola di sedano, per circa un'ora e mezza. Scaldate in una casseruola un po' d'olio, unite il grasso di prosciutto, la cipolla e il sedano tritati, lasciateli rosolare poi aggiungete le lenticchie ben scolate. Bagnate con qualche mestolo di brodo dello zampone e lasciate sobbollire dolcemente finché le lenticchie abbiano assorbito il brodo e risultino alla fine asciutte. Servite le lenticchie caldissime e sopra le fette di zampone.

Salama da sugo

La salama da sugo, una specialità ferrarese che ha origini antichissime, era considerata un tempo il cibo più adatto a ristorare i soldati di ritorno dal fronte. Questo salume, detto anche «salamina», viene preparato esclusivamente con carne di maiale, compresi fegato e lingua intrisa di vino rosso di ottima qualità. È importante la stagionatura che deve essere di sei, sette mesi.

Per preparare la salama da sugo per 4-6 persone, acquistate una salamina ben stagionata da 1 chilo circa e lavatela bene in acqua tiepida. Procuratevi quindi una grande pentola dai bordi alti e riempitela d'acqua fredda. Mettete il salume in un sacco di tela, chiudetelo legandolo con uno spago che fisserete poi a un bastone di legno da appoggiare al bordo della pentola in modo che la salamina sia completamente immersa nell'acqua senza tuttavia toccare né i bordi né il fondo del recipiente: dovrà restare a bagno tutta notte. Poi a fuoco dolcissimo fate bollire la salamina per 4-5 ore; a cottura ultimata, liberatela dal sacchetto di tela, aprite la parte superiore della vescica in corrispondenza della legatura e con un cucchiaio estraete la carne da servire nei piatti dei commensali. Durante la cottura, se la salama è ben stagionata, si formerà un sugo profumatissimo che è uno dei pregi di questa pietanza. Accompagnate la salama da sugo con purea o, nei mesi estivi, con fette di melone.

Fegatelli alla petroniana

(per 4-6 persone)

300 grammi di rete di maiale
700 grammi di fegato di maiale
sale q.b.
pepe q.b.
4-5 foglie di salvia tritata
1 rametto di rosmarino tritato
il succo di mezzo limone
piccoli crostini q.b.
foglie di alloro q.b.
3 cucchiai di olio d'oliva
6 cucchiai di vino bianco secco
fette di polenta fritta

Tagliate il fegato in pezzi uguali di circa otto centimetri di lunghezza, conditeli con sale, pepe, salvia e rosmarino tritati e spruzzateli con il succo di limone. Fasciate i pezzetti di fegato con pezzi di rete di maiale precedentemente bagnata, accoppiateli a due a due, infilzandoli in uno stecchino con una foglia di alloro in mezzo e un'altra ai lati e due crostini di pane, quadrati come i fegatelli, anch'essi ai due lati. Allineate gli stecchini con i fegatelli in una teglia, sgocciolate sopra l'olio e metteteli in forno già caldo. Fateli cuocere a calore moderato (180°) per circa 30 minuti. Quando la rete sarà brunita, bagnateli con il vino e lasciateli cuocere ancora per qualche minuto, o finché il fegato sarà cotto ma ancora rosato all'interno. Servite gli stecchini con il loro sugo accompagnati con fette di polenta fritta.

Anguilla in gratella

(per 6 persone)

Un'anguilla da 1 chilo circa (o 2-3 più piccole)

crostini di pane abbrustolito

alcune foglie di salvia o alloro

sale q.b.

pepe q.b.

1-2 limoni

Un'anguilla grossa deve essere spellata, invece per le più piccole non è necessario.
Tagliate l'anguilla in pezzi lunghi circa tre centimetri e infilateli su uno spiedino, alternandoli con i crostini. Mettete al centro di ogni spiedino una foglia di salvia o di alloro.
Scaldate la griglia. Condite i pezzi di anguilla con sale e pepe e poneteli sotto o sopra la piastra, girando di tanto in tanto gli spiedini, per ottenere una cottura perfetta. Appena pronta, servite subito in tavola la pietanza accompagnata da spicchi di limone.

Anguilla marinata

1 o 2 anguille di circa 1 chilo

qualche foglia di alloro

sale q.b.

pepe q.b.

per la marinata

1 litro e mzzzo di aceto di vino

1 ciuffo di foglie di salvia

2 spicchi d'aglio

la scorza di due arance (o di un limone)

1 cucchiaio di pinoli (facoltativo)

1 cucchiaio d'uvetta sultanina (facoltativo)

1 cucchiaio di canditi tritati

5-6 grani di pepe

Non spellate le anguille e tagliatele a pezzi lunghi circa 5 cm; infilate i pezzi negli spiedini, intervallandoli con alcune foglie di alloro; salate, pepate e cuocete in graticola. Fate bollire per una mezz'ora l'aceto con la salvia, l'aglio, la scorza delle arance (o di limone) e, se volete, i pinoli e l'uvetta; poi unite i canditi e il pepe, mettete le anguille in un recipiente di terracotta e versateci l'aceto, fate prendere il bollore e ponete tutto in un vaso. Si conservano a lungo, ma non servitele prima che siano passati almeno due giorni.

Zuppa di anguille di Comacchio

(per 6 persone)

1 chilo di anguille tagliate a pezzi

2 cipolle tagliate a fettine sottili

1 carota tagliata a fettine

2 costole di sedano tagliate a dadini

1 ciuffo di prezzemolo tritato

la scorza grattugiata di 1/2 limone

sale q.b.

pepe q.b.

1 cucchiaio abbondante di aceto

2 cucchiai di salsina di pomodoro

fette di pane abbrustolito q.b.

Mettete in una pentola uno strato di anguille, uno di verdure e continuate così fino all'esaurimento degli ingredienti. Coprite con acqua, salate, pepate, ponete il coperchio e fate cuocere lentamente, mescolando di tanto in tanto. Dopo circa un quarto d'ora, unite l'aceto e la salsina di pomodoro, diluita in un poco d'acqua, aggiustate di sale e lasciate finire di cuocere per circa mezz'ora. Servite le anguille con il loro brodo, accompagnate da fette di pane abbrustolito.

Brodetto di Rimini

(per 6 persone)

1 chilo e mezzo di pesce assortito (sogliole, canocchie, passere, rombo, palombo, triglie, anguille, sarde, seppie, calamari, scampi, cefali, spigolette, vongole ecc.)

1 bicchiere d'olio

2 cipolle tritate

500 grammi di pomodori pelati

sale q.b.

pepe q.b.

una cucchiaiata d'aceto

fette di pane abbrustolite q.b.

per il brodo di pesce

2 cucchiaiate d'olio

una cipolla tritata

2 pomodori maturi

un ciuffo di prezzemolo tritato

le teste dei pesci (o 500 grammi di piccoli granchi o pesce piccolo)

sale q.b.

pepe q.b.

un litro abbondante d'acqua

un cucchiaio d'aceto

Scegliete una ricca varietà di pesce, tenendo presente che, come per qualunque altro genere di zuppa, tanto più abbondanti saranno le varietà, tanto più profumata riuscirà la preparazione. Pulite i pesci, togliete loro le teste e tenetele da parte. Lavate i pesci in abbondante acqua salata e sgocciolateli bene. Con le teste dei pesci preparate il brodo che dovrà essere aggiunto alla zuppa di pesce; se le teste non saranno sufficienti aggiungete anche piccoli granchi o piccoli pesci (la cosiddetta frittura). Mettete l'olio in una casseruola con la cipolla. Rosolate a fuoco lento e, appena la cipolla comincerà a imbiondire, unite i pomodori pelati, tagliati a pezzi e privati dei semi. Lasciate cuocere a fuoco vivo per un quarto d'ora, aggiungete il prezzemolo, le teste dei pesci (o i granchi e il pesce piccolo), condite con un poco di sale e di pepe, bagnate con l'acqua e aggiungete l'aceto. Coprite la casseruola e lasciate bollire pian piano per circa 40 minuti. Passate poi le teste o i pesci al setaccio e riversateli nel brodo. Quindi preparate la zuppa di pesce.
Versate l'olio in un tegame largo e basso in cui il pesce possa rimanere allineato in un solo strato. Rosolatevi la cipolla a fuoco lento e, quando comincerà a prendere colore, aggiungete i pomodori pelati e lasciate cuocere per una ventina di minuti a fuoco moderato. Unite al sugo di pomodoro il pesce, prima quello a carne più dura, poi l'altro, e allineatelo nel tegame in un solo strato. Condite con un poco di sale e una bella spolverata di pepe; quando il pesce prenderà il bollore, spruzzatelo con l'aceto e lasciatelo evaporare. Coprite poi il tegame e fate cuocere molto lentamente per una mezz'oretta: il pesce deve risultate «al dente». Ultimate con il prezzemolo tritato. Mescolate il brodo di pesce bollente alla

zuppa di pesce e servite il «brodetto» fumante con le fette di pane abbrustolite. Oggi ormai ovunque si è persa l'abitudine di servire il brodetto in due piatti separati: uno per la zuppa e l'altro per il brodo di pesce in cui si inzuppavano le fette di pane abbrustolite.

Canocchie fritte

(per 6 persone)

2 chili di canocchie	
5 cucchiai di pangrattato	
2 spicchi d'aglio	
3-4 ciuffi di prezzemolo tritato	
8 cucchiai d'olio d'oliva	
sale q.b.	
pepe q.b.	
farina q.b.	
abbondante olio per friggere	

Pulite le canocchie e incidetele sul dorso con una forbice appuntita. Mescolate il pangrattato, l'aglio e il prezzemolo finemente tritati, condite con sale e pepe e unite poco per volta l'olio d'oliva fino a ottenere una pasta ben amalgamata. Introducete un po' di questo composto nell'incisione praticata alle canocchie, poi passatele nella farina e friggetele in abbondante olio bollente. Fate scolare le canocchie su carta da cucina e servitele ben calde.

Seppie in umido con piselli

(per 6 persone)

1 chilo di seppie già pulite	

per la marinata

1/4 di litro di aceto	
1 cipolla piccola tagliata a fette	
sale q.b.	
pepe q.b.	

per la salsa

5 cucchiai di olio d'oliva	
1 spicchio d'aglio schiacciato	
1 cipolla piccola tritata finemente	
2-3 ciuffi di prezzemolo tritato	
2 cucchiai di salsa di pomodoro concentrato	
300 grammi di piselli sbucciati	
sale q.b.	
pepe q.b.	

Tagliate le seppie a striscioline. Mescolate gli ingredienti della marinata in una grande terrina, immergetevi le seppie e lasciatele riposare per diverse ore.
Scaldate l'olio in una grande padella e fate soffriggere l'aglio. Quando avrà preso colore scartatelo e nell'olio insaporito fate dorare le cipolle. Aggiungete quindi le seppie ben scolate, il prezzemolo, un cucchiaio della marinata e la salsa di pomodoro diluita in una tazza d'acqua. Fate cuocere a fuoco dolce per 15 minuti. Aggiungete i piselli, aggiustate di sale e pepe e fate sobbollire finché le seppie saranno tenere. Il tempo di cottura dipende dalla dimensione delle seppie.

Pesce in graticola alla maniera dell'Adriatico

Lasciate il pesce (sogliole, seppie, cefali, spiedini di calamaretti e scampi, rombi, San Pietro, coda di rospo, anguilla ecc.) a marinare per una mezz'ora con sale, pepe, olio, pangrattato, aglio e prezzemolo tritati (facoltativo) e poi cuocete il pesce sulla graticola ben calda al fuoco debole della carbonella. Quando il pesce è cotto, disponetelo in una pirofila, versate sopra un filo d'olio e un goccio d'aceto e rimettetelo qualche minuto al fuoco. Servite ben caldo con spicchi di limone.

Crauti alla modenese

(per 6 persone)

1 bel cavolo cappuccio (o 700 grammi di crauti già macerati nell'aceto)	
1 mestolo di brodo di cottura dello zampone	

Pulite il cavolo, tagliatelo a listerelle e lasciatelo macerare due giorni in abbondante aceto. Mettete i crauti in una padella, aggiungete il brodo caldo dello zampone e, se occorre, un poco di acqua bollente. Lasciate cuocere con il coperchio lentamente per una ventina di minuti e servite con lo zampone fumante.

Tortino di zucchine

(per 6 persone)

1 chilo e mezzo di zucchine	
50 grammi di burro	
3 cucchiaiate d'olio	
sale q.b.	

per la besciamella

100 grammi di burro	
3 cucchiai di farina	
1 cucchiaino di sale	
1 litro di latte	
3 cucchiaiate di parmigiano grattugiato	
1 tuorlo d'uovo	
pepe q.b.	
noce moscata q.b.	

Pulite le zucchine e tagliatele a fettine. Cuocetele nell'olio e burro con un bel pizzico di sale. Intanto preparate una besciamella come insegna pag. 105, ma cuocetela mezz'ora abbondante perché diventi ben soda. Toglietela via dal fuoco e unite, sempre mescolando, il parmigiano, il tuorlo d'uovo, noce moscata e pepe quanto basta. Mettete le zucchine in una pirofila, versateci sopra la besciamella e passate in forno caldo a gratinare.

Verdure alla parmigiana

Secondo la stagione lessate asparagi, zucchine, spinaci, finocchi o cardi, sgocciolateli bene e insaporiteli al tegame con abbondante burro, un pizzico di sale e, in ultimo, una bella spolverata di parmigiano grattugiato.

Cipolline in salsa

500 grammi di cipolline	
2 cucchiaiate di olio d'oliva	
una noce di burro	
2 cucchiai di zucchero	

sale q.b.

pepe q.b.

1/2 cucchiaio di salsa concentrata di pomodoro

Sbucciate le cipolline e tuffatele in acqua bollente e salata. Scolatele a metà cottura e versatele in una teglia con olio, burro, zucchero, sale, pepe e la salsa di pomodoro diluita con un po' di acqua tiepida. Lasciate cuocere finché le cipolline si glassano.

Castagnole fritte

(per 6-8 persone)

4 uova

5 cucchiai di zucchero semolato

300 grammi di farina bianca

5 cucchiai di olio d'oliva

5 cucchiaini di brandy

1/2 cucchiaino di vaniglina

scorza grattugiata di 4 limoni

abbondante olio per friggere

zucchero al velo q.b.

Sbattete le uova, unite lo zucchero e sbattelete ancora per montarle leggermente. Unite farina, olio, brandy, sale, vaniglina e la scorza grattugiata dei limoni e mescolate energicamente con un cucchiaio di legno fino a quando il tutto sarà ben amalgamato.

Scaldate l'olio in una grande padella per fritti e lasciate cadere a cucchiaiate il composto nell'olio bollente, servendovi anche di un cucchiaino per dargli la caratteristica forma rotonda a pallina delle castagnole. Le frittelle si gonfieranno, perciò non cercate di friggerne troppe per volta. Fatele scolare su una carta da cucina e spruzzatele abbondantemente con lo zucchero al velo prima di servirle in tavola.

Certosino

700 grammi di farina

400 grammi di miele

200 grammi di mandorle pelate

50 grammi di pinoli

80 grammi di uvetta sultanina ammorbidita in un poco di vino

200 grammi di frutta candita mista tagliata a dadini

200 grammi di frutta cotta passata al setaccio

100 grammi di cioccolato fondente tagliato a pezzetti

1 pizzico di cannella

1 cucchiaiata di semi d'anice

50 grammi di burro

canditi per decorare q.b.

Fate sciogliere in una casseruolina il miele con un poco d'acqua e aggiungetelo alla farina e a tutti gli altri ingredienti. Mescolate bene e versate il composto in una tortiera a corona, bene imburrata. Decorate con canditi interi e tagliati a metà, passate in forno già caldo, e lasciate cuocere, a fuoco moderato (circa 180°), per circa 3/4 d'ora. Il Certosino si conserva a lungo avvolto in una carta oleata o d'alluminio.

Ciambellone bolognese

500 grammi di farina

1 bustina di lievito in polvere

200 grammi di zucchero

3 uova

100 grammi di burro

1/4 di litro di latte

1 pizzico di vaniglina

1 pizzico di sale

100 grammi di canditi misti tagliati a dadini

30 grammi di pinoli

30 grammi di mandorle pelate e tostate

50 grammi di uvetta ammorbidita nel marsala

1 uovo sbattuto per spennellare

30 grammi di granellata di zucchero

In una terrina sbattete le uova con lo zucchero, unite, sempre mescolando, la farina, mescolata al lievito, il burro tagliato a pezzetti, il latte, la vaniglina, il sale, i canditi, i pinoli, le mandorle tagliate a metà e l'uvetta ben strizzata e infarinata. Mescolate e versate in una tortiera a corona bene imburrata e infarinata. Spennellate con l'uovo e distribuite sopra lo zucchero granellato. Passate in forno caldo e fate cuocere a calore moderato (circa 180°), per circa 40 minuti.

Ràviole di San Giuseppe

200 grammi di fecola

100 grammi di farina

100 grammi di zucchero

50 grammi di burro

1 pizzico di sale

1 uovo

la scorza grattugiata di un limone

2 cucchiai di latte

5 grammi di cremor tartaro

2 grammi e mezzo di bicarbonato

marmellata (o crema pasticcera) q.b.

1 uovo sbattuto per spennellare

zucchero al velo q.b.

Impastate la fecola con la farina, lo zucchero, il burro tagliato a pezzettini, il sale, l'uovo, la scorza del limone, il latte, il cremor di tartaro e il bicarbonato. Lavorate la pasta e fatela riposare in frigo un'ora. Tiratela in una sfoglia sottile e tagliate dei dischi di circa 5 cm di diametro; mettete su ognuno un poco di marmellata (o di crema pasticcera), chiudeteli a metà e pigiate il bordo con le punte di una forchetta. Stendete le raviole su una teglia imburrata, spennellatele con un uovo sbattuto e passatele in forno già caldo. Cuocetele a fuoco moderato (circa 180°) per circa mezz'ora. Lasciatele raffreddare e spolveratele con zucchero al velo.

Sfrappole di carnevale

500 grammi di farina

30 grammi di strutto (o burro)

3 tuorli d'uovo

1 albume d'uovo

2 cucchiai di zucchero

1 cucchiaino di sale

1 bicchiere di vino bianco

1 pizzico di vaniglina

olio por friggoro q.b.

zucchero al velo q.b.

Impastate tutti gli ingredienti e raccogliete la pasta piuttosto morbida in un piatto, copritela e lasciatela riposare un'oretta. Tirate la pasta in una sfoglia sottile e ritagliatela con l'apposita rotellina in strisce di circa un dito e lunghe circa 20 cm. Date loro la forma di un nastro leggermente annodato e gettatele in abbondante olio bollente. Appena cominceranno a prendere colore, scolatele su una carta che assorba l'unto e spolveratele di zucchero al velo.

Torta di riso

l litro e mezzo di latte
300 grammi di riso
1 pizzico di sale
280 grammi di zucchero
4 uova
la scorza grattugiata di 2 limoni
100 grammi di mandorle dolci e 3-4 amare, pelate, tostate e tritate
100 grammi di cedro e arancia canditi tagliati a dadini
1 pizzico di vaniglina
burro per la tortiera q.b.
pangrattato per la tortiera q.b.
2 cucchiai di maraschino
2 cucchiai di mandorla amara

Fate bollire il latte e cuocetevi il riso con il sale e metà dello zucchero per circa mezz'ora. Toglietelo dal fuoco e lasciatelo raffreddare. In una terrina sbattete i tuorli delle uova con il rimanente zucchero, unite il riso e, sempre mescolando, la scorza dei limoni, le mandorle, i canditi, la vaniglina e infine gli albumi montati a neve. Versate in una tortiera di circa 27 cm di diametro, bene imburrata e spolverata di pangrattato, e passate in forno caldo. Cuocete a fuoco lento (circa 160°) per circa un'ora. Quando la torta è fredda, punzecchiatela con uno stecchino e versate sopra i due liquori mescolati. Servitela il giorno dopo.

Zuppa a due colori

250 grammi di pan di Spagna
1 bicchierino di alkermes
1 bicchierino di rhum
1 dozzina di ciliegine sotto spirito snocciolate
per la crema di vaniglia
5 tuorli d'uovo
4 cucchiai di zucchero
1 pizzico di vaniglia
la scorza intera di un limone
1 cucchiaio di farina
1/2 litro di latte
per la crema di cioccolata
2 uova
3 cucchiai di zucchero
1 cucchiaio di farina
2 cucchiai di cacao amaro
1 pizzico di vaniglia
1/2 litro di latte

Per preparare la crema di vaniglia mettete in una terrinetta le uova, lo zucchero, un pizzico di vaniglia e la farina e mescolate con un cucchiaio di legno per amalgamare gli ingredienti. Diluite il composto con il latte tiepido, aromatizzato con la scorza di limone tenuta in infusione, mescolando con il cucchiaio di legno o meglio con una frusta. Passate la crema attraverso un setaccio, levate con cura la schiuma che si sarà formata e versate il composto in uno stampo liscio imburrato. Mettete lo stampo in un recipiente con acqua caldissima (l'acqua dovrà arrivare a un paio di dita dall'olro) e cuocete a bagno-maria: l'acqua pur rimanendo caldissima non dovrà mai bollire. Quando la crema si è addensata, togliete dal bagno-maria e lasciatela riposare per una decina di minuti. Intanto preparate la crema di cioccolato procedendo come per la crema di vaniglia e cuocetela a bagno-maria, ma in questo caso per almeno 10 minuti. Intanto che la crema al cioccolato intiepidisce tagliate a fette il pan di Spagna e spruzzate la metà con l'alkermes e il rimanente con il rhum. Foderate con alcune fette di pan di Spagna spruzzate di liquore un piatto curvo (o una coppa di cristallo), mettete uno strato di crema, uno ancora di pan di Spagna, uno strato di cioccolata e continuate così fino all'esaurimento degli ingredienti. Se volete, potete mescolare alla crema di vaniglia due cucchiaiate di frutta sotto spirito tagliata a pezzettini. Terminate con uno strato di crema e guarnite con le ciliegine. Tenete al fresco il dolce almeno un paio d'ore prima di servire.

Gialletti

300 grammi di farina di mais
150 grammi di farina di grano
2 uova
150 grammi di burro
100 grammi di zucchero
1 pizzico di vaniglina
1 pizzico di sale
la scorza grattugiata di un limone
50 grammi di uvetta sultanina bagnata nell'acqua
50 grammi di pinoli
zucchero al velo

Impastate le farine con le uova, il burro, lo zucchero, la vaniglina, il sale e la scorza del limone. Unite l'uvetta ben strizzata e i pinoli; formate delle pallottoline della grossezza di una noce, schiacciatele leggermente e stendetele sulla teglia imburrata del forno. Fate cuocere in forno già caldo (a circa 200°) per circa un quarto d'ora. Spolverate i gialletti con zucchero al velo e serviteli con vino dolce.

Crostata di amarene

300 grammi di farina
150 grammi di zucchero
75 grammi di strutto
75 grammi di burro
3 tuorli d'uovo
la scorza grattugiata di un limone
un pizzico di sale
1 uovo per spennellare la pasta
zucchero al velo q.b.
300 grammi di amarene
100 grammi di zucchero
un pizzico di cannella

Impastate sulla spianatoia la farina con lo zucchero, lo strutto, il burro, i tuorli d'uovo, la scorza del limone e il sale. Non lavorate troppo a lungo la pasta e raccoglietela a palla fra due piatti. Lasciatela riposare un'oretta in frigorifero. Intanto fate sciroppare le amarene snocciolate, con lo zucchero, la cannella e tanta acqua quanta basta a coprirle. Lasciate cuocere a fuoco basso finché l'acqua sarà tutta asciugata e le amarene ben cotte. Foderate con circa la metà della pasta una tortiera bene imburrata e infarinata di circa 28 cm di diametro; distribuite sopra le amarene sciroppate e, con la rimanente pasta, formate una grata. Spennellate con l'uovo sbattuto la crostata e passatela in forno caldo (180°) per circa 40 minuti, finché la pasta sarà ben dorata. Lasciate raffreddare la crostata e spolveratela con zucchero al velo.

TOSCANA

Le antiche torri di San Gimignano, la città
storica che appartiene a una regione, la
Toscana, dalla gastronomia essenziale, con
sapori contadini esaltati da un olio pregiato.
Nella pagina seguente, alcuni piatti tipici:
fagioli cotti nel fiasco, insalate rustiche,
formaggi, pane casereccio e cantuccini.

Un vecchio camino con tre o quattro focolari aperti sul davanti per agitare la ventola, tralci di piccolissimi pomodori gialli e rossi appesi ai lati, sul muro, un mucchietto di carbonella di legna dolce per alimentare i fuochi, le griglie, una fiammata e un'enorme bistecca grande più del piatto che la conterrà, di carne viva che crogiola nel fumo appena posata sulla griglia, mentre le fiamme del focolare improvvisamente esplose la lambiscono: è il rito della costata alla fiorentina, un rito che in Toscana si ripete da secoli, immutabile, perché i moderni fornelli a gas ed elettrici non riuscirebbero mai a dar vita a questo piatto. C'è bisogno di un caldissimo letto di carbone di legna, di un fascio di legno dolce e di una griglia, tutte cose che nei condomini moderni, nei cucinini stretti e candidi delle città non si potranno mai avere. Occorre anche essere in Toscana per celebrare questo rito, in un ristorante alla moda dove l'odore di bruciato fa parte del colore locale o, meglio ancora, in una vecchia cascina dove le fette di vitellone non sono ancora diventate una rarità. Occorre essere in Toscana anche perché ci vuole, alla fine della cottura, dopo aver sparso sulla carne sale e pepe ed aver abbassato il fuoco, una pennellata di olio d'oliva, di quello prodotto in Lucchesia, sulle dolci colline di quelle terre.

Dire Toscana significa aprire il sipario su un mondo meraviglioso, troppo raccontato da poeti e scrittori, troppo amato da chiunque guardi all'arte con competenza o con semplice interesse, per parlarne qui, in un libro sulla cucina. Eppure il discorso non sarebbe fuori luogo perché anche la cucina si inquadra perfettamente nel paesaggio, nell'arte, nelle bellezze della Toscana

Olio, verdure, aromi, sono alcuni dei prodotti della fertile campagna toscana che vanta molti gustosi piatti popolari, come la pasta e fagioli (nella foto a destra) le salsicce cotte alla brace, gli sformati di verdura e buon pane fatto alla maniera artigiana.

e nell'indole dei suoi abitanti, oggi come ieri artisti nel senso più puro della parola, oggi come ieri signori di quella terra stupenda che anno dopo anno fa innamorare di sé turisti di tutto il mondo, le nuove leve degli studiosi, i suoi visitatori occasionali e perfino i suoi stessi abitanti, quei toscani che subito si riconoscono in qualsiasi luogo li si incontri, per quel loro spirito che non lascia mai nulla all'immaginazione e che anzi punta all'essenziale e alla chiarezza, in una parlata purissima, che è poi quella italiana per eccellenza.

La cucina toscana è altrettanto essenziale, un po' come il paesaggio di questa terra che apparentemente è dolce, prezioso e gradevolissimo, ma che lascia subito riconoscere la sua bellezza rigorosa, classica, esattamente come le opere d'arte che qui hanno sempre rifuggito dal barocco e dal perfezionismo. Se in Emilia far della cucina è una passione, un piacere quasi sensuale, qui in Toscana è un'arte, di quel tipo di arte sobria e lineare che ha reso Firenze famosa nel mondo. Qui i cuochi hanno vita dura; non si possono salvare con gli intingoli e con le salse che sviano

i gusti della vivanda o con le decorazioni care a certe cucine; qui il cuoco è solo con se stesso, con la sua abilità accademica, con piatti quanto mai semplici e perciò tanto più difficili da rendere perfetti. L'unico vantaggio che ha dalla sua sono le materie prime, tutte eccellenti, tutte di primissima qualità.

Primitiva e semplice è la preparazione della costata alla fiorentina, però la sua base è la fetta di carne che deve essere della giusta grandezza e del giusto spessore, di una precisissima parte dell'animale e di un animale particolare: il vitellone, la bestia macellata in quel preciso momento in cui cessa di essere vitello e non è ancora bue. Che ne sarebbe poi della costata alla fiorentina se all'ultimo momento non ci fosse la pennellata d'olio, d'olio toscano? Ecco, l'olio è l'unica compiacenza che la cucina toscana si concede: a Lucca l'olio è diventato la fonte di una fiorente industria che con il suo prodotto ha ormai valicato gli oceani, eppure il vero olio amato dai toscani è quello coltivato sui loro terreni a mezzadria, sempre più poveri e sempre più improduttivi; ma, forse per questa ragione, quell'olio appare tanto più gu-

Olio e vini della Lucchesia, una terra ricca di prodotti gastronomici. Nella foto a sinistra, sono affiancati a gustose zuppe contadine e al castagnaccio, un dolce dalla superficie cosparsa di pinoli. Qui sopra, la dolce ondulazione delle colline senesi, terre d'arte oltre che di ottima tradizione culinaria.

stoso e più pieno, portato al frantoio e messo via per la successiva stagione come il più prezioso prodotto dei campi. Abbiamo parlato di cucina semplice: le verdure ne sono la più classica esemplificazione, primi fra tutti i fagioli che i più raffinati mettono a cuocere come un tempo in una fiasca, direttamente sul fuoco; per non parlare dei carciofi che, se hanno a Roma la loro capitale, qui vengono preparati con rara sapienza. Certo, il centro della cucina toscana è il focolare all'antica, dove, accanto alla griglia, domina il girarrosto. I ristoranti con il nome di «Girarrosto» in Toscana sono parecchi e traggono tutti la loro insegna dagli enormi spiedi carichi di polli, di arista (carrè di maiale), di capretto, di faraone, di cacciagione di tutti i tipi, dagli uccelletti al cinghiale, che girano incessantemente sul fuoco, unti a tratti d'olio, cosparsi di sale e pepe nelle giuste dosi.

Un'altra cucina vive invece sulle rive del mare: il Tirreno è ricchissimo di pesci e Livorno è il centro maggiore dell'attività pescereccia. Qui, nella città creata da Ferdinando I, è stato inventato il «cacciucco», una zuppa di pesce (ma guai se i toscani la sentono chiamare zuppa!) nella quale confluiscono a piacere e con fantasia tutti i possibili tipi di pesce, molluschi e crostacei, dall'anguilla al totano, alla cicala, alla murena, allo scorfano, al nasello, all'aragosta, al polipo, alla triglia e alla seppia. Ne viene fuori un piatto stupendo e piccante, una specie di rosso

Il panorama inconfondibile di Firenze è lo sfondo sontuoso di alcuni cibi caratteristici della cucina toscana, dalla bistecca alla fiorentina, alla ribollita, ai crostini, ai fagioli. Tra i vini spiccano il Chianti, la Vernaccia, il Brunello e l'Aleatico.

caldo guazzabuglio di saporitissimi ingredienti accompagnati da una fetta di pane abbrustolito, insaporito di aglio e condito con un soffritto di pomodori e peperoncini rossi. Il cacciucco deve portare con sé tutto il sapore del mare; i viareggini sono convinti di raggiungere la perfezione mettendo a bollire col pesce addirittura un sasso portato via dal fondo del mare. In tema di pesci, la Toscana vanta anche un fritto di mare, le triglie rosse di scoglio e le famose «cieche», piccole anguille nate da poco che devono il loro nome al fatto che non ci vedono ancora, il che facilita la cattura in grande quantità.

Le città toscane, grandi e piccole, danno tutte un'interpretazione campanilistica della cucina, eppure l'unità è perfetta, dalle Balze di Volterra alla valle del Tevere, da Prato (dove trionfano come ai tempi del Datini i lanifici) a Lucca (donde partirono per il mondo i venditori delle caratteristiche figurine di gesso). A Siena, la città del Palio, è famoso il panforte: mandorle, farina, nocciole, cacao, cannella, spezie e frutta candita, un miscuglio divenuto dolce tradizionale del Natale. Ci sono anche dei dolci meno lussuosi in Toscana: i brigidini, venduti sulle bancherelle dei mercati e delle sagre, e il più modesto castagnaccio inventato dai boscaioli degli Appennini pistoiesi, dove la farina di castagne fornisce l'estro per tutta una serie di dolci, dalle frittelle di vario tipo alle torte cosparse di pinoli e uva secca e condite di olio. Cucina sobria, dunque, con un validissimo alleato nei vini. Il Chianti è diventato un mito; famoso sei secoli fa, tanto che veniva portato persino in Inghilterra, è originario di pochi paesi delle provincie di Firenze e di Siena. Col tempo e con la richiesta, però, la zona si è allargata, cosicché oggi Chianti è diventato sinonimo di vino toscano, sia pure con la protezione di marchi diversi che delimitano le diverse zone di produzione. Altri vini famosi sono la Vernaccia di San Gimignano e l'Aleatico di Portoferraio prodotto nell'isola d'Elba, mentre da Siena vengono il Brunello Montalcino e il Moscardello; ogni valle, poi, ha il suo vino perché qui la vite è diffusissima ovunque. Il Vinsanto fa storia a sé: si tratta di un vino-liquore da *dessert* che diventa tanto più scuro, più dolce e più pieno quanto più lo si tiene a invecchiare nelle apposite botticelle.

Crostini di fegatini di pollo
Pan di ramerino
Pappardelle con la lepre
Strisce e ceci
Gnocchi di polenta
Risotto alla toscana
Spaghetti alla viareggina
Zuppa di fagioli alla toscana — «La ribollita»
Minestra di pasta grattata
Minestrone toscano
Zuppa di verdure
Zuppa di cavolo nero
Acquacotta
Costate alla fiorentina
Stracotto di manzo
Polpettine alla salvia
Stufato di muscolo
Costatine al finocchio
Fegato all'aceto
Fegato di vitello al pomodoro
Fegatelli alla toscana
Cibreo di regaglie
«Zampi di vitello»
Trippa e zampa alla fiorentina
Folaghe alla Puccini
Piccioni alla diavola
Lepre in agrodolce
Pollo in salsa piccante
Pollo alla fiorentina
Pollo fritto
Anguilla alla fiorentina
Anguilla coi piselli
Cieche alla pisana
Tonno fresco con piselli
Baccalà alla livornese
Cacciucco alla livornese
Triglie alla livornese
Totani al prezzemolo
Uova alla fiorentina
Frittata con le arselle
Frittata «in zoccoli»
Fagioli all'uccelletto
Fagioli freschi al tonno
Fagioli nel fiasco
Fave stufate
Fagiolini rifatti
Funghi trippati
Tortino di carciofi
Frittata con le mele
Brigidini
Castagnaccio alla toscana
Cenci
Crostata alla crema
Ricciarelli di Siena
Stiacciata unta
Zuccotto
Ciambelline rustiche
Buccellato
Torcolo garfagnino

Crostini di fegatini di pollo

200 grammi di fegatini di pollo
qualche fettina di cipolla
40 grammi di grasso di prosciutto
1 cucchiaio d'olio
30 grammi di burro
1 ciuffo di salvia
sale q.b.
qualche goccia di succo di limone
1 cucchiaio di parmigiano grattugiato
12 crostini di pane

Pulite e tagliate a pezzettini i fegatini. Soffriggete la cipolla con il grasso di prosciutto, l'olio e il burro; quando comincerà a imbiondire, unite i fegatini e la salvia. Salate e lasciate cuocere a fiamma bassa per una decina di minuti. Fate colorire i crostini di pane nel forno; ultimate i fegatini con qualche goccia di succo di limone e il parmigiano; togliete il ciuffetto di foglie di salvia e distribuite i fegatini con il loro sugo sui crostini. Fate scaldare ancora un minuto in forno.

Pan di ramerino

500 grammi di pasta da pane già lievitata
1/2 bicchiere d'olio d'oliva
1 rametto di rosmarino (ramerino)
50 grammi di uvetta sultanina ammorbidita in acqua tiepida
olio q.b. per la teglia

In una padellina soffriggete il rosmarino sminuzzato con l'olio, poi filtrate quest'olio, prima che il rosmarino annerisca. Mettete sulla spianatoia la pasta da pane, formate una fossetta al centro e in essa versate l'olio profumato al ramerino, facendolo bene assorbire; infine unite l'uvetta ben strizzata. Impastate bene e formate dei piccoli pani arrotolandoli con le mani unte d'olio; stendeteli, ben distanziati, sulla teglia del forno unta d'olio e con un coltello fate su ognuno una leggera incisione a forma di croce. Lasciate lievitare i pani in un luogo tiepido per circa mezz'ora, poi infornateli a circa 240° per 15 minuti.

Pappardelle con la lepre

(per 6 persone)

per la pasta

600 grammi di farina circa
6 uova

per il sugo

600 grammi di polpa di lepre (lombata o coscetto)
50 grammi di burro
2 cucchiaiate d'olio
50 grammi di pancetta tritata
1/2 cipolla tritata
1 costola di sedano tritata
sale q.b.
pepe q.b.
1 pizzico di timo
1 cucchiaiata di farina
1 bicchiere di vino bianco secco
1/2 litro di brodo di carne ristretto
parmigiano grattugiato q.b.

Sulla spianatoia impastate la farina con le uova (vedi Pasta all'uovo, Emilia, pag. 106); tirate la pasta in una sfoglia sottile e tagliatela a fettuccine larghe circa 1 cm. Lavate bene e asciugate la carne di lepre e tagliatela a dadini. In una casseruola soffriggete il trito di pancetta, cipolla e sedano con il burro e l'olio; unite la carne di lepre; salate, pepate e spolverate con il timo. Quando la lepre sarà ben colorita, spruzzatela con la farina e fatela abbrunire. Innaffiate con il vino e lasciatelo evaporare. Aggiungete il brodo bollente, coprite e lasciate cuocere a fuoco lento per circa due ore. Lessate in abbondante acqua salata bollente le pappardelle, scolatele al dente e conditele subito con il sugo di lepre caldo. Servitele con abbondante parmigiano grattugiato.

Strisce e ceci

(per 6 persone)

400 grammi di ceci già bagnati
sale q.b.
1/2 bicchiere d'olio
1 cipolla tagliata a fettine sottili
1 spicchio d'aglio tritato
1 ciuffo di prezzemolo tritato (o un rametto di rosmarino)
1 cucchiaio di salsa concentrata di pomodoro
sale q.b.
pepe q.b.
400 grammi di «strisce» (tagliatelle larghe)
parmigiano grattugiato q.b.

Cuocete i ceci in abbondante acqua salata per due ore abbondanti. A parte soffriggete la cipolla e l'aglio nell'olio, poi aggiungete il prezzemolo (o il rosmarino); appena il soffritto comincerà a imbiondire, unite la salsa di pomodoro diluita con due cucchiai d'acqua, poi metà dei ceci passati e l'altra metà con il loro brodo di cottura. Salate, pepate abbondantemente e fate insaporire una mezz'oretta. In ultimo versate le tagliatelle, mescolate e fate cuocere. Il minestrone deve risultare piuttosto asciutto; servite con abbondante parmigiano grattugiato.

Gnocchi di polenta

(per 6 persone)

per la polenta

500 grammi di farina gialla
1 litro e mezzo d'acqua
sale q.b.

per il sugo

50 grammi di funghi secchi
3 cucchiai di olio
50 grammi di burro
60 grammi di grasso di prosciutto
1 carota tritata
1 costola di sedano tritata finemente
1 piccola cipolla tritata finemente
60 grammi di salsiccia di maiale
250 grammi di salsa di pomodoro
sale q.b.

pepe q.b.

per guarnire

100 grammi di burro

150 grammi di parmigiano grattugiato

Preparate la polenta, procedendo come per quella taragna senza aggiungere il formaggio (vedi a pag. 42). Inumidite d'acqua un tagliere e quando la polenta sarà ben cotta versatela, stendendola all'altezza di un centimetro, e lasciatela raffreddare.

Nel frattempo preparate il sugo. Mettete a bagno in acqua tiepida i funghi per 30 minuti. Strizzateli, asciugateli e tritateli finemente. Scaldate l'olio e il burro e fate soffriggere il grasso di prosciutto e le verdure tritate finché saranno appassite. Unite la salsiccia sbriciolata e fatela rosolare per qualche minuto. Aggiungete la salsa di pomodoro diluita con poca acqua, coprite e fate cuocere a fuoco dolce. Dopo 15 minuti unite i funghi, condite con sale e pepe e continuate la cottura per altri 15 minuti.

Tagliate la polenta in rondelli e sistematene uno strato sul fondo di una teglia imburrata. Condite questo strato di polenta con qualche cucchiaiata di sugo, parmigiano grattuggiato e fiocchetti di burro. Continuate così formando altri strati fino all'esaurimento degli ingredienti. Mettete la teglia in forno caldo (200°) per 15 minuti circa, fino a quando gli gnocchi avranno formato una crosticina croccante.

Risotto alla toscana

(per 6 persone)

500 grammi di riso

1/2 cipolla tagliata a fettine sottili

1 piccola carota tritata

1 costola di sedano tritata

40 grammi di burro

3 cucchiaiate d'olio

200 grammi di carne magra di manzo macinata

100 grammi di fegato di vitello tagliato a pezzetti

100 grammi di rognone di vitello tagliato a fettine

1 fegatino di pollo

1/2 bicchiere di vino rosso

1 cucchiaio di salsa concentrata di pomodoro

sale q.b.

pepe q.b.

noce moscata q.b.

1 litro e 1/2 di brodo di carne

30 grammi di burro

80 grammi di parmigiano grattugiato

In una casseruolina soffriggete la cipolla, la carota e il sedano con l'olio e il burro; quando il soffritto comincerà a imbiondire, unite la carne di manzo, poi il fegato e il rognone di vitello e il fegatino di pollo. Fate rosolare bene, poi innaffiate con il vino. Quando il vino sarà evaporato, bagnate con la salsa concentrata di pomodoro sciolta in un poco di brodo caldo. Salate, pepate abbondantemente, unite un pizzico di noce moscata, coprite e lasciate cuocere lentamente il ragù per mezz'ora.

Versate nella casseruola il riso, fatelo impregnare del grasso e mescolatelo bene. A poco a poco versate, sempre mescolando, il brodo bollente e spegnete il riso all'onda. Unite una noce di burro e il parmigiano grattugiato, coprite e lasciate riposare un paio di minuti prima di servire.

Spaghetti alla viareggina

(per 6 persone)

600 grammi di spaghetti

per il sugo

1 chilo e mezzo di vongole

1 bicchiere d'olio

2 spicchi d'aglio

1 cipollina tagliata a fettine

1/2 bicchiere di vino bianco secco

500 grammi di pomodori pelati

1 pezzetto di peperoncino rosso

sale e pepe q.b.

2 ciuffi di prezzemolo tritati finemente

Lasciate a bagno in acqua salata le vongole perché depositino tutta la sabbia; sciacquatele e mettetele in una padella senz'acqua con l'aglio e qualche cucchiaiata d'olio, a fuoco moderato, ben coperte. Quando si aprono, sgusciatele e tenete da parte un bicchiere del loro liquido di cottura. In una casseruolina soffriggete la cipolla con abbondante olio; quando comincerà a imbiondire, innaffiatela con il vino e lasciatelo evaporare. Versate i pomodori tagliati a pezzi e il liquido delle vongole; condite con il peperoncino e un pizzico di sale, e fate cuocere, a fiamma viva, per una ventina di minuti. Intanto lessate al dente, in abbondante acqua salata, gli spaghetti. Aggiungete al sugo di pomodoro le vongole, il prezzemolo e abbondante pepe e lasciate insaporire un minuto. Condite gli spaghetti appena scolati, fumanti, con la salsa ben calda e portateli subito in tavola.

Zuppa di fagioli alla toscana – «La ribollita»

(per 6 persone)

400 grammi di fagioli toscani già sgranati

2 cucchiaiate d'olio

1 spicchio d'aglio tritato

1 cipolla tritata

1 carota tritata

1 costola di sedano tritata

2 porri tritati

1 rametto di rosmarino tritato

1 pezzetto di peperoncino

1 osso di prosciutto

sale q.b.

pepe q.b.

per condire

1 bicchiere d'olio

2 spicchi d'aglio schiacciati

1 pizzico di timo

8 fette di pane casereccio abbrustolito

80 grammi di parmigiano grattugiato

1 cipolla tagliata a fettine sottili

Lasciate a bagno una notte i fagioli, poi scolateli. Preparate la classica zuppa di fagioli alla toscana nel seguente modo: soffriggete gli odori nell'olio e, quando cominceranno a colorirsi, unite i fagioli e l'osso di prosciutto. Coprite d'acqua, salate, pepate e lasciate cuocere pian piano per circa 2 ore. Quando i fagioli saranno cotti, togliete l'osso di prosciutto e passate al setaccio circa la metà dei fagioli. In una padellina soffriggete con l'olio gli spicchi d'aglio e il timo; versate poi la metà di questo condimento nella zuppa e mescolate bene. La zuppa di fagioli è così pronta, ma invece di servirla nella zuppiera con le fette di pane abbrustolito è cosa migliore farla gratinare. Mettete in una pirofila le fette di pane, spolveratele con metà del parmigiano e versate sopra la zuppa;

copritela con le fettine di cipolla e irrorate con il rimanente olio e parmigiano. Passate in forno caldo, a fuoco moderato (circa 180°), per circa 30 minuti, fino a quando la cipolla prenderà un bel colore dorato. Servite in tavola nel recipiente di cottura.

Minestra di pasta grattata

(per 6 persone)

350 grammi di farina
3 uova
1 pizzico di sale
1 pizzico di noce moscata
1 litro e mezzo di brodo di carne
parmigiano grattugiato q.b.

Impastate la farina con le uova e un pizzico di sale e di noce moscata. Lavorate bene la pasta e lasciatela riposare, poi grattugiatela con la grattugia del formaggio; fatela asciugare su un tovagliolo e cuocetela nel brodo bollente per un paio di minuti, finché il brodo non farà più schiuma. Servitela con abbondante parmigiano grattugiato.

Minestrone toscano

(per 6 persone)

400 grammi di fagioli bianchi toscani già sgranati
sale q.b.
1/2 bicchiere d'olio
2 spicchi d'aglio tritati
1/2 cipolla tagliata a fettine sottili
2 costole di sedano tagliate a dadini
2 rametti di rosmarino tritato
60 grammi di pancetta tritata (facoltativo)
1 cucchiaiata abbondante di salsina di pomodoro
1/2 cavolo verza tagliato a striscioline
2-3 porri tagliuzzati
3 zucchine tagliate a dadini
1 ciuffo di basilico tritato
1 chiodo di garofano
150 grammi di riso (o pasta o fettine di pane abbrustolito)
olio d'oliva q.b.

Lessate in una pentola con acqua salata i fagioli (circa 2 ore), poi passatene al setaccio circa la metà. Soffriggete con l'olio, l'aglio, la cipolla, il sedano, la carota, il rosmarino e, se volete, anche la pancetta. Quando cominceranno a imbiondire, aggiungete la salsina di pomodoro, diluita in un poco d'acqua tiepida, poi unite le altre verdure e i fagioli, passati e interi, con la loro acqua di cottura e ancora un poco d'acqua calda. Aggiustate di sale e lasciate cuocere lentamente per mezz'ora. Se volete, aggiungete il riso (o la pasta) oppure servite il minestrone con qualche fettina di pane abbrustolito, un poco d'olio crudo e senza formaggio.

Zuppa di verdure

(per 6 persone)

olio d'oliva q.b.
3 carote tagliate a dadini
3 patate tagliate a dadini
1 piccolo cavolfiore diviso in cimette
2 porri affettati
1 piccola cipolla affettata
4-5 foglie di lattuga tagliate a listerelle
4 cucchiai di piselli sbucciati
250 grammi di fagiolini tagliati a pezzi
12 punte di asparagi

sale q.b.
1 litro e mezzo di brodo
fette o dadini di pane tostato
parmigiano grattugiato

Scaldate 3 cucchiai di olio d'oliva in una grande casseruola e fatevi soffriggere dolcemente le verdure fino a quando appassiscono. Condite quindi con il sale, bagnate con un mestolo d'acqua e lasciate sobbollire per circa 30 minuti. Aggiungete il rimanente brodo caldo e continuate a far bollire dolcemente almeno per altri 30 minuti. Servite questa zuppa caldissima, condita con abbondante parmigiano grattugiato e un filo d'olio per ogni scodella. Accompagnate con fettine o dadini di pane tostato.

Zuppa di cavolo nero

(per 6 persone)

2 costole di sedano tritate
1 carota tritata
1/2 cipolla tritata
1 spicchio d'aglio tritato
1 ciuffo di basilico tritato
1 rametto di salvia
1 pizzico di «pepolino» (timo)
1 bicchiere d'olio
1 decina di foglie di cavolo nero tagliato a listerelle
1 tazza di fagioli già lessati
1 cucchiaio di salsina di pomodoro
sale q.b.
pepe q.b.
qualche fettina di pane nero
80 grammi di parmigiano grattugiato

Soffriggete il trito di verdure nell'olio; appena comincerà a imbiondire, unite anche il basilico, la salvia e il «pepolino», poi le foglie di cavolo nero e i fagioli. Versate la salsina di pomodoro sciolta in un poco d'acqua tiepida, salate, coprite con circa due litri d'acqua calda e fate cuocere pian piano. Quando il cavolo è cotto, dopo circa un'oretta, versate in una zuppiera, con le fettine di pane nero; spolverate con abbondante pepe e parmigiano grattugiato, mescolate e servite ben caldo.

Acquacotta

(per 6 persone)

6-8 cucchiai di olio d'oliva
3 cipolle affettate
250 grammi di peperoni dolci rossi o verdi
150 grammi di sedano tagliato a pezzetti
750 grammi di pomodori pelati e tagliati a pezzi
sale q.b.
pepe q.b.
1 litro e mezzo abbondante di acqua bollente
4 uova
100 grammi di parmigiano grattugiato
12 fette di pane tostato

Fate scaldare in una capace casseruola l'olio per farvi appassire le cipolle. Pulite i peperoni, togliendo i semi e tagliandoli a listerelle. Metteteli nella casseruola assieme ai pomodori e al sedano. Condite con il sale e fate rosolate a fuoco vivace per 30 minuti. Coprite con l'acqua bollente, aggiustate il sale e fate bollire per 5 minuti.

Sbattete bene le uova, condite con un pizzico di sale e unite il parmigiano grattugiato, amalgamando bene il tutto. Versate in una zuppiera calda la minestra e mescolatevi rapidamente le uova sbattute. Sistemate in ogni scodella due fette di pane tostato e versatevi sopra la zuppa bollente. Servite subito.

Costate alla fiorentina

(per 6 persone)

3 grosse costate di manzo giovanissimo (circa 2 chili)
sale q.b.
pepe q.b.
limone

La costata alla fiorentina deve essere ben frollata e va tagliata con la costola dello spessore di due centimetri abbondanti. Non battetela e mettetela direttamente su una graticola rovente di un fuoco di carbone a legna (detto in Toscana «carbon dolce»). Appena la carne si sarà ben colorita e rigata al calore della graticola, salatela, pepatela e cuocetela allo stesso modo dall'altra parte. Fate attenzione a non cuocerla troppo perché deve risultare al sangue. Servitela subito con spicchi di limone e senza olio.

Stracotto di manzo

(per 6 persone)

1 chilo e mezzo di manzo, ricavato dalla lombata
40 grammi di lardo
6-8 cucchiai di olio
4 cipolle tritate
1 spicchio d'aglio tritato
2 carote tritate
1 costola di sedano affettato
1 bicchiere di vino rosso
sale q.b.
pepe q.b.
500 grammi di pomodori pelati
brodo q.b.

Steccate la carne con il lardo e preparatela come per un arrosto, ben compatta e legata con l'apposito filo. Scaldate l'olio in una casseruola e fatevi rosolare il rotolo di carne. Aggiungete tutte le verdure ad eccezione dei pomodori e continuate la cottura fino a quando avranno preso colore. Annaffiate con il vino, alzate la fiamma per farlo evaporare, poi condite con sale e pepe e aggiungete i pomodori, privati dei semi e spezzettati. Coprite e fate cuocere dolcemente per circa 3 ore, finché la carne sarà diventata molto tenera: rivoltatela di tanto in tanto, bagnandola ogni volta con un poco di brodo.
Togliete dal recipiente la carne, tagliatela a fette di spessore medio e disponetele su un piatto da portata caldo. Filtrate attraverso un colino il sugo, facendo passare il maggior quantitativo possibile di verdure. Versate il sugo sulla carne che avete tenuto in caldo e accompagnate con fette di polenta o fagioli bianchi oppure con «fagioli all'uccelletto» (vedi a pag. 137).
I cuochi toscani preferiscono lasciare la carne con il suo sugo nel recipiente di cottura fino al giorno dopo e riscaldare la vivanda prima di servirla.

Polpettine alla salvia

(per 3 persone)

400 grammi di carne magra tritata di manzo
6 foglie di salvia tritate finemente
80 grammi di burro
sale q.b.
2 cucchiai di parmigiano grattugiato
farina q.b.
3 cucchiai di marsala

Mescolate la carne, la salvia, 30 grammi di burro, il parmigiano grattugiato e il sale. Lavorate l'impasto per renderlo omogeneo e, con le mani infarinate, formate tante polpettine. Fate sciogliere in una padella il restante burro e fate rosolare le polpette nel burro caldo per circa 5-7 minuti fino a quando saranno dorate. Annaffiate con il marsala, lasciatelo evaporare e servite le polpette ben calde nel loro sugo di cottura.

Stufato di muscolo

(per 4 persone)

750 grammi di vitello tagliato a cubetti
farina q.b.
2 cucchiai di salsa concentrata di pomodoro
50 grammi di burro
3 cucchiai di olio
2 spicchi d'aglio schiacciato
6-8 cucchiai di vino bianco secco
sale q.b.
pepe q.b.
2-3 ciuffi di prezzemolo tritato
piselli lessati o funghi al tegame (facoltativo)

Infarinate i cubetti di carne di vitello. Diluite la salsa di pomodoro con un poco di acqua tiepida. Scaldate l'olio e il burro in una pesante casseruola e fatevi soffriggere l'aglio che toglierete appena dorato. Mettete quindi a rosolare nel recipiente la carne di vitello. Bagnate con il vino e lasciate ridurre il liquido a fuoco moderato. Unite la salsa di pomodoro, sale e pepe. Abbassate il fuoco e continuate la cottura a recipiente coperto fino a quando la carne sarà tenera e il sugo ristretto. Guarnite la vivanda con prezzemolo e accompagnatela, a piacere, con piselli lessati o con funghi al tegame, rosolati nel burro, oppure con i gustosi «fagioli all'uccelletto» (vedi a pag. 137).

Costatine al finocchio

(per 6 persone)

6 costatine di maiale, tagliate sottili
30 grammi di burro
2 cucchiai di olio
sale q.b.
pepe q.b.
6 cucchiai di marsala
1/2 bicchiere di vino rosso
1 cucchiaio di salsa di pomodoro
1 spicchio di aglio tritato
1 pizzico di semi di finocchio

Scaldate in un tegame l'olio e il burro e fatevi cuocere a fuoco moderato le costatine. Conditele con sale e pepe e fatele ben colorire da una parte e dall'altra. Quando saranno cotte, accomodatele su un piatto di servizio, copritele e tenetele al caldo. Versate nel tegame il marsala e il vino, l'aglio tritato, i semi di finocchio e la salsa di pomodoro. Mescolate e fate bollire a fuoco vivace. Quando il liquido si sarà ristretto di quasi due terzi e la salsa apparirà piuttosto densa, versatela sulle costatine e portate subito in tavola.

Fegato all'aceto

(per 4-6 persone)

600 grammi di fegato di vitello
50 grammi di burro
sale q.b.
pepe q.b.
2 cucchiai di aceto
2-3 ciuffi di prezzemolo tritato

Ritagliate il fegato in piccoli pezzi. Mettete sul fuoco un tegame nel quale farete sciogliere il burro e quando sarà caldo, aggiungete i pezzi di fegato che lascerete rosolare a fuoco vivace. Condite con sale e pepe e, alla fine, bagnate il fegato con l'aceto. Date un'ultima mescolata e rovesciate la vivanda su un piatto caldo da portata. Condite il fegato con una spruzzata di prezzemolo tritato e servite in tavola ben caldo.

Fegato di vitello al pomodoro

(per 4-6 persone)

600 grammi di fegato di vitello
farina q.b.
6-8 cucchiai di olio
2 spicchi d'aglio
5-6 foglie di salvia
sale q.b.
pepe q.b.
1/2 litro di salsa di pomodoro

Tagliate in fette molto sottili il fegato di vitello e infarinatele leggermente. Mettete circa due dita d'olio in un tegame, aggiungendo due spicchi d'aglio tritati e cinque o sei foglie di salvia. Quando l'olio sarà ben caldo mettete giù le fettine, allineandole in un solo strato; appena acquisteranno colore da una parte, voltatele per farle colorire anche dall'altra parte. Giunto a cottura il fegato (e badate di non farlo cuocere troppo, altrimenti indurisce), conditelo con sale e pepe e poi bagnatelo con la salsa di pomodoro, già preparata in precedenza. Abbassate il fuoco, lasciate bollire lentamente il fegato per pochi minuti, poi sistematelo sul piatto da portata e servite.

Fegatelli alla toscana

(per 6 persone)

1 chilo di fegato di maiale tagliato a grossi pezzi
300 grammi circa di reticella di maiale
1 pizzico di semi di finocchio
sale q.b.
pepe q.b.
pangrattato q.b.
foglie di alloro q.b.
crostini di pane q.b.

Bagnate in acqua tiepida la reticella per aprirla bene e tagliatela a pezzi. In un piatto condite i pezzi di fegato con un bel pizzico di semi di finocchio, sale, pepe e una spolverata di pangrattato. Sgocciolate la reticella di maiale dall'acqua e con essa avvolgete, uno per uno, i pezzi di fegato con il loro condimento. Infilzate i fegatelli negli spiedini intervallandoli con crostini di pane e foglie

di alloro. Cucinateli sulla fiamma di un fuoco a legna, oppure in padella con un filo d'olio, a fuoco moderato, per circa 10 minuti. Serviteli bollenti.

Cibreo di regaglie

(per 6 persone)

200 grammi di fegatini e ovette di pollo
qualche cuore di pollo tagliato a metà
200 grammi di creste di gallo lessate
1/2 cipolla tritata
1 carota tritata
1 costola di sedano tritata
50 grammi di burro
2 cucchiaiate di vino bianco secco
5 rossi d'uovo
sale q.b.
pepe q.b.
il succo di 1/2 limone
2-3 cucchiaiate di brodo
1 ciuffo di prezzemolo tritato

Togliete il fiele ai fegatini e tagliateli a pezzi assieme alle creste. Fate soffriggere con il burro le verdure, poi unite le regaglie e le ovette e, quando saranno rosolate, innaffiatele con il vino, poi salatele. Sbattete in una ciotola i rossi d'uovo con il sale, pepe, il succo di limone, il prezzemolo e un poco di brodo per diluire. Versate le uova sulle regaglie, mescolate e lasciate rapprendere; servite immediatamente.

«Zampi di vitello»

(per 6 persone)

6 zampe di vitello (garretti)
sale q.b.
2 cipolle
2 costole di sedano
1 carota
2 cucchiai di olio
50 grammi di burro
1 ciuffo di prezzemolo tritato
sale q.b.
pepe q.b.
1 cucchiaio di estratto di carne
100 grammi di salsa concentrata di pomodoro
1 pizzico di cannella
3 cucchiai di parmigiano grattugiato

Raschiate con il coltello e fiammeggiate le zampe di vitello. Risciacquatele in diverse acque e ponetele in una pentola di acqua salata aromatizzata con una carota, una cipolla, due costole di sedano. Fate sobbollire le zampe di vitello per 2 ore circa, fino a completa cottura, cioè fino a quando la carne si staccherà facilmente dalle ossa. Togliete quindi le zampe dal brodo, disossatele ritagliate la polpa in pezzetti.
In una casseruola mettete il burro e l'olio, il prezzemolo e una cipolla tritata. Fate scaldare a fuoco moderato, poi aggiungete la polpa delle zampe, bagnandola con qualche cucchiaio del brodo di cottura. Condite con sale e pepe. Quando il brodo si sarà alquanto consumato, aggiungete in casseruola un cucchiaino di estratto di carne e la salsa di pomodoro concentrata, diluita con un cucchiaio di brodo. Bagnate ancora con pochissimo brodo e continuate la cottura quanto basta per restringere il sugo. Prima di sistemare la vivanda su un piatto caldo di portata, conditela con parmigiano grattugiato e un pizzico di cannella.

Trippa e zampa alla fiorentina

(per 6 persone)

1 chilo di trippa di vitello
1 zampa di vitello (garretto)
1 cipolla
2 costole di sedano
2 carote
1 ciuffo di prezzemolo

per l'umido

1 bicchiere d'olio
2 spicchi d'aglio
1 rametto di rosmarino tritato
1 carota tagliata a dadini
1/2 cipolla tagliata a fettine
1 costola di sedano tagliata a dadini
1 ciuffo di prezzemolo tritato
1 ciuffo di basilico tritato
300 grammi di pomodori pelati
sale e pepe q.b.
1 mestolo di brodo
40 grammi di burro
60 grammi di parmigiano grattugiato

Mettete in una pentola con abbondante acqua salata mezza cipolla, una costola di sedano, una carota, un poco di prezzemolo e di sale e la trippa e ponete la zampa di vitello in un'altra pentola con abbondante acqua, un poco di sale e gli odori rimasti. Lasciate cuocere con il coperchio a fuoco basso per circa due ore, finché la trippa sarà tenera e la carne si staccherà dall'osso della zampa. Tagliate la trippa a listerelle e la polpa della zampa a pezzetti. Fate imbiondire nell'olio le verdure tagliuzzate e gli odori tritati, poi unite i pomodori tagliati a pezzi, la carne della zampa e la trippa. Salate, pepate e lasciate cuocere lentamente, mescolando di tanto in tanto. Bagnate con un poco di brodo caldo e fate cuocere circa due ore. Ultimate con una noce di burro e parmigiano grattugiato.

Folaghe alla Puccini

(per 6 persone)

4 folaghe
aceto q.b.
sale q.b.
pepe q.b.
2 costole di sedano tritate
2 cipolle tritate
2 carote tritate
1/2 bicchiere d'olio
30 grammi di burro
1 ciuffo di basilico tritato
1 foglia di alloro
1 ciuffo di prezzemolo
1/2 bicchiere di vino bianco secco
1 mestolo di brodo
1 cucchiaiata di salsina di pomodoro
crostini di pane q.b.

Pulite, fiammeggiate e lavate le folaghe. Tagliate via la testa, le zampe e la punta delle ali, tagliatele a pezzi e mettetele in infusione in un poco d'aceto per un'ora. Poi sgocciolatele e lavatele nell'acqua di nuovo. Fatele rosolare in una casseruola con l'olio e il burro

e il trito di odori; salate, pepate e, quando avranno preso un bel colore uniforme, innaffiatele con il vino, lasciate evaporare, aggiungete la salsina di pomodoro diluita nel brodo caldo, coprite e fate cuocere lentamente per una mezz'ora. Passate la salsa al setaccio e servite le folaghe ben calde con la loro salsa accompagnandole con crostini di pane.

Piccioni alla diavola

(per 3 persone)

3 piccioncini
6-8 cucchiai di olio d'oliva
sale q.b.
pepe di Caienna q.b.
pomodori cotti in forno o alla griglia
1 limone tagliato a spicchi

Pulite, fiammeggiate, lavate i piccioni e asciugateli con uno strofinaccio. Dividete i piccioni a metà per il lungo, tagliate via la testa e battete leggermente le carcasse per appiattirle. Fate marinare i piccioni per 1 ora circa nell'olio condito con sale e abbondante pepe di Caienna, voltandoli di tanto in tanto. Scaldate molto bene una griglia, possibilmente un barbecue a carbonella, e fate cuocere i piccioni, spennellandoli di frequente con l'olio della marinata: serviteli molto caldi, con i pomodori e gli spicchi di limone.

Lepre in agrodolce

(per 6 persone)

1 lepre ben frollata e pulita
1/2 bicchiere d'olio
30 grammi di grasso di prosciutto tritato
farina q.b.

per la marinata

2 cipolle tagliate a fettine
2 spicchi d'aglio schiacciati
2 costole di sedano tagliate a dadini
1 foglia di alloro
3 rametti di rosmarino tritati
1 ciuffo di salvia
1 ciuffo di prezzemolo
1 bottiglia di vino rosso
sale q.b.
pepe q.b.

per la salsa agrodolce

2 cucchiai abbondanti di zucchero
1/2 bicchiere d'aceto
40 grammi di uvetta sultanina
30 grammi di cioccolata grattugiata
30 grammi di pinoli
20 grammi di canditi misti tagliati a dadini

Tagliate a pezzi la lepre, lavatela bene e asciugatela. Mettetela a marinare con tutte le verdure, sale, pepe e il vino, ben coperta, al fresco, per una notte. Sgocciolatela dalla marinata e rosolatela nell'olio con il grasso di prosciutto. Spolveratela con la farina e, appena avrà preso un po' di colore, versate la marinata con le verdure; coprite e lasciate cuocere lentamente, per circa 2 ore, rigirandola di tanto in tanto. A parte, in una casseruolina, fate liquefare lo zucchero con l'aceto e, se volete, aggiungete anche la cioccolata grattugiata, i pinoli, l'uvetta e i canditi, per una salsa più ricca. Passate il sugo di cottura della lepre al setaccio e mescolatelo alla salsa agrodolce; versatelo sulla lepre e fate scaldare ancora. Servite la lepre il giorno dopo.

Pollo in salsa piccante

(per 4 persone)

Un pollo di 1 chilo e mezzo
6 cucchiai di olio d'oliva
1 cipolla tritata
1 cucchiaio di farina bianca
1/2 bicchiere di vino bianco secco
1 cucchiaio di salsa concentrata di pomodoro
sale q.b.
pepe q.b.
6 cucchiai di aceto
1 acciuga diliscata e tritata
3 cetrioli sottaceto tritati
1 cucchiaio di capperi tritati
2 ciuffi di prezzemolo tritati
1/2 spicchio d'aglio tritato

Pulite e tagliate il pollo in pezzi. In una padella fate scaldare l'olio, mettetevi la cipolla tritata e i pezzi di pollo e fateli rosolare dolcemente. Appena saranno dorati, spolverizzate i pezzi di pollo con la farina e bagnateli con il vino. Dopo che il vino sarà evaporato, aggiungere la salsa di pomodoro diluita con un poco di acqua calda. Condite con sale e pepe abbondante.
Fate cuocere un attimo il pomodoro, poi coprite il pollo con acqua calda e, a fuoco moderato, continuate la cottura finché la salsa risulti ben ristretta. A parte, fate bollire in un pentolino mezzo bicchiere di aceto fino a quando si sarà ridotto di quasi due terzi. Unite quindi all'aceto l'acciuga, i cetrioli, il prezzemolo e l'aglio tritati. Mescolate il composto e versatelo in padella cinque minuti prima di togliere il pollo dal fuoco. Mescolate ancora il tutto, lasciate insaporire un attimo i pezzi di pollo, poi travasateli su un piatto caldo insieme con l'intingolo che dovrà essere molto denso.

Pollo alla fiorentina

(per 6 persone)

1 bel pollo grosso
2 fette di lardo tritato (o prosciutto)
1/2 cipolla tritata
1 spicchio d'aglio schiacciato
1/2 bicchiere d'olio
1 bicchierino di marsala (o vino bianco secco)
sale q.b.
pepe q.b.
40 grammi di funghi secchi
300 grammi di pomodori pelati
1 ciuffo di prezzemolo tritato

Pulite, fiammeggiate e tagliate a piccoli pezzi il pollo, poi lavatelo e asciugatelo. In una casseruola fate rosolare, a fuoco lento, i pezzi del pollo con l'olio, l'aglio e il trito di lardo e di cipolla. Quando l'aglio comincerà a imbiondire, toglietelo, e innaffiate con il marsale (o il vino). Salate, pepate e aggiungete i funghi, ammorbiditi in acqua tiepida e ben strizzati, e i pomodori, tagliati a pezzi. Aggiustate di sale e fate cuocere lentamente per circa mezz'ora. Se occorre, bagnate con un poco di brodo ben caldo; la salsa deve risultare ben ristretta. Servite il pollo con la sua salsa bollente.

Pollo fritto

(per 4 persone)

1 pollo molto giovane
1/2 bicchiere circa d'olio
il succo di un limone
1 ciuffo di prezzemolo tritato
sale q.b.
pepe q.b.
farina q.b.
2 uova sbattute
abbondante olio per friggere

Pulite, fiammeggiate e tagliate a piccoli pezzi il pollo; fate due pezzi per ogni coscia, due pezzi per ogni ala, quattro pezzi del petto e circa quattro del dorso. Mettete il pollo in fusione con l'olio, il succo di limone, il prezzemolo, sale e pepe, per almeno un'ora. Sgocciolatelo poi dalla marinata, infarinatelo e passatelo nell'uovo sbattuto. Friggete i pezzi di pollo in abbondante olio bollente, lasciandoli dorare a fuoco moderato da entrambi i lati per una ventina di minuti. Sgocciolateli su una carta che assorba l'uno e servite il pollo caldissimo.

Anguilla alla fiorentina

(per 4-6 persone)

Una grossa anguilla di 1 chilo circa
sale q.b.
pepe q.b.
1/4 di litro scarso di olio d'oliva
pangrattato q.b.
2 spicchi d'aglio schiacciato
3-4 foglie di salvia

Spellate l'anguilla e tagliatela in pezzi di cinque o sei centimetri. Riasciacquate i pezzi d'anguilla, conditeli con sale, pepe e un filo d'olio e lasciateli riposare in una terrina per 2 ore circa. Asciugate quindi i pezzi d'anguilla, passateli nel pangrattato e disponeteli in una teglia con olio, aglio e foglie di salvia. Appena l'aglio sarà dorato, toglietelo e fate cuocere la vivanda a fuoco vivace o nel forno a calore moderato (160°) per 30-40 minuti circa.

Anguilla coi piselli

(per 6 persone)

1 chilo di anguilla
sale q.b.
pepe q.b.
2 spicchi d'aglio schiacciati
1 bicchiere d'olio
1 cipolla tagliata a fettine
1/2 bicchiere di vino bianco secco
1 cucchiaio di salsina di pomodoro
500 grammi di piselli già sgranati

Pulite e spellate l'anguilla; tagliatela a pezzi di circa 6 cm e mettetela a marinare per circa 2 ore, in una ciotola con un pizzico di sale e di pepe e un filo d'olio. In una casseruola grande fate soffriggere con mezzo bicchiere d'olio l'aglio e la cipolla; appena l'aglio comincerà a colorirsi, toglietelo e unite i pezzi di anguilla. Fate rosolare, poi innaffiate con il vino. Quando il vino sarà evaporato, versate la salsina di pomodoro, sciolta in un mestolo d'acqua bollente; infine aggiungete anche i piselli, aggiustate di sale e lasciate cuocere lentamente per mezz'ora. Servite in tavola nel recipiente di cottura.

Cieche alla pisana

(per 6 persone)

600 grammi di «cieche»
1 bicchiere d'olio
3 spicchi d'aglio tagliati a fettine
1 ciuffo di salvia
sale q.b.
pepe q.b.
4 uova
2 cucchiai di parmigiano grattugiato
il succo di 1/2 limone
1 cucchiaio di pangrattato (facoltativo)

Le «cieche» sono delle piccolissime anguille che si pescano con grande facilità, a causa della loro vista corta, alla foce dell'Arno. Lavate le cieche in abbondante acqua finché non faranno più schiuma. Soffriggete nell'olio l'aglio, aggiungete la salvia e, quando l'aglio comincerà a prendere colore, unite le cieche, salate, pepate, mescolate con delicatezza, bagnate con un poco d'acqua bollente e lasciate cuocere per una ventina di minuti. Sbattete in una terrina le uova con un pizzico di sale e di pepe, il limone, il parmigiano e, se volete, il pangrattato; versate il composto sulle cieche e passate in forno caldo finché le uova si saranno rapprese.

Tonno fresco con piselli

(per 6 persone)

1 chilo di tonno fresco tagliato a fette
6 cucchiai di olio d'oliva
1 spicchio d'aglio schiacciato
1 piccola cipolla tritata
6-8 cucchiai di vino bianco secco
1 cucchiaio di salsa concentrata di pomodoro
sale q.b.
pepe q.b.
500 grammi di piselli cotti
2-3 ciuffi di prezzemolo tritato

Usate fette di tonno fresco, possibilmente ventresca. Scaldate l'olio in una padella e fatevi soffriggere dolcemente la cipolla e l'aglio. Quando l'aglio sarà dorato, toglietelo e aggiungete le fette di pesce. Annaffiate con il vino e lasciate ridurre a fuoco dolce. Diluite la salsa di pomodoro con un po' di acqua calda, unitela in padella, aggiustate di sale e pepe e fate cuocere molto dolcemente per 30 minuti. Aggiungete a questo punto i piselli e il prezzemolo e continuate la cottura facendo sobbollire ancora per pochi minuti. Servite ben caldo.

Baccalà alla livornese

(per 6 persone)

1 chilo di baccalà già bagnato
farina q.b.
2 spicchi d'aglio tritati
1 bicchiere d'olio
1 tazza di salsa di pomodoro già cotta
1 ciuffo di prezzemolo tritato

Togliete la pelle al baccalà e dividetelo a pezzi regolari. Asciugatelo bene e passatelo nella farina. Soffriggete l'aglio nell'olio, poi unite i pezzi di baccalà e fateli rosolare uniformemente. Versate anche la salsa di pomodoro e lasciate cuocere a fuoco lento, mescolando di tanto in tanto, per un'oretta. Ultimate con il prezzemolo tritato e aggiustate di sale.

Cacciucco alla livornese

(per 6 persone)

2 chili di pesci assortiti (anguille, totani, cicale, gallinelle, murene, naselli, scorfani, triglie, polipi, sampietri, seppie e aragosta)
1 bicchiere d'olio
1 cipolla tritata
1 carota tritata
2 costole di sedano tritate
1 ciuffo di prezzemolo tritato
2 spicchi d'aglio interi
2 peperoncini rossi
2 foglie di alloro
1 ramoscello di timo
1 bicchiere di vino rosso
800 grammi di pomodori freschi tagliati a pezzi
1/2 bicchiere d'olio
sale q.b.
pepe q.b.
crostini di pane abbrustolito q.b.

Pulite il pesce, tagliate a pezzi i pesci più grossi e tenete da parte le teste. Lasciatelo marinare per una mezz'ora con un pizzico di sale e di pepe e un filo d'olio. A parte soffriggete il trito di verdure nell'olio, unite anche l'aglio, i peperoncini, l'alloro e il timo, poi le teste dei pesci. Rosolate lentamente e innaffiate con il vino. Appena il vino sarà evaporato, unite i pomodori e circa 1/2 litro d'acqua bollente. Salate e lasciate cuocere per mezz'ora. Passate al setaccio tutti gli ingredienti che avete messo a cuocere per avere una buona salsa. In una casseruola di terracotta, fate scaldare circa 1/2 bicchiere d'olio e cuocetevi i polipi, le seppie e i totani, tagliati a pezzi. Versate poi la salsa e lasciate cuocere ancora un quarto d'ora. Aggiungete l'aragosta, le cicale, le anguille e, dopo altri 5 minuti, il rimanente pesce. Aggiustate di sale, pepate abbondantemente e lasciate cuocere una decina di minuti. Servite ben caldo con crostini di pane abbrustolito.

Triglie alla livornese

(per 6 persone)

12 piccole triglie pulite
farina q.b.
1/2 bicchiere d'olio
1 spicchio d'aglio tritato
1/2 cipolla tritata
1 pizzico di timo
sale q.b.
pepe q.b.
1 foglia di alloro sbriciolata
2 cucchiaiate di salsa di pomodoro già cotta
1 ciuffo di prezzemolo tritato

Lavate le triglie, asciugatele e infarinatele. Friggetele nell'olio e, appena avranno preso un po' di colore, giratele dall'altra parte. Unite uno spicchio d'aglio e mezza cipolla tritati finemente, un pizzico di timo e la foglia d'alloro sbriciolata, salate e pepate. Dopo qualche minuto, aggiungete anche la salsa di pomodoro diluita con qualche cucchiaio di acqua tiepida. Lasciate insaporire per altri cinque minuti e da ultimo aggiungete il prezzemolo tritato. Sistemate le triglie su un piatto di portata e servitele calde.

Totani al prezzemolo

(per 6 persone)

1 chilo e mezzo di totani piccolissimi (calamaretti piccolissimi)
1/2 bicchiere d'olio
2 spicchi d'aglio schiacchiati
sale q.b.
pepe q.b.
1 ciuffo di prezzemolo tritato
il succo di 1/2 limone
crostini di pane fritto q.b.

Pulite, lavate e asciugate i totani. In una padella soffriggete l'aglio con l'olio; quando l'aglio comincerà a imbiondire, toglietelo, unite i totani, salate, pepate e lasciate cuocere a fuoco vivace per circa 10 minuti, in modo che il sugo di cottura si restringa un po'. Ultimate con il prezzemolo e il succo di limone. Servite i totani caldissimi con crostini di pane fritto.

Uova alla fiorentina

(per 6 persone)

300 grammi di spinaci lessati
30 grammi di burro
3 cucchiaiate di latte
12 uova affogate
2 cucchiaiate di parmigiano grattugiato
sale q.b.

per la pasta

100 grammi di farina
50 grammi di burro
1 pizzico di sale
3 cucchiaiate d'acqua
fagioli secchi per cuocere «a vuoto» le tartellette

Impastate la farina con il burro fuso, il sale e l'acqua; lavorate bene la pasta, poi raccoglietela a palla e lasciatela riposare, ben coperta, per una mezz'oretta. Tirate sottile la pasta e foderate 12 stampini di circa 5 cm di diametro, unti d'olio. Riempite gli stampini con i fagioli e passate in forno già caldo (circa 200°) per circa un quarto d'ora, poi togliete i fagioli e lasciate le tartellette negli stampi. Insaporite gli spinaci tritati con il burro, il latte, un po' di sale e di parmigiano grattugiato. Riempite le tartellette con un poco degli spinaci e mettete sopra ognuna un uovo affogato in acqua bollente salata. Ritagliate eventualmente con un coltellino il bianco che fuoriesce. Spolverate con un pizzico di sale e di parmigiano e passate in forno caldo a scaldare.

Frittata con le arselle

(per 6 persone)

600 grammi di arselle
1/2 bicchiere abbondante d'olio
6 uova
sale q.b.
pepe q.b.
1 ciuffo di prezzemolo tritato

Lavate ripetutamente le arselle nell'acqua, poi fatele aprire in padella con due cucchiaiate d'olio. Quando saranno aperte, toglietele dai loro gusci e mescolatele alle uova sbattute con un pizzico di sale, una bella spolverata di pepe e il prezzemolo. Fate scaldare due cucchiaiate d'olio in una padella; versate le uova con le arselle, fate rapprendere la frittata da una parte e dall'altra e portatela in tavola ben calda.

Frittata «in zoccoli»

(per 4 persone)

100 grammi di pancetta affumicata
4-6 cucchiai di olio d'oliva
6 uova
sale q.b.
pepe q.b.
2-3 cucchiai di prezzemolo tritato

In una padela fate soffriggere dolcemente in due o tre cucchiai di olio la pancetta tagliata a dadini. Appena i dadini saranno dorati, ma ancora morbidi, toglieteli dal fuoco e fateli scolare su una carta da cucina. Sbattete le uova con una presa di sale e pepe e versate il composto nella stessa padella, nella quale avrete fatto scaldare nel frattempo il rimanente olio. Fate rapprendere le uova, procedendo come per una normale frittata, ma prima di ripiegarla su se stessa, richiudete in essa i dadini di pancetta mescolati al prezzemolo tritato. Rovesciate la pietanza nel piatto di portata e servitela ben calda.

Fagioli all'uccelletto

(per 6 persone)

400 grammi di fagioli bianchi toscani freschi già sgranati
sale q.b.
1 bicchiere d'olio
2 spicchi d'aglio schiacciati
1 rametto di salvia
400 grammi di pomodori freschi tagliati a pezzi (o 2 cucchiaiate di salsina di pomodoro)
pepe q.b.

Lessate in acqua salata i fagioli. Fate imbiondire nell'olio ben caldo gli spicchi d'aglio; quando cominceranno a prendere colore, toglieteli e unite i fagioli, la salvia e i pomodori (oppure la salsina di pomodoro, diluita in un poco d'acqua bollente). Aggiustate di sale, pepate e lasciate cuocere per una ventina di minuti, finché il sugo sarà ben ristretto.

Fagioli freschi al tonno

(per 6 persone)

500 grammi di fagioli freschi
sale q.b.
6-8 cucchiaiate di olio d'oliva
1 spicchio d'aglio schiacciato
5-6 grossi pomodori maturi, pelati e fatti a pezzi
350 grammi di tonno sott'olio, scolato e tagliato a pezzi
2-3 ciuffi di basilico tritato
pepe q.b.

Fate cuocere i fagioli in abbondante acqua salata fino a quando saranno teneri, all'incirca 1 ora e mezza. Scolateli. In una grande padella scaldate l'olio per soffrigervi l'aglio, e appena sarà dorato toglietelo e aggiungete i pomodori. Salate leggermente e fate cuocere a fuoco vivace per 10 minuti. Unite i fagioli e i pezzi di tonno, spruzzate di basilico e abbondante pepe. Fate cuocere la pietanza per 10 minuti a fuoco dolce e servitela ben calda.

Fagioli nel fiasco

(per 6 persone)

400 grammi di fagioli freschi già sgranati
1/2 bicchiere d'olio
1 rametto di salvia
2 spicchi d'aglio

1/2 litro d'acqua

sale q.b.

pepe q.b.

Usate un fiasco senza paglia; introducetevi i fagioli ben lavati, senza riempirlo eccessivamente; unite l'olio, la salvia, gli spicchi d'aglio e l'acqua, senza il sale. Mettete il fiasco sulla brace introducendo un poco di stoppa sulla bocca del fiasco, in modo che il vapore possa uscire liberamente. Fate bollire lentamente finché l'acqua sarà evaporata quasi completamente, per circa 2 ore. Versate poi i fagioli in una ciotola, salateli, pepateli e serviteli sia caldi che freddi.

Fave stufate

(per 6 persone)

2 chili di fave fresche

6-8 cucchiai di olio d'oliva

150 grammi di pancetta affumicata

1 spicchio d'aglio tritato

2 ciuffi di prezzemolo tritato

sale q.b.

6-8 cucchiai di vino bianco secco

pepe q.b.

Sgusciate le fave e lasciatele ammollo per diverse ore nell'acqua. Scaldate in una padella l'olio e fatevi prima dorare la pancetta affumicata tagliata a dadini. Unite quindi il prezzemolo e l'aglio tritato (sostituibile con cipolla) e, appena appassiti, unite le fave, salatele leggermente e fatele cuocere per 15-20 minuti fino a quando saranno tenere. Da ultimo, annaffiate la vivanda con il vino e continuate la cottura quanto basta perché l'intingolo sia ristretto.

Fagiolini rifatti

(per 6 persone)

1 chilo di fagiolini verdi freschi

sale q.b.

6 cucchiai di olio d'oliva

2 spicchi d'aglio schiacciato

500 grammi di pomodori maturi, pelati e tagliati a pezzi

1 cucchiaio di basilico fresco tritato

pepe q.b.

Lavate e nettate i fagiolini, ma lasciateli interi. Fateli cuocere in acqua salata bollente fino a quando saranno teneri e scolateli.
Nel frattempo scaldate l'olio in una padella, fatevi rosolare l'aglio e poi scartatelo. Versate in padella i pomodori e il basilico tritato, aggiustate di sale e pepe e fate cuocere per 10 minuti circa a fuoco vivace. Aggiungete quindi i fagiolini, abbassate la fiamma e continuate la cottura a fuoco dolce fino a quando il sugo si sarà ristretto.

Funghi trippati

(per 6 persone)

700 grammi di funghi freschi

2 spicchi d'aglio schiacciati

4 cucchiaiate d'olio

sale q.b.

1 cucchiaio d'origano

1 cucchiaiata di salsina di pomodoro

Pulite i funghi e tagliateli a fettine non troppo sottili. Fate imbiondire l'aglio nell'olio; quando comincerà a prendere colore, toglietelo e unite i funghi. Versate la salsina di pomodoro, diluita in un poco d'acqua calda, salate, spolverate con l'origano e lasciate finire di cuocere lentamente per circa un quarto d'ora.

Tortino di carciofi

(per 6 persone)

6 carciofi

1 limone

farina q.b.

1 bicchiere d'olio

6 uova

3 cucchiaiate di latte

sale q.b.

pepe q.b.

Togliete le foglie più dure ai carciofi e tagliateli a fettine. Metteteli a bagno in acqua acidulata con il succo di limone, poi asciugateli e passateli nella farina. Fate scaldare circa 1/2 bicchiere d'olio in una larga padella, versatevi le fettine di carciofo e fatele cuocere a fuoco lento fino a quando saranno ben dorate, per circa 20 minuti. Salate da entrambe le parti le fettine di carciofo e stendetele in un solo strato in una pirofila della grandezza della padella usata per cuocerle. Versate il rimanente olio e le uova sbattute con un poco di sale, pepe e il latte. Passate in forno già caldo (180°) per circa 20 minuti, finché le uova si saranno rapprese. Appoggiate la pirofila su un piatto da portata e servite il tortino di carciofi direttamente e ben caldo.

Frittata con le mele

(per 2-4 persone)

2 cucchiai di farina bianca

1 pizzico di sale

6 cucchiai di latte

2 uova sbattute

1 cucchiaio di zucchero

la scorza grattugiata di 1 limone

2 mele sbucciate e tagliate a fette sottili

50 grammi di burro

zucchero al velo q.b.

Fate una pastella non troppo densa con farina, latte e sale. Unite alla pastella le uova, lo zucchero, la scorza grattugiata di limone e sbattete il composto, inserendovi poi delicatamente le sottili fette di mela.
Fate sciogliere il burro in una padella di circa 20 cm. di diametro. Versatevi il composto di mele, distribuendo in modo omogeneo le fette di mela sul fondo della padella. Cuocete la frittata a fuoco medio fino a quando si sarà rappresa e ben dorata sul lato inferiore. Passatela quindi su un piatto e rivoltatela rimettendola in padella per farla dorare anche dall'altro lato, aggiungendo un poco di burro. Trasferite la frittata su un piatto da portata e spruzzatela con zucchero al velo.

Brigidini

250 grammi di farina
100 grammi di burro
50 grammi di zucchero
1 pizzico di lievito in polvere
1 cucchiaio di semi d'anice
4 cucchiai di latte

I «brigidini» sono le specialità delle fiere e dei venditori ambulanti. Impastate gli ingredienti in una terrina e lavorate bene l'impasto con un cucchiaio di legno. Riducetelo poi in tante pallottoline e spianatele sul tagliere fino a formare delle larghe frittelle. Cuocetele fra gli appositi ferri da cialda scaldati al fuoco, girandole da entrambe le parti.

Castagnaccio alla toscana

300 grammi di farina di castagne
3 cucchiaiate d'olio
1 pizzico di sale
1 cucchiaiata di zucchero
1 litro scarso d'acqua fredda
2 cucchiaiate di pinoli
2 cucchiaiate d'uvetta sultanina ammorbidita in acqua tiepida
1 rametto di rosmarino
qualche gheriglio di noce (facoltativo)
olio q.b. per ungere la teglia

Lavorate in una terrina la farina di castagne con l'olio, il sale, lo zucchero e l'acqua fino a ottenere una pastella di giusta densità. Versatela in una tortiera larga e bassa ben unta d'olio e cospargetevi sopra i pinoli, l'uvetta ben strizzata, il rosmarino, e se volete, anche i gherigli di noce. Passate in forno caldo (circa 200°) per circa 60 minuti, finché non si forma una bella crosta croccante.

Cenci

200 grammi di farina
1 cucchiaio di zucchero
20 grammi di burro
2 uova
1 pizzico di sale
la scorza grattugiata di 1/2 limone
2 cucchiai di vino
strutto (o olio) per friggere q.b.
zucchero al velo q.b.

Impastate tutti gli ingredienti e lavorate energicamente la pasta, poi lasciatela riposare in luogo fresco per un'oretta. Tirate una sfoglia non troppo sottile e tagliatela a rettangoli con l'apposita rotellina. Praticate tre tagli al centro di ogni rettangolo e friggete due o tre cenci per volta in abbondante strutto (o olio) bollente. Quando saranno gonfi e di un bel colore biondo, sgocciolateli su una carta da cucina e spolverizzateli con zucchero al velo.

Crostata alla crema

per la pasta frolla

300 grammi di farina
130 grammi di zucchero
3 tuorli d'uovo
150 grammi di burro
1 pizzico di sale
1 pizzico di bicarbonato
la scorza grattugiata di un limone

per la crema

3 tuorli d'uovo
90 grammi di zucchero
75 grammi di farina
1/2 litro di latte
la scorza intera di un limone
un uovo sbattuto per spennellare
zucchero al velo q.b.

Impastate la farina con lo zucchero, i tuorli d'uovo, il burro tagliato a pezzetti, il sale, il bicarbonato e la scorza di limone. Non lavorate troppo la pasta e raccoglietela a palla, copritela e fatela riposare in frigo per un'oretta. Sbattete i tuorli d'uovo con lo zucchero, unite la farina e, sempre mescolando, il latte e la scorza del limone. Fate cuocere a fuoco lento, sempre mescolando, fino a quando la crema non avrà più sapore di farina. Versatela in una terrina, lasciatela raffreddare e togliete la scorza del limone. Stendete circa la metà della pasta frolla in una tortiera di 27 cm di diametro, bene imburrata e leggermente infarinata. Versate sopra la crema, spalmatela con la lama di un coltello e formate sopra una grata con la rimanente pasta. Spennellate con l'uovo sbattuto e passate in forno caldo (a circa 180°), per mezz'ora, finché avrà preso un bel colore biscotto. Quando la crostata sarà fredda, spolverizzatela con lo zucchero al velo.

Ricciarelli di Siena

250 grammi di mandorle pelate e tostate al forno
200 grammi di zucchero
200 grammi di zucchero al velo
2 albumi montati a neve
1 pizzico di vaniglina
25 ostie

Pestate le mandorle al mortaio fino a ridurle in polvere; unite lo zucchero e la metà dello zucchero al velo. Aggiungete la vaniglina e, poco a poco, gli albumi, finché riuscirete a impastare bene senza ammorbidire troppo il composto. Distribuitene un poco su ogni ostia, modellandolo con le mani a forma di piccoli rombi e cospargete con lo zucchero al velo. Lasciate riposare per una notte e passate in forno caldo a fuoco molto basso (circa 160°) per circa 20 minuti, finché si saranno asciugati; toglieteli prima che prendano colore. Quando saranno freddi spolverateli ancora di zucchero al velo.

Stiacciata unta

15 grammi di lievito di birra
300 grammi di acqua tiepida
500 grammi di farina
2 uova
125 grammi di zucchero
la scorza grattugiata di un'arancia
1 pizzico di sale
150 grammi di strutto
zucchero al velo q.b.

Sciogliete il lievito in una terrina piuttosto grande con l'acqua tiepida e incorporatevi, a poco a poco, la farina; lavorate bene l'impasto finché avrà acquistato una certa elasticità e si staccherà in un sol pezzo dalla terrina. Coprite il recipiente e lasciate lievitare la pasta per una oretta circa, finché sarà raddoppiata, in un luogo tiepido. Poi sgonfiate la pasta lavorandola con le mani e unite le uova, lo zucchero, la scorza dell'arancia e un pizzico di sale. Lavorate la pasta tenendola sempre nella terrina e sbattendola con forza in modo da farle ottenere di nuovo elasticità, essendosi notevolmente rammollita. Dopo una decina di minuti di lavoro, quando la pasta si staccherà di nuovo in un sol pezzo dalla terrina, incorporate anche lo strutto e lavorate bene finché si sarà ben amalgamato. Ungete con un po' di strutto una teglia di circa 40 cm di lunghezza e 30 cm di larghezza (oppure una teglia di 30 cm di diametro); stendetevi la pasta in uno strato sottile, copritela e lasciatela lievitare per circa due ore. Passate in forno caldo (circa 200°) per una mezz'oretta, finché avrà preso un bel colore dorato. Deve risultare alta non più di 3-4 cm. Ponete la stiacciata su una grata e, quando sarà fredda, spolverizzatela con zucchero al velo.

Zuccotto

per il pan di Spagna
6 uova
150 grammi di zucchero al velo
1 cucchiaino di vaniglina
60 grammi di fecola
60 grammi di farina
oppure: 400 grammi circa di pan di Spagna già pronto
80 grammi di mandorle pelate
80 grammi di nocciole pelate
1 litro di panna liquida
100 grammi di zucchero al velo
150 grammi di cioccolato amaro grattugiato
2 cucchiai di cognac
2 cucchiai di liquore dolce
zucchero al velo q.b.
cacao in polvere q.b.

In una terrina montate i tuorli d'uovo con lo zucchero finché il composto diventerà leggero e spumoso. A parte montate a neve ben ferma gli albumi e incorporateli delicatamente ai tuorli; unite la vaniglina e, versandole a pioggia, sempre mescolando, farina e fecola. Mettete il composto in una tortiera piuttosto alta di circa 27 cm di diametro, bene imburrata e infarinata. Passate in forno già caldo a calore moderato (circa 180°) per circa 40 minuti, finché il pan di Spagna avrà preso una bella colorazione. Lasciatelo raffreddare su una grata. Intanto tostate nel forno e poi tritate grossolanamente le mandorle e le nocciole. In una terrina montate la panna con lo zucchero al velo, unitevi le mandorle, le nocciole e il cioccolato grattugiato. Tagliate a fette di circa 1/2 cm di spessore il pan di Spagna; spruzzatelo con il cognac e il liquore dolce mescolati e rivestite con alcune di queste fettine uno stampo a forma di cupola, foderato di carta oleata bene imburrata. Al centro riempite con il ripieno di panna facendo in modo che arrivi fino all'orlo dello stampo. Pareggiate la panna con la lama di un coltello e chiudete con il rimanente pan di Spagna. Lasciate in frigorifero per almeno due ore. Sformate su un piatto da portata rotondo e spolverate lo zuccotto con abbondante zucchero al velo e cacao mescolati o alternati in modo da formare tanti spicchi.

Ciambelline rustiche

150 grammi di farina bianca
150 grammi di fecola di riso
100 grammi di burro
100 grammi di zucchero semolato
1 uovo
1 cucchiaio di cioccolato in polvere
1/2 bicchiere di latte
2 cucchiaini di lievito in polvere
burro per ungere q.b.
zucchero al velo q.b.

Mettete sulla tavola la farina e la fecola di riso a fontana e versate il burro liquefatto, lo zucchero, l'uovo, il cioccolato e il latte nel quale avrete sciolto il lievito in polvere. Impastate il tutto, lavorate bene la pasta con le mani e lasciatela riposare qualche minuto. Manipolando la pasta con le mani infarinate, confezionate le ciambelline, allineatele sulla piastra del forno imburrata e fatele cuocere per una ventina di minuti. Toglietele dal forno, lasciatele raffreddare e spolverizzatele di zucchero al velo.

Buccellato

1 chilo di farina bianca
100 grammi di semi di anice
100 grammi di uvetta sultanina
sale q.b.
250 grammi di zucchero semolato
50 grammi di lievito di birra
albume d'uovo

Per preparare questo caratteristico pane dolce di Lucca mettete sulla tavola la farina, aggiungete i semi di anice, l'uvetta, un pizzico di sale, lo zucchero, il lievito di birra e impastate il tutto con acqua tiepida. Lavorate bene la pasta, poi mettetela a lievitare in luogo tiepido e coperta con un tovagliolo. Quando avrà raddoppiato il suo volume, confezionate a vostro piacere o un ciambellone o ciambelle più o meno grosse. Rimettete nuovamente a lievitare e infine spennellate il pane dolce con l'albume. Mettete in forno a calore moderato (180°) per 1 ora circa finché il buccellato avrà assunto un bel colore dorato.

Torcolo garfagnino

100 grammi di mandorle
scorza grattugiata di limone
100 grammi di semi di anice
1 chilogrammo di farina
300 grammi di burro
6 uova
400 grammi di zucchero
un bicchierino di liquore molto profumato (alkermes o anisette)
1 bicchiere di latte
1 bustina di lievito in polvere

È una focaccia tipica della zona della Garfagnana. Sbucciate le mandorle, tritatele finemente, unite un po' di scorza grattugiata di limone e i semi di anice e mescolate al tutto un chilogrammo di farina. Fate liquefare a parte, senza lasciar soffriggere, 300 grammi abbondanti di burro e mescolatelo alle uova e allo zucchero. Aggiungete un bicchierino di alkermes o di anisette e allungate con un bicchiere grande di latte, infine mettete il lievito in polvere. Mescolate e versate il composto con la massima sollecitudine in una teglia dai bordi alti. Infornate a calore moderato.

UMBRIA-MARCHE

La campagna marchigiana e, sullo sfondo, la città di Fermo. In questa zona si cucina molta carne, come la porchetta e il maiale, ma sono altrettanto diffusi i piatti a base di pesce, come il brodetto, capolavoro della regione, che, a detta dei buongustai, richiede l'impiego di almeno tredici qualità di pesce.

Ci sono molti tratti in comune tra Umbria e Marche per quanto riguarda la cucina: anzitutto la «porchetta», tipica della cucina romana ma che è stata inventata qui. Il preciso luogo d'origine è la zona tra Macerata e Ascoli Piceno, mentre, a detta di folti gruppi di buongustai, la migliore porchetta italiana è quella umbra che è considerata più saporita grazie a un particolare tipo di finocchio selvatico usato, insieme alle altre erbe aromatiche, per riempire e condire il ventre dell'animale. Umbria e Marche hanno in genere in comune l'uso diffusissimo del maiale per salumi di ogni tipo. La capitale degli allevamenti di suini è Norcia, la patria di San Benedetto; la sua fama è tale che nell'Italia centrale «norcino» (cioè abitante di Norcia) è diventato sinonimo di macellaio. In tema di arrosti e di spiedi, le due regioni hanno una specializzazione notevole. È diffusissimo l'uso del «pilotto», un pezzo di lardo avvolto in carta gialla da macellaio che viene utilizzato bruciando la carta che lo contiene e facendo colare il grasso fuso sulle carni in cottura sullo spiedo. Tra gli spiedi è famoso anche l'arrosto «alla ghiotta». La «ghiotta» (o «leccarda») è il recipiente che viene posto sotto allo spiedo per raccogliere le gocce di unto che piovono durante la cottura; in questo recipiente vengono messi del vino rosso, dell'aceto, delle fette di limone, delle foglie di salvia e delle olive nere. Il grasso bollente che piove nella ghiotta fa sprigionare da queste sostanze un aroma che resta impregnato nelle carni; alla fine l'intingolo che rimane viene versato nel piatto al momento di servire.

A Norcia e nella zona che la circonda (Val di Nera e Montagna di Spoleto) viene raccolto il tartufo nero, famoso quanto quel-

Un antico borgo marchigiano e, in primo piano, pasta e vino, emblemi della cucina più semplice e genuina. Qui sopra, un piatto di coniglio in porchetta che viene cotto con prosciutto e aromatizzato con aglio, rametti di rosmarino e di vino bianco secco.

lo bianco di Alba. Qui la ricerca non è libera come in Piemonte: può raccoglierlo solo chi è proprietario del fondo in cui il tartufo si nasconde. Anche qui però i cercatori sono degli specialisti e si valgono dell'aiuto di cani appositamente addestrati e perfino di maiali dal fiuto finissimo. I più esperti riescono addirittura a individuare la presenza del tartufo sotto terra dal volo delle mosche. I tartufi neri sono in gran parte esportati verso la Francia, dove sono assai ricercati, ma una gran quantità di essi rimane qui ad impreziosire la cucina locale: usati per guarnire, vengono anche tagliati a fettine sulle paste asciutte e sulle carni fritte e arrostite, e servono a preparare gustosissime frittate.

I piatti di pesce sono una caratteristica quasi esclusiva delle Marche: «quasi«, perché anche l'Umbria (che è priva di coste) ha il suo preziosissimo pesce d'acqua dolce, la trota dei torrenti, che viene cucinata alla perfezione. Nelle Marche, invece, il pesce impera: è da notare che la cittadina di San Benedetto del Tronto è considerata uno dei maggiori centri italiani della pesca; gli uomini di qui lanciano le loro reti nei mari di tutto il mondo e i loro pescherecci conquistano ogni anno primati assoluti di quantità pescate. Nelle Marche, tra i piatti di mare, comanda il «brodetto», una zuppa che non ha nulla da invidiare alle migliori zuppe di pesce italiane e persino alla famosa *bouillabaisse* di Marsiglia. Esistono nelle Marche due tipi principali di «brodetto», quello di Ancona e quello di Porto Recanati. Nel primo sono preferiti i pesci di scoglio insieme a triglie e calamari; è presente l'aceto, il pesce viene infarinato e le fette di pane sulle quali viene versata la zuppa sono preventivamente abbrustolite. Il brodetto di Porto Recanati è invece basato essenzialmente sulle seppie, insieme al palombo, al merluzzo e al cefalo; non viene aggiunto aceto, i pesci non sono infarinati e il pane è strofinato con aglio senza essere tostato. La caratteristica è la presenza dello zafferano selvatico che dà colore e un penetrante aroma. Il brodetto è il capolavoro della cucina marchigiana, un capolavoro della fantasia, visto che i buongustai richiedono per una zuppa eccellente almeno tredici diverse qualità di pesce.

Per tanto pesce, altrettanto vino: le due regioni, Umbria e Marche, sono in fiera concorrenza per due diversi vini bianchi, due dei migliori d'Italia: l'Orvieto e il Verdicchio. Il primo viene prodotto ai confini tra l'Umbria e il Lazio ed era famosissimo anche nei secoli andati. Si narra che il Pinturicchio, chiamato ad affrescare il Duomo di Orvieto, facesse mettere in contratto la condizione che gli venisse servito vino gratuitamente

a sua semplice richiesta per tutta la durata dei lavori. L'Orvieto è prodotto in due tipi diversi: un abboccato, con sapore lievemente dolce, ideale per pasto e per *dessert*, e uno secco, decisamente consigliato per i piatti di pesce e per gli antipasti. Nelle Marche il vino famoso è il Verdicchio, di un colore (come dice il nome) giallo-verdolino e con una gradazione di 11-13 gradi; la zona di produzione è quella dei Castelli di Jesi con Cupramontana, Monteroberto, Castelplano e Castelbellino. Altri vini marchigiani sono il Sangiovese locale, il Bianchello e il curioso Vino Cotto (prodotto con mosto concentrato e perciò di tenore alcolico altissimo); in Umbria, oltre all'Orvieto, sono celebri il rosso Montefalco, il Sacrantino e il Greco di Todi.

Umbri e marchigiani sono perfetti buongustai, e abbiamo visto come la loro cucina sia tutta improntata a piatti genuini fortemente saporiti e ben annaffiati di buon vino. Non per nulla Gioacchino Rossini è nato a Pesaro; famoso mangiatore, oltre che altissimo compositore, di Rossini i marchigiani hanno molti ricordi, perfino in cucina, dove sono ancor oggi diffusissime le sue ricette: un felice incontro tra la cucina di casa sua e quella delle migliori cucine d'Europa.

Sullo sfondo della dolce campagna di Spello, alcuni piatti della ricca tradizione culinaria umbra: pollo, carne, pasta artigianale, pane. Nella pagina a destra, un invitante primo piatto di mare: spaghetti con le vongole, le cozze e una manciata abbondante di piselli.

Pizza di Pasqua
Pizza al formaggio
Spaghetti al tartufo nero
Spaghettini aromatici
Strangozzi di Spoleto
Risotto alla Rossini
Vincisgrassi
Spiedini misti spoletini
Pollo in potacchio
Pollo alla maceratese
Pollo all'arrabbiata
Spezzato di tacchino
Oca arrosto ripiena
Coniglio in porchetta
Palombacci allo spiedo
Salsa per la cacciagione
Colombi all'uso di Foligno
Uccellini dell'Umbria
Medaglioni alla Rossini
Fave alla campagnola
Olive al forno
Olive all'ascolana
Brodetto di Porto Recanati
Calamaretti delle Marche
Zuppa di baccalà
Stoccafisso all'anconetana
Muscioli al forno
Triglie all'anconetana
Trota del Nera
Omelette ai tartufi
Cardi alla perugina
Frustenga
Cicerchiata
Pizza dolce
Ciaramicola

Pizza di Pasqua

(per 6-8 persone)

300 grammi di pasta da pane già lievitata

200 grammi di farina

1/2 bicchiere d'olio

5 uova

sale q.b.

120 grammi di parmigiano grattugiato

120 grammi di formaggio pecorino grattugiato

strutto q.b.

un piccolo tartufo nero affettato

In una terrina sbattete le uova con un pizzico di sale, il parmigiano e il pecorino. Lasciate riposare il composto e intanto, sulla spianatoia, impastate la pasta da pane con la farina e l'olio; lavoratelo energicamente e al centro versate il composto preparato. Impastate di nuovo e lavorate bene finché la pasta sarà liscia e morbida e si staccherà facilmente in un solo pezzo dalla spianatoia. Raccoglietela in una terrina, copritela con un tovagliolo e lasciatela lievitare, in luogo tiepido, per circa 2 ore. Stendete la pasta in una tortiera, preferibilmente di terracotta, dai bordi alti, ben unta con lo strutto. Coprite e fate di nuovo lievitare per un'oretta in luogo tiepido. Passate nel forno (meglio quello a legna del pane) già molto caldo (200°) per circa mezz'ora, finché sarà diventata di un bel colore dorato. Servite la pizza calda con pezzetti di tartufo nero. Potete guarnire la pizza anche con pezzetti di salame e di uova sode.

Pizza al formaggio

(per 6 persone)

500 grammi di pasta di pane lievitata

2 uova

100 grammi di parmigiano grattugiato

50 grammi di pecorino grattugiato

60 grammi di groviera o provolone grattugiato

olio d'oliva q.b.

Sbattete le uova e unite i formaggi grattugiati. Lavorate la pasta di pane con 2 cucchiai di olio d'oliva fino a completo assorbimento. Fate un buco al centro della pasta e aggiungete le uova sbattute mescolate al formaggio. Lavorate di nuovo energicamente la pasta fino a renderla soffice ed elastica. Mettete la pasta in una teglia rettangolare con i bordi alti, ben unta, e fatela cuocere in forno caldo (200°) per 20-30 minuti circa, finché la pizza sarà lievitata e avrà assunto un colore dorato.

Spaghetti al tartufo nero

(per 6 persone)

600 grammi di spaghetti

sale q.b.

olio d'oliva

1-2 filetti d'acciughe tritati

2 spicchi d'aglio tritati finemente

1 grosso tartufo nero di Norcia

In una pentola d'acqua salata in ebollizione fate cuocere al dente gli spaghetti.

A parte, scaldate in una padella l'olio d'oliva e fatevi sciogliere a fuoco molto dolce i filetti d'acciughe tritati; aggiungete l'aglio e continuate la cottura senza lasciarlo scurire. Da ultimo unite il tartufo nero tagliato a fettine sottilissime. Togliete dal fuoco. Scolate gli spaghetti e versateli in una zuppiera tenuta in caldo. Condite subito con la salsa al tartufo e portate in tavola ben caldo.

Spaghettini aromatici

(per 6 persone)

600 grammi di spaghettini

sale q.b.

1 bicchiere d'olio d'oliva

2 spicchi d'aglio schiacciati

3-4 grossi filetti d'acciughe tritati

4 foglie di menta tritate

3 ciuffi di prezzemolo tritato

1 cucchiaio di capperi

12 olive nere, snocciolate e tritate

Portate a ebollizione una grande casseruola d'acqua salata e buttateci gli spaghettini, mescolandoli un attimo con una forchetta per dividerli. Fateli cuocere a fuoco vivace il tempo necessario per una cottura al dente.

Nel frattempo scaldate in un tegamino l'olio. Fatevi soffriggere gli spicchi d'aglio che scarterete appena avranno preso colore. Aggiungete quindi le acciughe e fatele soffriggere dolcemente fino a quando saranno disfatte. Togliete il tegamino dal fuoco e unite alla pasta d'acciughe il trito di foglie di menta e prezzemolo.

Scolate gli spaghettini, versateli in una zuppiera calda e conditeli con la salsa di olio e acciughe, unite le olive snocciolate e tritate e i capperi. Mescolate bene il tutto e portate in tavola, stavolta senza condire la pasta con formaggio grattugiato.

La quantità di olio per la salsa può essere aumentata se qualcuno ne è particolarmente ghiotto.

Strangozzi di Spoleto

(per 6 persone)

per la pasta

500 grammi di farina

acqua q.b.

per la salsa

2 spicchi d'aglio schiacciati

1/2 bicchiere d'olio

1 chilo di pomodori maturi, pelati e tagliati a pezzi

un ciuffo di prezzemolo tritato

un ciuffo di basilico tritato

sale q.b.

pepe q.b.

Le fettuccine preparate senza uova a Spoleto prendono il nome di «strangozzi».

Impastate sulla spianatoia la farina con tanta acqua fredda quanta ne occorre per ottenere un impasto di giusta consistenza. Lavorate la pasta finché sarà gonfia e liscia e formerà le bollicine d'aria. Tiratela con il mattarello in una sfoglia sottile; lasciatela leggermente asciugare, arrotolatela e tagliatela a strisce di una larghezza di circa 1/2 cm. Stendete sulla spianatoia le fettuccine e lasciatele asciugare per una mezz'ora. Intanto in una casseruolina soffriggete l'aglio con l'olio; appena sarà biondo, toglietelo e versate i pomodori, il prezzemolo, il basilico, un pizzico di sale e di pepe. Mescolate e lasciate cuocere a fuoco vivo per una ventina di minuti. Cuocete in abbondante acqua bollente salata gli «strangozzi», scolateli appena alzeranno il bollore (se sono stati fatti in giornata; lasciate bollire un minuto di più se sono più secchi). Conditeli con il sugo preparato e serviteli subito.

Risotto alla Rossini

(per 6 persone)

6 cappelle di funghi porcini
100 grammi di burro
4 pomodori maturi, pelati e tagliati a spicchi
sale q.b.
50 grammi di midollo di bue
500 grammi di riso
circa 1 litro e 1/2 di brodo di carne
2 tuorli d'uovo
100 grammi di parmigiano grattugiato

Pulite le cappelle di funghi e tagliatele a pezzetti; mettetele in un padellino con la metà del burro e i pomodori; salate, coprite e lasciate cuocere con il coperchio per una ventina di minuti. Nella casseruola, dove cuocerete il riso, soffriggete il midollo di bue tritato con l'altra metà del burro. Versatevi poi il riso e, appena avrà assorbito tutto il grasso, bagnate con un poco di brodo bollente. Man mano che il brodo verrà assorbito, aggiungetelo, a poco a poco, sempre mescolando con un cucchiaio di legno. Dopo una decina di minuti, unite anche i funghi e i pomodori, mescolate sempre e versate ancora il brodo rimasto. Spegnete il riso dopo circa 5 minuti: deve risultare al dente e all'onda. Incorporatevi i tuorli d'uovo e il parmigiano. Coprite e lasciate riposare un paio di minuti prima di servire il risotto.

Vincisgrassi

(per 8 persone)

per il sugo

100 grammi di burro
100 grammi di grasso di prosciutto (o 50 grammi di lardo)
1 piccola cipolla tagliata a metà
1 carota tagliata a metà
300 grammi di regaglie di pollo e d'agnello tagliate a pezzettini
due dita di vino bianco secco
1 cucchiaiata abbondante di salsina di pomodoro
1/2 bicchiere di brodo
200 grammi di cervella e filoni di vitello lessati
sale q.b.
pepe q.b.
40 grammi di funghi secchi
1/2 bicchiere di latte
cannella q.b.

per la pasta

400 grammi di farina
200 grammi di semolino
40 grammi di burro
4 uova
sale q.b.
due dita scarse di vin santo (o marsala)

per la besciamella

50 grammi di burro
40 grammi di farina
1/2 litro di latte
sale q.b.
l'odore della noce moscata
50 grammi di burro
100 grammi di parmigiano grattugiato
1 tartufo (facoltativo)

I vincisgrassi sono delle lasagne ripiene, la cui prima ricetta sarebbe dovuta al cuoco del principe di Windisch-Graetz, generale austriaco, venuto nelle Marche nel periodo delle guerre napoleoni-

che. Soffriggete il grasso di prosciutto (o il lardo) tritato nel burro con la cipolla e la carota; quando avranno preso colore, togliete le verdure e unite le regaglie (eccetto il fegato); mescolate, bagnate con il vino e, quando sarà evaporato, versate la salsina di pomodoro, diluita nel brodo caldo; salate, pepate e lasciate cuocere ben coperto a fuoco lento per circa 2 ore. Mezz'ora prima della fine di cottura, unite il fegato tenuto da parte, la cervella e i filoni, lessati e tagliati a pezzi, i funghi ammorbiditi in acqua tiepida e poi strizzati, e circa 1/2 bicchiere di latte. Spolverate con un pizzico di cannella. Sulla spianatoia impastate la farina, il semolino, il burro, le uova, un pizzico di sale e il vin santo marchigiano (o il marsala). Lavorate bene la pasta per una ventina di minuti, finché sarà liscia ed elastica. Tiratela con il mattarello in una sfoglia sottile e tagliatela a strisce larghe una decina di centimetri e lunghe come la teglia dove metterete la pasta. Poi lasciatele asciugare sulla spianatoia. Preparate la salsa besciamella piuttosto liquida nel solito modo (vedere ricetta a pag. 105); appena pronta, portate a ebollizione abbondante acqua salata in una pentola larga e bassa. Lessatevi la pasta, poca per volta, e appena salirà alla superficie, sgocciolatela e stendetela su un tovagliolo pulito. Imburrate bene una teglia, foderatela con uno strato di pasta, versate qualche cucchiaiata di besciamella tiepida e qualche cucchiaiata di sugo; spolverate con un poco di parmigiano e mettete qua e là qualche lamella di tartufo (facoltativo). Continuate in questo modo fino all'esaurimento degli ingredienti. Terminate con uno strato di pasta, un bello strato di besciamella, parmigiano grattugiato e fiocchetti di burro. Lasciate riposare la pasta in luogo fresco per circa 6 ore (o anche dalla sera alla mattina), prima di infornarla. Passatela in forno caldo (circa 200°) per circa mezz'ora, fino a quando la pasta formerà una leggera crosticina. Irroratela con un poco di burro fuso (o sugo caldo) e servitela caldissima.

Spiedini misti spoletini

(per 6 persone)

6 dadini di lonza (fesa di maiale)
6 cotolettine di agnello
6 pezzetti di pollastrello disossato
6 fettine di fegato di maiale
12 fettine di pancetta
qualche foglia di salvia
2 rametti di rosmarino
pepe q.b.
3-4 bacche di ginepro
1/2 bicchiere d'olio
sale q.b.

Infilzate in sei spiedini le carni alternandole con le fettine di pancetta, la salvia e il rosmarino. Pepate abbondantemente e cospargete con le bacche di ginepro. Bagnate gli spiedini con l'olio e lasciateli marinare 5-6 ore. Disponeteli su una griglia e cuoceteli sul fuoco della brace (o in una teglia, su fiamma moderata), per circa un quarto d'ora; all'ultimo salateli leggermente. Serviteli caldissimi.

Pollo in potacchio

(per 4 persone)

un pollo novello di circa 1 chilo
1 cipolla di media grossezza affettata
2 spicchi di aglio schiacciati
1/2 bicchiere d'olio
40 grammi di burro
sale q.b.
1/2 bicchiere di vino bianco secco

per la salsa del potacchio

1 cipolla tritata

1 rametto di rosmarino tritato

1/2 bicchiere d'olio

300 grammi di pomodori maturi

sale q.b.

una punta di peperoncino rosso tritato (o pepe q.b.)

40 grammi di burro

Pulite, fiammeggiate, tagliate a piccoli pezzi il pollo, poi lavatelo e asciugatelo. Fatelo rosolare in una padella con la cipolla, l'aglio, l'olio, il burro e un poco di sale. Appena l'aglio sarà colorito, toglietelo e, quando il pollo avrà preso una bella colorazione bionda, innaffiatelo con il vino. Intanto in una casseruolina soffriggete il trito di cipolla e rosmarino nell'olio caldo; appena la cipolla sarà imbiondita, unite i pomodori, pelati, tagliati a pezzi e privati dei semi; salate un poco e spolverate con il peperoncino (o il pepe). Lasciate cuocere la salsa lentamente per una ventina di minuti, poi unitela al pollo con qualche fiocchetto di burro. Continuate la cottura in forno caldo (200°) per circa 20 minuti.

In certe località dell'Ascolano viene usato al posto del vino bianco secco il vino cotto e di conseguenza eliminato il pomodoro: allora il piatto prende il nome di «pollo in cip-ciap».

Pollo alla maceratese

(per 4 persone)

un bel pollo novello di 1 chilo abbondante

sale q.b.

50 grammi di burro

5 cucchiai d'olio

1/2 litro abbondante di brodo di manzo

2 tuorli d'uovo

il succo di un limone

Scegliete un pollo ruspante di circa 5-6 mesi. Pulite, fiammeggiate e lavate bene il pollo. Asciugatelo e salatelo abbondantemente all'interno e all'esterno, poi legatelo con uno spaghino perché non perda la forma. Tritate finemente le regaglie del pollo, ben pulite e lavate; mettetele in una casseruola, possibilmente ovale di giusta misura del pollo, con il burro e l'olio. Fatele rosolare un paio di minuti, rigiratele e unite il pollo. Fatelo rosolare leggermente, poi bagnatelo con il brodo bollente in modo da ricoprirlo quasi. Mettete un foglio di carta oleata sotto al coperchio della casseruola, coprite bene e lasciate cuocere lentamente per circa un'ora. Fate asciugare in ultimo eventualmente il brodo rimasto, a fuoco vivace, senza coperchio. Tagliate il pollo a pezzi regolari, ricomponetelo su un piatto da portata, precedentemente riscaldato, e tenetelo in caldo. Mescolate al sugo di cottura rimasto nella casseruola i due tuorli sbattuti, il succo di limone e un pizzico di sale. Lasciate sul fuoco, a fiamma molto bassa, per un minuto, mescolando continuamente. Versate la salsetta sul pollo e servite subito.

Pollo all'arrabbiata

(per 4 persone)

Un pollo novello di circa 1 chilo

6-8 cucchiaiate di olio d'oliva

60 grammi di burro

sale q.b.

1 bicchiere di vino bianco secco

3 grossi pomodori maturi

un pizzico di peperoncino rosso piccante

Pulite, fiammeggiate e tagliate a pezzi il pollo, quindi lavatelo e asciugatelo. Scaldate l'olio e il burro in una casseruola e mettete a rosolare i pezzi di pollo finché non assumeranno un bel colore dorato. Spruzzatelo con sale, bagnatelo con il vino bianco secco e fate evaporare.

Intanto pelate i pomodori, togliete i semi e tritateli grossolanamente. Uniteli al pollo, abbassate la fiamma e aggiungete un pizzico abbondante di peperoncino. Coprite la casseruola e lasciate cuocere a fuoco moderato fino a quando il pollo sarà ben tenero. Servitelo caldo, ricoperto della sua salsa.

Spezzato di tacchino

(per 6 persone)

1 chilo e mezzo di spezzato di tacchino

1/2 bicchiere di olio d'oliva

2 spicchi d'aglio schiacciato

1/2 bicchiere di vino bianco secco

250 grammi di olive nere dolci snocciolate

sale q.b.

pepe q.b.

Per questa preparazione umbra dovete servirvi delle olive nere dolci, quelle che in tutta la regione vengono comunemente chiamate «olive bianche».

Fate soffriggere in un'ampia padella con mezzo bicchiere abbondante di olio i due spicchi d'aglio interi e quando l'olio sarà caldo togliete l'aglio e mettete nel recipiente i pezzi di tacchino.

Fate rosolare i pezzi di tacchino a fuoco vivace, bagnateli con mezzo bicchiere di vino e, quando il vino sarà evaporato, aggiungete le olive snocciolate, sale, un pizzico di pepe e un mestolo di acqua calda. Coprite la padella e fate cuocere, a fuoco bassissimo e per almeno due ore e mezza, i pezzi di tacchino fino a quando l'acqua si sarà asciugata e trasformata in una gustosa salsetta.

Oca arrosto ripiena

(per 6 persone)

1 oca di circa 2 chili e mezzo

sale q.b.

250 grammi di salsiccia di maiale

150 grammi di olive verdi snocciolate

1 tartufo

pepe q.b.

1 tazza d'olio

Pulite, fiammeggiate, sciacquate e asciugate l'oca e preparate il seguente ripieno. Mettete in una terrina la carne delle salsicce tritate, le olive verdi snocciolate e tritate grossolanamente, il tartufo pulito e tagliato in dadini assieme alle frattaglie dell'oca, accuratamente pulite e ben tritate.

Mescolate bene il tutto e con questo composto riempite l'oca, che poi cucirete con un filo grosso richiudendo il taglio praticato nell'addome e nel collo, e legandola per mantenerla in forma. Ponete l'oca in una casseruola, conditela con abbondante olio, sale e pepe e fatela cuocere in forno a calore moderato per tre ore circa, bagnandola di tanto in tanto con cucchiaiate d'acqua.

Coniglio in porchetta

(per 4 persone)

1 coniglio di 1 chilo e mezzo
1 bicchiere d'aceto
sale q.b.
pepe q.b.
2-3 fette di prosciutto di Parma tagliato a pezzetti
3 spicchi d'aglio tritato finemente
1 rametto di rosmarino tritato finemente
alcuni semi di finocchio
1 bicchiere di olio d'oliva
60 grammi di lardo tritato
1/2 tazza di vino bianco secco

Lavate il coniglio in una mistura di acqua e aceto, asciugatelo con un canovaccio e salatelo e pepatelo all'interno. Tritate finemente il cuore e il fegato del coniglio e mescolatelo con metà del prosciutto e metà del trito di aglio, finocchio e rosmarino che avrete preparato in precedenza. Condite il tutto con un po' di sale e farcite il coniglio. Cucite l'apertura addominale e legate il coniglio per tenerlo in forma durante la cottura.

Scaldate l'olio e il lardo in una casseruola e fatevi rosolare dolcemente il coniglio assieme al prosciutto che avete tenuto da parte e al rimanente trito di aglio ed erbe aromatiche, rivoltandolo di tanto in tanto. Quando sarà ben dorato, annaffiatelo con il vino, lasciate evaporare, coprite il recipiente di cottura e fate cuocere a calore moderato per 30-40 minuti fino a quando il coniglio sarà ben tenero.

Palombacci allo spiedo

(per 3 persone)

3 palombacci
1 bicchiere circa di aceto aromatico
sale q.b.
pepe q.b.
1/2 bicchiere di olio d'oliva
1 bicchiere di vino rosso
6 fette di limone
qualche foglia di salvia
12 olive nere

Spennate, svuotate e lavate i palombacci con un po' d'acqua e aceto, salateli e pepateli all'interno. Togliete accuratamente il fiele al fegatino, pulite le altre regaglie e mettete ogni cosa all'interno dei volatili prima di infilarli allo spiedo. Cuoceteli facendoli girare adagio, ungeteli di tanto in tanto con olio d'oliva e spruzzateli due o tre volte di sale quando cominciano a prendere colore.

Mentre l'arrosto gira, versate nella leccarda – cioè nel recipiente sotto lo spiedo che raccoglie i succhi di cottura – un bel po' di vino rosso e di aceto fortemente aromatico e unitevi le fettine di limone, le foglie di salvia e le olive nere snocciolate. In questo intingolo che incomincia a bollire al calore riflesso delle braci, colano i succhi concentrati della selvaggina, e i vapori che ne esalano contribuiscono a fare insaporire l'arrosto.

Quando i palombacci sono cotti, sfilateli dallo spiedo, togliete dal loro interno il cuore, il fegatino e le regaglie. Tritateli finemente e uniteli al sugo raccolto nella leccarda, in modo da ottenere un intingolo saporito con il quale condirete gli arrosti al momento di servire in tavola.

Salsa per la cacciagione

1 bicchiere di vino rosso
1 bicchiere di vino bianco secco
1 bicchiere d'aceto
1/2 bicchiere d'olio
50 grammi di prosciutto crudo tritato
1/2 limone sbucciato e tagliato a fettine
3 spicchi d'aglio schiacciati
2 foglie di salvia
1 rametto di rosmarino
4 bacche di ginepro
2 fegatini di pollo tritati
sale q.b.
pepe q.b.

Mettete il vino rosso e bianco in una casseruolina con l'aceto, l'olio, il prosciutto, il limone, l'aglio, la salvia, il rosmarino e le bacche di ginepro. Dopo mezz'ora di cottura a fuoco basso, togliete l'aglio, la salvia e il rosmarino, unite i fegatini, salate, pepate. Coprite e lasciate cuocere lentamente fino a quando la salsa si sarà ridotta di più della metà. Servitela calda con i palombacci e tutta la cacciagione arrosto.

Colombi all'uso di Foligno

(per 6 persone)

3 colombi selvatici
1 cipolla tritata
2 spicchi d'aglio
3 chiodi di garofano
1 rametto di salvia
1 rametto di rosmarino
1 limone tagliato a spicchi
60 grammi di lardo tritato
6 cucchiaiate d'olio
1 bicchiere di vino bianco secco
1/2 bicchiere d'aceto
sale q.b.
pepe q.b.
cannella q.b.

A Foligno i colombi selvatici (o palombacci) vengono trattati come la beccaccia e si cucinano anche senza togliere le interiora, asportando solamente il gozzo e gli occhi.

Lavate quindi i colombi senza fiammeggiarli prima. Metteteli in una casseruola di terracotta con le verdure, il limone, il lardo, l'olio, il vino e l'aceto. Salate, pepate e spolverate con un pizzico di cannella. Coprite la casseruola con un foglio di carta oleata e con il coperchio e fate cuocere a fuoco lento (160°) nel forno per circa un'ora. Controllate che la carne mostri leggermente di staccarsi dalle ossa: sarà certamente cotta al punto giusto. Tagliate allora i colombi a metà, asportate le interiora, tritatele finemente, mescolatele al sugo di cottura e servite tutto ben caldo.

Uccellini dell'Umbria

(per 6 persone)

18 uccellini
1/2 bicchiere d'olio
40 grammi di burro
2 spicchi d'aglio schiacciati
1 rametto di salvia
2 foglie di alloro
1 dozzina di olive verdi snocciolate
3-4 fettine di limone

1/2 bicchiere di vino bianco secco

sale q.b.

pepe q.b.

il succo di 1/2 limone

Pulite, fiammeggiate e lavate gli uccellini, poi asciugateli. In una padella fate imbiondire gli spicchi d'aglio con l'olio e il burro; quando avranno preso un po' di colore, toglieteli e aggiungete gli uccellini, la salvia, l'alloro, le olive tagliate a metà e le fettine di limone. Fate rosolare tutto a fuoco vivace; unite anche le frattaglie degli uccellini tritate finemente e, dopo pochi minuti, innaffiate con il vino. Salate, pepate e lasciate cuocere coperto per 20 minuti. Togliete le foglie di salvia e di alloro e le fettine di limone, lasciando solamente le olive. Spruzzate il succo di limone sugli uccellini e serviteli ben caldi.

Medaglioni alla Rossini

(per 6 persone)

6 medaglioni di filetto di manzo alti circa 2 cm e mezzo

3 cucchiai d'olio

40 grammi di burro

1 cucchiaio di farina

1/2 bicchierino di marsala

sale q.b.

pepe q.b.

5 fettine di prosciutto crudo

6 fettine di gruviera

1/2 tazza di besciamella piuttosto soda

6 crostoni di pane fritto

tartufo bianco (facoltativo)

Rosolate i medaglioni di filetto nell'olio e burro ben caldi. Quando la carne comincia a prendere colore, velatela con la farina, quindi bagnatela con il marsala e lasciate evaporare. Salate e pepate abbondantemente da entrambe le parti. Lasciate cuocere il filetto fino a quando avrà assorbito l'intingolo, quindi toglietelo dalla sua casseruola e mettetelo in una pirofila. Stendete sui medaglioni le fettine di prosciutto e di gruviera; versate la besciamella, preparata nel modo consueto, e passate in forno caldo (200°) per pochi minuti, finché il formaggio si sarà sciolto. Servite i medaglioni su una fetta di pane a cassetta dorato nel burro e, se la stagione è indicata, fateci cadere sopra una pioggerella di fettine di tartufo bianco.

Fave alla campagnola

(per 6 persone)

1 chilo di fave fresche

sale q.b.

pepe q.b.

olio d'oliva q.b.

1-2 cipolle novelle tritate

Sbucciate le fave e mettetele a cuocere in una pentola di terracotta in acqua poco salata: la cottura deve essere lenta e le fave, una volta cotte, devono aver assorbito molta parte dell'acqua di cottura. Scolatele, versatele in una insalatiera e mentre sono ancora calde conditele col pepe, innaffiatele con abbondante olio d'oliva e infine unite un battutino di cipolle novelle.

Olive al forno

Snocciolate delle belle e grosse olive verdi, procurando di non romperle. Avvolgete ogni oliva in una sottile fettina di pancetta affumicata. Infilzate le olive a due a due su degli stecchini, adagiatele in una teglia leggermente unta d'olio e mettetele in forno a calore moderato. Lasciate sciogliere il grasso della pancetta, tirate su le olive, fatele sgocciolare, disponetele sopra un piatto caldo e servitele subito.

Olive all'ascolana

(per 6 persone)

60-70 olive verdi grosse (in salamoia)

50 grammi di lardo tritato

3 cucchiai d'olio

1/2 carota tritata

1/4 di cipolla tritata

1 costola di sedano tritata

100 grammi di polpa di maiale tritata

100 grammi di polpa di manzo tritata

1/2 bicchiere abbondante di vino bianco secco

1 filetto di petto di pollo lessato

4 fegatini di pollo tritato (facoltativo)

1 uovo

3 cucchiai di parmigiano grattugiato

l'odore della noce moscata

sale q.b.

pepe q.b.

cannella q.b.

farina q.b.

1 uovo

pangrattato q.b.

olio per friggere q.b.

1 limone

In una casseruola soffriggete il lardo nell'olio con gli odori; unite poi la carne di maiale e di manzo e fatela rosolare per 5 minuti; innaffiate con il vino, salate, pepate, poi coprite e fate cuocere a fuoco lento per un'ora e mezza. Quindi aggiungete il petto di pollo tritato e, se volete, i fegatini: fate cuocere 5 minuti. Togliete dal fuoco la casseruola, passate la carne alla macchinetta e poi aggiungetevi l'uovo, il parmigiano e l'odore della noce moscata; aggiustate di sale, pepate e unite un pizzico di cannella in polvere. Mescolate molto bene e riempite con questo composto le olive snocciolate. Per snocciolare le olive, servitevi dell'apposito utensile oppure con un coltellino a lama sottile tagliate la polpa delle olive cominciando dall'alto e girando a spirale intorno al nocciolo. Formerete così un nastro in un sol pezzo, che ricomposto assumerà di nuovo la forma dell'oliva.

Brodetto di Porto Recanati

(per 6 persone)

1 chilo e mezzo abbondante di pesce misto (palombo, merluzzo, coda di rospo, cicale, triglie, cefalo, sogliole, ecc.)

600 grammi di seppioline

1 cipolla affettata

1 bicchiere d'olio

una puntina di zafferarone (o zafferano d'Aquila)

sale q.b.

pepe q.b.

1 bicchiere abbondante di vino bianco secco

1 cucchiaio d'aceto

crostini di pane abbrustolito q.b.

Lo zafferanone non è il prezioso zafferano di Aquila, ricavato dagli stimmi del *crocus sativus* , ma è estratto da una pianta, il *carthamus tinctorius*, che coltivano nella zona e serve per colorire d'arancione l'intingolo del brodetto. Si intende che in questo brodetto, se si vuole, si può mettere il vero zafferano d'Aquila.

Pulite il pesce e dividete i pesci più grossi in pezzi regolari; togliete alle seppie la vescichetta dell'inchiostro, gli occhi e l'osso e tagliatele a listerelle. Lavate quindi tutti i pesci in abbondante acqua salata.

In una casseruola fate imbiondire la cipolla con l'olio; quando è dorata, unite le seppie e lo zafferanone sciolto in un poco d'acqua calda. Quando le seppie si saranno colorate di giallo, salatele, pepatele e versate sopra tanta acqua quanta basta a coprirle. Lasciatele cuocere lentamente per una mezz'ora. Prendete a questo punto un largo tegame a due manici (in modo da poter smuovere il pesce senza usare mestoli o forchette) disponete sul fondo di esso uno strato di cicale, sulle cicale le seppie già cotte e i tranci di carne più resistente, in ultimo i pesci più delicati e versate su tutto l'intingolo delle seppie ben caldo. Il pesce va diviso al massimo in tre strati. Quando tutto è sistemato nel tegame, ricoprite i pesci quasi completamente versando il vino, l'aceto e acqua calda in parti uguali; aggiustate di sale, pepate e fate cuocere a fuoco vivo per un quarto d'ora, scuotendo di tanto in tanto il tegame. Servite la zuppa ben calda con i crostini di pane abbrustolito.

Calamaretti delle Marche

(per 6 persone)

1 chilo di calamaretti
sale q.b.
6-8 cucchiai di olio d'oliva
2 spicchi d'aglio schiacciati
3-4 ciuffi di prezzemolo tritato finemente
1 pezzetto di peperoncino rosso piccante tritato finemente
1 bicchiere di vino bianco secco
1/2 bicchiere di brodo o acqua calda

Pulite i calamaretti, togliete la cartilagine interna a forma di penna, risciacquateli accuratamente in acqua salata senza rompere il sacco e asciugateli.

In una casseruola scaldate l'olio con gli spicchi d'aglio schiacciato e appena incominciano a prendere colore toglieteli e mettete nel recipiente di cottura i calamaretti con il prezzemolo tritato, un po' di sale e il peperoncino tritato. Fate cuocere a fuoco vivace per circa 10 minuti. Annaffiate quindi con il vino e fatelo evaporare prima di aggiungere un po' di brodo o acqua calda. Abbassate la fiamma e fate cuocere molto dolcemente per altri 15 minuti circa, finché i calamaretti saranno teneri.

Zuppa di baccalà

(per 6 persone)

1 chilo di baccalà già bagnato
1 bicchiere scarso di olio d'oliva
2 cipolle tagliate a fette
2 spicchi d'aglio tritati
1 costola di sedano tritata
1/2 foglia di alloro
1 rametto di timo
3-4 ciuffi di prezzemolo
1 cucchiaino di salsa concentrata di pomodoro o 2-3 pomodori pelati e tagliuzzati
1/2 bicchiere di vino bianco secco
3-4 patate
2-3 ciuffi di prezzemolo tritati
sale q.b.

pepe q.b.
fettine di pane abbrustolito

Spellate il baccalà e dividetelo in pezzi quadrati di sei-sette centimetri di lato, e spinatelo. Mettete in un tegame o in una casseruola mezzo bicchiere d'olio, aggiungendo le cipolle tagliate a fette sottilissime e gli spicchi d'aglio tagliuzzati. Fate cuocere dolcemente senza che la cipolla si colorisca, poi unite una costola di sedano tagliuzzata e un mazzetto composto di mezza foglia di alloro, 3 o 4 ciuffi di prezzemolo e il rametto di timo, il tutto legato con spago. Quando le erbe saranno un po' rosolate aggiungete un cucchiaino di salsa concentrata di pomodoro diluita con un po' d'acqua, oppure due o tre pomodori di media grandezza pelati e tagliuzzati. Fate cuocere un poco il pomodoro, poi bagnate il tutto con il vino bianco. Aggiungete quindi le patate tagliate a pezzi e circa un litro d'acqua. Quando le patate saranno quasi cotte, togliete il mazzolino di erbe e mettete nel recipiente di cottura il baccalà aggiungendo ancora 2-3 cucchiaiate d'olio.

Diminuite il fuoco, coprite il recipiente e lasciate finire di cuocere pian piano a fuoco moderato. Badate che l'intingolo non sia eccessivamente denso, e se necessario diluitelo con un po' d'acqua. Quando la pietanza sarà ben cotta, conditela con un paio di cucchiaiate di prezzemolo tritato, aggiustate di sale e spruzzate un buon pizzico di pepe.

Intanto, avrete preparato in una terrina delle fette di pane abbrustolito; versatevi il baccalà, le patate e tutto il loro intingolo. Lasciate stufare un momento e portate in tavola.

Stoccafisso all'anconetana

(per 6 persone)

1 chilo e mezzo di stoccafisso già bagnato
1 grossa cipolla tritata
1 carota tritata
1 costola di sedano tritata
2-3 ciuffi di prezzemolo tritati
1 pizzico di maggiorana
sale q.b.
pepe q.b.
1-2 acciughe (facoltative)
500 grammi di pomodori freschi
1 cucchiaino di salsa concentrata di pomodoro
olio
6-8 cucchiai di latte
4-5 patate sbucciate e tagliate a fette

Pulite lo stoccafisso, spinatelo lasciandogli la pelle e tagliatelo in pezzi grossi. Mettete in una casseruola mezzo bicchiere di olio con la cipolla tritata. Lasciate imbiondire la cipolla, poi aggiungete la carota, il sedano, il prezzemolo tritati, un pizzico di maggiorana, sale e pepe abbondante. Volendo potete aggiungere anche qualche acciuga diliscata e tritata. Lasciate soffriggere un poco, quindi unite i pomodori freschi, pelati e privati dei semi e un cucchiaino di salsa concentrata di pomodoro. Lasciate cuocere, ma non troppo, l'intingolo e mettetelo da parte.

In un tegame, preferibilmente di terracotta, disponete lo stoccafisso a strati, condendoli via via con l'intingolo; coprite il tutto con uno strato di patate sbucciate e tagliate a fette. Versate quindi nel tegame abbondante olio in modo da sommergere quasi lo stoccafisso e da ultimo aggiungete il latte fino a ricoprire bene ogni cosa. Lasciate cuocere molto lentamente per un'ora e mezza o due, scuotendo di tanto in tanto il tegame, ma non rimestando mai. Il latte, consumandosi durante la cottura, conferisce un colore più brillante al condimento e rende più morbido lo stoccafisso. Servite caldo.

Muscioli al forno

(per 6 persone)

1 chilo e mezzo di muscioli (cozze)
500 grammi di pomodori freschi passati al setaccio
3 cucchiai di pangrattato
1 ciuffo di prezzemolo
olio q.b.
sale q.b.

Raschiate bene con uno spazzolino duro i muscioli per togliere le incrostazioni calcaree, i filamenti che tengono unite le conchiglie e i pezzetti d'alga. Lavateli poi più volte in abbondante acqua salata e apriteli con l'apposito coltello (quello delle ostriche) o facéndoli saltellare in una padella con un po' d'olio. Mettete due o tre molluschi in ogni mezza valva. Mescolate in una ciotola il sugo di pomodoro con il pangrattato, il prezzemolo, un filo d'olio e un poco di sale. Distribuite un poco del ripieno su ogni mezza valva. Disponete i muscioli uno accanto all'altro in una pirofila, versate un filo d'olio e passate in forno caldo (180°) per 10-15 minuti, finché il pane si sarà leggermente colorito.

Triglie all'anconetana

(per 6 persone)

5 piccole triglie
il succo di un limone
2 spicchi d'aglio schiacciati
1 rametto di rosmarino
sale q.b.
pepe q.b.
pangrattato q.b.
1 ciuffo di prezzemolo tritato
6 belle fette di prosciutto crudo
1/2 bicchiere d'olio

Pulite le triglie, squamatele bene con un coltellino, lavatele in acqua salata e fatele sgocciolare. Mettetele poi in una larga terrina con il succo di limone, l'aglio, il rosmarino, poco sale e una spolverata di pepe. Lasciate marinare al fresco per un'oretta. Sgocciolatele dalla marinata, rotolatele nel pangrattato e prezzemolo e fasciatele, ad una ad una, con le fette di prosciutto. Mettetele poi in una pirofila, irroratele con l'olio e il sugo della marinata e passate in forno caldo (160°) per una ventina di minuti. Servite le triglie caldissime senza spostarle dalla loro pirofila perché sono fragili.

Trota del Nera

(per 6 persone)

6 trote di media grandezza
8-10 cucchiai di pangrattato
sale q.b.
pepe q.b.
4-5 ciuffi di prezzemolo tritato
olio d'oliva q.b.
il succo di 2 limoni

Le squisite trote del Nera e del Sordo, spennellate di olio e spruzzate di un trito di rosmarino e prezzemolo, di solito vengono cotte alla griglia, salate e cosparse di olio crudo. Ma è ottima anche quest'altra preparazione meno nota, che contempla la cottura al forno.

Scegliete delle trote di media grandezza, pulitele, risciacquatele, asciugatele e nell'interno ponete un composto di prezzemolo, pangrattato, sale, pepe, succo di limone e poco olio. Sistemate le trote in una teglia, cospargetele ancora di pangrattato, sgocciolateci sopra dell'olio e cuocetele in forno a calore moderato. Si servono molto calde, accompagnate da olio crudo e succo di limone.

Omelette ai tartufi

(per 6 persone)

2 piccoli tartufi neri d'Umbria
4 cucchiaiate d'olio
sale q.b.
1 ciuffo di prezzemolo tritato
8 uova
2 cucchiai di parmigiano grattugiato
50 grammi di burro

Pulite bene con uno spazzolino sotto l'acqua corrente i tartufi; asciugateli accuratamente e tagliateli a lamelle. Fate scaldare l'olio in un padellino, unite i tartufi, un pizzico di sale e il prezzemolo. Lasciate insaporire a fuoco basso per un paio di minuti. Sbattete le uova in una terrina con un pizzico di sale e il parmigiano. Fate scaldare il burro in una larga padella, versatevi le uova sbattute e fatele rapprendere da una parte, mettete i tartufi al centro e ripiegate l'omelette a rotolo. Terminate la cottura a fuoco lento. L'omelette è eccellente calda, ma è altrettanto buona servita fredda.

Cardi alla perugina

(per 6 persone)

1 chilo di cardi
1 limone
sale q.b.
farina q.b.
1 o 2 uova
pangrattato q.b.
olio per friggere q.b.

per il ragù
2 cucchiai d'olio
40 grammi di burro
1/3 di cipolla tritata
150 grammi di polpa di manzo macinata
2 dita di vino bianco secco
25 grammi di funghi secchi
1 chilo di pomodori maturi pelati
sale e pepe q.b.
burro q.b.
100 grammi di parmigiano grattugiato
150 grammi di fettine di fontina
1 tazza di besciamella liquida

Pulite i cardi, togliete i filamenti e tagliateli a pezzi di 5-6 cm. Lavateli in acqua acidulata con il limone perché restino bianchi e poi lessateli in abbondante acqua salata. Scolateli bene, asciugateli e passateli nella farina. In un piatto fondo sbattete le uova con un pizzico di sale, immergetevi i cardi, poi impanateli e friggeteli in abbondante olio bollente. Sgocciolateli appena saranno dorati su una carta che assorba l'unto. Intanto soffriggete in una casseruolina con l'olio e il burro la cipolla; appena comincerà a imbiondire, unite la carne macinata, mescolate, bagnate con il vino e lasciatelo evaporare. Aggiungete i pomodori tagliati a pezzi e i funghi, ammorbiditi in acqua tiepida e tritati. Salate, pepate e lasciate cuocere a fuoco moderato per circa 40 minuti. Mettete allora uno strato di cardi fritti in una pirofila bene imburrata, versate sopra qualche cucchiaiata del sugo preparato, una spolverata di parmigiano e qualche fettina di fontina. Continuate in questo modo fino all'esaurimento degli ingredienti. Coprite con alcune fettine di fontina e la besciamella liquida. Passate in forno già caldo (200°) a gratinare per circa un quarto d'ora.

Frustenga

250 grammi di fichi secchi
100 grammi di uva passa
sale q.b.
1 chilo di farina di granturco
1 dozzina di noci
olio d'oliva q.b.

Tagliate a pezzetti i fichi secchi poi metteteli assieme all'uva passa in acqua calda, lasciandoli a bagno per parecchie ore, per esempio dalla sera alla mattina. Trascorso il tempo stabilito toglieteli dall'acqua. Poiché l'acqua nella quale sono stati immersi i fichi ha acquistato un buon sapore, non gettatela via, ma mettetela a bollire condendola con pochissimo sale.

Intanto preparate, in una grande terrina, la farina di granturco, unitevi i fichi in pezzetti, l'uva passa, le noci in pezzetti e un po' d'olio e rimestate bene il tutto con un cucchiaio di legno. Quando l'acqua bollirà versatela, poca alla volta, in mezzo alla farina preparata e mescolate in modo che la farina ne rimanga bene intrisa e diventi molle come una polenta liquida. Prendete una teglia, ungetela, e in essa versate la polenta. Sgocciolateci sopra un filo d'olio e mettete la teglia in forno. Badate che la teglia sia abbastanza larga perché la frustenga non deve risultare alta più di due centimetri. Si può mangiare sia calda che fredda.

Cicerchiata

2 uova
3 cucchiai di zucchero
4 cucchiaiate d'olio
150 grammi di farina
olio per friggere q.b.
200 grammi di miele
50 grammi di mandorle pelate
cannella q.b.
granellata di zucchero q.b.

Sulla spianatoia impastate le uova con lo zucchero, l'olio e la farina; lavorate in modo da ottenere una pasta liscia e di giusta consistenza. Formate dei bastoncini e ritagliateli della grandezza di un cece. Friggeteli, pochi per volta, in abbondante olio bollente. Sgocciolateli bene su una carta che assorba l'unto. In una casseruolina fate scaldare il miele sino a quando avrà preso un po' di colore, poi unite i pezzetti di pasta fritta, mescolate con un cucchiaio di legno e rovesciate il composto su un piatto unto d'olio (o sul tavolo di marmo); con le mani umide d'acqua modellate a forma di ciambella e cospargetelo con le mandorle tagliate a filettini, una spolverata di cannella e un poco di granellata di zucchero.

Pizza dolce

250 grammi di farina
15 grammi di lievito di birra
sale q.b.
1 limone
25 grammi di zucchero
1/2 bicchiere d'olio
2 uova
1 bicchiere di vino bianco dolce
farina per spolverizzare q.b.
olio per ungere q.b.

Pesate 250 grammi di farina e da questi togliete 50 grammi, che porrete sulla tavola e impasterete con il lievito di birra, sciolto con tre cucchiaiate di acqua tiepida. Maneggiate il piccolo quantitativo di pasta formandone una palla, che arrotolerete tra le mani e metterete in una ciotolina contenente acqua tiepida; e ciò per far lievitare la pasta e raddoppiare di volume. Disponete intanto a fontana i 200 grammi di farina rimasti, aggiungete un pizzico di sale, la raschiatura della buccia di un limone, i 25 grammi di zucchero, mezzo bicchiere d'olio e un tuorlo d'uovo. Impastate il tutto con un bicchiere scarso di vino bianco dolce e infine unite la pasta ormai lievitata messa nella ciotolina.

Lavorate energicamente il tutto, maneggiando a lungo, e quando la pasta sarà diventata soffice ed elastica e si staccherà in un sol pezzo dalla tavola, raccoglietela in una terrina, spolverizzata di farina, copritela con un telo, e mettetela in luogo tiepido per farla lievitare. Dopo circa un'ora la pasta avrà raddoppiato il suo volume; sgonfiatela e rimpastatela senza però toglierla dalla terrina. Portate la terrina in luogo fresco dove la conserverete dalla sera alla mattina dopo.

Per l'azione del freddo la pasta si sarà notevolmente indurita, ma avrà ugualmente lievitato. Battetela di nuovo e impastatela ancora un poco, poi ungete d'olio una teglia, della capacità di un litro, a bordi alti e in essa ponete la pasta, la quale dovrà ancora lievitare (questa volta in luogo tiepido) fino a quando raggiungerà il bordo della teglia. Dorate allora la superficie della pizza con una leggera pennellata di uovo sbattuto e ponetela in forno vivace per circa mezz'ora.

Ciaramicola

2 uova intere
3 tuorli
250 grammi di zucchero
150 grammi di burro (o strutto)
500 grammi di farina
1 bustina di lievito in polvere (16 grammi)
1 pizzico di sale
la scorza grattugiata di un limone
1 bicchierino d'alchermes
1/2 bicchiere di latte
3 albumi
40 grammi di zucchero al velo
50 grammi di confettini di zucchero

Lavorate le uova intere e i tuorli con lo zucchero in una terrina fino a ottenere una crema denza e spumosa; unite il burro (o strutto) a pezzetti, poi la farina mescolata al lievito, versandola a pioggia. Mescolate energicamente e continuando a lavorare l'impasto aggiungete un pizzico di sale, la scorza del limone, l'alchermes e il latte. Versate il composto in una tortiera bene imburrata e infarinata, disponendolo a ciambella, in modo da lasciare un piccolo buco al centro. Con due strisce di pasta formate una croce al centro. In una striscia di pasta mettete tre palline di pasta a distanza regolare. Passate in forno già caldo (180°) per 40 minuti. Montate a neve ben ferma gli albumi con lo zucchero al velo, versate la meringa sulla ciaramicola, spolverate di confettini e infornate per pochi minuti per far rassodare le chiare che devono rimanere bianche.

LAZIO

Un particolare della fontana di Trevi, simbolo di Roma, una città dove mangiare è spesso uno spettacolo e un divertimento. Le osterie, anche se stanno un po' cambiando, sono ancora un'istituzione e offrono molti piatti famosi, primi fra tutti le verdure fresche che arrivano ogni giorno dalla campagna laziale.

*S*ulle pareti delle più tradizionali trattorie romane, ornate di solito di grandi pitture (ieri Bacco a cavallo delle botti, oggi le caricature dei divi del cinema e dei «ragazzi di vita») c'è un tema costante: un gran gallo con la cresta rosso-rubino, le penne variopinte e le zampe simili ad artigli, sotto al quale è sempre scritto a caratteri cubitali: «Quando questo gallo canterà, allora credenza si farà». Lo spirito romanesco rifugge da dichiarazioni molto più formali, come «Qui non si fa credito» o «Si paga alla consegna». Il popolo di Roma, infatti, è «popolo» nel senso antico della parola: difende a spada tratta le sue tradizioni, il suo parlare un po' sboccato eppure così vivo e autentico, il suo entusiasmo edonistico.

Un popolo siffatto, è naturale, si fa riconoscere a tavola, dove il suo spirito letteralmente esplode. A Trastevere esistono parecchie associazioni il cui unico scopo consiste nell'organizzare pantagruelici banchetti in città e in campagna. In nessuna parte del mondo, proverbi come «Acqua e pane, vita da cane» o «Non si vive di solo pane» (entrambi nati sulle rive del Tevere) hanno un significato più profondo e più definitivo. La tavola romana è esaltante per i visitatori che giungono dal mondo intero: chi è di formazione classica vi riconosce le abitudini degli antichi Romani, specializzati in banchetti ed eternati in questa loro fondamentale attività da legioni di scrittori, primo fra tutti lo sconcertante autore del *Satyricon*, con la sua cena di Tramalcione. Mangiare a Roma è soprattutto un divertimento; nessun'altra città ha tante trattorie, ristoranti e osterie. Le osterie, ad esempio, sono qui una tradizione secolare e il quartiere di Trasteve-

re, la roccaforte della cucina romana, ne conta decine e decine, una affiancata all'altra, intorno alle quali ruota la vita di tutta la popolazione. Ma anche questo aspetto di Roma è attaccato in modo massiccio dalla vita moderna: il mondo del cinema ha rotto l'incanto e le trattorie romane sono diventate in gran parte la palestra della mondanità, dove i piatti famosi della cucina romana finiscono per diventare un pretesto per festeggiare il primo giro di manovella di un film o per sanzionare il successo dei *flirts* di attori celebri.

In tutta questa confusione, i piatti famosi resistono, tuttavia; resta la inimitabile cucina romana e, in ultima analisi, anche lo spirito romanesco si salva. Basta visitare Roma nelle domeniche di primavera, quando si festeggia il ritorno della bella stagione andando a mangiare «fuori porta», oltre i quartieri del-

Una ricetta popolare, semplice e gustosa: gli spaghetti alla carbonara, conditi con uova, formaggio e pancetta. Nella pagina accanto, l'abbacchio brodettato che va insaporito con il prosciutto, la cipolla e la maggiorana e poi portato in tavola ancora ben caldo.

la periferia, verso i Castelli o verso Ostia. Qui, nelle tavole allineate all'aperto sotto le piante, trionfa il «pinzimonio», uno dei modi più semplici e più gustosi di nutrirsi. Basta un gambo di sedano (che qui è chiamato «sellero»), intinto in olio condito con sale e pepe, per entusiasmare un romano, specie se, dopo questo assaggio, sulla tavola si riversano i grandi piatti: una spaghettata «all'amatriciana», l'abbacchio con le insalate capricciose, una fetta di pecorino autentico e un bel fiasco di vino dei Castelli.

La cucina romana ha il suo segreto nella campagna laziale: intorno a Roma si stende una zona agreste apparentemente spoglia, bruciata dal sole, con vegetazione scarsa. Si tratta di una zona di origine vulcanica, piena di depositi minerali che danno alla terra una riserva di vitalità che accentua ed esalta il sapore dei suoi prodotti. Le verdure romane, ad esempio, sono tra le

Primo piano sui colori della cucina laziale: fagioli, carne e, soprattutto, molti carciofi, fritti, al tegame, o alla Giudia, un cibo composto da pochi elementi — limone, sale, pepe e olio d'oliva — ma che richiede una verdura tenera, di prima scelta.

più profumate: accanto al sedano, carciofi, piselli, fave e insalate che confluiscono in piatti saporosi, quasi esasperati dal profumo di quei prodotti genuini. E in quel paesaggio trionfano anche gli ovini le cui greggi da secoli fanno da contorno inimitabile alle rovine delle antiche glorie romane. Gli ovini fanno un po' la parte da padroni sulla tavola: l'abbacchio, il capretto, l'agnello e il pecorino lavorato e prodotto dagli stessi pastori, che insapora tutti i primi piatti e che costituisce un pilastro del *dessert*, specialmente quando è accompagnato da un bel fiasco di vino. L'abbacchio, tra i piatti di ovini, è quello più celebre: la vittima di questa meravigliosa pietanza è l'agnello lattante che non abbia ancora brucato l'erba, ucciso all'età di venti giorni, quando pesa intorno ai dieci chilogrammi. Lo si cucina con lo strutto (che è il grasso di maiale conservato tutto l'anno e che costituisce il condimento più frequente della cucina romana) e lo si insaporisce con l'aglio, la salvia e il rosmarino, spolverandolo di farina e aggiungendovi a fine cottura un impasto di acciughe. Anche il capretto e l'agnello godono di molti affezionati consumatori specialmente in primavera e in occasione della Pasqua.

Il maiale è un altro protagonista della cucina romana: abbiamo già parlato dello strutto che se ne ricava e parliamo ora della pancetta (qui sostituita a volte dal «guanciale») e soprattutto della porchetta, il maiale ucciso a sei, sette mesi, quando pesa circa mezzo quintale, ripulito delle interiora, disossato e mandato arrosto, accuratamente condito di erbe aromatiche. La porchetta nasce essenzialmente ad Ariccia, sui Colli Albani, e di qui invade Roma e ormai tutta l'Italia. Una volta era considerata la base per uno spuntino, tant'è vero che si trovava quasi esclusivamente in vendita sui banchetti agli angoli delle strade. Oggi invece è diventata un vero e proprio piatto da portare in tavola come pietanza. Anche per la porchetta il segreto sta nella preparazione e in quei ripieni fatti di rosmarino, aglio, lardo, pepe abbondante e formaggio che esaltano il profumo del suino e che lo rendono perfettamente digeribile. In tema di carni non si possono dimenticare la coda alla vaccinara, la trippa e la «pagliata», una parte degli intestini dei bovini e degli ovini che, sgrassata e tagliata ad anelli, spesso si accompagna alle paste asciutte.

Piatti tipici della cucina laziale, nella foto a sinistra, sullo sfondo dei Fori Imperiali. Oltre alle verdure, questa gastronomia punta molto sulla carne e vanta tra le sue ricette più celebrate, la coda alla vaccinara, la trippa e la pagliata. Nella foto sopra, un ristorante caratteristico di Ostia antica con un aspetto romantico e decisamente invitante.

A questo proposito, il primo piatto più famoso è quello degli spaghetti «all'amatriciana», le cui origini si perdono nei secoli e che proviene da Amatrice, un paesino della Sabina a cavallo del confine tra il Lazio e gli Abruzzi. Si tratta di un piatto che ha la sua base nel famoso «guanciale», tagliato a dadini che, insieme al pepe, alla cipolla e allo strutto (i pomodori secondo i puristi non ci vorrebbero) forma il sugo per condire spaghetti o sottili tagliatelle, secondo le diverse tradizioni. Tra le verdure, il piatto caratteristico è fornito dai carciofi: i carciofi alla romana, ripieni di pane grattugiato, prezzemolo, acciughe, sale e pepe, ma soprattutto i carciofi fritti «alla giudia», il cui nome rivela l'origine ebraica. Si tratta di un fritto molto semplice che però soltanto i romani sanno preparare a dovere mondando e schiacciando con sapienza i grossi e teneri carciofi laziali.

Il vino è la degna cornice della grande cucina romana e ha la sua zona migliore nei Castelli Romani. Tredici castelli per tredici paesi, tutti seminati lungo un circuito stradale che unisce Roma ai Colli Albani e che rappresenta la meta di gran parte delle scampagnate stagionali. Si esce da Roma per la via Tusco-

lana, si giunge a Frascati (questa è la zona in cui più di duemila anni fa Cicerone si ritirava a lavorare), a Monte Porzio Catone, a Monte Compatri, a Rocca Priora, a Grottaferrata, a Marino, a Rocca di Papa; si percorre la via dei Laghi col panorama del lago Albano e del lago di Nemi (dove furono ritrovate le navi romane), si fa il giro di boa a Velletri e ci si dirige nuovamente verso Roma attraverso Genzano, Ariccia, Albano e Castelgandolfo (residenza estiva del papa), lungo la via Appia.

In ciascuno dei paesi che abbiamo nominato c'è un vino, il famoso vino dei Castelli, che ha una produzione quantitativamente notevole ma che viene tutto consumato dagli abitanti della città eterna, sicché la sua esportazione è minima. Il vino dei Castelli è nella maggior parte dei casi bianco, ma c'è anche il rosso; è secco o amabile, con un particolare profumo conferitogli dal terreno vulcanico. Oggi il vino arriva a Roma su moderni camion, ma una volta il suo trasporto alla capitale costituiva una caratteristica legata alla tradizione più pura. Venivano utilizzati carretti, tirati da cavalli, che portavano otto barili, ciascuno di sessanta litri. Il viaggio dalle cantine dell'entroterra a Roma durava una notte intera e le strade erano popolate al buio da numerosissimi di questi carretti i cui guidatori sonnecchiavano stesi sui barili in compagnia di un piccolo cane bastardo.

Oltre ai vini dei Castelli, a Roma si beve anche il celebre Falerno (già in auge ai tempi di Cesare) nonché l'altrettanto celebre «Est! Est! Est!» di Montefiascone e di Bolsena, il vino scoperto dall'assaggiatore del prelato Giovanni Fugger, sceso da Augusta in Italia alla ricerca dei vini migliori, oltre — si spera — che per altre pratiche connesse alla sua carica. Nel viaggio, l'assaggiatore lo precedeva di una giornata e contrassegnava con la scritta «Est!» gli usci delle taverne in cui si serviva del buon vino. Giunto a Montefiascone, l'assaggiatore si entusiasmò a tal punto che sull'uscio della taverna scrisse «Est» per tre volte e con molti punti esclamativi. L'entusiasmo di Fugger non fu minore e la memorabile bevuta lo portò addirittura al cimitero.

Una cucina, dunque, quella romana, che fa da «imperiale» contorno alla città più bella del mondo e che certo contribuisce a rendere più cordiale il suo incontro con i «viaggiatori».

Stuzzicanti cipolline in agrodolce e, nella pagina accanto, fiori di zucca. Per preparare questo piatto, solo apparentemente semplice, occorrono fiori freschi e ancora chiusi, una pastella delicata come una crema e buon olio d'oliva per friggere.

Crostini alla provatura
Crostini col «merollo»
Cuscinetti di pandorato
Spaghetti all'amatriciana
Spaghetti «a cacio e pepe»
Spaghetti alla carbonara
Fettuccine alla romana
Maccheroni con la ricotta
Rigatoni con la pagliata
Quadrucci e piselli
Supplì
Gnocchi di patate
Gnocchi alla romana
Stracciatella
Brodetto pasquale
Abbacchio alla cacciatora
Abbacchio o capretto brodettato
Bracioline di agnello con carciofi
Cosciotto di agnello arrosto
Sugo d'umido «garofolato»
Stufatino
Frittura piccata
I «saltimbocca»
Costarelle con la «panuntella»
«Lombello» arrosto
Frittura di cervella
Trippa alla romana
Rognone di manzo in umido
Pollo in padella (alla romana)
Animelle di vitello
Coda alla vaccinara
Filetti di baccalà fritti
Palombo coi piselli
Carciofi al tegame
Carciofi alla giudia
Broccoli «a crudo»
Broccoletti di rape «strascinati»
Indivie intere «a crudo»
Zucchine ripiene di carne
Fritto di fiori di zucca
Fagiolini in padella
Fagioli freschi con pomodoro
Fagioli con le cotiche
Fave al guanciale
Peperoni al guanciale
Piselli al prosciutto
Funghi porcini al tegame
Uova in trippa alla romana
Bignè di San Giuseppe
Gnocchi teneri al latte
Budino di ricotta
«Fave» dolci
Ricotta fritta
Maritozzi uso fornaio

Crostini alla provatura

(per 6 persone)

500 grammi di provatura o mozzarella
sale q.b.
pepe q.b.
fette di pane casereccio
1 cucchiaio di burro sciolto
4 grossi filetti di acciughe diliscate e tritate
150 grammi di burro

La provatura che tradizionalmente si dovrebbe usare per questa ricetta è un formaggio molto simile alla mozzarella, con la forma e le dimensioni di un uovo.

Riducete il formaggio in fette di medio spessore e conditele con sale e pepe, tagliate tante fette di pane quante ne avete di formaggio, più altre 6, che siano tutte di uguale spessore e dimensione. Infilzate su 6 spiedini le fette di pane e formaggio, alternandole, iniziando e concludendo ciascuna serie con una fetta di pane. L'ideale sarebbe poterle cuocere sul fuoco di legna; in alternativa piazzate gli spiedini in una teglia con i bordi abbastanza alti per impedire alle fette sostenute dallo spiedino di toccarne il fondo. Mettete in forno molto caldo per 15 minuti circa, spennellando con un po' di burro finché il pane sarà leggermente tostato e il formaggio comincerà a sciogliersi. Nel frattempo tritate le acciughe, mescolatele al rimanente burro e fate sciogliere il tutto a fuoco dolce. Sistemate i crostini alla provatura su un piatto di portata, annaffiandoli con la salsa calda di burro di acciughe.

Crostini col «merollo»

(per 6 persone)

12 fette di pane
120 grammi di midollo
sale q.b.

Ormai è abbastanza difficile anche a Roma trovare i crostini conditi con il midollo. Venivano serviti come leggero antipasto, specialmente ai bambini. Vale la pena di ricordare questa ricetta che è semplice, gustosa e nutriente.

Tostate leggermente le fette da ambo i lati. Spalmatele con il midollo, condite con un po' di sale e mettete in forno caldo per pochi minuti fino a quando il midollo comincia a sciogliersi. Servite i crostini ben caldi.

Cuscinetti di pandorato

(per 6 persone)

un pane a cassetta di circa 600 grammi
500 grammi di formaggio provatura (o mozzarella)
150 grammi di fettine di prosciutto crudo (o 6 filetti di alici)
farina q.b.
1/4 di litro abbondante di latte
3 uova
sale q.b.
strutto (o olio) per friggere q.b.

Tagliate il pane a fette grosse, eliminate la crosta e con un coltello aprite la fetta in due senza tagliarla completamente. Mettete all'interno qualche fettina di provatura (o mozzarella) e qualche fettina di prosciutto (o filetti di alici). Infarinate leggermente i cuscinetti, immergeteli un attimo nel latte, poi stendeteli in un piatto concavo e ricopriteli con le uova, sbattute con un pizzico di sale. Lasciateli un'oretta affinché possano bene impregnarsi d'uovo e friggeteli in abbondante strutto (o olio) bollente. Sgocciolateli su una carta che assorba l'unto e serviteli bollenti.

Spaghetti all'amatriciana

(per 6 persone)

2 cucchiai di strutto (o olio)
1 cipolla affettata
150 grammi di guanciale di maiale
2 dita di vino bianco secco (facoltativo)
500 grammi di pomodori maturi
sale q.b.
pepe q.b.
600 grammi di spaghetti
80 grammi di formaggio pecorino grattugiato (o parmigiano e pecorino mescolati)

A Roma questi spaghetti, che prendono il nome dalla città di Amatrice, sita sulle colline romane, sono anche chiamati erroneamente «spaghetti alla matriciana».

Mettete sul fuoco una pentola con abbondante acqua salata. Intanto fate rosolare a fuoco lentissimo in una padella con lo strutto (o olio) la cipolla; appena sarà morbida, aggiungete il guanciale tagliato a dadini e lasciate rosolare ancora pochi minuti. Alcuni, a questo punto, innaffiano con il vino Frascati e lo lasciano evaporare un poco. Versate poi i pomodori, pelati, tagliati a pezzi e privati dei semi, salate, pepate e fate cuocere a fuoco vivo per un quarto d'ora non di più. Quando l'acqua avrà raggiunto l'ebollizione, gettate gli spaghetti, mescolateli e scolateli al dente. Conditeli subito con la salsa preparata e il formaggio.

Spaghetti «a cacio e pepe»

(per 6 persone)

600 grammi di spaghetti
100 grammi di formaggio pecorino
pepe in grani q.b.

In abbondante acqua leggermente salata, portata a ebollizione, mettete a cuocere gli spaghetti senza spezzarli. Dopo sette o otto minuti, quando saranno cotti al dente, scolateli ma non completamente, lasciando appena un pochino d'acqua che servirà a far sciogliere il pecorino e a non far ammassare la pasta. Condite gli spaghetti fumanti con molto pecorino grattugiato fresco e abbondante pepe macinato. Servite subito.

Spaghetti alla carbonara

(per 6 persone)

150 grammi di guanciale di maiale (o pancetta)
1 cucchiaio di strutto (o olio)
1 spicchio d'aglio schiacciato
600 grammi di spaghetti piuttosto grossi
sale q.b.
5 uova
due dita di panna liquida (facoltativo)
4 cucchiaiate di parmigiano grattugiato
4 cucchiaiate di formaggio pecorino grattugiato
pepe q.b.

Soffriggete il guanciale (o la pancetta) tagliato a dadini nello strutto (o olio) con l'aglio a fuoco molto basso; appena l'aglio sarà colorito, toglietelo. Cuocete in abbondante acqua salata in ebollizione gli spaghetti e intanto sbattete in una teglia le uova con un pizzico di sale, se volete, la panna liquida, il parmigiano e il pecorino e una bella macinata di pepe. Appena gli spaghetti saranno cotti al dente, scolateli e versateli nella teglia; unite anche il guanciale con il suo grasso di cottura e, sempre mescolando, ponete a scaldare su fiamma bassissima per 2 minuti. Servite subito nel recipiente di cottura.

Fettuccine alla romana

(per 6 persone)

per la pasta

600 grammi di farina

6 uova

sale q.b.

oppure:
600 grammi di fettuccine secche

per il condimento

1 cipolla tritata

60 grammi di grasso di prosciutto tritato

1 spicchio d'aglio schiacciato

80 grammi di burro

300 grammi di pomodori maturi

30 grammi di funghi secchi

40 grammi di burro

300 grammi di regaglie di pollo

sale q.b.

due dita di vino bianco secco

pepe q.b.

brodo q.b.

1 tazzina di sugo d'umido «garofolato» (vedi ricetta a pag. 173)

50 grammi di burro

parmigiano grattugiato

Preparate una pasta all'uovo piuttosto soda, senza alcuna aggiunta d'acqua (vedere la ricetta emiliana «pasta all'uovo» a pag. 106). Tirate con il mattarello una sfoglia sottile, lasciatela asciugare per circa mezz'ora e ricavate delle fettuccine larghe circa 1 cm. Stendetele sulla spianatoia e lasciatele asciugare per un'altra mezz'ora. Soffriggete la cipolla in una casseruolina con il grasso di prosciutto e lo spicchio d'aglio. Quando l'aglio comincerà a colorire, toglietelo, unite i pomodori pelati, tagliati a pezzi e privati di semi, e i funghi, ammorbiditi in un poco d'acqua tiepida e ben strizzati. Salate e lasciate cuocere a fuoco vivo per una ventina di minuti. A parte rosolate nel burro le regaglie tagliate a pezzi, salatele e bagnatele con un poco di vino; quando il vino sarà evaporato, pepate e versate qualche cucchiaiata di brodo caldo per terminare la cottura. Unite alla salsa di pomodoro le regaglie cotte e il sugo d'umido, poi lasciate insaporire per qualche minuto.
Versate in abbondante acqua salata in ebollizione le fettuccine, mescolatele subito bene con un cucchiaio di legno per evitare che si attacchino e fatele cuocere al dente. Scolate quindi le fettuccine e conditele fumanti con il sugo preparato ben caldo, il burro fuso e una abbondante spolverata di parmigiano grattugiato.

Maccheroni con la ricotta

(per 6 persone)

1 chilo e 200 grammi di maccheroni

sale q.b.

250 grammi di ricotta fresca

6-8 cucchiai di latte caldo

2 cucchiai e mezzo di zucchero

1 pizzico di cannella in polvere

Questo modo di preparare i maccheroni di solito piace molto ai bambini.
Versate i maccheroni in una capace casseruola di acqua salata in ebollizione, mescolate e fate cuocere per 10 minuti circa fino a quando saranno teneri. A parte, in una terrina amalgamate ricotta, latte, zucchero e cannella sbattendoli finché otterrete un impasto liscio e omogeneo.

Scolate i maccheroni e versateli in una zuppiera calda, aggiungete il composto di ricotta, mescolate bene e servite subito.

Rigatoni con la pagliata

(per 6 persone)

1 chilo e mezzo di pagliata (di bue o di vitello) già spellata dal macellaio

1 cipolla tritata

1 costola di sedano tritata

80 grammi di grasso di prosciutto (o lardo) tritato

2 spicchi d'aglio

1 ciuffo di prezzemolo tritato

4 cucchiai d'olio

sale q.b.

pepe q.b.

1 bicchiere di vino bianco secco

3 cucchiaiate di salsina di pomodoro

400 grammi di rigatoni

sale q.b.

80 grammi di formaggio pecorino grattugiato

A Roma chiamano «pagliata» la parte dell'intestino di bue o di vitello detta duodeno che contiene il «chimo», una sostanza molto gustosa. La pagliata di bue è forse la più saporita ed è quella che per lo più viene consumata a Roma; quella di vitello è più tenera, ma certo meno gustosa. La pagliata si cucina in due modi: in umido con contorno di riso o rigatoni o arrosto.
È bene acquistare la pagliata già spellata dal macellaio; tagliatela in pezzi lunghi 20-25 cm e riavvicinate le due estremità a forma di ciambella cucendole con un filo di refe. In una casseruola soffriggete la cipolla, il sedano, il grasso di prosciutto, l'aglio e il prezzemolo con l'olio; appena l'aglio sarà colorito, toglietelo e unite la pagliata. Salate, pepate abbondantemente e, quando la pagliata sarà ben rosolata, innaffiatela con il vino. Lasciate evaporare e versate la salsina di pomodoro sciolta in abbondante acqua bollente. Coprite e lasciate cuocere a fuoco lento per 2 ore abbondanti per la pagliata di bue e circa 1 ora e mezza per quella di vitello. Bagnate eventualmente, durante la cottura, con un poco d'acqua calda. Lessate in abbondante acqua salata in ebollizione i rigatoni, scolateli al dente e conditeli con una parte della pagliata e il pecorino; disponeteli in un piatto da portata caldo e mettete al centro la rimanente pagliata. Questo piatto si prepara anche mettendo al posto dei rigatoni un risotto condito con il sugo della pagliata.

Quadrucci e piselli

(per 6 persone)

60 grammi di lardo tritato

80 grammi di prosciutto crudo tagliato a dadini

1 cipolla affettata

1 spicchio d'aglio tritato

1 costola di sedano tritata

1 ciuffo di prezzemolo tritato

50 grammi di burro

300 grammi di piselli già sgranati

1 cucchiaio di salsina di pomodoro

1 litro e mezzo scarso di brodo di carne
300 grammi di quadrucci di pasta fresca (o secca)
parmigiano (o formaggio pecorino) grattugiato q.b.

Soffriggete a fuoco basso il lardo, il prosciutto e le verdure nel burro fuso; aggiungete i piselli, poi bagnateli con un poco d'acqua tiepida in cui avrete sciolto la salsina di pomodoro. Salate leggermente e lasciate cuocere a fuoco lento per circa un quarto d'ora. (Se i piselli non sono di qualità tenera, unite un pizzico di bicarbonato.) Fate scaldare in una pentola il brodo; quando bolle versate i quadrucci e i piselli, mescolate e finite di cuocere la pasta. Questa minestra deve risultare piuttosto densa. Servitela bollente con abbondante parmigiano (o formaggio pecorino) grattugiato.

Supplì

(per 20 supplì)

400 grammi di riso
una tazza abbondante di sugo d'umido
sale q.b.
80 grammi di burro
80 grammi di parmigiano grattugiato
2 uova

per il ripieno

1/4 di cipolla tritata
40 grammi di burro
40 grammi di prosciutto crudo tritato
2 fegatini di pollo tagliuzzati
100 grammi di carne macinata
80 grammi di animelle tagliate a pezzetti
30 grammi di funghi secchi
un cucchiaio di salsa di pomodoro
sale q.b.
150 grammi di formaggio provatura (o mozzarella)
pangrattato q.b.
olio (o strutto) per friggere q.b.

Cuocete il riso nel sugo d'umido con circa un litro d'acqua bollente, mescolando di tanto in tanto. Spegnetelo al giusto punto di cottura, dopo circa 15 minuti. Aggiustate di sale, unite il burro, il parmigiano e le uova intere, sempre mescolando, poi lasciatelo raffreddare. Intanto fate imbiondire la cipolla nel burro, a fuoco basso; unite il prosciutto, i fegatini, la carne macinata e le animelle e lasciatele rosolare; poi aggiungete i funghi, ammorbiditi in acqua tiepida e ben strizzati, e la salsa di pomodoro sciolta in un poco d'acqua tiepida. Salate e fate cuocere lentamente sino a quando il sugo si sarà ristretto, per circa 20 minuti.

Prendete allora un pugnetto di riso, allargatelo nel palmo della mano e al centro ponete un po' di ripieno assieme a qualche dadino di provatura (o mozzarella). Richiudete il ripieno nel riso e date la forma di una grossa crocchetta rotonda. Formate le altre crocchette nello stesso modo. Passate i supplì nel pangrattato finissimo e friggeteli in abbondante olio (o strutto) bollente. Sgocciolateli su una carta che assorba l'unto appena saranno biondi e croccanti. Serviteli bollenti.

L'impiego dei dadini di provatura è di prammatica. Aprendo i supplì si formerà come un lungo filo. Per questo a Roma sono chiamati «supprì ar telefono» (supplì al telefono).

Gnocchi di patate

(per 6 persone)

2 chili di patate farinose
sale q.b.

200 grammi di farina
2 tuorli
burro fuso q.b.
parmigiano grattugiato q.b.

Lavate le patate senza pelarle. Fatele cuocere in acqua salata bollente. Quando saranno morbide, toglietele dall'acqua, pelatele e schiacciatele riducendole in purea. Aggiungete la farina e sale quanto basta. Sbattete i tuorli e incorporateli all'impasto lavorandolo fino a ottenere una pasta soda e omogenea.

Dividete la pasta in tanti pezzi, arrotolate ogni pezzi, sulla tavola infarinata, formando un cordoncino dello spessore di un dito che taglierete in pezzetti lunghi circa tre centimetri. Schiacciate i pezzetti di pasta leggermente contro una grattugia per dare agli gnocchi la forma classica e allineateli su un canovaccio per lasciarli asciugare. Portate a ebollizione una pentola d'acqua salata, versatevi gli gnocchi pochi alla volta e quando risalgono alla superficie dell'acqua toglieteli con un mestolo forato, lasciandoli scolare. Sistemateli su un piatto di portata e conditeli con burro fuso e parmigiano grattugiato. Volendo gli gnocchi si possono condire anche con ragù di carne o salsa di pomodoro.

Gnocchi alla romana

(per 6 persone)

1 litro di latte
250 grammi di semolino
sale q.b.
100 grammi di burro
2 tuorli d'uovo
100 grammi di parmigiano grattugiato

Mettete il latte in una casseruola capace, portatelo all'ebollizione e versatevi a pioggia, a poco a poco, il semolino, sempre mescolando con un cucchiaio di legno perché non si formino grumi. Lavorate energicamente il composto, staccando continuamente dal fondo e dalle pareti della casseruola e lasciatelo cuocere per circa mezz'ora a fuoco basso. Quando si sarà bene addensato, toglietelo dal fuoco, salatelo, incorporatevi 40 grammi di burro, i tuorli d'uovo e un pugnetto di parmigiano grattugiato. Mescolate bene e stendete il composto sul tavolo di marmo (o su un largo piatto) leggermente bagnato; pareggiatelo con la lama bagnata di un coltello dell'altezza di circa 1 cm e lasciate raffreddare. Quando il composto sarà freddo ritagliatelo in tanti dischetti con un bicchierino e formate il primo strato con i ritagli dei gnocchi in una pirofila bene imburrata, spolverate di parmigiano, poi fate uno strato con un po' di dischetti, spolverate di parmigiano e continuate in questo modo, procurando di mettere man mano gli strati a scalini e di formare una specie di cupola, fino all'esaurimento degli ingredienti. Versate in ultimo su tutto il rimanente burro fuso e passate in forno già caldo (180°) a gratinare per circa mezz'ora: gli gnocchi devono prendere un leggero colore dorato. Portateli in tavola direttamente nella pirofila in cui sono stati cotti e serviteli bollenti con abbondante parmigiano grattugiato.

Stracciatella

(per 6 persone)

3 uova intere
sale q.b.
3 cucchiaiate di semolino
3 cucchiaiate di parmigiano grattugiato
l'odore di noce moscata (facoltativo)
1 litro e mezzo di brodo di carne

Sbattete in una terrina le uova con un bel pizzico di sale, il semolino e il parmigiano e, se volete, la noce moscata. Diluite il composto con un mestolo di brodo freddo. Portate il rimanente brodo all'ebollizione e poi versatevi le uova sbattute; mescolate energicamente con una frusta, lasciate bollire un paio di minuti, sempre sbattendo, e servite bollente la stracciatella, che si deve presentare a fiocchi leggerissimi.

Brodetto pasquale

(per 6 persone)

500 grammi di manzo
1 cipolla grossa steccata con 1 chiodo di garofano
2 carote
1 costola di sedano
1-2 pomodori maturi, pelati e tagliati a pezzi
2 ciuffi di prezzemolo
sale q.b.
2 litri e mezzo d'acqua fredda
500 grammi di spalla d'agnello
6 tuorli
il succo di 1 limone
1 pizzico di foglioline di maggiorana fresca
1 pizzico di pepe bianco
100 grammi di parmigiano grattugiato
18-24 fettine sottili di pane tostato

La tradizione vuole che questo brodetto costituisca il punto di partenza dei pranzi di Pasqua.
Preparate come di consueto il brodo di manzo facendo bollire in due litri e mezzo d'acqua salata la carne con le verdure. Dopo 1 ora e mezza circa, aggiungete la carne d'agnello e continuate la cottura a recipiente coperto per un'altra ora. Schiumate di tanto in tanto. Togliete quindi la carne (che potrà essere servira come seconda portata), filtrate il brodo e tenetelo da parte.
Versate i tuorli sbattuti in una zuppiera. Unite il succo di limone, le foglioline di maggiorana tritate, 50 grammi di parmigiano grattugiato, il pepe bianco e mescolate bene. Aggiungete ora poco per volta il brodo caldo, mescolando di continuo. Bisogna badare che il calore non sia eccessivo e il liquido non bolla, altrimenti l'uovo si straccerebbe, ciò che nel brodetto romano non deve assolutamente accadere. Mettete 3 o 4 fettine di pane tostato in ogni scodella e versate sopra il brodo. Condite con il rimanente parmigiano grattugiato e servite in tavola ben caldo.

Abbacchio alla cacciatora

(per 6 persone)

1 chilo e mezzo di agnello di latte (cosciotto o rognonata)
40 grammi di strutto (o 5 cucchiaiate d'olio)
farina q.b.
sale e pepe q.b.
2 rametti di rosmarino
2 spicchi d'aglio
1 ciuffo di salvia
circa 1/2 bicchiere di aceto
circa 1/2 bicchiere d'acqua
3 acciughe lavate e diliscate

L'abbacchio a Roma è l'agnellino di latte, il cui consumo è limitato per lo più al periodo pasquale. Le parti migliori sono il cosciotto e la rognonata, poiché la spalla offre troppe ossa e poca carne.
Tagliate l'agnello a mezzi regolari non troppo grandi, di circa 50 grammi l'uno. Lavateli e asciugateli bene. Fate scaldare in una padella lo strutto (o olio) e rosolatevi la carne, poi salatela legger-

mente e pepatela. Quando l'agnello sarà diventato di un bel colore biondo scuro, aggiungete il rosmarino, l'aglio e la salvia tritati finemente; mescolate con un cucchiaio di legno e spolverate con la farina. Lasciate colorire e bagnate l'agnello con l'aceto e altrettanta acqua; mescolate e lasciate cuocere a fuoco lento per un quarto d'ora. Se, durante la cottura, il sugo fosse già troppo ristretto, aggiungete ancora un poco d'acqua e aceto. In un padellino a parte fate sciogliere le acciughe tritate con un cucchiaio di sugo di cottura dell'agnello. Versate poi la salsetta sull'abbacchio, lasciate insaporire per qualche minuto, mescolate e fate eventualmente restringere il sugo a fuoco vivace: il sugo deve risultare piuttosto denso, scuro e non eccessivamente abbondante: deve ricoprire i pezzi di carne rendendoli lucidi e saporiti. Servite caldissimo.

Abbacchio o capretto brodettato

(per 6 persone)

1 chilo e mezzo di agnellino o capretto
1 limone e mezzo
4 cucchiai di olio d'oliva
40 grammi di burro
2 fette di prosciutto di Parma tagliato a pezzetti
1 cipolla tritata finemente
sale q.b.
pepe q.b.
1 cucchiaio di farina
1 bicchiere di vino bianco secco
acqua o brodo caldo
3 tuorli
3 ciuffi di prezzemolo tritati finemente
qualche fogliolina di maggiorana tritata finemente

Tagliate la carne a pezzetti, asciugateli con un tovagliolo e sfregateli con mezzo limone. Scaldate l'olio e il burro in una casseruola, unitevi la carne, il prosciutto e la cipolla e fate rosolare molto dolcemente, mescolando di tanto in tanto. Condite con sale e pepe. Quando la carne avrà preso colore, spruzzatela di farina, badando a rivoltare tutti i pezzetti per intriderli bene. Aggiungete il vino, coprite e fate cuocere a fuoco dolce per 30 minuti, o finché la carne sarà diventata tenera. Se necessario, bagnate con qualche cucchiaiata di brodo caldo, badando che il sugo non sia scarso ma nemmeno troppo liquido
Sbattete i tuorli, unendovi la scorza di mezzo limone grattugiato e il succo di un limone intero, il prezzemolo e la maggiorana tritati, un pizzico di sale. Quando la carne sarà cotta, abbassate la fiamma, versate nel recipiente di cottura il composto di uova e lasciate sobbollire per 2 minuti, mescolando di continuo per evitare che i tuorli si coagulino a strisce. Servite subito.

Bracioline di agnello con carciofi

(per 6 persone)

1 chilo e mezzo di braciole d'agnello
6 carciofi
il succo di 1 limone
60 grammi di burro
4 cucchiai di olio
30 grammi di grasso di prosciutto
1 spicchio d'aglio tritato finemente

2-3 ciuffi di maggiorana tritata finemente
sale e pepe q.b.
1 cipolla tritata
1 bicchiere di vino bianco secco
1 cucchiaio di salsa concentrata di pomodoro

Togliete ai carciofi le foglie più dure e il gambo, tagliateli a spicchi e lavateli in acqua fredda acidulata con succo di limone. Scaldate l'olio e il burro in un tegame e fatevi rosolare le bracioline di agnello con grasso di prosciutto, aglio, cipolla e maggiorana. Condite la carne con sale e pepe e annaffiatela con il vino che lascerete evaporare. Mescolando dolcemente, aggiungete quindi la salsa di pomodoro diluita in una tazza d'acqua. Da ultimo unite anche i carciofi, aggiustate di sale e pepe, coprite il recipiente e fate cuocere a fuoco dolce per 30 minuti circa.

Cosciotto di agnello arrosto

(per 6 persone)

1 chilo e mezzo di cosciotto d'agnello
100 grammi di lardelli di prosciutto crudo
1 ciuffo di prezzemolo tritato
2 spicchi d'aglio tritati
1 ciuffo di maggiorana tritata
2 rametti di rosmarino tritati
sale q.b.
pepe q.b.
60 grammi di strutto
1 bicchiere di vino bianco secco

Lavate ed asciugate bene il cosciotto d'agnello. Portate via un poco della pelle più dura e, con un coltellino appuntito, fate una dozzina di incisioni profonde, un po' dappertutto, e lardellate la carne con il prosciutto rolosato nel trito di prezzemolo, aglio, maggiorana, rosmarino e un poco di sale e di pepe. Strofinate poi tutta la carne con un poco di sale e di pepe e le rimanenti verdure tritate. Mettetela in una casseruola con lo strutto e fatela colorire sul fuoco (o in forno a 160°), rigirandola di tanto in tanto e bagnandola con il vino; coprite e lasciate cuocere lentamente per circa 40 minuti, irrorando, se occorresse, ancora con un poco di vino. Alcuni cucinano il cosciotto lardellato allo spiedo, irrorandolo con lo strutto fuso, ma si preferisce la cottura in casseruola, bagnando la carne col vino, perché risulta più morbida.

Sugo d'umido «garofolato»

(per 6 persone)

1 chilo di girello di manzo (detto piccione)

per lardellare

una fetta di circa 100 grammi di lardo
1 spicchio d'aglio tritato
2-3 chiodi di garofano
un ciuffo di foglie di maggiorana tritate
sale q.b.
pepe q.b.

per il sugo

50 grammi di grasso di prosciutto (o lardo) tritato
1 spicchio d'aglio schiacciato
60 grammi di burro (o olio)
1/2 bicchiere di vino rosso
sale q.b.
pepe q.b.
2-3 chiodi di garofano
1 cipolla tritata

2 carote tritate
2 costole di sedano tritate
un ciuffo di prezzemolo tritato
1 cucchiaiata di salsina di pomodoro (o pomodori passati)

Questo piatto prende il nome dai chiodini di garofano (in romanesco «garofolo»), da cui «garofolato».

Battete bene la carne con il pestacarne per sfibrarla, poi lardellatela o, come si dice a Roma, «pilottate» la carne: fate delle piccole incisioni con un coltellino e infilatevi i chiodini di garofano e il lardo tagliato a grossi pezzi, rotolati nel trito d'aglio, maggiorana (detta a Roma «persa»), sale e pepe. Legate ben stretta la carne con uno spaghino e rosolatela pian piano nel grasso di prosciutto con il burro e l'aglio. Quando l'aglio avrà preso colore, toglietelo, rigirate la carne finché sarà colorata da tutte le parti, salatela, pepatela e bagnatela con il vino. Lasciate evaporare bene il vino, poi togliete la carne dal fuoco e nel suo sugo di cottura mettete i chiodini di garofano, il trito di cipolla, sedano, carota e prezzemolo. Rosolate le verdure a fuoco molto lento e, quando saranno morbide, unite la carne e fatela rosolare ancora una decina di minuti a fuoco basso. Aggiungete il pomodoro sciolto in un poco d'acqua tiepida e bagnate con tanta acqua tiepida quanta ne occorre per ricoprire la carne. Ponete il coperchio alla casseruola e fate cuocere molto lentamente per circa 2 ore.

Il sugo di questo umido si usa per condire fettuccine, risotti ecc., per insaporire la trippa e la carne si serve tagliata a fette come secondo piatto.

Stufatino

(per 6 persone)

750 grammi di carne di manzo (polpa di stinco)
80 grammi di strutto
1 cipolla tritata
60 grammi di grasso di prosciutto tritato
1 costola di sedano tagliata a pezzetti
1 spicchio d'aglio tritato
1 pizzico di maggiorana
1 bicchiere di vino rosso
2 cucchiai di salsa concentrata di pomodoro
brodo caldo q.b.
1 chilo di sedano o cardi lessati

Tagliate la carne a pezzetti. Scaldate lo strutto e fatevi appassire la cipolla. Aggiungete il grasso di prosciutto, la costola di sedano tagliata a pezzetti, l'aglio e fate soffriggere per qualche minuto. Unite quindi la carne condita con sale e un pizzico di maggiorana, rosolate a fuoco dolce, annaffiate con il vino e lasciatelo evaporare lentamente. Diluite la salsa di pomodoro in una tazza di brodo e versatela nel recipiente di cottura, coprite e lasciate cuocere dolcemente per 2 ore circa, bagnando di tanto in tanto con un po' di brodo se necessario.

Tagliate il sedano o i cardi lessati a pezzi e da ultimo uniteli alla carne continuando la cottura ancora per qualche minuto.

I due contorni caratteristici di questo piatto sono i sedani e specialmente i cardoni (detti a Roma «gobbi»). Lo stufatino con contorno di cardoni viene pertanto detto «stufatino ar gobbo».

Frittura piccata

(per 6 persone)

12 piccole scaloppine di vitello
farina q.b.
250 grammi di prosciutto di Parma
100 grammi di burro

2 ciuffi di prezzemolo tritato finemente
il succo di 1 limone
2 cucchiai di brodo caldo

Battete delicatamente le scaloppine di vitello, che devono risultare molto sottili ma integre, e infarinatele. Tagliate il prosciutto a strisicoline, scaldate due terzi del burro in una grande padella e fatevi friggere a fuoco vivace le scaloppine di vitello e il prosciutto per pochi minuti. Salate leggermente e appena la carne sarà cotta, sistematela su un piatto da portata.

Mettete nella padella il rimanente burro con il succo di limone, il prezzemolo tritato e il brodo. Mescolate bene e appena il sugo comincia a sobbollire, versatelo sulla carne. Servite subito.

I «saltimbocca»

(per 6 persone)

12 piccole fettine di fesa di vitello (circa 700 grammi)
12 fettine di prosciutto crudo
un rametto di salvia
60 grammi di burro
sale q.b.
pepe q.b.
1/2 bicchiere di vino bianco secco (facoltativo)

Battete sul tagliere con il pestacarne molto sottili le fettine di vitello. Mettete su ognuna una fettina di prosciutto e una foglia di salvia e fermatele con uno stecchino. In una larga padella fate scaldare il burro, mettetevi i «saltimbocca» e rosolateli da entrambe le parti a fuoco vivo per pochi minuti. Salate leggermente, essendo il prosciutto già salato, pepate e, se volete, innaffiate con il vino: devono cuocere complessivamente 5 minuti. Serviteli ben caldi stesi su un piatto da portata in modo che la fetta di prosciutto rimanga sopra e conditeli con il loro sugo di cottura.

Costarelle con la «panuntella»

(per 6 persone)

1 chilo di costine di maiale
6 pagnottine
sale q.b.
pepe q.b.
1 cucchiaio di strutto o 2 cucchiai di olio

Tagliate le costarelle di maiale in pezzi piuttosto larghi, intrideteli in un po' di olio o strutto liquefatto, conditeli con sale e pepe e metteteli ad arrostire su una gratella a fuoco moderato. Dividete in due le pagnottine e tenetele a portata di mano vicino al fuoco. Appena le costarelle cominciano a colorirsi e a buttare fuori un po' di grasso, appoggiate sulla carne le mezze pagnottine, dalla parte della mollica, premendo un po' per far assorbire il grasso. Ripetete a intervalli questa operazione fino a quando le costarelle saranno ben cotte, di color biondo scuro e quasi croccanti, e il pane si sarà bene impregnato di grasso. Date un'ultima spolverata di pepe, appoggiate i pezzi di carne sui loro rustici crostoni e servite caldo.

«Lombello» arrosto

(per 6 persone)

1 chilo di filetto di maiale
filoni di pane francese
prosciutto di Parma da tagliare a fettine spesse
4 cucchiai di strutto
sale q.b.
pepe q.b.

A Roma si chiama «lombello» il filetto di maiale con il quale si prepara questa deliziosa pietanza.

Pulite bene il filetto privandolo del grasso, poi tagliatelo in fette di un dito abbondante di spessore. Preparate altrettante fette di pane e un numero doppio di fettine di prosciutto. Infilzate quindi in uno spiedo un crostino di pane, una fettina di prosciutto, una fetta di lombello, una fettina di prosciutto e un crostino di pane e così via, fino ad aver guarnito tutto lo spiedo. Ungete abbondantemente di strutto liquefatto carne e crostini, condite con sale e pepe e mettete ad arrostire sulla brace, ungendo di tanto in tanto. In una mezz'ora l'arrosto sarà pronto e i crostini saranno diventati coloriti e croccanti. In mancanza di spiedo si può usare il forno, ma lo spiedo dà un risultato molto superiore.

Frittura di cervella

(per 6 persone)

600 grammi di cervella di abbacchio (o di vitello)
1/4 di cipolla
sale q.b.
2 cucchiaiate d'aceto
1 limone
olio q.b.
farina q.b.
2 uova sbattute con sale
olio per friggere q.b.

Mettete a bagno le cervella in acqua fredda, cambiando spesso l'acqua per eliminare la parte sanguigna. Mettetela poi in una casseruola con la cipolla, un poco di sale, l'aceto e tanta acqua quanta basta a coprirla. Appena l'acqua alzerà il bollore, togliete la cervella, passatela sotto l'acqua fredda ed eliminate la pellicina. Tagliate la cervella a pezzi regolari, conditeli con qualche goccia di succo di limone e un filo d'olio. Al momento di friggere, passate la cervella nella farina, poi nell'uovo sbattuto, quindi in padella con abbondante olio caldo. Lasciate cuocere a fuoco moderato fino a quando la cervella avrà preso un bel colore dorato. Sgocciolatela su una carta che assorba l'unto e servitela immediatamente.

Il fritto alla romana tradizionale si compone essenzialmente oltre che di cervella anche di animelle, schienali, fegato e carciofi.

Trippa alla romana

(per 6 persone)

1 chilo e mezzo di trippa di manzo o vitello
sale q.b.
1 cipolla tritata
2 costole di sedano tritate
1 carota tritata
ragù di carne (vedi a pag. 211)
salsa di pomodoro (vedi a pag. 211)
4-5 foglioline di menta
parmigiano o pecorino grattugiato q.b.

Questa famosa pietanza romana si può preparare o con un ragù di carne o con la salsa di pomodoro, ma per entrambi i metodi l'operazione fondamentale rimane sempre la stessa.

Risciacquate abbondantemente la trippa, tagliatela in pezzi piuttosto grandi e mettetela in una casseruola di abbondante acqua fredda salata con la cipolla, il sedano e la carota. Fate bollire a fuoco dolce per circa 5 ore, schiumando di tanto in tanto. Quando la trippa è cotta, tagliatela a fettucce larghe circa un dito che farete sobbollire per 30 minuti circa nel ragù o nella salsa di pomodoro. Aggiustate di sale e spruzzate la trippa con formaggio grattugiato mescolato con foglioline di menta tritate. Il formaggio condito con la menta potrà essere o parmigiano o pecorino o un miscuglio di entrambi. Servite la pietanza accompagnata da una formaggiera ben colma di formaggio grattugiato alla menta che è il condimento caratteristico della trippa alla romana.

Rognone di manzo in umido

(per 6 persone)

600 grammi di rognone di manzo
4 cucchiai di olio d'oliva
2 cipolle tritate
2 cucchiai di strutto
4-6 pomodori maturi
1 bicchiere di vino bianco secco
sale q.b.
pepe q.b.
2-3 ciuffi di prezzemolo tritato

Tagliate il rognone in fette sottilissime e fatelo rosolare con qualche cucchiaiata di olio caldo, mescolando con un cucchiaio di legno. Appena avrà preso colore, versate il rognone in un colino per farlo scolare. Dal rognone sgocciolerà sangue in abbondanza che gli farà perdere quel cattivo sapore che altrimenti avrebbe. Lasciatelo sgocciolare per almeno dieci minuti. Questo sistema semplicissimo che pochi conoscono, è il migliore per togliere veramente il cattivo sapore e ha il vantaggio di non far indurire il rognone.
Mentre il rognone sta rosolando, fate imbiondire la cipolla con i due cucchiai di strutto, aggiungete i pomodori spellati, fatti a pezzi e privati dei semi. Quando il pomodoro sarà cotto unite il rognone, alzate il fuoco, bagnate con il vino, condite con sale e pepe. In pochi minuti la pietanza sarà pronta. Prima di portare in tavola, spruzzate il rognone con una cucchiaiata di prezzemolo tritato.

Pollo in padella (alla romana)

(per 4 persone)

1 pollo di 1 chilo circa
1 cucchiaio di strutto
2 fette di prosciutto crudo
sale e pepe q.b.
un pizzico di maggiorana
1 spicchio d'aglio tritato
1 bicchiere di vino bianco secco
4-5 pomodori maturi
brodo o acqua q.b.

Pulite il pollo, fiammeggiatelo e tagliatelo a pezzi. Fate sciogliere in un tegame lo strutto con il prosciutto crudo tagliato a dadini. Appena lo strutto comincerà a soffriggere, unite i pezzi di pollo, conditi con sale e pepe e fateli rosolare bene. Aggiungete quindi l'aglio tritato, un pizzico di maggiorana e annaffiate con il vino che lascerete evaporare. Quando il vino si sarà asciugato unite i pomodori spellati, fatti a pezzi e privati dei semi e, se il pollo cuocesse troppo in ristretto, qualche cucchiaiata d'acqua o di brodo. Cuocete a fuoco vivace; il pollo sarà pronto in una ventina di minuti. Fate attenzione di non farlo scuocere e procurate che, a cottura avvenuta, il sugo sia denso, scuro e non troppo abbondante, caratteristiche fondamentali del vero pollo alla romana.

Animelle di vitello

(per 6 persone)

1 chilo di animelle di vitello (o di abbacchio)
40 grammi di strutto (o olio e burro)
1/2 cipolla tritata
80 grammi di prosciutto crudo tritato
sale e pepe q.b.
brodo q.b.
30 grammi di burro
50 grammi di burro fuso
500 grammi di pisellini già sgranati
60 grammi di prosciutto cotto tagliato a dadini

Lasciate a bagno in acqua tiepida le animelle, cambiate spesse volte l'acqua per dissanguarle e togliete la pellicina. Immergetele un paio di minuti in acqua bollente, per sbianchirle, poi passatele subito in acqua fredda, scolatele e tagliatele a pezzi. In una padellina soffriggete la cipolla con lo strutto e il prosciutto; appena la cipolla sarà morbida, unite le animelle, salate, pepate, bagnate con un poco di brodo, mettete il coperchio e lasciate cuocere lentamente per un quarto d'ora. Girate di tanto in tanto le animelle durante la cottura, poi mettetele in un piatto caldo; fate restringere il sugo di cottura aggiungendo un pezzetto di burro e versatelo ben caldo sulle animelle. Nel frattempo cuocete i pisellini nel burro fuso con il prosciutto, salateli, pepateli e serviteli di contorno alle animelle (oppure mescolateli alle animelle e lasciate insaporire tutto un paio di minuti su fuoco molto basso).

Coda alla vaccinara

(per 6 persone)

1 chilo e mezzo di coda di bue e guancia di bue
1 cucchiaio di strutto (o olio e burro)
80 grammi di lardo tritato
1 cipolla tritata
1 carota tritata
1 spicchio d'aglio tritato
1 ciuffo di prezzemolo tritato
sale q.b.
pepe q.b.
1/2 bicchiere abbondante di vino rosso
una scatola di circa 500 grammi di pomodori pelati (o 2 cucchiai di salsina di pomodoro)
1 sedano bianco tagliato a pezzetti

È di prammatica unire ai pezzi della coda i cosiddetti «gaffi», cioè le guance.
Tagliate la coda nelle sue varie vertebre e la guancia a pezzetti. Lavate bene la carne in acqua fredda, asciugatela e poi rosolatela in una casseruola con lo strutto (o olio e burro), il lardo e il trito di verdure. Quando avrà preso un bel colore biondo scuro, salate, pepate, bagnate con il vino e lasciatelo evaporare. Unite i pomodori pelati e tagliati a pezzi con il loro liquido (o la salsina di pomodoro sciolta in abbondante acqua). Coprite e lasciate cuocere a fuoco basso per circa 4 ore, bagnando con un poco d'acqua tiepida se il sugo fosse troppo asciutto. Dopo questo tempo unite il sedano ben lavato e tagliato a pezzetti di 6-7 cm. Aggiustate di sale e cuocete ancora una mezz'oretta. Servite bollente.

Filetti di baccalà fritti

(per 6 persone)

800 grammi di baccalà
olio per friggere q.b.
1 limone

per la pastella

4 cucchiaiate di farina
circa 1 bicchiere d'acqua
2 cucchiai d'olio
poco sale
2 albumi montati a neve

Lasciate a bagno per due giorni in acqua fredda il baccalà e cambiate spesse volte l'acqua. Poi scottatelo in un poco d'acqua bollente per 5 minuti, sgocciolatelo bene, spellatelo, spinatelo e tagliatelo a filetti. In una terrina sbattete la farina con l'acqua fredda, unite l'olio, sempre mescolando, poco sale e fate riposare tutto per un'oretta. Ultimate la pastella con gli albumi montati a neve. Immergetevi subito i filetti di baccalà e friggeteli, pochi per volta, in abbondante olio bollente, finché saranno di un bel colore dorato. Sgocciolateli su una carta che assorba l'unto e serviteli caldissimi con spicchi di limone.

Palombo coi piselli

(per 6 persone)

6 fette di palombo (circa 900 grammi)
1 chilo di piselli
1/2 cipolla affettata
3 cucchiaiate d'olio
1 ciuffo di prezzemolo tritato
1 cucchiaiata di salsina di pomodoro
sale q.b.
pepe q.b.

Lavate in acqua fredda salata le fette di palombo e lasciatele sgocciolare. Sgranate i piselli e soffriggete a fuoco molto basso la cipolla in una larga padella con l'olio caldo. Unite i piselli, il prezzemolo e la salsina di pomodoro sciolta in un bicchiere abbondante d'acqua tiepida. Dopo un quarto d'ora circa aggiungete le fette di palombo. Salate, pepate e lasciate cuocere il palombo lentamente per 5 minuti da una parte e altrettanti dall'altra. Servite tutto ben caldo.

Carciofi al tegame

(per 6 persone)

12 carciofi
1 o 2 spicchi d'aglio tritati
1 ciuffo di foglie di menta tritate
sale q.b.
pepe q.b.
1/2 bicchiere abbondante d'olio

Togliete le foglie più dure ai carciofi e tagliate via il gambo, lasciando solamente la parte tenera. Mettete al centro di ogni carciofo un poco del trito d'aglio e foglie di menta, e un pizzico di sale e di pepe. Disponete i carciofi in una casseruola, uno vicino all'altro, con le foglie rivolte verso l'alto. Irrorateli con l'olio e circa due bicchieri d'acqua. Coprite la casseruola e lasciate cuocere a fuoco lento per circa un'ora. Fate restringere all'ultimo il sugo di cottura a fuoco vivo e servite i carciofi caldi o freddi.

Carciofi alla giudia

(per 6 persone)

12 carciofi
il succo di 2 limoni
sale q.b.
pepe q.b.
2 bicchieri abbondanti d'olio

Togliete le foglie più dure ai carciofi e lasciate il gambo di una lunghezza di circa 3 cm, poi raschiatelo con un coltellino dal basso verso l'alto. Mettete a bagno i carciofi in acqua fresca, acidulata con il succo di limone perché non anneriscano. Sgocciolateli bene, allargate leggermente con le mani le foglie «a fiore» e condite i carciofi all'interno con un poco di sale e di pepe. Fate scaldare l'olio in una casseruola, possibilmente di terracotta, ponetevi i carciofi, uno vicino all'altro, con il gambo in alto e, quando avranno perso la loro durezza, ravvivate il fuoco e finite di colorirli. A cottura ultimata, dopo circa mezz'ora, il carciofo alla giudia deve presentarsi come un crisantemo, cioè piuttosto basso con le foglie allargate. In ultimo immergete la mano in acqua fredda e spruzzate quest'acqua sull'olio bollente dei carciofi. Ciò provoca un crepitio che ha per effetto di rendere più croccanti i carciofi. Lasciateli sul fuoco ancora un paio di minuti, sgocciolateli dal loro olio di cottura, disponeteli in un piatto e serviteli caldissimi.

Broccoli «a crudo»

(per 4-6 persone)

1 chilo di broccoli
sale q.b.
5 cucchiai di olio d'oliva
2 spicchi d'aglio tritato finemente
pepe q.b.
2 bicchieri di vino bianco secco

Lavate i broccoli in acqua fredda corrente. Eliminate le foglie esterne più dure, conservando le più tenere. Tagliate a pezzettini le cimette e lasciatele a bagno in acqua fredda salata fino al momento di cucinarle.
Scaldate l'olio in una casseruola e fatevi soffriggere l'aglio. Appena l'aglio sarà dorato, aggiungete le foglie dei broccoli, conditele con sale e pepe, e continuate la cottura fino a quando saranno morbide. A questo punto unite le cimette, se necessario aggiungete ancora sale e pepe, e annaffiatele con il vino. Portate lentamente a bollore e continuate a far cuocere dolcemente, mescolando di tanto in tanto, fino a quando la verdura sarà ben cotta.
Servite i broccoli caldi, sia come pietanza sia come contorno per bolliti o arrosti.

Broccoletti di rape «strascinati»

(per 6 persone)

1 chilo e mezzo di broccoletti di rape
2 spicchi d'aglio schiacciati
1 bicchiere d'olio
sale q.b.
pepe q.b.
brodo q.b.

I broccoletti di rapa sono una verdura molto usata nella cucina romana. Togliete le foglie dure, i torsoli e le parti filamentose e lavateli bene. Fate imbiondire gli spicchi d'aglio nell'olio caldo, toglieteli e unite i broccoletti, salate, pepate e lasciate cuocere, ben coperto, a fuoco lento per circa mezz'ora, bagnando di tanto in tanto con un poco di brodo.
Se avete poco tempo, lessate prima per 5 minuti in acqua salata i broccoletti, scolateli e poi insaporiteli con olio, aglio, sale e pepe per pochi minuti.

Indivie intere «a crudo»

(per 6 persone)

6 cespi di indivia belga

6-8 cucchiai di olio d'oliva

2 spicchi d'aglio schiacciati

qualche fogliolina di menta o di basilico

sale q.b.

pepe q.b.

Nettate l'indivia, eliminate le foglie esterne e risciacquatele in acqua corrente. Allineate i cespi d'insalata ancora umidi in una grande padella. Aggiungete l'aglio, l'olio e le foglioline di menta o basilico, condite con sale e pepe, coprite il recipiente e fate cuocere a fuoco dolce. Quando le indivie saranno diventate morbide e ben cotte, eliminate l'aglio, e le foglioline di menta o di basilico prima di servire la verdura in tavola come pietanza o come contorno alle carni arrosto, soprattutto di vitello.

Zucchine ripiene di carne

(per 6 persone)

12 zucchine piccole e fresche

200 grammi di carne magra di manzo tritata

1 uovo

2 cucchiai di parmigiano grattugiato

mollica di pane q.b.

30 grammi di prosciutto cotto

sale q.b.

pepe q.b.

1 cucchiaio di strutto

2-3 ciuffi di prezzemolo

1 cipolla tritata

30 grammi di grasso di prosciutto

2 cucchiai di salsa concentrata di pomodoro

Lavate le zucchine, spuntate le estremità e svuotatele con l'apposito attrezzo. Preparate quindi il ripieno. Mettete in una terrina la carne tritata, l'uovo, il parmigiano, il prosciutto tritato grossolanamente, un pugno di mollica di pane intrisa d'acqua e spremuta bene. Condite con sale e pepe, impastate bene il tutto e con questo composto riempite le zucchine. Prendete un tegame abbastanza largo da potervi allineare le zucchine in un solo strato e fatevi rosolare strutto, cipolla, prezzemolo e grasso di prosciutto. Quando il tutto avrà preso colore aggiungete la salsa di pomodoro sciolta in uno o due mestoli d'acqua, condite con sale e pepe e quando il sugo avrà bollito qualche minuto allineate le zucchine nel tegame. Riportate a ebollizione, coprite e mettete a cuocere in forno a calore moderato le zucchine per 1 ora circa. Il sugo deve essere diluito in modo da ricoprire quasi la verdura; se si restringesse troppo presto, aggiungete acqua durante la cottura. Per la riuscita di questo piatto occorre che le zucchine siano ben cotte, senza essere sfatte, e il sugo sia abbondante e denso.

Fritto di fiori di zucca

(per 6 persone)

600 grammi di fiori di zucca

olio per friggere q.b.

per il ripieno

2 cucchiaiate di pangrattato (facoltativo)

3 acciughe diliscate

1 cucchiaio d'olio

1 ciuffo di prezzemolo tritato

pepe q.b.

per la pastella

4 cucchiai di farina

1 bicchiere abbondante d'acqua

Per questo piatto è necessario che i fiori di zucca siano chiusi e freschissimi; spuntateli nel gambo, togliete i filamenti, lavateli e asciugateli. Se volete, potete farcirli con il composto di pangrattato, acciughe, olio, prezzemolo e pepe. Alcuni li farciscono invece semplicemente con un pezzetto di acciuga e qualche dadino di formaggio provatura.

Oppure friggeteli senza ripieno lasciandoli interi. Preparate la pastella sbattendo bene la farina con l'acqua fino a ottenere una crema di una giusta consistenza; lasciatela riposare un'oretta, poi immergetevi i fiori di zucca con il ripieno (o senza) e friggeteli in abbondante olio bollente, pochi per volta. Appena saranno dorati, sgocciolateli su una carta che assorba l'unto e serviteli caldissimi, e, se sono senza ripieno, ricordatevi di salarli leggermente.

Fagiolini in padella

(per 6 persone)

750 grammi di fagiolini verdi

600 grammi di pomodori maturi

2 cucchiai di olio e burro

1 piccola cipolla tritata finemente

sale q.b.

pepe q.b.

2 ciuffi di prezzemolo tritato finemente

Questo metodo di cottura è adatto non solo per i fagiolini verdi sottili, ma anche per una qualità più grossa detta fagiolino a corallo. I fagiolini molto sottili possono essere cotti interi; quelli un po' più grossi devono essere spezzati, non tagliati, in due o tre pezzetti.

Spuntate i fagiolini alle estremità e risciacquateli bene. Lasciateli a bagno in acqua fredda fino al momento di cucinarli. Pelate i pomodori, fateli a pezzi ed eliminate i semi.

Fate sciogliere il burro e l'olio in una grande padella e fatevi dorare la cipolla, aggiungete quindi i pomodori, mescolate e portate lentamente a bollore. Versate in padella i fagiolini, condite con sale e pepe, coprite il recipiente e lasciate cuocere a fuoco dolce per 30 minuti, o finché la verdura sarà tenera e la salsa ristretta. Spruzzate con prezzemolo e servite caldo.

Fagioli freschi con pomodoro

(per 6 persone)

1 chilo di fagioli bianchi freschi

sale a.b.

1 chilo di pomodori maturi

4 cucchiai di grasso di prosciutto tritato finemente

2 cucchiai di burro

4 cucchiai di olio

1 piccola cipolla tritata

1 costola di sedano tritata finemente

1-2 ciuffi di prezzemolo tritato

pepe q.b.

Se non trovate i fagioli freschi, usate 500 grammi di fagioli secchi, lasciandoli a bagno in acqua fredda per diverse ore. Sgranate i fagioli freschi e fateli cuocere a fuoco dolce in una pentola d'acqua fredda fino a quando saranno teneri, ma non disfatti, cioè per 1 ora circa. Nel frattempo pelate, tagliate a pezzi i pomodori e passateli al setaccio. Sciogliete l'olio e il burro in una casseruola e fatevi dorare il trito di cipolla, sedano e prezzemolo. Aggiungete il pomodoro, condite con sale e pepe e fate cuocere a fuoco vivace per 30 minuti. Scolate i fagioli, uniteli alla salsa di pomodoro e continuate la cottura per altri 20 minuti molto dolcemente per insaporirli con il pomodoro. Servite i fagioli caldi con la salsa ben addensata.

Fagioli con le cotiche

(per 6 persone)

600 grammi di fagioli bianchi secchi
150 grammi di cotiche di prosciutto
50 grammi di grasso di prosciutto
1 spicchio d'aglio
1 ciuffo di prezzemolo
1 cucchiaio di strutto
1 cipolla tagliata a fettine
1-2 cucchiai di salsa concentrata di pomodoro
sale q.b.
pepe q.b.

Lavate i fagioli bianchi e metteteli a bagno in acqua fredda per almeno dodici ore; se i fagioli secchi sono dell'ultimo raccolto basteranno due ore. Se invece volete accelerare i tempi, potete farli subito cuocere in acqua fredda e appena raggiunta l'ebollizione, gettare l'acqua e rimettere i fagioli a cuocere in acqua tiepida salata, continuando la cottura fino ad averli convenientemente lessati. Dopo l'ammollo infatti dovete lessare i fagioli e poi tenerli in caldo nella loro acqua di cottura.

Intanto raschiate le cotiche e mettetele in un pentolino con acqua fredda. Fate bollire le cotiche per qualche minuto, scolatele e risciacquatele in acqua corrente. Quando saranno ben pulite, tagliatele in pezzi abbastanza grandi e metteteli in una casseruola con molta acqua, portate a ebollizione, abbassate il fuoco, coprite il recipiente e fate sobbollire a fuoco dolcissimo fino a completa cottura.

Nel frattempo tritate il grasso di prosciutto, l'aglio e il prezzemolo e mettete il trito in un tegame con lo strutto e la cipolla tagliata a fette sottili. Fate soffriggere e quando la cipolla sarà appassita, aggiungete la salsa di pomodoro diluita con un po' d'acqua. Condite con sale e pepe e lasciate cuocere l'intingolo per 30 minuti circa. Aggiungete quindi i fagioli scolati e le cotiche cotte, mescolate e lasciate insaporire continuando la cottura a fuoco dolcissimo per altri 30 minuti.

Fave al guanciale

(per 6 persone)

1/2 chilo di fave fresche
1 cucchiaio di strutto
1 cipolla tagliata a fettine
50 grammi di guanciale
sale q.b.
pepe q.b.
brodo o acqua q.b.

Tagliate a fettine sottili una piccola cipolla e a pezzetti il guanciale. Sbucciate le fave.

Mettete a rosolare in una casseruola, a fuoco dolcissimo, lo strutto con la cipolla e il guanciale; aggiungete quindi le fave, bagnatele con un pochino di acqua o di brodo, condite con sale e pepe e fatele cuocere a fuoco vivace. Servite subito in tavola la pietanza ben calda.

Peperoni al guanciale

(per 6 persone)

9 peperoni verdi
1 cipolla affettata
3 cucchiaiate d'olio
10 pomodori maturi
sale q.b.
pepe q.b.
200 grammi di guanciale tagliato a fette

Passate sulla fiamma del fornello i peperoni per togliere la pellicina, bruciacchiandola, poi lavateli in acqua fresca. Apriteli con un coltellino, togliete i filamenti e i semi e tagliateli a filetti. Soffriggete in una larga padella con l'olio la cipolla, a fuoco molto basso, e bagnatela anche con un paio di cucchiaiate d'acqua perché non colorisca e diventi trasparente. Aggiungete i pomodori, pelati, tagliati a pezzi e privati dei semi; lasciate cuocere una ventina di minuti a fuoco vivo, poi unite i peperoni. Salate leggermente, pepate e fate cuocere a fuoco moderato per un quarto d'ora. Infine aggiungete il guanciale privato della cotenna e ritagliato a larghi pezzi e lasciatelo insaporire per una decina di minuti finché sarà diventato quasi trasparente. Servite caldissimo.

Piselli al prosciutto

(per 6 persone)

1 chilo e mezzo di piselli
50 grammi di strutto (o di burro)
1 cipollina tritata
sale q.b.
pepe q.b.
1 mestolo di brodo (o acqua)
80 grammi di prosciutto crudo tagliato a listerelle
crostini di pane fritti nel burro q.b. (facoltativo)

I piselli al prosciutto sono una creazione assolutamente romana e costituiscono una vera leccornia specialmente quando si adoperano i piselli romaneschi che sono molto dolci e teneri. Sgranate i piselli e soffriggete a fuoco basso la cipolla in una padella con lo strutto (o burro). Appena la cipolla comincerà a imbiondire, unite i piselli, salate, pepate e bagnate con il brodo caldo (o l'acqua). Cuocete a fuoco vivace per una decina di minuti se i piselli sono romaneschi, qualche minuto in più se i piselli non sono molto teneri. Alcuni aggiungono anche un pizzico di zucchero per renderli più dolci, ma quest'aggiunta è perfettamente inutile quando s'adopera il pisello romanesco.

Due minuti prima della fine di cottura, aggiungete il prosciutto, mescolate e servite ben caldo accompagnando, se volete, anche con crostini di pane fritti.

Funghi porcini al tegame

(per 6 persone)

1 chilo di funghi porcini
3-4 cucchiaiate d'olio d'oliva
3 acciughe diliscate
2 spicchi d'aglio schiacciati
6 pomodori maturi
1-2 foglioline di menta
sale q.b.

pepe q.b.

crostini di pane fritti q.b.

Spazzolate i funghi porcini, tagliateli in grosse fette, risciacquateli e asciugateli. Lavate e diliscate le acciughe. Scaldate in un tegame qualche cucchiaio d'olio e fatevi liquefare le acciughe. Aggiungete i funghi, gli spicchi d'aglio schiacciati, i pomodori pelati, fatti a pezzi e privati dei semi e le foglioline di menta. Condite con sale e pepe, coprite il tegame e fate cuocere i funghi a fuoco vivace, mescolando ogni tanto. Quando i funghi saranno cotti, eliminate l'aglio, sistemateli su un piatto da portata e accompagnateli con i crostini di pane fritti.

Uova in trippa alla romana

(per 6 persone)

per le frittatine

8 uova

4 cucchiaiate di parmigiano grattugiato

sale q.b.

pepe q.b.

2 cucchiaiate d'olio

1 tazza di sugo d'umido «garofolato» (vedi pag. 173)

3 cucchiaiate di formaggio pecorino (o parmigiano) grattugiato

1 ciuffo di foglie di menta tritate

In una terrina sbattete le uova intere con il parmigiano, un bel pizzico di sale e una spolverata di pepe. Fate scaldare una padella unta con un poco d'olio e, appena sarà calda, versate circa un quarto del composto preparato. Abbassate il fuoco e fate colorire la frittatina da entrambe le parti. Allo stesso modo cuocete anche le altre tre frittatine. Poi tagliatele a listerelle, come fosse trippa, e stendetene uno strato in una pirofila. Fate scaldare il sugo d'umido «garofolato». Spolverate lo strato di frittatine con un po' di formaggio grattugiato, condite con un paio di cucchiai di sugo ben caldo e un poco di foglie di menta tritate e continuate così fino all'esaurimento degli ingredienti. Fate scaldare poi la pirofila per una decina di minuti in forno già caldo (180°). Servite subito.

Bignè di San Giuseppe

(per circa 80 bignè)

1 bicchiere d'acqua

100 grammi di burro

un pizzico di sale

1 cucchiaino di zucchero

150 grammi di farina

4 uova

la scorza grattugiata di un limone

olio (o strutto) per friggere q.b.

zucchero al velo q.b.

Mettete in una casseruola l'acqua con il burro, il sale e lo zucchero. Appena l'acqua bolle, togliete dal fuoco la casseruola, versatevi in un sol colpo la farina, mescolate energicamente con la frusta (o con un cucchiaio di legno) e mettete di nuovo sul fornello a fiamma bassa. Continuate a mescolare finché la pasta si staccherà dai bordi della casseruola, facendo un leggero rumore, come se friggesse. Lasciate raffreddare un poco il composto e incorporatevi, sempre mescolando, le uova, uno alla volta. Fate attenzione di non aggiungere un altro uovo se il precedente non si è bene amalgamato al composto. Poi unite anche la scorza grattugiata del limone. Lavorate bene finché la pasta farà le bolle e lasciatela riposare un'oretta. Fate scaldare, in una casseruola alta e stretta, abbondante olio (o strutto); quando l'olio (o lo strutto) sarà caldo, ma non fumante, versate un poco del composto a cucchiaini e friggetelo poco per volta, tenendo la fiamma a calore moderato. Scuotete di tanto in tanto la casseruola per il manico e se ci sarà olio a sufficienza i bignè si gireranno da sé. Quando i bignè gonfieranno, alzate la fiamma e, appena avranno preso un bel colore dorato uniforme, toglieteli e fateli sgocciolare su una carta che assorba l'unto. Ripetete la stessa operazione per friggere tutti gli altri, lasciando ogni volta raffreddare un poco l'olio, prima di versare il composto.

Disponete i bignè a piramide in un piatto e spolverateli con abbondante zucchero al velo.

Gnocchi teneri al latte

6 tuorli d'uovo

3 cucchiai di farina bianca

1 cucchiaio d'amido in polvere

1 cucchiaio di zucchero semolato

1 cucchiaio di fecola di patate

1 pizzico di sale

1 pizzico di noce moscata

2 bicchieri di latte freddo

burro q.b.

parmigiano grattugiato q.b.

cannella in polvere q.b.

Questi gnocchi hanno avuto il loro tradizionale impiego nei rinfreschi per nozze e battesimi e nelle cene di carnevale. Anche se l'usanza è in gran parte tramontata, rimane un dolce caratteristico e degno della considerazione del buongustaio.

Sbattete in una terrina i tuorli d'uovo mescolandoli con la farina, l'amido, lo zucchero, la fecola, un pizzico di sale e di noce moscata. Sciogliete il composto con due bicchieri di latte freddo, aiutandovi in questa operazione con una forchetta o con una frusta per evitare la formazione di grumi.

Quando il composto è ben sciolto, travasatelo in una casseruola, aggiungendo 50 grammi di burro e fate cuocere a fuoco moderato sempre mescolando con la forchetta o la frusta. Di tanto in tanto spostate la casseruola dal fuoco e mescolate più energicamente. Facendo attenzione per impedire al composto di attaccarsi al fondo del recipiente, fatelo cuocere per dieci minuti circa; dovrà risultare una specie di crema consistente, liscia e vellutata. Inumidite con un po' d'acqua la superficie di marmo del tavolo di cucina, o un largo piatto, e versate la crema lisciandola con la lama umida di un coltello per stenderla all'altezza di un centimetro circa. Lasciate raffreddare il composto completamente e quando sarà ben rappreso dividetelo con il coltello in tanti piccoli rombi che disporrete allineati l'uno accanto all'altro in una teglia unta di burro. Preparato il primo strato, spolverizzatelo di parmigiano grattugiato e cannella, quindi preparate un secondo strato un pochino arretrato rispetto al primo. Spolverizzate di parmigiano e cannella anche questo strato e passate al terzo, anch'esso arretrato, e così di seguito, dando all'insieme la forma di una cupola. Sistemati tutti gli gnocchi, bagnateli con un po' di burro fuso e passate la teglia in forno per 20 minuti circa fino a quando gli gnocchi avranno preso un colore dorato chiaro. Serviteli caldi.

Budino di ricotta

1 bicchiere d'acqua

3 cucchiai di semolino

400 grammi di ricotta romana

4 cucchiai di zucchero al velo

4 uova

40 grammi di cedro e arancia canditi
1 cucchiaio di uvetta sultanina
1 bicchierino di rhum
un pizzico di cannella
la scorza grattugiata di 1/2 limone
burro e farina q.b. per lo stampo
zucchero vanigliato q.b.

In una casseruola fate bollire un bicchiere d'acqua; appena avrà raggiunto l'ebollizione, versate a pioggia il semolino, mescolate bene e toglietelo via dal fuoco, dopo un paio di minuti. Versate il semolino su un piatto umido d'acqua e pareggiatelo con la lama di un coltello. Intanto che il semolino si raffredda lavorate molto bene in una terrina la ricotta con lo zucchero, un uovo intero e tre tuorli, i canditi tritati, l'uvetta ammorbidita nel rhum, la cannella e la scorza del limone. Mescolate bene il composto e aggiungetevi anche il semolino e gli albumi delle uova montati a neve. Versate il composto in uno stampo da budino della capacità di circa un litro e mezzo, bene imburrato e infarinato. Passate in forno caldo (180°) per circa un'ora. Lasciate raffreddare il budino, sformatelo e spolveratelo con lo zucchero vanigliato.

«Fave» dolci

(per 50 fave)

100 grammi di mandorle dolci
150 grammi di zucchero in zollette
70 grammi di farina
2 cucchiaini di cannella in polvere
50 grammi di burro
1 uovo
la scorza grattugiata di 1/2 limone

Fate asciugare nel forno le mandorle stese su una teglia, senza pelarle. Pestatele poi finemente in un mortaio con lo zucchero fino a ridurle in polvere. Man mano che avrete pestato un po' di mandorle e di zucchero, passate questa farina a un setaccino non troppo sottile e i frantumi di mandorle che non passeranno dal setaccio, pestateli nuovamente, insieme con le altre mandorle e lo zucchero. Bisogna fare attenzione di non usare tutto lo zucchero in principio, perché si correrebbe il rischio di pestare alla fine le mandorle da sole col pericolo di fare uscire l'olio. Mettete la farina di mandorle zuccherata sulla spianatoia, mescolatevi la farina, la cannella, il burro ammorbidito, l'uovo e la scorza del limone. Lavorate la pasta molto bene finché diventerà omogenea. Formate un lungo rotolo con le mani infarinate e ritagliatelo in pezzi grandi come noci. Stendeteli ben distanziati in una teglia bene imburrata e infarinata, schiacciateli leggermente per dare loro una forma ovale come quella delle «fave».
Passatele in forno caldo (180°) per una ventina di minuti, finché

avranno preso un bel colore dorato. Lasciate raffreddare le fave prima di servirle e conservatele poi in una scatola di latta.
Le «fave» dolci o «fave dei morti» vengono preparate d'abitudine nel mese di novembre.

Ricotta fritta

400 grammi di ricotta romana
200 grammi di amaretti
1 pizzico di cannella
2 uova intere
farina q.b.
1 uovo sbattuto
pangrattato q.b.
strutto (o burro) q.b. per friggere
zucchero al velo q.b.

Lavorate la ricotta in una terrina con gli amaretti pestati; unite la cannella e le uova; impastate bene con le mani leggermente infarinate, formate delle pallottoline e passatele nell'uovo sbattuto, poi nel pangrattato. Friggetele poche per volta in abbondante strutto (o burro) caldo. Sgocciolate la ricotta fritta su una carta che assorba l'unto. Spolverate la frittura con zucchero al velo e servitela calda o fredda.
Oppure tagliate semplicemente la ricotta a rombi di circa un centimetro di spessore; infarinateli, passateli nell'uovo sbattuto e friggeteli in abbondante strutto (o burro). Sgocciolateli su una carta che assorba l'unto e spolverateli di zucchero al velo.

Maritozzi uso fornaio

500 grammi di pasta da pane già lievitata
3 cucchiai d'olio
3 cucchiai di zucchero
un pizzico di sale
50 grammi di pinoli
100 grammi di uvetta sultanina
50 grammi di scorzetta d'arancia candita

I maritozzi sono dolci tradizionali del periodo quaresimale. Impastate di nuovo la pasta da pane sulla spianatoia con l'olio, lo zucchero e il sale. Quando sarà ben lavorata, incorporatevi anche i pinoli, l'uvetta, ammorbidita in un po' d'acqua tiepida e ben strizzata, e la scorzetta d'arancia tagliata a dadini. Ungete leggermente la teglia del forno, formate dei panini ovali con la pasta e stendeteli sulla teglia, lasciando un po' di spazio fra l'uno e l'altro. Copriteli con un tovagliolo e lasciateli lievitare in luogo tiepido per circa 6 ore. Passateli in forno caldissimo (240°) per circa 20 minuti, finché saranno dorati.

ABRUZZO~
MOLISE

Pittoresco e arroccato in collina, il paese di Monteferrante, vicino a Chieti, è nel cuore di una terra, l'Abruzzo, che produce ottima pasta, come i celebri maccheroni alla chitarra, fettuccine a sezione quadrata tagliate su un telaio con fili d'acciaio e poi condite con un sugo a base di pomodoro, pancetta, peperoncino e pecorino.

*P*ranzi ricchi, pranzi importanti, pranzi interminabili: da Omero a Petronio Arbitro, a Rabelais, i grandi pranzi sono uno dei temi favoriti della letteratura mondiale. Nella Grecia antica si consumavano all'aperto sulla riva del mare e durante una giornata intera; nella casa di Trimalcione rassomigliavano a un rito nel quale ospitalità, erotismo, fantasia ed epicureismo si mescolavano in un vero e proprio spettacolo destinato a solleticare tutti e cinque i sensi dei commensali; Rabelais, infine, creò due personaggi che proprio a tavola esprimevano tutta la loro potenza e la loro voracità. La storia dei grandi pranzi trova in una regione dell'Italia Centrale una ideale continuazione: anche in questo caso si tratta di un rito che, purtroppo, si sta facendo sempre più raro perché la gola e lo stomaco degli uomini del ventesimo secolo non sono più quelli di una volta. Siamo nell'Abruzzo, una regione dalle escursioni altimetriche notevoli: si va dal mare, l'«amarissimo Adriatico», alle cime più alte degli Appennini; da un ambiente popolato da alcuni tra i migliori gruppi di pescatori italiani a una grande riserva di caccia (il Parco Nazionale d'Abruzzo) dove sopravvivono, protetti dalla legge, gli ultimi orsi, i lupi e gli animali selvatici che hanno ormai disertato quasi completamente il resto della penisola italiana. Qui nell'Abruzzo si pratica ancora il rito della «panarda», un colossale pranzo che anticamente faceva parte delle tradizioni pagane e che oggi si ripete, più per principio che per necessità, nelle grandi occasioni. Si incomincia a mezzogiorno e non è difficile arrivare alle ore più avanzate della notte: le portate si avvicendano le une alle altre con un ritmo implacabile e incalzante; ogni tanto ci

si concede un breve intervallo per le conversazioni e poi si riprende, in una ininterrotta catena di piatti che non trascura nessuna specialità della cucina regionale. Edoardo Scarfoglio, un famosissimo giornalista napoletano del secolo scorso, intervenuto
a una «panarda» abruzzese, dopo la trentaduesima portata en-
trò in crisi e rifiutò il cibo. Corse un brutto rischio, perché il
padrone di casa, insensibile alla limitatezza del suo apparato di-
gerente, lo minacciò di morte, fucile alla mano, se non avesse
continuato a onorare la mensa.

Sono questi, purtroppo, racconti di ieri, di un'età ormai lontana dalla nostra, che si limita, nella sua sobrietà, alla ricerca
delle specialità locali. Queste, in Abruzzo, abbondano: ci sono
prima di tutto i «maccheroni alla chitarra». La chitarra (lo strumento musicale non c'entra, ma una certa affinità esiste) è un
telaio quadrato o rettangolare sul quale sono stesi a distanza re-

Il brodetto alla pescarese, una zuppa di pesce insaporita con un tipo particolare di peperoncino rosso detto diavolillo. Nella pagina a destra, pasta casereccia, pizza e formaggi di pecora: sapori robusti per una cucina contadina che conserva inalterato il suo fascino e le sue tradizioni.

golare dei fili d'acciaio. Su questo attrezzo, che è presente in ogni buona cucina abruzzese, si stende la sfoglia di pasta che viene poi compressa contro i fili d'acciaio dal mattarello. Con la pressione si ottiene il taglio della sfoglia in tante fettuccine a spigoli vivi e a sezione quadrata di lunghezza uguale agli intervalli tra un filo di acciaio e l'altro. La pasta viene poi condita con sugo di pomodoro cucinato con un peperoncino rosso piccante e con pancetta affumicata; il pecorino grattugiato completa questo, che è il più caratteristico piatto abruzzese.

Anche qui, come in diverse altre regioni italiane addossate agli Appennini, i pastori sono di casa. L'agnello è quindi una specialità locale e viene preparato in parecchi modi: arrostito, fritto e dorato, alla cacciatora (col solito peperoncino rosso) oppure brodettato (con uova e limone). Dire pastori significa anche dire formaggi. Oltre al pecorino, i pastori abruzzesi sono maestri nel preparare le famose «scamorze» che hanno i loro centri di produzione a Rivisondoli e a Pescocostanzo, e che la gente del luogo preferisce arrostire alla fiamma del camino. Oltre alle pecore, questi pastori pascolano anche i maiali: il loro allevamento si trova ad altitudini piuttosto elevate sicché la loro carne è generalmente magra e molto saporita. Tra i molti eccellenti salumi vale la pena di ricordare il prosciutto che ha caratteristiche molto simili allo spagnolo *jamon serrano*, e la «ventricina», un insaccato di stomaco di maiale con carne, peperone, finocchio e buccia d'arancia. Come nelle regioni confinanti, il maiale ha poi uso diffusissimo arrostito come «porchetta».

Scendiamo ora a Pescara, la capitale del pesce, dove impera il «brodetto alla pescarese», una zuppa di pesce resa piccante e saporitissima dalla presenza del «diavolillo», il peperoncino rosso. Per i piatti di pesce, grande concorrente di Pescara è Vasto, un grosso porto di pescatori che lega principalmente il suo nome allo «scapece», un formidabile piatto di pesce marinato con aceto e colorato dallo zafferano. Lo zafferano (questa inimitabile sostanza colorante è quasi esclusivamente prodotta in Abruzzo, tant'è vero che nel resto dell'Italia, e anche negli altri paesi europei, viene denominato appunto «zafferano d'Aquila». Ottenuto facendo essiccare gli stigmi del fiore (un chilo di prodotto proviene da ben centotrentamila fiori!) lo zafferano, confermando una volta di più il saggio detto *nemo propheta in patria*, è usato dagli abruzzesi unicamente nello scapece di Vasto. Il largo consenso incontrato invece fuori dai confini regionali consente allo zafferano d'Aquila di colorare d'oro piatti famosissimi quali il risotto alla milanese e la *bouillabaisse* di Marsiglia.

Un certo uso ha inoltre sul posto lo zafferano nella fabbricazione dei liquori, che sono assai famosi. La loro presenza è direttamente da collegare alle montagne, ai boschi e anche all'atmosfera un po' misteriosa e un po' drammatica dell'Abruzzo. Ieri i filtri magici, oggi dei piccoli complessi a mezza strada tra l'artigianato e l'industria che, grazie alle erbe, alle pozioni e alle ricette segrete, danno vita a due liquori fondamentali del luogo: l'Aurum, nella cui composizione entrano persino il tè, il rhum e il mandarino, e il Centerbe, un liquore potente e violento, il più violento tra tutti i liquori italiani. Di colore verde smeraldo, con una gradazione record di 70°, il Centerbe (il suo nome dice che i suoi fabbricanti sono dei grandi erboristi) pare studiato apposta per digerire qualsiasi pantagruelico pranzo, perfino la gigantesca «panarda». In tema di vini, l'Abruzzo è invece piutto-

Una terrina di 'ndocca 'ndocca, piatto tipico abruzzese, a base di maiale, preparato in autunno e in inverno. Nella pagina a destra, la pesca con i tradizionali "trabucchi" nei pressi di Vasto, patria dello scapece, pesce marinato e colorato con zafferano.

sto povero. Ci sono però tre specialità che ben si accordano con la cucina locale: il Cerasuolo d'Abruzzo, di colore rosso ciliegia, per le minestre, per le verdure e per le scamorze arrostite; il Trebbiano (bianco da pesce) e il Montepulciano d'Aquila che, invecchiato, è ideale per gli arrosti e per la porchetta.

E siamo ai dolci! A Pescara è famoso il «parrozzo», un dolce soffice, ricoperto di cioccolato che fu inventato dal pasticciere locale Luigi d'Amico e che fu tenuto a battesimo proprio da Gabriele d'Annunzio che per il suo «parrozzo» compose una poesia.

Una cucina, dunque, tra i monti e il mare; una cucina fatta per stomachi forti e robusti, ma al tempo stesso raffinata ed eclettica. I cuochi abruzzesi, li potete trovare nei ristoranti del mondo intero; di solito vengono dai paesi di Cilla Santa Maria, di Roio, di Quadri e di Pietraferrazzana. Portano con sé sulle tavole internazionali i segreti della loro cucina e, chissà, anche l'ambizione di potervi un giorno servire una interminabile e mastodontica «panarda».

Bruschetta

Timballo di scamorze dell'Abruzzo

Ragù d'agnello e peperoni

Polenta stufata

Maccheroni all chitarra

Spaghetti aglio, olio e peperoncino

Minestra di sedani all'uso di Teramo

Minestrone abruzzese

Minestra di cicoria

Ravioli con la ricotta

Scrippelle 'mbusse

Zuppa di cardi

Zuppa santé

Bracioline di maiale al vino bianco

'Ndocca 'ndocca

Agnello, cacio e uova

Bracioline d'agnello

Agnello rustico

Agnello in fricassea

Agnello alla pecorara

Involtini con fagioloni bianchi

Rollè di filetto

Pollo all'abruzzese

Tacchino alla canzanese

Coniglio alla molisana

Ventricine di Chieti

Scapece alla vastese

Teglia di pesce al forno

Brodetto alla vastese

Palombo e seppie alla scapece

Triglie sul focone

Sogliole alla giuliese

Timballo di melanzane

Pasticcio di patate con le salsicce

Cardi ripieni

Cuscinetti di Teramo

Calciuni del Molise

Torrone di cioccolato

Parrozzo

Bruschetta

(per 6 persone)

12 fette di pane

2 spicchi d'aglio schiacciati

olio d'oliva

sale q.b.

pepe q.b.

Il pane migliore per questa preparazione è quello casereccio. Se non potete fare il pane in casa, compratelo dal panettiere: vanno benissimo le forme di pane toscano o pugliese; è invece assolutamente inadatto il pan carré. Abbrustolite le fette di pane in forno o sulla piastra finché saranno dorate e croccanti, strofinatele quindi con l'aglio, spennellatele con l'olio e conditele con abbondante sale e pepe macinato fresco. Servite le bruschette ben calde.

Timballo di scamorze dell'Abruzzo

(per 6 persone)

500 grammi di patate a pasta gialla

sale q.b.

farina q.b.

2 uova sbattute con sale

olio per friggere (o strutto) q.b.

400 grammi di scamorza a fette (o mozzarella)

pepe q.b.

60 grammi di burro

150 grammi di prosciutto crudo tagliato a listerelle

3 cucchiaiate di parmigiano grattugiato

Lessate le patate in acqua bollente salata; sbucciatele, lasciatele raffreddare e tagliatele a fette; passatele nella farina e nell'uovo sbattuto, poi friggetele in abbondante olio (o strutto) bollente. Sgocciolatele su una carta che assorba l'unto e salatele leggermente. Stendete le frittelle di patate in una teglia imburrata, mettete sopra le fette di scamorza, un pizzico di sale, una spolverata di pepe e qualche fiocchetto di burro. Passate in forno già caldo, a calore moderato, (circa 180°) per circa 20 minuti, finché il formaggio si sarà sciolto. Togliete via dal forno, mettete sopra il prosciutto e il parmigiano e una cucchiaiata di burro fuso. Portate in tavola immediatamente.

Ragù d'agnello e peperoni

(per condire 600 grammi di pasta)

300 grammi di polpa d'agnello

1/2 bicchiere d'olio

2 spicchi d'aglio schiacciati

3 foglie di alloro

1/2 bicchiere di vino bianco secco

4 pomodori maturi pelati

3 peperoni tagliati a listerelle

sale q.b.

pepe q.b.

2 cucchiaiate di brodo (facoltativo)

Tagliate a pezzettini la polpa di agnello e lasciatela marinare un'oretta con un bel pizzico di sale e di pepe. Soffriggete nell'olio gli spicchi d'aglio interi e l'alloro; quando cominceranno a prendere colore, toglieteli entrambi, unite la carne e fatela rosolare uniformemente. Innaffiatela con il vino e lasciatelo evaporare. Poi aggiungete i pomodori tagliati a pezzi e i peperoni, aggiustate di sale,

coprite e lasciate cuocere lentamente per circa un'ora e mezza. Mescolate di tanto in tanto e, se il ragù è troppo asciutto, aggiungete il brodo caldo.

Con questo ottimo ragù potrete condire fettuccine fresche, maccheroni alla chitarra o fusilli

Polenta stufata

(per 6 persone)

1 chilo di polenta già cotta

300 grammi di salsiccia

2 cucchiai di olio d'oliva

500 grammi di salsa fresca di pomodoro

1 pizzico di peperoncino rosso piccante

60 grammi di burro

60 grammi di pecorino grattugiato

100 grammi di parmigiano grattugiato

Dopo averla punzecchiata, mettete a cuocere la salsiccia in un tegame con un cucchiaio d'olio. Appena sarà rosolata, togliete la pelle alla salsiccia, sbriciolatela, aggiungete la salsa fresca di pomodoro con un altro cucchiaio d'olio d'oliva e un pizzico di peperoncino piccante. Fate cuocere a fuoco dolce per addensare l'intingolo che servirà di condimento alla polenta.

Tagliate a rombi la polenta, ungete di burro una pirofila e disponete la polenta a strati alternandola con il ragù di salsiccia e manciate di parmigiano e pecorino. Completate con uno strato di polenta sulla quale spargerete dei fiocchetti di burro. Fate cuocere in forno caldo finché il pasticcio di polenta sarà dorato.

Maccheroni alla chitarra

(per 6 persone)

per la pasta

500 grammi di farina di grano duro

5 uova intere

per condire

sugo di pomodoro fresco o ragù (vedi a pag. 211)

60 grammi di formaggio pecorino grattugiato

I maccheroni alla chitarra sono i tipici spaghetti abruzzesi a sezione quadrata, tagliati con il caratteristico arnese detto «chitarra», che consiste in un telaio rettangolare di legno sul quale sono tesi numerosi fili d'acciaio, proprio come le corde di una chitarra.

Impastate sulla spianatoia la farina con le uova e lavorate a lungo la pasta finché diventerà liscia ed elastica. Tirate con il mattarello una sfoglia di circa 2 mm di spessore e ricavate delle strisce larghe una quindicina di centimetri (larghezza della chitarra). Appoggiatele sui fili d'acciaio comprimendole con il mattarello fino a ottenere i maccheroni a sezione quadrata. Gettateli in abbondante acqua salata in ebollizione, mescolateli bene, scolateli al primo bollore e conditeli con il sugo e il formaggio pecorino.

Spaghetti aglio, olio e peperoncino

(per 6 persone)

500 grammi di spaghetti

sale q.b.

1 bicchiere di olio d'oliva

3-4 spicchi d'aglio schiacciato

1 peperoncino rosso piccante

3-4 ciuffi di prezzemolo tritato finemente

pepe nero q.b.

In questa ricetta e in altre sue versioni l'aglio e il peperoncino vengono tolte dall'olio appena cominciano a prendere colore. Curiosamente in trattoria non solo non vengono tolti dall'olio ma c'è la tendenza ad aumentare il quantitativo. Se il gusto dell'aglio piace, lo si può tritare e lasciarlo nell'olio, badando però a non farlo bruciare perché conferirebbe al condimento un sapore amaro.

Portate a bollore una casseruola con abbondante acqua salata, immergetevi lentamente gli spaghetti per non smorzare il bollore e fateli cuocere al dente.

In un padellino a parte, scaldate l'olio con l'aglio, il peperoncino e il prezzemolo. Appena comincia a prendere colore (vedi sopra) eliminate l'aglio e anche il peperoncino. Appena cotti, scolate gli spaghetti, versateli in una zuppiera e conditeli con l'olio bollente insaporito; mescolate, condite con pepe nero macinato fresco e servite subito.

Minestra di sedani all'uso di Teramo

(per 6-8 persone)

4 costole di sedano
4 cucchiai di olio d'oliva
1 cipolla
20 grammi di lardo
2-3 cucchiai di salsa di pomodoro
1 litro di brodo di carne
300 grammi di riso
100 grammi di parmigiano grattugiato

Scaldate l'olio in una casseruola e fate soffriggere dolcemente la cipolla tritata e il lardo tagliato a dadini. Aggiungete il sedano che avrete preparato lavato, mondato dei suoi fili e tagliato a pezzetti regolari, e la salsa di pomodoro. Lasciate insaporire almeno 5 minuti, poi aggiungete il brodo di carne che avrete scaldato a parte, mescolate e coprite la casseruola e continuate la cottura per 20 minuti. A questo punto buttate in pentola il riso, mescolate finché riprende il bollore: il riso deve essere tenero ma non troppo cotto. Quando è pronta la minestra deve risultare piuttosto densa. Servitela molto calda accompagnata con parmigiano grattugiato.

Minestrone abruzzese

(per 8 persone)

1 cucchiaio d'olio
30 grammi di lardo
1/2 spicchio d'aglio
1-2 ciuffi di prezzemolo
1/2 cipolla
2 carote
3-4 patate
2 rape
1/2 porro
1/2 cavolo
100 grammi di lenticchie o fagioli lessati
200 grammi di pasta spezzettata
parmigiano grattugiato q.b.

per il brodo

1 chilo di testa di maiale
1 cipolla
1/2 costola di sedano
1 carota

Per preparare il brodo, mettete la testa di maiale in una pentola di acqua in ebollizione, lasciatela cuocere per cinque minuti e poi estraetela, raschiatela accuratamente, risciacquatela e trasferitela in una pentola di acqua fredda. Portate l'acqua a ebollizione,

schiumando bene, poi aggiungete la cipolla, il sedano e la carota e lasciate bollire per circa tre ore. Estraete quindi la testa di maiale dal brodo, disossatela e dividete la carne in grossi dadi. Raccogliete questi dadi in una casseruolina, ricopriteli con un po' del brodo della testa e teneteli in caldo.

Per il condimento del minestrone, prendete una casseruola e metteteci una cucchiaiata d'olio e un trito preparato con lardo, mezzo spicchio d'aglio, mezza cipolla e prezzemolo. Fate rosolare leggermente e poi bagnate con il brodo della testa di maiale, passato in precedenza da un colabrodo.

A parte preparate due carote, tre o quattro patate, due rape nettate, lavate e tagliate a dadini, mezzo porro tagliato a fettine, mezzo cavolo, privato delle costole dure, tagliato a striscioline e sbollentato. Mettete tutte queste verdure, così preparate, nel brodo, coprite il recipiente e lasciate sobbollire fino a quando tutti gli ingredienti saranno cotti. A questo punto aggiungete le lenticchie o i fagioli lessati e la pasta e continuate la cottura quanto basta per la pasta. Ultimate la zuppa condendola con abbondante parmigiano grattugiato. Mescolate bene, lasciate riposare un attimo, quindi distribuite il minestrone nelle scodelle, mettendo in ognuna qualche dado di testa di maiale.

Minestra di cicoria

(per 6 persone)

800 grammi di cicoria
sale q.b.
3 uova intere
3 cucchiaiate di parmigiano grattugiato
1 litro e mezzo di brodo di carne
crostini di pane fritti q.b.
parmigiano grattugiato q.b.

Lavate bene la cicoria, lessatela in un poco d'acqua salata, poi strizzatela e tagliatela a listerelle. In una terrina sbattete le uova con un bel pizzico di sale e il parmigiano. Versate il brodo in una pentola e, appena alzerà il bollore, toglietelo dal fuoco; unite le uova e la cicoria e, sbattendo bene con una forchetta, lasciate che le uova si rapprendano. Servite immediatamente con i crostini di pane e abbondante parmigiano.

Ravioli con la ricotta

(per 6 persone)

per la pasta

300 grammi di farina
10 grammi di lievito di birra
sale q.b.

per il ripieno

250 grammi di ricotta
5 salsicce sbriciolate
2 cucchiaiate di parmigiano grattugiato
sale q.b.

Mettete la farina sulla spianatoia, versate nel mezzo il lievito, sciolto in un poco di acqua tiepida e aggiungete un bel pizzico di sale. Impastate e lavorate la pasta fino a quando sarà liscia ed elastica. Raccoglietela in una terrina leggermente infarinata, copritela e lasciatela lievitare in un luogo tiepido per circa 2 ore.

Fate rosolare a fuoco bacco le salsicce nel grasso che emaneranno pian piano, poi mescolatele alla ricotta e al parmigiano; lavorate bene il composto e aggiustate di sale. Tirate la pasta con il mattarello in una sfoglia sottile e ritagliate dei dischi di circa 7 cm di diametro. Distribuite su ognuno un poco del ripieno, ripiegateli su se stessi, premendo bene i bordi. Allineate i ravioli su una teglia bene imburrata e passateli in forno già caldo a fuoco vivace (circa 240°), per 20 minuti, fino a quando saranno dorati.

Scrippelle 'mbusse

(per 6 persone)

4 uova intere
150 grammi di farina
1 cucchiaiata di parmigiano grattugiato
1/4 di litro di latte
l'odore della noce moscata
strutto di maiale q.b. (oppure olio)
60 grammi di formaggio pecorino grattugiato
80 grammi di parmigiano grattugiato
regaglie di pollo insaporite al burro (facoltativo)
1 litro e mezzo di brodo di tacchino (o pollo)
sale q.b.

In una terrina sbattete le uova con la farina, unite il parmigiano, il sale, l'odore della noce moscata e il latte, a poco a poco, sino a ottenere una pastella fluida.
Fate scaldare bene una padellina di circa 15 cm di diametro, ben unta con strutto (o olio), versatevi due cucchiaiate di pastella e cuocete la frittatina da entrambe le parti. Procedete in questo modo fino all'esaurimento degli ingredienti. Spolverate le frittatine con metà pecorino e metà parmigiano e, se volete, mettete al centro anche le regaglie, avvolgete le frittatine e distribuitele nelle fondine. Versateci sopra il brodo bollente.

Zuppa di cardi

(per 6 persone)

un cardo di media lunghezza
1 limone
sale q.b.

per le polpettine

300 grammi di polpa di vitello macinata
150 grammi di parmigiano grattugiato (o 100 grammi di pecorino)
3 uova
sale q.b.
pepe q.b.
3 cucchiaiate d'olio
30 grammi di burro
le regaglie di 2 tacchini (o polli)
2 cucchiaiate d'olio
20 grammi di burro
1/2 bicchiere di vino bianco secco
1 cucchiaio di salsina di pomodoro
1 litro e mezzo di brodo di tacchino (o pollo)
crostini di pane abbrustoliti (o fritti) q.b.
parmigiano grattugiato q.b.

Pulite il cardo, tenero e bianco, specialità d'Aquila. Eliminate le foglie più dure e tagliate le rimanenti e le costole a dadini. Lavate bene in acqua acidulata con succo di limone, lessate in acqua salata e scolate. In una terrina mescolate la polpa di vitello con il formaggio grattugiato, le uova e un poco di sale e di pepe. Formate delle palline della grandezza di un cece, friggetele in olio e burro ben caldi. A parte fate rosolare le regaglie, tagliate a pezzetti e,

quando avranno preso un po' di colore, innaffiatele con il vino e, in ultimo, unite la salsina di pomodoro diluita in un poco di brodo caldo. Lasciate cuocere cinque minuti, unite le polpettine, il cardo e fate insaporire tutto una decina di minuti. Aggiustate di sale, versate il brodo bollente e, appena riprenderà il bollore, portate in tavola e servite con abbondante parmigiano e i crostini di pane.

Zuppa santé

(per 6 persone)

300 grammi di polpa di vitello macinata
sale q.b.
pepe q.b.
2 cucchiaiate di parmigiano grattugiato
1 uovo
farina q.b.
50 grammi di burro
100 grammi di regaglie di pollo
30 grammi di burro
sale q.b.
100 grammi di caciocavallo tagliato ad asticciole
1 litro e mezzo abbondante di brodo di gallina
40 grammi di formaggio pecorino grattugiato
60 grammi di parmigiano grattugiato
qualche fettina di pane

In una terrina mescolate la polpa di vitello con un bel pizzico di sale e pepe, il parmigiano e l'uovo. Formate delle palline della grandezza di un cece, passatele nella farina e friggetele nel burro caldo. Intanto rosolate nel burro anche le regaglie, tagliate a pezzetti, e salatele leggermente. Fate scaldare il brodo e, quando bollirà, mescolatelo alle polpettine e alle regaglie. Versatelo subito nelle fondine, in ognuna delle quali avrete messo una fetta di pane con un poco di caciocavallo. Spolverate con formaggio pecorino e parmigiano mescolati.

Bracioline di maiale al vino bianco

(per 6 persone)

5 braciole di maiale
1 spicchio d'aglio tritato
1 rametto di rosmarino tritato
sale q.b.
peperoncino rosso q.b.
3 cucchiaiate d'olio
1/2 bicchiere di vino bianco secco
1 mestolo di brodo di carne

Battete leggermente le braciole di maiale, togliete la parte grassa che sta attorno e tritatela finemente. Condite le braciole con il trito d'aglio, di rosmarino e di grasso, un bel pizzico di sale e un poco di peperoncino rosso, sfregandolo accuratamente su entrambi i lati delle braciole. Versate in una padella l'olio, allineatevi le braciole e rosolatele da entrambi i lati, poi innaffiatele con il vino. Quando il vino sarà evaporato, bagnatele con il brodo caldo, coprite e terminate la cottura, a fuoco lento, fino a quando il brodo sarà evaporato. Servitele bollenti.

'Ndocca 'ndocca

(per 6 persone)

1 chilo e mezzo di carne di maiale mista (piedini, cotiche, costine, muso e orecchio)
2 cucchiai d'aceto
3 foglie di alloro
1 rametto di rosmarino
2 spicchi d'aglio schiacciati
1/2 peperoncino rosso
4/5 granelli di pepe
poco sale
1 cucchiaiata di salsina di pomodoro

È un tipico piatto della provincia di Teramo e si prepara in autunno e in inverno al tempo dell'uccisione del maiale, salato di fresco.

Mettete a bagno la carne di maiale in acqua fredda con l'aceto per una notte, perché perda la salagione. Tagliate a pezzi le cotiche, il muso, spaccate i piedini e mettete tutto in una pentola, possibilmente di terracotta, con gli odori, poco sale e i granelli di pepe. Coprite con abbondante acqua e lasciate cuocere, molto lentamente e ben coperto, per 4 ore. Mezz'ora prima della fine di cottura, sciogliete nel brodo la salsina di pomodoro. Servite la carne ben calda con il suo brodo che sarà diventato molto ristretto.

Agnello, cacio e uova

(per 6 persone)

1 cosciotto d'agnello di circa 1 chilo e mezzo
sale q.b.
pepe q.b.
1/2 bicchiere d'olio
1 cipolla tagliata a fettine
1 bicchiere di vino bianco secco
1 mestolo circa di brodo di carne
4 uova intere (oppure 6 rossi d'uovo)
50 grammi di formaggio pecorino grattugiato
sale q.b.
pepe q.b.

Lavate, tagliate a pezzi l'agnello e fatelo marinare un'oretta con un po' di sale e di pepe. Soffriggete in una casseruola, possibilmente di terracotta, la cipolla con l'olio; appena sarà ammorbidita, unite i pezzi di agnello, e fateli rosolare lentamente. Innaffiate con il vino e, quando sarà evaporato, coprite. Mescolate di tanto in tanto e, se occorre, bagnate con un poco di brodo caldo. Lasciate cuocere un'ora circa. In ultimo sbattete in una terrina le uova con il pecorino, un pizzico di sale e di pepe e versatele sull'agnello. Mescolate e togliete via dal fuoco dopo un paio di minuti. Servite immediatamente.

Bracioline d'agnello

(per 4-6 persone)

12 bracioline d'agnello
6 cucchiai di olio d'oliva
qualche fogliolina di salvia
sale q.b.
pepe q.b.
1/2 bicchiere di vino bianco secco
il succo di 1/2 limone

Prendete delle bracioline d'agnello ritagliate dalla parte del dorso detta «rognonata» che sono le più delicate, mettetele a dorare in una teglia con un po' di olio d'oliva e alcune foglie di salvia. Fatele ben colorire dalle due parti, conditele con sale e pepe e spruzzatele con il vino bianco. Lasciate restringere l'intingolo quindi servite le bracioline in tavola dopo averle spruzzate con succo di limone.

Agnello rustico

(per 6 persone)

1 cosciotto di agnello di latte di 1 chilo e mezzo
2 cucchiai di olio
1 piccola cipolla tagliata a fette sottili
sale q.b.
pepe q.b.
il succo di 1 limone
60 grammi di pecorino grattugiato

Lavate e asciugate il cosciotto d'agnello, mettelo in una teglia cosparso d'olio e aggiungete la cipolla affettata. Salate e pepate quindi la carne a sufficienza, coprite la teglia e mettetela a cuocere in forno a calore moderato per 1 ora circa. Fate rosolare l'agnello sorvegliando la cottura: rivoltatelo di tanto in tanto e annaffiatelo con il suo intingolo. Quando il cosciotto sarà diventato ben colorito e cotto, servitelo in tavola dopo averlo condito con una spruzzata di succo di limone e una manciata di pecorino fresco grattugiato.

Agnello in fricassea

(per 6 persone)

1 cosciotto di agnello di 1 chilo e mezzo
1/2 bicchiere di olio d'oliva
2 spicchi d'aglio schiacciati
1 bicchiere di vino bianco secco
sale q.b.
pepe q.b.
2 uova
1 limone

Lavate, asciugate e tagliate in pezzi regolari un cosciotto di agnello e ponetelo in una casseruola dove avrete fatto scaldare l'olio con i due spicchi d'aglio. Lasciate rosolare la carne, bagnatela con il vino bianco e conditela con sale e pepe. Quando il vino sarà evaporato, aggiungete un po' d'acqua e continuate la cottura a fuoco dolce.

Sbattete intanto le uova come per fare una frittata, conditele con un pizzico di sale e un po' di succo di limone e quando l'agnello sarà cotto e il sugo ristretto, versate le uova nella casseruola. Mescolate, lontano dal fuoco, e versate l'intingolo sull'agnello che avrete sistemato su un piatto di portata.

Agnello alla pecorara

(per 6 persone)

1 chilo e mezzo circa di carne di agnello giovane
sale q.b.
1 cipolla intera
50 grammi di burro
fette di pane abbrustolito q.b.

Per cucinare questo piatto occorre una pentola di rame a due manici di forma speciale con il coperchio a chiusura ermetica. Lavate e tagliate a pezzi l'agnello, poi fatelo marinare un'oretta con un po' di sale. Mettete l'agnello nella pentola con la cipolla e il burro a pezzetti, coprite e non togliete mai il coperchio durante la cottura; lasciate cuocere a fuoco basso. Girate la carne di tanto in tanto facendola saltellare nella pentola che scuoterete tenendola per i manici. Dopo circa un'ora, controllate la cottura dell'agnello e, quando sarà pronto, servitelo con tutto il suo sugo su fette di pane abbrustolito.

Involtini con fagioloni bianchi

(per 6 persone)

12 piccole fettine di fesa di vitello
500 grammi di fagioloni bianchi lessati
50 grammi di grasso di prosciutto
1 spicchio d'aglio tritato
1 ciuffo di prezzemolo tritato
1/2 bicchiere d'olio
4 pomodori maturi tagliati a pezzi
100 grammi di funghi freschi tagliati a fettine
1 spicchio d'aglio schiacciato
2 cucchiaiate d'olio
2 cucchiaiate di brodo
sale q.b.
250 grammi di lonza (polpa di maiale) macinata
1 uovo
1 ciuffo di prezzemolo tritato
sale e pepe q.b.
parmigiano grattugiato q.b.
60 grammi di burro

Battete ben bene le fettine di vitello. In una casseruola soffriggete il grasso di prosciutto e l'aglio con l'olio; unite il prezzemolo e i pomodori, poi i fagioloni; salate e lasciate cuocere una mezz'ora. Intanto in un padellino soffriggete lo spicchio d'aglio intero con l'olio; appena sarà colorito, toglietelo e unite i funghi ben lavati; salate e bagnate con il brodo. Lasciate cuocere una ventina di minuti, poi tritate i funghi. In una terrina mescolate la lonza con il parmigiano, l'uovo, un pizzico di sale e di pepe, il prezzemolo e i funghi. Mettete un poco del composto in ogni fettina di carne e avvolgetela su se stessa fermandola con uno stecchino. Cuocete gli involtini nel burro caldo e, quando saranno rosolati uniformemente, unite i fagioloni col loro sugo e lasciate finire di cuocere a fuoco lento per un quarto d'ora.

Rollè di filetto

(per 6 persone)

1 chilo e 200 grammi di filetto di bue
sale q.b.
pepe nero q.b.
1 rametto di rosmarino
3 foglie di alloro
1/2 limone
4 cucchiaiate d'olio
40 grammi di burro
1 cucchiaino di farina
1 bicchiere di vino bianco secco (o 2 cucchiaiate di ottimo aceto)

Salate e pepate abbondantemente il filetto, mettetelo in una casseruola con l'olio, il rosmarino l'alloro e il mezzo limone. Copritelo e lasciatelo cuocere a fuoco vivace, girandolo da tutte le parti per una ventina di minuti. Togliete il limone, il rosmarino e l'alloro, unite il burro e stemperate la farina; spruzzate la carne con il vino (o l'aceto) e fate restringere la salsa per cinque minuti. Tagliate a grosse fette il filetto e servitelo con il suo sugo.

Pollo all'abruzzese

(per 5-6 persone)

Un bel pollo novello
1/2 bicchiere d'olio
1 cipolla piccola tagliata a fettine
sale q.b.
pepe q.b.
500 grammi di pomodori maturi tagliati a pezzi
2 grossi peperoni tagliati a listerelle

Pulite il pollo, lavatelo e tagliatelo a pezzi. In una casseruola fatelo rosolare con la cipolla e l'olio a fuoco lento. Salate, pepate e aggiungete i pomodori. Coprite e lasciate cuocere lentamente per mezz'ora. Scottate i peperoni sul fuoco per togliere la pellicina e uniteli al pollo. Fate cuocere ancora un quarto d'ora, a fuoco lento. Servite ben caldo.

Tacchino alla canzanese

(per 6-8 persone)

un bel tacchino
1 cipolla
1 carota
1 costola di sedano
4 granelli di pepe
25 grammi di sale per ogni chilo di tacchino
pepe q.b.

Dopo aver pulito e lavato il tacchino, disossatelo; tagliate via il collo e la testa; incidetelo con un coltellino affilato lungo un fianco partendo da sotto l'ala e poi via via staccate la carne del petto dalle ossa dello sterno e arrivate fino all'altro fianco. Fate attenzione che la pelle resti intera. Continuate a spolpare anche la carne delle cosce e del dorso. Se volete, potrete farvelo disossare dal vostro pollivendolo.
Stendete il largo pezzo di tacchino sul tagliere, salatelo bene, pepatelo e arrotolatelo, lasciando la pelle all'esterno. Cucitelo ben stretto come per fare un grosso salame e mettetelo a cuocere in una pentola con acqua in ebollizione (circa un litro per ogni chilo), gli odori e i granelli di pepe. Fate bollire lentamente sul fornello (o in forno) per circa 3 ore, ben coperto. Quando sarà tenero, scolate il tacchino dal suo brodo, passatelo in forno caldo (circa 200°), finché avrà preso colore uniforme: occorrerà circa mezz'ora. Tagliatelo a fette, disponetelo in un piatto di portata fondo e versateci sopra il brodo filtrato e fatto restringere. Lasciate raffreddare in frigorifero per far diventare gelatina il brodo.

Coniglio alla molisana

(per 6 persone)

1 coniglio di circa 1 chilo e mezzo
sale q.b.
pepe q.b.
1 rametto di rosmarino tritato
1 ciuffo di prezzemolo tritato
100 grammi di prosciutto tritato
1 ciuffo di salvia
6 salsiccette
1/2 bicchiere d'olio
6 spiedini

Pulite, lavate e disossate il coniglio. Tagliatelo in una dozzina di pezzi e conditeli con sale, pepe, rosmarino e prezzemolo; poi arrotolateli su se stessi con un poco di prosciutto all'interno. Punzecchiate le salsicce con un ago. Infilzate un involtino di carne di coniglio, una foglia di salvia, una salsiccia, un involtino di carne di coniglio e una foglia di salvia in ogni spiedino. Cuocete gli spiedini sul fuoco della brace (o nel forno a circa 180°) per circa un'ora rigirandoli spesso e spennellandoli di tanto in tanto con l'olio.

Ventricine di Chieti

(per 6 persone)

250 grammi di reticella d'agnello

500 grammi di frattaglie d'agnello (cuore o fegato)

2 spicchi d'aglio tritati

1 ciuffo di prezzemolo tritato

sale q.b.

peperoncino rosso q.b.

150 grammi di budelline d'agnello

2 cucchiai d'olio

Tagliate a quadretti la reticella d'agnello. Tritate le frattaglie ben lavate e mescolatele all'aglio e al prezzemolo; unite un bel pizzico di sale e di peperoncino; mettete un poco di composto in ogni reticella e arrotolatela come un involtino. Legate gli involtini con un pezzetto di budellina d'agnello. Fate scaldare bene una padella, appena unta d'olio (le «ventricine» vengono poi soffritte nel loro grasso) e cuocetele per circa un quarto d'ora.

Scapece alla vastese

(per 6 persone)

1 chilo di pesce da taglio (razza o palombo)

farina q.b.

sale q.b.

1 litro di aceto di vino bianco

1/2 grammo di zafferano

Pulite il pesce e tagliatelo a fette; infarinatele e friggetele in abbondante olio bollente. Scolate il pesce su una carta che assorba l'unto, poi salatelo. Scaldate l'aceto in una pentola non metallica, versate lo zafferano, sciolto in un poco d'aceto a parte, e toglietelo dal fuoco appena avrà preso l'ebollizione.
Stendete uno strato di pesce in una terrina, versate un poco d'aceto aromatizzato allo zafferano, coprite con l'altro pesce e terminate versando il rimanente aceto. Tenete in fresco e servite dopo ventiquattro ore il pesce ben sgocciolato dalla marinata.

Teglia di pesce al forno

(per 6 persone)

1 chilo di patate tagliate a fettine

1 cipolla tagliata a fettine

1 spicchio d'aglio tritato

1 bel ciuffo di prezzemolo tritato

1/2 bicchiere d'olio

700 grammi di pesce spada (o tonno o palombo) tagliato a fette

sale q.b.

pepe q.b.

1/2 peperoncino rosso tritato

In una teglia ben unta d'olio fate uno strato con circa la metà delle patate e la metà della cipolla, salate un poco, stendete le fette di pesce, salate e pepate da entrambe le parti, spolverate con il peperoncino, versate un filo d'olio, coprite con il resto delle cipolle e delle patate; salate, pepate e versate ancora un poco d'olio. Passate in forno precedentemente riscaldato e fate cuocere a fuoco moderato (circa 180°) per 40 minuti circa.

Brodetto alla vastese

(per 6 persone)

1 chilo e mezzo di pesce misto (merluzzo, triglie, sogliole, testone, palombo, calamari, seppie, cicale di mare, vongole, aragosta, cozze, ecc.)

3 spicchi d'aglio tritati

1/2 bicchiere abbondante d'olio

10 peperoncini secchi

1 bicchiere d'aceto rosso

sale q.b.

pepe q.b.

1 ciuffo di prezzemolo tritato

fette di pane casereccio q.b.

Pulite il pesce e tagliate a pezzi i pesci più grossi. In una larga casseruola, possibilmente di terracotta, mettete nell'olio il trito d'aglio e i peperoncini. Fate soffriggere a fuoco vivace per una decina di minuti, togliete i peperoni e pestateli nel mortaio diluendoli con l'aceto. Unite la poltiglia ottenuta all'aglio soffritto, aggiungete i pesci, prima i più grossi, poi i più piccoli e abbassate la fiamma; salate, pepate e ultimate con il prezzemolo. Coprite e lasciate cuocere a fuoco basso per una ventina di minuti. Fate molta attenzione a rimuovere il pesce perché non si rompa e servitelo bollente accompagnato da fette di pane casereccio.

Palombo e seppie alla scapece

1 chilo di palombo tagliato a tranci

500 grammi di seppioline

farina q.b.

olio per friggere q.b.

sale q.b.

3 spicchi d'aglio

qualche foglia di basilico tritato

4-5 ciuffi di prezzemolo

4 tazze di aceto

1 cipolla tagliata a fettine

2 foglie di alloro

1 rametto di rosmarino

2-3 grani di pepe

1 ciuffo di salvia

un pizzico di maggiorana

Private della pelle le fette di palombo, risciacquatele, infarinatele e friggetele nell'olio. Friggete anche le seppioline ben pulite, asciugate e infarinate. Mettete in una terrina il pesce e le seppioline disponendoli a strati e condendo ogni strato con gli spicchi d'aglio, due ciuffi di prezzemolo e qualche foglia di basilico tritati. Bollite l'aceto con sale, cipolla, prezzemolo, alloro, rosmarino, grani di pepe, salvia e maggiorana e versatelo caldo nella terrina. L'aceto deve ricoprire il pesce. Mettete il coperchio al recipiente e consumate il pesce qualche giorno dopo.

Triglie sul focone

(per 6 persone)

12 triglie di circa 150 grammi l'una

sale q.b.

2-3 cucchiaiate di olio d'oliva

1 mazzetto di scalogni

2-3 ciuffi di prezzemolo

un pizzico di timo

2 foglie di alloro

3-4 grani di pepe

Pulite e lavate le triglie in acqua salata. In un grande piatto profondo mettete le erbe aromatiche: qualche scalogno, il prezzemolo, il timo, l'alloro, i grani interi di pepe e disponetevi sopra le triglie. Sgocciolate dell'olio sulle triglie e lasciatele marinare per circa 2 ore. Trascorse le due ore, liberate i pesci dalle erbe, asciugateli e infilzateli su degli spiedini, facendo passare questi dalla testa alla punta della bocca. Assicurate i pesci con qualche piccola legatura alla coda e nella parte intermedia del corpo, e poi fateli arrostire su fuoco vivo di legna, ungendo di tanto in tanto con poco olio sbattuto. Alla fine della cottura le triglie avranno la pelle bruciata e nell'interno la carne sarà profumata e saporitissima.

Sogliole alla giuliese

(per 4 persone)

4 sogliole da 250 grammi l'una

1 spicchio d'aglio

40 olive nere

qualche ciuffo di prezzemolo

120 grammi d'acqua

2 cucchiaiate di olio d'oliva

1 limone

sale q.b.

Pulite le sogliole togliendo loro le interiora e levando la spessa pelle che le ricopre (sia la nera che la bianca), risciacquate e asciugate, quindi ponetele in una teglia larga con l'olio, la quantità d'acqua indicata, il succo di mezzo limone, lo spicchio d'aglio e il prezzemolo tritati. Salate leggermente.
Il fuoco deve essere moderato. A tre minuti dalla completa cottura, aggiungete nella teglia le olive nere e quattro fettine di limone tagliate orizzontalmente. Togliete con delicatezza le sogliole dal loro recipiente e accomodatele in un piatto di portata contornando ogni pesce con una decina di olive e guarnendolo con una fettina di limone.

Timballo di melanzane

(per 6 persone)

4 grosse melanzane tagliate a fette

sale q.b.

farina q.b.

olio per friggere q.b.

60 grammi di burro

150 grammi di prosciutto crudo tagliato a fette

250 grammi di scarmorza tagliata a fette

4 uova sbattute con sale

Spolverate leggermente di sale le melanzane e lasciatele un'oretta in un piatto inclinato perché perdano l'amaro. Asciugatele bene, infarinatele e friggetele in abbondante olio bollente. Sgocciolatele su una carta che assorba l'unto e salatele. Imburrate bene una pirofila, mettete uno strato di melanzane, uno di fettine di prosciutto, qualche fiocchetto di burro e uno strato di fettine di scarmorza. Continuate in questo modo fino all'esaurimento degli ingredienti, terminate con uno strato di melanzane e il burro fuso. Passate in forno caldo, a calore moderato (circa 180°) per 15 minuti, quindi versate sul timballo le uova sbattute. Rimettete in forno per 15-20 minuti, finché le uova si saranno rapprese e il formaggio si sarà sciolto.

Pasticcio di patate con le salsicce

(per 6 persone)

1 chilo e mezzo di patate a pasta bianca

sale q.b.

50 grammi di burro

3/4 di litro di latte tiepido

pepe q.b.

noce moscata q.b.

4 cucchiaiate di parmigiano grattugiato

6 salsicce sbriciolate

1 cucchiaiata di pangrattato

Lessate le patate in poca acqua salata, sbucciatele e passatele subito al setaccio; unite il burro fuso, il latte tiepido, il parmigiano, un pizzico di sale, l'odore della noce moscata e una spolverata di pepe. Mescolate bene e sbattete per montare come per un purè. Intanto rosolate nel loro grasso le salsicce sbriciolate e, dopo circa un quarto d'ora di cottura a fuoco lento, mescolatele alle patate. Versate il composto in una pirofila imburrata, spolverate con il pangrattato e passate in forno già caldo, a calore moderato (circa 180°) per circa venti minuti, finché il pasticcio formerà una crosticina dorata.

Cardi ripieni

(per 6 persone)

1 chilo e mezzo di cardi

sale q.b.

300 grammi di scamorza tagliata e fettine

150 grammi di salame tagliato a fette

1 uovo sbattuto con sale

olio per friggere q.b. (oppure 80 grammi di burro)

Pulite e tagliate a pezzi regolari i cardi; lavateli e lessateli in acqua bollente salata. Scolateli e uniteli, a due a due, con in mezzo una fetta di scamorza e una di salame; passateli nell'uovo sbattuto e friggeteli in abbondante olio bollente. Oppure stendeteli in una pirofila imburrata, versateci sopra il burro fuso e passate in forno caldo a calore moderato (180°) per circa mezz'ora, finché avranno preso un bel colore dorato.

Cuscinetti di Teramo

per la pasta

120 grammi di farina

1 cucchiaio di vino bianco

1 cucchiaio d'olio

1 pizzico di sale

2 cucchiai di zucchero

per il ripieno

60 grammi di marmellata di frutta di varie qualità

40 grammi di cioccolato fondente grattugiato

40 grammi di mandorle tostate e tritate

olio per friggere q.b.

miele q.b.

Sulla spianatoia impastate la farina con il vino, l'olio, il sale e lo zucchero. Lavorate energicamente la pasta e poi tiratela in una sfoglia sottile; ritagliatela in dischi di circa 5 cm di diametro. In una terrina mescolate la marmellata con il cioccolato e le mandorle. Distribuite un poco del ripieno su ogni disco; ripiegateli su se stessi e chiudeteli pemendo bene i bordi. Friggete i cuscinetti in abbondante olio bollente e, appena saranno dorati, sgocciolateli su una carta che assorba l'unto. Serviteli cosparsi di miele.

Calciuni del Molise

per la pasta

200 grammi di farina
2 tuorli d'uovo
1 cucchiaio d'acqua
1 cucchiaio d'olio
1 cucchiaio di vino bianco

per il ripieno

200 grammi di castagne lessate
1 bicchiere di rhum
2 cucchiai di cioccolato fondente grattugiato
1 cucchiaio di miele
1 pizzico di cannella
1 pizzico di vaniglia
30 grammmi di mandorle tostate e tritatte
20 grammi di cedro candito tritato
olio per friggere q.b.
zucchero al velo q.b.
cannella q.b.

I «calciuni» sono dolci natalizi a forma di grosso raviolo. Sulla spianatoia impastate la farina con i tuorli d'uovo; ammorbidite la pasta con l'acqua, l'olio e il vino e lavoratela energicamente. Tiratela con il mattarello in una sfoglia sottile e ritagliate dei dischi del diametro di 7 cm circa. In una terrina mescolate le castagne, passate al setaccio, con il miele, il cioccolato, il rhum, un pizzico di cannella e di vaniglia, le mandorle e il cedro. Mettete un poco di ripieno su ogni disco e chiudetelo a forma di raviolo, premendo bene i bordi. Friggete i «calciuni» in abbondante olio bollente e, appena saranno dorati, sgocciolateli su una carta che assorba l'unto e spolverateli di zucchero al velo e di cannella.

Torrone di cioccolato

250 grammi di miele
750 grammi di nocciole sbucciate
250 grammi di zucchero zemolato
250 grammi di cioccolato amaro
2 albumi
cialde q.b.

Vi sono molte qualità di torroni duri o morbidi; questi ultimi richiedono pochissima cottura e attenzione, a differenza degli altri. Il torrone di cioccolata di questa ricetta è morbido, di facile e rapida esecuzione. Versate il miele nella parte superiore di una casseruola per cotture a bagno-maria e fatelo cuocere sopra l'acqua in ebollizione mescolando ininterrottamente con un cucchiaio di legno fino a quando il miele sarà diventato liquido. Continuate la cottura a bagno-maria, mescolando di frequente, per circa un'ora finché lasciando cadere una goccia di acqua fredda si formerà una pallina dura.
Mentre il miele cuoce, preparate gli altri ingredienti. tostate le nocciole in forno a calore moderato e togliete le pellicole. Sciogliete tre cucchiai di zucchero in un eguale quantitativo di acqua e lasciatelo cuocere lentamente fino a quando si addensa. Unite il cioccolato fatto a pezzettini e continuate la cottura, mescolando continuamente finché sarà tutto sciolto e amalgamato allo zucchero. Mettete da parte il cioccolato, tenendolo al caldo.
Sciogliete il rimanente zucchero con uno o due cucchiai di acqua e fate cuocere lentamente finché si caramella, mescolando di tanto in tanto con un cucchiaio di legno.
Montate gli albumi a neve ben ferma. A questo punto il miele dovrebbe essere pronto; incorporate lentamente al miele gli albumi montati a neve. Il composto diventerà bianco e soffice. Incorporate analogamente lo zucchero caramellato e il cioccolato caldo completamente sciolto. Mescolate bene tutti gli ingredienti e unite le nocciole. Tutte queste operazioni devono essere fatte a caldo, continuando a tenere sul fuoco la casseruola per il bagno-maria con il miele.
Ora togliete il recipiente dal fuoco e versate il composto sopra un letto di cialde; stendetelo rapidamente aiutandovi con la lama bagnata di un coltello a paletta e formate uno strato di torrone di tre o quattro centimetri di spessore. Volendo potete coprire anche la superficie del torrone con le cialde. Fate raffreddare per 20 minuti poi con un coltello affilato tagliate il torrone in lunghe strisce e ogni striscia in rettangoli di uguali dimensioni, a piacere. Lasciatelo raffreddare e conservatelo avvolto in carta di alluminio, in un luogo fresco e asciutto.

Parrozzo

150 grammi di mandorle dolci
2-3 mandorle amare (facoltativo)
180 grammi di zucchero
burro e farina per la teglia
60 grammi di farina bianca
60 grammi di fecola di patate
un pizzico di cannella
un pizzico di vaniglina
80 grammi di burro
5 uova

per la copertura

150 grammi di cioccolato amaro
30 grammi di burro
vermicelli di cioccolato

Scottate tutte le mandorle in acqua in ebollizione per 1 o 2 minuti. Scolatele e spellatele appena possibile. Pestate le mandorle in un mortaio con 2 o 3 cucchiai di zucchero riducendole in polvere. Imburrate e infarinate leggermente uno stampo con bordi alti di circa 20 centimetri di diametro. Mescolate la farina con la fecola, la cannella e la vaniglina. Fate sciogliere il burro e lasciatelo raffreddare. Separate gli albumi dai tuorli delle uova. Sbattete a lungo i tuorli, aggiungendo man mano lo zucchero rimasto e la mistura di zucchero e mandorle, sino a quando il composto sarà ben montato e soffice. Unite quindi al composto di tuorli montati, a poco a poco, sbattendo sempre vigorosamente, la mistura di farina, il burro sciolto raffreddato e da ultimo gli albumi montati a neve ferma. Versate il tutto nello stampo e fate cuocere nel forno già caldo, a calore moderato per 40 minuti circa, finché la torta è lievitata e ben dorata. Lasciate raffreddare prima di sformare.
Per la copertura, sbriciolate il cioccolato amaro e fatelo sciogliere a bagno-maria con 30 grammi di burro e un cucchiaio d'acqua. Sbattete il composto di cioccolato per renderlo morbido e omogeneo, quindi versatelo sulla torta, e con una spatola, immersa prima in acqua bollente, stendetelo in modo da formare uno strato sottile di copertura. Lasciate asciugare e decorate la torta con i vermicelli di cioccolato.

CAMPANIA

La fortezza di Castel dell'Ovo, a Napoli. Il capoluogo campano è al centro di una regione ricca di sapori che ha i suoi cibi più celebrati negli spaghetti e nella pizza, un impasto di acqua e farina che gli storici fanno risalire all'età neolitica. La versione moderna, però, è del sedicesimo secolo, epoca in cui si cominciò ad unirvi anche il sugo di pomodoro.

*E*cco, arriva il «pazzariello»: trombetta, tamburi di tipi diversi, piatti metallici che risuonano cadenzati al ritmo della tarantella, lazzi e canti ritmati: un travestimento che sembra appartenere a un mondo andato, scomparso almeno cent'anni fa, insieme alla caduta dei Borbone. Eppure siamo nella Napoli di oggi, e questo incredibile personaggio del «pazzariello» rimane ancora uno dei protagonisti della vita del «vicolo» napoletano, quel mondo multicolore che una scrittrice ha definito «una società di mutuo soccorso» e nel quale i napoletani vivono tutta la loro giornata, dall'alba al tramonto, affaccendati in mille attività: il lavoro, il riposo, le discussioni, il pasto, gli affari. È qui che esiste ancora il «ramariello», il sensale che procura ai giovani promessi sposi tutti i denari necessari per la cerimonia e per mettere su casa. Quando il «pazzariello» (che viene solitamente ingaggiato dalle trattorie per fare della *réclame* e assoldato ogni volta che occorre attirare l'interesse della folla) percorre i vicoli della vecchia Napoli, quelli ad esempio di Spaccanapoli (che ne è un po' il cuore), i bambini gli fanno corona, in uno spettacolo multicolore ed esaltante, tra la biancheria stesa ad asciugare tra una casa e l'altra nelle strette viuzze, il profumo di fritto di una vicina friggitoria e quello dell'origano della onnipresente pizzeria.

Per i vicoli a Napoli si pranza e si cena, volendo. Fino a non molti anni fa, ad esempio, si vendevano all'aperto perfino gli spaghetti, ancora immersi nell'acqua lattiginosa di cottura, in due diverse ricette: i semplici spaghetti privi di condimento a due soldi e gli spaghetti conditi con uno schizzo di «pommarola» a quattro soldi. Oggi per strada si vendono e si mangiano ancora

La pizza e i suoi ingredienti: farina, acqua, pomodoro, mozzarella, aromi, olive. Ne esistono centinaia di varianti, come la ''Margherita'', creata in onore della regina d'Italia e perciò tricolore: pomodoro, mozzarella e basilico fresco.

le pizze, da consumare camminando, dopo averle piegate in due, «a libretto», come si dice qui, nel sempre ironico e colorito linguaggio partenopeo.

Spaghetti e pizze sono i due poli di attrazione della cucina napoletana. La pasta alimentare ha un uso diffusissimo: si va dagli spaghetti ai maccheroni, ai bucatini, ai vermicelli, in una varietà infinita di forme e di tipi. Napoli non ha inventato gli spaghetti, come alcuni credono; le paste alimentari, infatti, sono originarie della Sicilia, ma qui, precisamente nella città di Gragnano, a pochi chilometri da Napoli, si è trovato il modo di essiccarle e di conservarle. La pasta è fatta di grano duro, molto difficile da impastare e da lavorare, e questo è il motivo per il quale anche i napoletani, maestri in cucina, si affidano per il loro primo piatto alle paste industriali. La loro abilità si rivela invece in primo luogo nel rito della cottura (gli spaghetti devono essere cotti al punto giusto, «al dente» come si suol dire, in modo cioè che non diventino eccessivamente molli e collosi) e quindi in quello del condimento, di cui gli ingredienti più semplici sono l'olio e l'aglio; ed è così che molti napoletani amano consumarli.

Il modo più classico è quello della «pommarola», il sugo che ha reso famosi nel mondo i cuochi napoletani. Certo, la cucina di questa regione deve molto al pomodoro: è impensabile la cucina napoletana prima che Cristoforo Colombo andasse a scoprire l'America e prima che i pionieri portassero dal Perù il pomodoro, fino ad allora sconosciuto nell'intera Europa.

Del pomodoro, oltre che la pasta, si vale in notevole misura anche la pizza. Questo famosissimo piatto, che si è ormai imposto in tutto il mondo, è schiettamente napoletano e insieme agli spaghetti è diventato in Italia il sinonimo di Napoli, e nei cinque continenti il sinonimo dell'Italia intera. È un'immagine cara a coloro che classificano i popoli sulla base di un *cliché* conformista che ha fatto certamente il suo tempo, ma che è comunque un'immagine simpatica, della quale, per giunta, Napoli si vanta. Ecco emergere il quadro di una città festaiola, seduta a una ricca tavola imbandita e armata di mandolino, tutta aggrappata intorno a Piedigrotta a cantare «O sole mio», «Santa Lucia», «Marecchiare» o «Funiculì Funiculà». In verità, però, Napoli è un po' così, come la presentano i *dépliants* turistici e come viene sognata in tutto il mondo. Anche i famosi «posteggiatori» (gli specialisti della canzone che si esibiscono per le strade con la chitarra e con il mandolino) fanno ancora parte del folclore napoletano; i portafortuna e gli amuleti continuano a imperare in tutte le classi sociali; le tradizionali feste di Piedigrotta e di Santa Maria del Carmine sono sempre i grandi appuntamenti napoletani, mentre due volte all'anno (il primo sabato di maggio e il 19 settembre) si rinnova puntualmente il miracolo di San Gennaro. In tutte queste cose Napoli non viene neppure scalfitta dalla modernità. In pieno secolo ventesimo, i napoletani continuano ad affollare, insieme ai turisti, Santa Lucia, per ammirare il tramonto e per consumare i frutti di mare e i piatti tradizionali nelle trattorie del porticciolo costruite su palafitte arroccate sulla scogliera. Anche Marechiaro, il villaggio di pescatori costruito a picco sul mare, continua a far parte della coreografia di Napoli, e gli innamorati guardano con sentimento struggente alla finestra eternata dai versi di Salvatore di Giacomo nella più famosa canzone napoletana.

Napoli, insomma, è ancora quella che scrittori come Malaparte e come Marotta hanno descritto nei loro libri: un mondo denso di personaggi traboccanti di vita in una cornice barocca, nella quale sacro e profano si mescolano in parti uguali. I vicoli sono costellati di tabernacoli in cui brillano giorno e notte lampade votive, eppure sono anche il cuore di tutti gli altri elementi vitali dei napoletani.

La pizza, un impasto di acqua e farina che gli storici fanno risalire addirittura all'età neolitica, ha trovato nel pomodoro la chiave del suo successo; nata nella sua versione moderna verso il 1500, con l'introduzione del pomodoro, nel 1700 era già diventata un cibo da re. Nella reggia di Caserta, ideata e costruita in quel secolo dal Vanvitelli, la pizza dominava i ricevimenti dei Borbone, e Ferdinando IV giungeva perfino a farla cuocere nei forni di Capodimonte, gli stessi nei quali nascevano le famose ceramiche. Della pizza esistono centinaia di diverse ricette: una nomenclatura vastissima, nella quale si va dalla pizza margherita (che fu inventata in onore della prima regina d'Italia e che perciò è tricolore, con il rosso del pomodoro, il bianco della mozzarella e il verde del basilico), alla pizza con le vongole, a quella alla marinara, a quella alla salvia, a quella «a quarti», addirittura suddivisa in quattro scompartimenti con ingredienti diversi tra loro. La mozzarella è uno degli ingredienti principali della piz-

Gli struffoli, palline di pasta ricoperte di miele e spruzzate con coriandoli di zucchero, sono dolci tipici delle feste campane. A fianco, lo sfondo di Positano con la cupola della sua chiesa e, in primo piano, le paste e le verdure della zona.

za: sono famose le mozzarelle di Battipaglia e di Aversa fatte di latte di bufala, originarie del Casertano, mentre un piatto a sé è la «mozzarella in carrozza», da friggere tra due fette di pane *carré* cosparse di uovo e di pane grattugiato nell'olio bollente.

Naturalmente il pesce è all'ordine del giorno nella cucina napoletana; entra in moltissime ricette di paste e di risi o fa piatto a sé, come i polipi che a Posillipo vengono cotti a fuoco lento con aglio, olio, olive, capperi e prezzemolo in terrine di creta perfettamente chiuse. Famosi anche i «polpi alla Luciana» preparati nel porticciolo di Santa Lucia nelle pentole di creta con peperoncini piccanti e con pomodori. Cozze, vongole e calamari sono la materia prima di molti piatti eccellenti. Quella napoletana è in genere una cucina rapida e veloce: domina, ad esempio, il concetto di «friggi e mangia», cioè della rosticceria nel vero senso della parola, nella quale i pesci passano direttamente dalla padella alla bocca del consumatore, e domina anche il concetto del mangiare senza eccessive formalità. I «passatempi», ad esempio, sono dei cibi minuti (tartine, frutti di mare,

Una teglia colma di ziti al sugo di tonno. Nella pagina a destra, tanti buoni formaggi campani — mazzancolle, ricotta, caciotta, caciocavallo — che si gustano da soli, sulla pizza oppure con la pasta. Nella pagina seguente, Ischia Ponte con l'antico castello Aragonese.

pizzette, composizioni minime di verdure, ecc.) che si consumano in piedi in qualsiasi momento della giornata: una città, dunque, che per mangiare bene non ha bisogno necessariamente di sedersi a tavola.

I vini meritano un capitolo a parte: sono gli stessi vini che dominavano la mensa degli antichi Romani. Il Capri bianco è un classico vino da pesce che gli specialisti considerano uno dei migliori d'Italia; il suo profumo si affina con l'invecchiamento che può arrivare fino a 5 anni. Ischia propone invece il bianco Piedimonte, il bianco e rosso Epomeo e il Forio d'Ischia. Sulla costiera amalfitana domina il Ravello nelle tre versioni di bianco, rosso e rosato; sulla penisola sorrentina c'è il rosso di Gragnano, mentre i Campi Flegrei danno il famoso Falerno con il quale gli antichi Romani banchettavano intere giornate. I vigneti del Vesuvio, sulle propaggini del vulcano fino a Resina e Torre del Greco, producono il Lacryma Christi di colore giallo-ambra, mentre dall'entroterra del Casertano giunge l'Asprino, bianco e leggero, da consumare fresco.

Mozzarella in carrozza
Fritto di mozzarella
Panzarotti
Pizza alla napoletana
Pizza Margherita
Pizza quattro stagioni
Pizza alle vongole (o cozze)
Pizza ai funghi
Pizza co' cecinielle
Calzone
Tortano
Tortano con prosciutto
Ragù alla napoletana
Salsa di pomodoro fresco alla napoletana
Linguine aglio e olio
Spaghetti alla caprese
Maccheroni alle alici fresche
Vermicelli con le vongole (o cozze) in bianco
Vermicelli all'olio e pomodori crudi
Cannelloni alla napoletana
Lasagne di carnevale
Sartù di riso alla napoletana
Minestra d'erbe maritata
Fettine di manzo alla pizzaiola
Lombatine di maiale alla napoletana
Petto di tacchino alla napoletana
Agnello al forno con patate e cipolle
Zuppa di pesce di Pozzuoli
Zuppa di vongole
Insalata di frutti di mare
Polpo alla Luciana
Seppie ripiene
Baccalà alla napoletana
Capitone marinato
Calamaretti alla napoletana
Fritto napoletano di pesce
Melanzane «a fungetielli»
Melanzene ripiene
Parmigiana di melanzane
Timballo di zucchine alla pizzaiola
Cipolle di Napoli
Peperoni ripieni
Pomodori ripieni di riso
Peperonata
«Crocchè» di patate
Frittata con la ricotta
Pastiera napoletana
Struffoli alla napoletana
Zeppole
Sfogliatelle frolle

Mozzarella in carrozza

(per 6 persone)

24 fette di pane a cassetta alte 1 cm (circa 500 grammi)
12 fette di mozzarella (circa 700 grammi)
farina q.b.
3 uova
sale q.b.
2 cucchiai di latte
olio per friggere q.b.

Tagliate il pane a forma di triangolo con la punta smussata. Mettete una fetta di mozzarella fra due fettine di pane; infarinate questi tramezzini e passateli poi nell'uovo sbattuto con un pizzico di sale e il latte. Friggeteli, due o tre per volta, in abbondante olio bollente. Sgocciolateli su una carta che assorba l'unto e serviteli caldissimi.

Fritto di mozzarella

(per 6 persone)

800 grammi circa di mozzarella
3 uova
pangrattato
olio per friggere

Tagliate le mozzarelle in fette non tanto sottili, calcolandone due per persona. Passate le fette di formaggio prima nelle uova sbattute, quindi nel pangrattato e poi di nuovo nell'uovo sbattuto e nel pangrattato. Friggetele poi in una padella con abbondante olio caldissimo e appena l'impanatura assumerà un bel colore dorato, toglietele dalla padella e mettetele a sgocciolare su carta da cucina. Servitele calde.
È necessario che questa frittura sia preparata all'ultimo momento altrimenti la mozzarella si liquefa.

Panzarotti

(per 3 persone)

per la pasta

250 grammi di farina
100 grammi di burro
sale q.b.
1 tuorlo d'uovo

per il ripieno

100 grammi di mozzarella
50 grammi di prosciutto cotto
2 uova
100 grammi di parmigiano grattugiato
un pizzico di noce moscata
2-3 ciuffi di prezzemolo tritato
1 uovo sbattuto
olio o strutto per friggere

Disponete sulla tavola la farina a fontana e mettete al centro il burro a pezzetti, un pizzico di sale, un tuorlo d'uovo e impastate, aggiungendo man mano un po' d'acqua fino a ottenere una pasta di giusta consistenza. Fate una palla di questa pasta, copritela e lasciatela riposare al fresco per almeno mezz'ora. Quindi stendetela e ripiegatela su se stessa un paio di volte, come si fa per una pasta sfoglia. Stendetela di nuovo piuttosto sottile e con un coltellino dividetela in tante strisce verticali larghe circa sei centimetri. Ricavate da queste strisce, con tagli orizzontali, tanti rettangoli alti circa otto centimetri. Tagliate la mozzarella in dadini e il prosciutto in pezzetti e metteteli in una scodella con le uova intere, il

parmigiano grattugiato, un pizzico di noce moscata e il prezzemolo tritato. Mescolate bene il composto e ponetene una cucchiaiata al centro di ogni rettangolo di pasta. Ripiegate il rettangolo e inumidite leggermente con uovo sbattuto gli orli. Con un tagliapasta a rotella passate sull'orlo dei rettangolini, per assicurare meglio la chiusura e dare maggiore eleganza ai panzarotti.
Preparate la padella con abbondante strutto o olio per friggere, intingete i panzarotti nell'uovo sbattuto e passateli subito in padella friggendone pochi alla volta finché siano ben gonfi e dorati. Lasciateli sgocciolare bene su carta da cucina poi sistemateli su un piatto di servizio e serviteli subito ben caldi.

Pizza alla napoletana

(per 4 pizze di circa 100 grammi ciascuna o per 1 pizza grande)

per la pasta

400 grammi di farina + 100 grammi per il tavolo
20 grammi di lievito di birra
1/2 cucchiaino di sale
acqua tiepida q.b. (circa un bicchiere)
oppure 500 grammi di pasta da pane
2 cucchiai d'olio.

per il condimento di una pizza di circa 100 grammi

70 grammi di pomodori pelati, sgocciolati e tagliati a pezzetti
50 grammi di mozzarella tagliata a dadini
1 acciuga diliscata e tagliata a pezzetti
sale q.b.
1 cucchiaino d'origano
2 cucchiai d'olio
1 pizzico di pepe (facoltativo)

Pasta

Sciogliete in un bicchiere il lievito di birra con un poco d'acqua tiepida. Quando sarà sciolto, aggiungetevi due pugnetti di farina, impastate bene e lavorate la pasta finché sarà liscia. Raccoglietela in una terrina leggermente infarinata, copritela con un tovagliolo e lasciatela lievitare, in luogo tiepido, per una mezz'ora. Disponete la rimanente farina a fontana sulla spianatoia (tenete da parte quella per il tavolo), mettete al centro il panetto lievitato e il sale e impastate ancora aggiungendo un poco d'acqua tiepida per volta, finché avrete un impasto di giusta consistenza. Lavorate per una decina di minuti la pasta, raccoglietela intera (oppure già divisa in 4 panetti) e fatela lievitare sulla spianatoia o sulla teglia del forno infarinata, ben coperta, in luogo tiepido, per circa due ore. (Alcuni impastano direttamente tutta la farina con il lievito sciolto in acqua tiepida e il sale, lavorano bene la pasta e poi la fanno lievitare, ben coperta, in luogo tiepido, per due ore e mezza. La lievitazione più lenta del primo metodo è però più consigliabile.) Se usate la pasta del pane già pronta, lavoratela sulla spianatoia con due cucchiai d'olio per una decina di minuti. Le pizze andrebbero cotte nel forno da pane in mattoni, riscaldate con il fuoco di fascine di legna. Se usate il forno a gas o elettrico, fatelo scaldare alla massima temperatura (circa 280°) per almeno mezz'ora, prima di infornare. Quando la pasta sarà lievitata, spianatela un poco con il mattarello, poi stendetela direttamente nella teglia rettangolare del forno (di circa cm 30 × 35) ben unta d'olio e terminate di tirarla uniformemente, pigiandola con le dita. Se desiderate fare le 4 pizze singole, spianate i panetti con le mani in forma rotonda (o aiutandovi con un piccolo mattarello), dello spessore di circa mezzo centimetro; batteteli sulla spianatoia infarinata (o sul tavolo di marmo) e fate in modo che il bordo esterno (il «cornicione») sia leggermente più alto.

Condimento

Distribuite sopra la pasta i pomodori, la mozzarella, i pezzetti di acciuga, un pizzico di sale, l'origano, l'olio e, se volete, una spolverata di pepe.

Infornate, nel forno a legna, per 4-5 minuti, rigirando la pizza con l'aiuto di una lunga pala di legno, oppure nel forno a gas o elettrico, nella parte più vicina alla fonte di calore, per 15-20 minuti a fuoco vivo (circa 280°).

Nella teglia grande, la pizza impiegherà più tempo a causa dello spessore della placca di ferro smaltato, calcolate anche mezz'ora.

Condimenti per pizze

La pasta che costituisce la base della pizza è sempre uguale ed è stata descritta nella ricetta precedente «pizza alla napoletana» alla quale potete fare riferimento; variano invece i condimenti di cui vi diamo qui di seguito una scelta.

Pizza Margherita

(per il condimento di una pizza di circa 100 grammi)
70 grammi di pomodori pelati, sgocciolati e tagliati a pezzi
50 grammi di mozzarella tagliata a dadini
2 foglie di basilico
sale q.b.
2 cucchiai d'olio
1 cucchiaio di parmigiano grattugiato
pepe q.b. (facoltativo)

Pizza quattro stagioni

Dopo aver stesa la pasta della pizza nella teglia, aggiungetevi due cordoni di pasta incrociati in modo da ottenere quattro spicchi. Condite ogni settore in maniera diversa a vostra scelta.

Pizza alle vongole (o cozze)

(per il condimento di una pizza di circa 100 grammi)
100 grammi di pomodori pelati, sgocciolati e tagliati a pezzi
sale q.b.
1 cucchiaino d'origano
250 grammi di vongole (o cozze) con il guscio
1 spicchio d'aglio tritato
1 ciuffo di prezzemolo tritato
2 cucchiai d'olio
pepe q.b.

Distribuite i pomodori sopra alla pizza, salateli leggermente, spolverate con l'origano e versate una cucchiaiata d'olio. Passate in forno a cuocere nel solito modo. Mettete in una padella senz'acqua, con un cucchiaio d'olio, l'aglio, il prezzemolo e le vongole (o le cozze) ben lavate. Dopo cinque minuti, appena saranno tutte aperte, toglietele dai loro gusci e conservatele al caldo con il loro brodo di cottura. Versatele poi sulla pizza appena sfornata e spolverate con una bella macinata di pepe.

Pizza ai funghi

(per il condimento di una pizza di circa 500 grammi)
500 grammi di funghi freschi
2-4 spicchi d'aglio schiacciati
10 cucchiai di olio d'oliva
2-3 ciuffi di prezzemolo tritato
sale q.b.
pepe (facoltativo)

Raschiate e lavate i funghi freschi. Tagliate il cappello dei funghi a fettine sottili, eliminando i gambi. Schiacciate gli spicchi di aglio e fateli rosolare nell'olio. Eliminate l'aglio appena comincia a scurire e aggiungete i funghi, il prezzemolo tritato e un pizzico di sale; fateli rosolare per circa 10 minuti. Spalmate il composto sulla pasta della pizza alla napoletana che avrete preparato in precedenza, nel solito modo. Passate la piastra da forno, o la teglia con la pizza, in forno caldo e fate cuocere a fuoco vivo.

Pizza co' cecinielle

(per il condimento di una pizza di circa 500 grammi)
500 grammi di cecinielle
1-2 spicchi di aglio tritato
olio d'oliva
origano (facoltativo)
sale q.b.
pepe q.b.

I «cecinielle» sono dei pesciolini piccolissimi che non richiedono cure preliminari, è sufficiente una semplice risciacquata. Preparate come al solito la pasta della pizza alla napoletana, stendetela nella teglia e ricopritela con abbondanti manciate di pesciolini. Condite con un filo di olio e sale e, se volete, una spruzzatina di origano. Mettete a cuocere in forno molto caldo.

Calzone

per la pasta
100 grammi abbondanti di pasta per pizza (vedere Pizza alla napoletana pag. 209)

per il condimento
30 grammi di prosciutto (o salame)
40 grammi di mozzarella tagliata a dadini
50 grammi di ricotta (facoltativa)
1 cucchiaio di parmigiano grattugiato
sale q.b.
pepe q.b.
2 cucchiai d'olio

Quando la pasta sarà lievitata, tirate una sfoglia rotonda di circa 20 cm di diametro, spennellatela d'olio, stendete sopra il prosciutto tagliato a fettine (o il salame), i formaggi, un pizzico di sale e di pepe; ripiegate in due, pigiate bene i bordi uno sull'altro in modo da racchiudere perfettamente il ripieno. Ungete d'olio il calzone e cuocetelo come una normale pizza.

Se volete, quando il calzone è cotto, versate sopra una cucchiaiata di salsa di pomodoro e una foglia di basilico.

Tortano

300 grammi di pasta di pane
200 grammi di ciccioli di strutto
100 grammi di strutto
sale e pepe q.b.

Il tortano è un grosso ciambellone fatto di pasta di pane con abbondanti ciccioli. Mettete sulla tavola di cucina la pasta di pane e lavoratela incorporando in essa dei ciccioli di strutto piuttosto grossi, abbondante strutto, sale e pepe. Formate con la pasta una specie di ciambellone, fatelo lievitare e cuocetelo in forno caldo.

Tortano con prosciutto

(per 6 persone)

500 grammi di farina

25 grammi di lievito di birra

200 grammi di strutto

200 grammi di ciccioli di strutto

300 grammi di prosciutto

6 uova

sale q.b.

pepe q.b.

Mettete la farina sulla tavola, disponetela a fontana, nel centro ponete il lievito di birra, una cucchiaiata di ciccioli, sale e pepe e sciogliete tutto con due bicchieri d'acqua tiepida in modo da avere una pasta piuttosto morbida. Lavoratela bene e quando sarà elastica e liscia mettetela in una terrina a lievitare in luogo tiepido. Lessate le uova, sgusciatele, dividetele in spicchi e unitele al prosciutto, ritagliato in dadini, e ai ciccioli rimasti. Quando la pasta avrà lievitato, rovesciatela sulla tavola infarinata, spianatela con le mani e datele forma di un rettangolo. Su questo rettangolo di pasta spalmate abbondante strutto. Ripiegate la pasta su se stessa, come se fosse una salvietta, e tornate a spianarla leggermente cospargendola di pepe. Infine stendetela in rettangolo e foderate con essa uno stampo per ciambelle.
Sulla pasta distribuite il ripieno preparato, rialzando i bordi della pasta in modo da rinchiuderlo e pigiandoli bene. Spalmate l'esterno del tortano con strutto e passate in forno vivace. Durante la cottura abbiate l'accortezza di spalmare di strutto due o tre volte ancora l'esterno del tortano, ciò che permetterà alla pasta di rimanere morbida.

Ragù alla napoletana

(per condire 600 grammi di pasta)

1 chilo di polpa di maiale o di manzo (culatta)

50 grammi di lardo tagliato a dadini

3 cucchiaiate di strutto (o 1/2 bicchiere d'olio)

sale q.b.

1/2 spicchio d'aglio tritato

3 cipolle tritate

2 carote tritate

1 costola di sedano tritata

1 bicchiere di vino rosso

1/2 cucchiaio di conserva di pomodoro

1 tazza abbondante di salsa di pomodoro alla napoletana (vedere ricetta seguente).

Lardellate la carne con i pezzi di lardo. Fatela rosolare nello strutto (o olio) e salatela da tutte le parti (poco se è carne di maiale). Unite l'aglio, le cipolle, le carote e il sedano tritati. Fate cuocere a fiamma bassa fino a quando le verdure si saranno ammorbidite; poi innaffiate con il vino e lasciatelo evaporare; versate la conserva sciolta in un poco d'acqua tiepida. Coprite e lasciate cuocere lentamente per mezz'ora. Aggiungete ancora un poco d'acqua calda (o brodo) e la salsa di pomodoro. Proseguite la cottura, a fuoco basso, per due ore ancora. Togliete il pezzo di carne (che userete come secondo piatto) e con il sugo condite i maccheroni e ogni altro tipo di pasta.

Salsa di pomodoro fresco alla napoletana

(per condire 600 grammi di pasta)

1 chilo di pomodori maturi

3 spicchi d'aglio interi (o 1/2 cipolla affettata)

1 bicchiere d'olio

1 ciuffo di basilico

1 ciuffo di prezzemolo (facoltativo)

sale q.b.

pepe q.b.

1 cucchiaino di origano (facoltativo)

Lavate, pelate e tagliate a pezzi i pomodori privandoli dei semi. In una casseruolina soffriggete gli spicchi d'aglio, leggermente schiacciati con il manico di un coltello (oppure la cipolla); quando l'aglio sarà colorito toglietelo, (o quando la cipolla sarà imbiondita), versate i pomodori, unite il basilico (o il prezzemolo, oppure entrambi); salate, pepate abbondantemente e lasciate cuocere a fuoco moderato per circa mezz'ora. In ultimo spolverate con l'origano, se vi piace.

Linguine aglio e olio

(per 6 persone)

600 grammi di linguine (o vermicelli)

sale q.b.

1 bicchiere abbondante d'olio

2 spicchi d'aglio tritati (o 4-5 spicchi d'aglio schiacciati)

1 bel ciuffo di prezzemolo tritato

pepe q.b.

Portate all'ebollizione abbondante acqua salata in una pentola. Cinque minuti prima di versare le linguine (o vermicelli), fate scaldare l'olio in una padellina, soffriggetevi gli spicchi d'aglio tritati (oppure gli spicchi d'aglio interi che toglierete appena cominceranno a colorirsi troppo). Quando l'aglio tritato comincerà a imbiondire, togliete la padellina dal fuoco e aggiungete il prezzemolo. Cuocete nell'acqua bollente le linguine, scolatele molto al dente, lasciando un poco (circa 1/2 bicchiere) d'acqua di cottura, e conditele subito con l'olio preparato e una bella spolverata di pepe. Mescolate bene e servite senza formaggio grattugiato.

Spaghetti alla caprese

(per 6 persone)

500 grammi di pomodori maturi

olio q.b.

50 grammi di acciughe diliscate

100 grammi di tonno sott'olio

50 grammi di olive nere di Gaeta snocciolate

600 grammi di spaghetti

sale e pepe q.b.

150 grammi di mozzarella tagliata a dadini

Scottate per un minuto in acqua bollente i pomodori, pelateli, tagliateli a pezzi e privateli dei semi. In un padellino fate scaldare bene tre cucchiaiate d'olio, versatevi i pomodori, salate leggermente e lasciate cuocere a fuoco vivo per un quarto d'ora. Lavate le acciughe, sgocciolatele bene e mettetele in un mortaio con il tonno e le olive. Pestate il tutto finemente, poi passatelo al setaccio e diluite questa profumata purea con qualche cucchiaiata d'olio crudo; fatela poi scaldare leggermente a fuoco molto basso.

Portate all'ebollizione abbondante acqua salata in una grossa pentola; versatevi gli spaghetti e cuoceteli al dente. Scolateli e conditeli immediatamente con la salsa di pomodoro ben calda, la mozzarella, la saporita salsetta e una bella spolverata di pepe. Mescolate ben bene e portate subito in tavola.

Maccheroni alle alici fresche

(per 6 persone)

200 grammi di alici fresche
1 bicchiere di olio d'oliva
6 pomodori grossi maturi
2 spicchi d'aglio schiacciati
pepe q.b.
sale q.b.
100 grammi di tonno sott'olio tagliato in dadini
1 cucchiaio di prezzemolo tritato
2 cucchiai di basilico fresco tritato
700 grammi di maccheroni ziti

Aprite in due le alici fresche, togliete loro la spina centrale, risciacquatele accuratamente, asciugatele con carta da cucina. Prendete sei pomodori grossi e maturi, spellateli, passandoli in acqua bollente, tagliateli in spicchi, privateli dei semi. Scaldate in una casseruola l'olio con i due spicchi d'aglio, lasciate colorire quindi toglieteli e aggiungete nel recipiente le alici e i pomodori. Bagnate con un pochino d'acqua, condite con sale e pepe e fate cuocere. Quando la salsa sarà cotta, aggiungete ancora il tonno sott'olio in dadini. Fate bollire ancora un poco e ultimate l'intingolo condendolo con il prezzemolo e il basilico tritati.

Spezzate poi in pezzi di cinque o sei centimetri i maccheroni ziti, metteteli a cuocere in acqua e sale, scolateli. Mettete la metà di questi maccheroni in un piatto rotondo grande e copriteli con metà della salsa di alici e pomodoro, ricoprite con i maccheroni rimasti e su tutto versate la rimanente salsa. Lasciate stufare per qualche minuto e servite subito in tavola.

Vermicelli con le vongole (o cozze) in bianco

(per 6 persone)

1 chilo e mezzo di vongole (o di cozze)
2 spicchi d'aglio schiacciati
2 cucchiaiate d'olio
1/2 bicchiere d'olio
1 spicchio d'aglio tritato
1 ciuffo abbondante di prezzemolo tritato
pepe e sale q.b.
600 grammi di vermicelli
1 tazza di salsa di pomodoro fresco alla napoletana (facoltativo)

Mettete le vongole (o le cozze ben strofinate con un coltellino) a bagno in una larga catinella con abbondante acqua salata e lasciatele una oretta perché depositino tutta la sabbia. Lavatele poi ripetutamente sotto l'acqua corrente e strofinatele bene in modo che restino lucide e pulite.

In una larga padella fate leggermente imbiondire gli spicchi d'aglio interi con 2 cucchiaiate d'olio; togliete l'aglio e unite le vongole (o le cozze) facendole saltellare per 4-5 minuti perché tutte possano aprirsi ugualmente al calore del fuoco. Quelle che resteranno ancora chiuse dopo questo tempo, eliminatele perché forse non saranno fresche.

Togliete allora la padella dal fuoco, staccate ad uno ad uno i molluschi dal guscio con un cucchiaino e raccoglieteli in una tazza. Lasciate depositare il sugo di cottura delle vongole, poi filtratelo. Versate in una casseruolina l'olio, fatelo scaldare con l'aglio tritato e appena comincerà a imbiondire, unite le vongole (o le cozze), il loro sugo di cottura, il prezzemolo e una bella spolverata di pepe. Lasciate sul fuoco a scaldare con la fiamma molto bassa per un paio di minuti, non di più per non indurire i molluschi.

Cuocete in abbondante acqua salata in ebollizione i vermicelli, scolateli al dente e conditeli immediatamente con la salsa preparata. Serviteli senza alcun formaggio.

Se volete, potete aggiungere alla salsa una tazza di salsa di pomodoro fresco alla napoletana (vedere ricetta pag. 211).

Vermicelli all'olio e pomodori crudi

(per 6 persone)

1 spicchio d'aglio
800 grammi di pomodori maturi tagliati a filetti
1 ciuffo di prezzemolo tritato
5 foglie di basilico tritate
1/2 bicchiere abbondante d'olio
il succo di 1/2 limone
sale q.b.
pepe q.b.
600 grammi di vermicelli
sale q.b.

Strofinate l'interno di una zuppiera con lo spicchio d'aglio schiacciato, poi gettatelo via. Versate nella zuppiera i pomodori, privati dei semi; conditeli con il prezzemolo, il basilico, l'olio, il succo di limone e un poco di sale e di pepe. Coprite e lasciate riposare una mezz'oretta.

Portate all'ebollizione abbondante acqua salata in una pentola, cuocetevi i vermicelli e scolateli al dente. Versateli subito nella zuppiera, mescolate e servite immediatamente.

Cannelloni alla napoletana

(per 6 persone)

per la pasta
300 grammi di farina
3 uova

per il ripieno
2 chili di pomodori maturi
1/2 bicchiere d'olio
sale q.b.
1 ciuffo di basilico
300 grammi di mozzarella tagliata a dadini
4 alici diliscate
80 grammi di parmigiano grattugiato

Preparate la pasta con la farina e le uova (vedere la ricetta «Pasta all'uovo» a pag. 106). Con il mattarello tirate una sfoglia sottile e lasciatela asciugare sulla spianatoia, poi tagliate la pasta a quadrati di 5-6 cm. Portate a ebollizione abbondante acqua con un poco di sale in un tegame largo e basso; versate nell'acqua bollente i quadrati di pasta, pochi per volta, e vedrete che affioreranno quasi subito alla superficie. Lasciateli cuocere pochi minuti per mantenerli al dente, scolateli e distendeteli, ben distanziati, su un canovaccio bagnato e ben strizzato. Scottate in acqua bollente i pomodori per togliere loro la pelle; tagliateli a pezzi e privateli dei semi. In una casseruolina fate scaldare l'olio, aggiungete i pomodori, salate e lasciate cuocere a fuoco vivo per una ventina di minuti.

Passate al setaccio circa la metà dei pomodori, profumate quindi la salsa ottenuta con un ciuffo di basilico e tenetela da parte.

Riempite ogni quadrato di pasta con un poco di mozzarella, qualche pezzetto di pomodoro, qualche pezzetto di alice e una spolverata di parmigiano. Arrotolate poi i quadrati di pasta su se stessi per formare un cannoncino. Allineate i cannelloni in una larga pirofila in un solo strato; versate sopra la salsa di pomodoro e una bella spolverata di parmigiano. Passate in forno già caldo, a calore moderato (circa 180°), per una ventina di minuti. Serviteli ben caldi, appena sfornati.

Lasagne di carnevale

(per 6 persone)

650 grammi di lasagne
sale q.b.
ragù alla napoletana (vedi a pag. 211)
300 grammi di ricotta
2 uova
150 grammi di parmigiano grattugiato
sale q.b.
pepe q.b.
burro q.b.
250 grammi di salsiccia cotta affettata
250 grammi di mozzarella

Lessate le lasagne in abbondante acqua leggermente salata; a metà cottura, quando cioè saranno molto al dente, scolatele e passatele in un recipiente largo e ampio con acqua fredda. Stendete sulla tavola di cucina una tovaglia e poi prendete le lasagne ad una ad una e allineatele, senza sovrapporle, in modo che possano asciugarsi. Avrete preparato intanto un buon ragù alla napoletana, molto denso, di manzo o di maiale. Passate la ricotta al setaccio, raccogliendola in una terrina e aggiungete le uova, metà del parmigiano grattugiato, sale, pepe e mescolate bene.

Ungete di burro una teglia abbastanza grande e ricopritene il fondo di lasagne disponendole una attaccata all'altra. Fatto un primo strato di lasagne, spalmate un po' della ricotta preparata, mettete qua e là delle fettine di salsiccia cotta, qualche fettina di mozzarella e qualche cucchiaio di ragù. Fate un secondo strato di lasagne e conditele come il precedente, e continuate così fino all'ultimo strato, che dovrà essere di lasagne. Su quest'ultimo strato mettete il rimanente parmigiano grattugiato e ricopritelo con sottili fette di mozzarella. Terminate spalmando sulla mozzarella il ragù rimasto. Mettete la teglia in forno a calore moderato e lasciate stufare per circa tre quarti d'ora; quindi servite in tavola nel recipiente di cottura.

Sartù di riso alla napoletana

(per 6 persone)

per le polpettine

200 grammi di carne di manzo macinata
70 grammi di pangrattato
1 uovo
2 cucchiai di parmigiano grattugiato
1 ciuffo di prezzemolo tritato
sale q.b.
pepe q.b.
farina q.b.
olio per friggere q.b.

per il ripieno

1 cucchiaio di strutto (o olio)
50 grammi di pancetta tagliata a dadini
200 grammi di pisellini già sgranati
sale q.b.
150 grammi di salsicce (cervellatine)
1 cucchiaio di strutto (o olio)
2 fegatini di pollo tagliati a pezzetti
2 cucchiai di vino bianco secco
sale q.b.
25 grammi di funghi secchi già cotti
200 grammi di mozzarella tagliata a fettine
100 grammi di prosciutto crudo tagliato a fettine
2 uova sode
1 tazza di ragù alla napoletana (vedere pag. 211)

per il riso

1 litro e mezzo scarso di brodo di manzo
6 cucchiaiate di ragù alla napoletana (vedere pag. 211)
2 uova intere
100 grammi di parmigiano grattugiato
pepe q.b. (o noce moscata)

per lo stampo

1 cucchiaio di strutto (o burro)
pangrattato q.b.

In una terrina mescolate gli ingredienti per fare le polpettine e formate con le mani delle palline, grosse come una ciliegia; passatele nella farina e friggetele in abbondante olio bollente, finché saranno dorate, ma attenzione a non colorarle troppo.

In un padellino soffriggete con lo strutto (o olio) la pancetta, unite poi i pisellini, una o due cucchiaiate d'acqua e un pizzico di sale; lasciate cuocere un quarto d'ora circa. A parte rosolate nello strutto (o olio) le salsicce sbriciolate; quando saranno quasi cotte, unite i fegatini di pollo, mescolate e innaffiate con il vino. Lasciate cuocere a fuoco basso per 5 minuti al massimo e aggiustate di sale. Intanto preparate il riso. Portate a bollore il brodo con il ragù, poi versate il riso, coprite e passate in forno caldo, a fuoco moderato (circa 180°), senza mai mescolare, per 10 minuti. Quando togliete il riso dal fuoco, accertatevi che abbia assorbito tutto il brodo e sia molto al dente.

Ungete con lo strutto (o il burro) uno stampo da budino della capacità di circa 2 litri e del diametro di circa 20 cm, poi spolveratelo con il pangrattato. Condite con il parmigiano, le uova e un pizzico di pepe (o di noce moscata) il riso, mescolatelo bene e versatelo quasi tutto nello stampo, spingendolo con un cucchiaio sul fondo e intorno alle pareti dello stampo. Al centro create uno spazio vuoto come fosse una scatola. Intanto insaporite per qualche minuto a fuoco basso le polpettine con una tazza di ragù.

Mettete nel vuoto dello stampo prima la metà delle fettine di mozzarella e di prosciutto e un uovo sodo, tagliato anch'esso a fettine, poi il ripieno preparato, le polpettine e i funghi, infine di nuovo le fettine di mozzarella, prosciutto e uovo sodo. Ricoprite con il resto del riso, pareggiatelo bene con la lama di un coltello, spolveratelo di pangrattato e di fiocchetti di burro (o strutto). Passate in forno già caldo, a calore moderato (circa 180°) per circa un'ora finché il pangrattato avrà preso un bel colore dorato. Fate riposare una decina di minuti il «sartù», capovolgetelo su un piatto e servitelo.

Minestra d'erbe maritata

(per 6 persone)

1 gallina
500 grammi di culatta di manzo (o punta di culaccio)
125 grammi di salame
125 grammi di guanciale di manzo
125 grammi di prosciutto
100 grammi di cotenne di maiale
sale q.b.
1 cipolla
1 carota
1 costola di sedano
1 piccolo cavolo cappuccio bianco
500 grammi di indivia belga
250 grammi di scarola
1 spicchio d'aglio
60 grammi di lardo

Questa minestra è una specialità napoletana che tradizionalmente viene preparata per il giorno di Pasqua.

Mettete in una pentola la gallina, la culatta di manzo, il salame crudo in un sol pezzo, privato della pelle, il guanciale, il prosciutto in un sol pezzo, le cotenne di maiale raschiate bene e sbollentate a parte. Ricoprite di acqua e fate lessare aggiungendo il sale e gli aromi per il brodo, cioè la carota, la cipolla e il sedano. Man mano che i vari componenti del bollito arrivano a cottura, tirateli su dalla pentola, teneteli in caldo in una casseruola con un pochino di brodo. Terminata la cottura di tutti i pezzi di carne, passate il brodo attraverso un colino e tenetelo da parte.

Sfogliate il cavolo cappuccio, eliminando le costole dure, e dividete ogni foglia in due pezzi. Pulite l'indivia belga e la scarola e tagliatele in quattro pezzi. Risciacquate bene quindi mettete questa verdura in pentola con acqua in ebollizione e fatela cuocere per pochi minuti. Poi passatela in acqua fresca, spremetela tra le mani e mettetela in una casseruola allargandola bene.

Fate quindi un battuto tritando un po' di lardo e uno spicchio d'aglio e mettetelo sulla verdura. Tagliate in fettine il salame, il guanciale, il prosciutto, tagliate in pezzi le cotenne e aggiungeteli agli erbaggi in casseruola. Ricoprite ogni cosa con il brodo che avete preparato e fate bollire piano piano per almeno due ore. Trascorso questo tempo, lasciate un altro poco la zuppa in caldo a stufare. Questa minestra non deve essere molto brodosa. La gallina e il lesso si possono servire a parte.

Fettine di manzo alla pizzaiola

(per 6 persone)

6 fettine di manzo (1 chilo abbondante)
2 spicchi d'aglio schiacciati
1/2 bicchiere d'olio
sale q.b.
800 grammi di pomodori freschi
sale e pepe q.b.
1/2 bicchiere di vino bianco secco (facoltativo)
origano q.b.

Questa preparazione è caratterizzata dall'origano, la profumata erba aromatica che è usata molto a Napoli.

Battete sottili le fette di carne e tagliate via la pelle e i nervetti. Fate imbiondire in un padellino l'aglio con l'olio e poi toglietelo. (Se volete, potete pure tagliare l'aglio a fettine e lasciarle.)

Scottate in questo olio profumato la carne da entrambe le parti; salatela, poi sgocciolatela e tenetela in caldo fra due piatti. Versate nel sugo di cottura della carne i pomodori, tagliati a pezzi privati dei semi e, se volete, anche della pelle. Salate, pepate, spolverate con abbondante origano e lasciate restringere la salsa a fuoco moderato per circa 20 minuti, badando che i pomodori non si disfino troppo. Aggiungete anche il vino, se vi piace, e lasciatelo evaporare. Mettete le fette di carne in una padella, copritele con la salsa e fatele scaldare a fuoco basso, ben coperte, per un paio di minuti. Si cucinano così anche le fettine di fegato di vitello.

Lombatine di maiale alla napoletana

(per 6 persone)

6 bistecche di lombo di maiale
2 peperoni dolci gialli o rossi
200 grammi di funghi freschi
olio d'oliva q.b.
1 spicchio d'aglio
sale e pepe q.b.
1 cucchiaio di salsa concentrata di pomodoro

Abbrustolite i peperoni, pulite i funghi freschi e tagliateli a fettine. Mettete un po' d'olio in un tegame e fatevi soffriggere uno spicchio d'aglio senza lasciarlo colorire. Togliete l'aglio e in quest'olio fate rosolare le lombatine fino a far loro prendere un colore dorato. Conditele con sale e pepe, toglietele dal tegame e tenetele in caldo fra due piatti.

Mettete nel tegame la salsa di pomodoro diluita con un poco d'acqua, aggiungete i peperoni, i funghi e da ultimo le lombatine. Mettete il coperchio al recipiente e lasciate cuocere lentamente per 30 minuti circa. Servite in tavola ben caldo.

Petto di tacchino alla napoletana

(per 6 persone)

500 grammi di petto di tacchino in un solo pezzo
200 grammi di mozzarella
4 pomodori maturi
sale e pepe q.b.
70 grammi di burro
2-3 ciuffi di prezzemolo

Lessate il petto di tacchino, lasciatelo raffreddare e tagliatelo a fette sottili. Ungete di burro un tegame e sul fondo allineate le fettine di tacchino. Sopra il tacchino stendete uno strato di fette di mozzarella e su di esse i pomodori tagliati in filetti. Condite con sale e pepe e qualche nocciolina di burro sparsa qua e là. Passate il tegame in forno per una ventina di minuti. Quando il formaggio comincerà a sciogliersi, guarnite la pietanza con il prezzemolo tritato e servite in tavola nel recipiente di cottura.

Agnello al forno con patate e cipolle

(per 6 persone)

1 chilo e 800 grammi circa di agnello
1 spicchio d'aglio tritato
3 rametti di rosmarino
sale q.b.
pepe q.b.
50 grammi di strutto
1/2 bicchiere abbondante d'olio
1 dozzina di cipolline
1 chilo e 300 grammi di patatine novelle (o grandi tagliate a spicchi)

Lavate e asciugate bene l'agnello. Steccatelo con l'aglio e il rosmarino e strofinatelo bene con il sale e il pepe. Mettete la carne in una larga teglia, cospargetela di fiocchetti di strutto e con l'olio. Passate a cuocere in forno già caldo, a fuoco vivace (circa 220°). Dopo un quarto d'ora circa unite le cipolline e le patate e, se occorre, ancora un poco di strutto. Rigirate di tanto in tanto e lasciate cuocere per circa un'ora (o più), finché l'agnello sarà colorito.

Zuppa di pesce di Pozzuoli

(per 6 persone)

3 chili di pesce assortito (scorfano, capone, razza, anguilla, pesce rospo, pesce spada, palombo, polipi, seppioline o calamaretti)
500 grammi di vongole
500 grammi di cozze
500 grammi di pomodori
2 spicchi d'aglio tritati
un piccolo pezzo di peperoncino rosso piccante
sale q.b.
3 ciuffi di prezzemolo
1/4 di litro di olio d'oliva
6 fette di pane tostato

Pulite i pesci e, se sono piccoli, lasciateli interi, altrimenti tagliateli in pezzi; togliete la pelle al palombo e tagliatelo a fette, pulite e tagliate in pezzi i polipi, le seppie o i calamaretti. Risciacquate le cozze e le vongole e lasciate aprire i molluschi in una padella con qualche cucchiaio d'olio. Quando saranno tutti aperti teneteli in caldo senza toglierli dal loro guscio.
Mettete sufficiente acqua in una pentola, aggiungete qualche cucchiaio d'olio, due spicchi d'aglio interi, i pomodori, privati della pelle, dei semi e fatti in pezzi; una buona presa di sale e un ciuffo di prezzemolo, il peperoncino e fate scaldare. Unite quindi i polipi, ben risciacquati e spezzettati, i calamari o le seppioline, e portateli a completa cottura. Aggiungete ora le altre varietà di pesci, una alla volta, e fate sobbollire per qualche minuto a fuoco moderato. Preparate le scodelle con alcune fette di pane abbrustolito, versate su queste abbondante brodo di pesce, i pezzi di pesce e guarnite ogni scodella con le vongole, le cozze e prezzemolo tritato.

Zuppa di vongole

(per 6 persone)

2 chili di vongole
olio d'oliva q.b.
aglio q.b.
3 acciughe diliscate
4 ciuffi di prezzemolo tritato
1-2 cucchiai di salsa concentrata di pomodoro
1/2 bicchiere di vino rosso o bianco secco
sale q.b.
pepe q.b.
crostini di pane

Lavate le vongole in più acque e scolatele. In una grande padella scaldate l'olio e fatevi soffriggere uno spicchio d'aglio senza lasciargli prendere colore. Pestate in un mortaio le acciughe lavate e diliscate, mezzo spicchio d'aglio e due ciuffi di prezzemolo tritati. Mescolate il pesto al vino e versatelo in padella dopo aver tolto lo spicchio d'aglio fatto soffriggere. Lasciate evaporare il vino, aggiungete quindi la salsa di pomodoro diluita con due cucchiaiate d'acqua, condite con sale e pepe abbondante e fate cuocere ancora per qualche minuto. Quando l'intingolo si sarà ristretto, mettete nella padella le vongole, coprite con un coperchio e lasciate cuocere per cinque minuti. Le vongole si devono aprire tutte; per facilitare la cottura, scuotete ogni tanto la padella senza togliere il coperchio. Abbrustolite o friggete nell'olio dei crostini di pane di dimensioni medie. Mettetene due o tre in ogni scodella e versatevi sopra un po' di vongole con il loro sugo. Condite con una spruzzata di prezzemolo tritato e servite in tavola.

Insalata di frutti di mare

(per 6 persone)

1 chilo e mezzo di cozze
600 grammi di vongole
2 cucchiai d'olio
600 grammi di «polpetielli» (piccoli polpi)
600 grammi di gamberi
olio q.b.
1 cucchiaino di senape
il succo di 2 limoni
1 ciuffo di prezzemolo
sale q.b.
pepe q.b.

Raschiate con uno spazzolino le cozze, lavatele poi molto bene in acqua salata assieme alle vongole. Mettete cozze e vongole in una larga padella con due cucchiaiate d'olio e un poco d'acqua e fate aprire i frutti di mare al calore del fuoco, rigirando di tanto in tanto la padella, per una decina di minuti. Togliete poi i molluschi dal guscio e filtrate il loro brodo di cottura. Pulite i «polpetielli» come insegna pag. 216 (Polpo alla luciana) e lessateli nel brodo delle cozze e delle vongole a fuoco basso per 20 minuti; poi unite i gamberi con il loro guscio e togliete via dal fuoco dopo una decina di minuti. Tagliate a piccoli pezzi i polpetielli, sgusciate i gamberi, aggiungete le vongole e le cozze e condite con abbondante olio, la senape, il succo di limone, il prezzemolo, un poco di sale e una bella spolverata di pepe. Mescolate bene e lasciate riposare l'insalata un paio d'ore in un luogo fresco prima di servirla.

Polpo alla Luciana

(per 6 persone)

1 chilo e mezzo di polpo grosso «verace» (oppure polpetielli)
2 spicchi d'aglio tritati
1 ciuffo di prezzemolo tritato
100 grammi d'olio
succo di limone q.b.
sale e pepe q.b.
pomodori maturi e peperoncino q.b. (facoltativo)

Pulite il polpo rovesciando la sacca e vuotandola; privatelo degli occhi e del «becco» che ha alla base della sacca, lavatelo bene e battetelo energicamente per renderlo tenero. Mettetelo in una grossa pentola (il polpo deve occupare i 2/3 della pentola), copritelo con abbondante acqua (3/4 di acqua di mare e 1/4 di acqua dolce). Se volete, potete aggiungere uno spicchio d'aglio, un pezzetto di peperoncino, un ciuffo di prezzemolo e qualche pomodoro maturo, tagliato a pezzi. Coprite il recipiente con un coperchio a perfetta tenuta, e fate cuocere senza mai scoperchiare, a fuoco molto basso per due ore. (Se avete invece i polpetielli, sarà sufficiente mezz'ora.)
Scolate e tagliate il polpo a pezzetti, conditelo, ancora caldo, con il trito d'aglio e prezzemolo, l'olio, il succo di limone in giusta dose e un pizzico di sale e di pepe. Servite subito ancora tiepido oppure lasciate prima insaporire un poco.
Se preferite un piatto più delicato, scegliete la versione del polpo cotto con le verdure e poi conditelo semplicemente con un filo d'olio, qualche goccia di limone e un poco del suo brodo di cottura.

Seppie ripiene

(per 6 persone)

6 seppie di circa 250 grammi l'una

per il ripieno

2 cucchiaiate d'olio

1/2 spicchio d'aglio tritato

4 cucchiaiate di pangrattato

50 grammi di capperi

50 grammi di olive nere di Gaeta snocciolate e tritate

1 cucchiaino di origano

1 ciuffo di prezzemolo tritato

pepe q.b.

per la salsa

1 spicchio d'aglio schiacciato

4 cucchiaiate d'olio

400 grammi di pomodori maturi

sale q.b.

1/2 bicchiere di aceto

Svuotate le seppie, asportando gli occhi, la sacca dell'inchiostro, l'osso, il «becco» e la pelle scura. Tagliate via i tentacoli e tritateli finemente. Lavate bene e sgocciolate le seppie dall'acqua. In una padellina soffriggete leggermente l'aglio con l'olio; appena comincerà a colorire, unite il pangrattato, i tentacoli e tutti gli ingredienti del ripieno e lasciate insaporire un paio di minuti. Mescolate bene e lasciate raffreddare il composto, poi distribuitelo nelle sacche delle seppie; ricucite le seppie con un filo di refe (o fermatele con uno stecchino). In una larga padella soffriggete l'aglio intero con l'olio; appena comincerà a prendere colore, toglietelo e unite i pomodori, pelati, tagliati a pezzi e privati dei semi; salateli e lasciateli cuocere a fuoco vivo per una decina di minuti. Disponete nella padella le seppie, allineandole in un solo strato e fate in modo che la salsa di pomodoro le ricopra. Mettete il coperchio e fate cuocere lentamente per un'ora abbondante, finché saranno tenere. Bagnatele durante la cottura con l'aceto.

Baccalà alla napoletana

(per 6 persone)

1 chilo di baccalà già bagnato

olio d'oliva q.b.

farina q.b.

2 spicchi d'aglio

300 grammi di pomodori maturi

1 cucchiaio di capperi

80 grammi di olive nere

sale e pepe q.b.

Acquistate il baccalà già bagnato o bagnatelo in casa tenendolo in acqua corrente o cambiandogli l'acqua il più spesso possibile. Quando sarà ben ammollato, toglietegli la pelle, le spine, e tagliatelo in pezzi quadrati di circa 4 centimetri di lato. Asciugate i pezzi con un canovaccio, infarinateli e friggeteli in abbondante olio. Fateli quindi sgocciolare su carta da cucina. Mettete un po' d'olio in un'altra padella e fatevi soffriggere due spicchi d'aglio, che toglierete appena colorito. Aggiungete quindi all'olio insaporito dall'aglio, i pomodori spellati, privati dei semi e tagliati in pezzetti e condite con sale e pepe. Lasciate cuocere per circa 15-20 minuti. Disponete in una teglia i pezzi di baccalà in un solo strato, versateci sopra i pomodori, i capperi e le olive nere. Coprite la teglia con un coperchio e mettete a stufare il baccalà con un poco di brace sotto e sopra, in modo che possa prendere buon sapore e la salsa addensarsi, oppure scaldatelo in forno a calore moderato per 15 minuti circa finché la vivanda sarà ben calda.

Capitone marinato

(per 6 persone)

un capitone di circa 1 chilo e mezzo (grossa anguilla)

2 spicchi d'aglio tagliati a fettine

sale q.b.

pepe q.b.

3-4 foglie di alloro

1 bicchiere abbondante d'olio

1/2 litro d'aceto

Sventrate il capitone, ma non toglietegli la testa, risciacquatelo più volte in acqua corrente e asciugatelo. Poi, incominciando dalla testa, a guisa di spirale di orologio, arrotolatelo su se stesso e sistematelo in una casseruola dove ci stia a misura. Aggiungete l'aglio, un poco di sale, una bella spolverata di pepe, le foglie di alloro, l'olio e l'aceto in modo che rimanga sommerso dal liquido. Ponete il coperchio alla casseruola e portatela sul fuoco. Fate bollire adagio a fuoco lento e, dopo un'ora circa, quando il capitone sarà cotto, e l'aceto in parte evaporato, mettete il pesce in una terrina con tutto il suo sugo di cottura e lasciatelo raffreddare. Servito dopo qualche giorno, il capitone sarà ancora più buono.

Calamaretti alla napoletana

(per 6 persone)

1 chilo e mezzo di calamaretti piccoli

2 cipolle affettate

1 spicchio d'aglio schiacciato

6 cucchiaiate d'olio

1/2 bicchiere di vino bianco secco

500 grammi di pomodori maturi

40 grammi di uvetta sultanina

40 grammi di pinoli

sale e pepe q.b.

1 dozzina di olive nere di Gaeta snocciolate

1 bel ciuffo di prezzemolo tritato

fette di pane abbrustolite

Lavate bene i calamaretti e lasciateli interi, se sono piccoli. In una casseruola soffriggete la cipolla e l'aglio con l'olio; quando il soffritto comincerà a imbiondire, togliete l'aglio e bagnate con il vino. Lasciate evaporare il vino e intanto scottate un minuto in acqua bollente i pomodori per pelarli, poi tagliateli a pezzi e privateli dei semi. Ammorbidite in acqua tiepida l'uvetta e strizzatela bene. Versate i pomodori nel soffritto, lasciate cuocere a fuoco vivo per una decina di minuti poi aggiungete i calamaretti, l'uvetta, i pinoli e, se il sugo si è ristretto troppo, anche un poco d'acqua tiepida. Salate, pepate, coprite e fate cuocere lentamente per una mezz'oretta. Ultimate con le olive tagliate a pezzi e abbondante prezzemolo tritato. Portate in tavola appena i calamaretti saranno teneri e il sugo ristretto. Servite con qualche fetta di pane abbrustolito.

Fritto napoletano di pesce

(per 6 persone)

12 piccole triglie di scoglio

700 grammi di calamari (meglio calamaretti)

300 grammi di gamberetti

farina q.b.

olio di semi per friggere q.b.

sale q.b.

2 limoni

Squamate con un coltellino le triglie e togliete loro le interiora. Scegliete i calamaretti perché sono più piccoli, teneri e saporiti e lasciateli interi (se invece sono grandi, togliete la spina cartilaginosa, separate i tentacoli dal corpo e tagliate quest'ultimo ad anelli). Eliminate le teste ai gamberetti e lasciate loro il guscio (oppure sgusciateli, passateli nella farina e poi nell'uovo sbattuto con un pizzico di sale). Lavate quindi il pesce in acqua salata (meglio direttamente in acqua di mare), fatelo sgocciolare su un piatto inclinato, asciugatelo e passate nella farina le triglie e i calamaretti, non i gamberetti perché hanno il guscio. Immergete le triglie in una padella piena d'olio bollente, moderate la fiamma perché cuociano anche all'interno e, appena saranno dorate, sgocciolatele su una carta che assorba l'unto, salatele e tenetele in caldo.
Poi friggete, nello stesso olio filtrato, i gamberetti, pochi per volta, e i calamaretti; scolateli appena saranno dorati su una carta che assorba l'unto, salateli e servite subito tutti i pesci bollenti con spicchi di limone.
In questo modo si friggono anche le alici, le sarde, le seppie, i polipetti, i piccoli merluzzi, i capitoni e le anguille.

Melanzane «a fungetielli»

(per 6 persone)

1 chilo di melanzane di media grandezza
sale q.b.
6 cucchiaiate di olio d'oliva
1 spicchio d'aglio
4 pomodori maturi (facoltativo)
6-8 olive nere snocciolate (facoltativo)
4 cucchiai di capperi (facoltativo)
un pizzico di origano

Lavate e asciugate le melanzane, privatele del gambo e tagliatele in dadini senza sbucciarle. Scaldate un po' d'olio in una padella e fate soffriggere lo spicchio d'aglio che toglierete appena prende colore. Passate le melanzane nell'olio insaporito dall'aglio, condite con sale, pepe e un pizzico d'origano e fate cuocere a fuoco dolce. Potete servirle così o potete aggiungere a metà cottura i pomodori spellati, privati dei semi e tagliati a pezzetti, le olive nere snocciolate e tritate grossolanamente e i capperi.

Melanzane ripiene

(per 6 persone)

3 melanzane di media grandezza
25 grammi di funghi secchi
olio q.b.
sale q.b.
200 grammi di mozzarella
1 tuorlo d'uovo
parmigiano grattugiato q.b.

Togliete alle melanzane il picciolo verde, dividetele a metà nel senso della lunghezza, e con un coltellino portate via una parte della polpa interna (che vi servirà poi, quindi tenetela da parte) così da trasformare le mezze melanzane in sei ciotoline. Tuffatele in acqua leggermente salata in ebollizione, aggiungete anche la polpa estratta e fate cuocere. A metà cottura, togliete le melanzane dall'acqua, badando a non rompere le ciotole e fatele raffreddare. Mettete a bagno i funghi e quando saranno rinvenuti, puliteli e fateli cuocere in un padellino con un cucchiaio d'olio, una presa di sale e poca acqua. Pestateli quindi assieme alla polpa delle melanzane in un mortaio. In una piccola terrina mescolate il pesto di funghi e polpa di melanzane con il tuorlo d'uovo, la mozzarella

tritata finemente, un po' di sale e parmigiano grattugiato. Allineate le sei ciotoline di melanzane in una teglia unta, riempitele con il composto preparato, lisciando bene la superficie, e passate in forno per una ventina di minuti.

Parmigiana di melanzane

(per 6 persone)

1 chilo e mezzo di melanzane
sale q.b.
olio per friggere q.b.

per la salsa

1 chilo di pomodori maturi tagliati a pezzi
3 cucchiai d'olio
1 ciuffo di basilico
sale q.b.
pepe q.b.
120 grammi di parmigiano grattugiato
250 grammi di mozzarella (o scamorza) tagliata a fettine
1 uovo sbattuto o 2 uova sode (facoltativo)

Tagliate le melanzane a fette per la lunghezza, cospargetele con un pizzico di sale e lasciatele in un piatto inclinato per un'oretta perché perdano l'eventuale amaro. Asciugatele bene e friggetele, poche per volta, senza infarinarle, in una padella con abbondante olio bollente. Sgocciolatele su una carta che assorba l'unto.
Intanto fate scaldare in una casseruolina l'olio, unite i pomodori e il basilico; salate, pepate e lasciate cuocere a fiamma viva per circa 20 minuti, finché la salsa si sarà addensata. In una teglia fate uno strato di melanzane, poi spolverate con abbondante parmigiano; mettete sopra alcune fettine di mozzarella, un poco di salsa di pomodoro e, se volete, anche un po' d'uovo sbattuto (o qualche fettina di uovo sodo). Continuate in questo modo fino all'esaurimento degli ingredienti. Passate in forno caldo (circa 180°) per 40 minuti. Servite la parmigiana tiepida o fredda.

Timballo di zucchine alla pizzaiola

(per 6 persone)

6 grosse zucchine fresche
sale q.b.
olio per friggere
300 grammi di pomodori
150 grammi di mozzarella
3 acciughe salate
olio d'oliva
alcune foglioline di basilico

Lavate e asciugate le zucchine. Tagliatele in fette trasversali, come un salame, di circa mezzo centimetro di spessore. Spruzzate le fette di zucchine con sale e lasciatele riposare per un po' di tempo affinché, macerando nel sale, esse possano perdere un poco della loro acqua amarognola. Asciugatele infine e friggetele in una padella con olio caldo. Quando le avrete fritte tutte, accomodatele in un tegame di terraglia resistente al fuoco. Risciacquate i pomodori, togliete loro la pelle e i semi, divideteli in filettini e cuoceteli a fuoco vivace in una padellina con un po' dell'olio di frittura delle zucchine. Quando i pomodori saranno cotti, disponeteli sulle zucchine e sopra accomodate la mozzarella tagliata a fette e le acciughe salate, lavate, diliscate e fatte a pezzi. Condite con poco sale, ancora un filo d'olio e guarnite il timballo con qualche foglia di basilico fresco. Mettete il tegame in forno caldo e appena la mozzarella incomincerà a fondersi, togliete il tegame dal fuoco, appoggiatelo su un piatto e portatelo in tavola.

Cipolle di Napoli

(per 6 persone)

12 grosse cipolle dolci
24 chiodi di garofano
1 ramoscello di timo
sale q.b.
1/2 bicchiere di marsala
1 cucchiaio di capperi

Dopo aver tolto le prime foglie delle cipolle dolci, possibilmente tutte della stessa dimensione, conficcate in ogni cipolla un paio di chiodi di garofano, allineatele in una teglia e copritele d'acqua nella quale aggiungerete un ramoscello di timo e un po' di sale. Lasciate cuocere a recipiente coperto, su fuoco moderato e, quando le cipolle saranno cotte ed il bagno asciugato, aggiungete mezzo bicchiere di buon marsala che farete assorbire alle cipolle tenendole sempre su fuoco moderato. Accomodatele quindi su un piatto di portata, togliete i chiodi di garofano e seminate sulle cipolle una cucchiaiata di capperi. Le cipolle così preparate possono essere servite da sole, come pietanza.

Peperoni ripieni

(per 6 persone)

6 peperoni gialli dolci
olio d'oliva q.b.
30 grammi di burro
1 cipolla tritata finemente
300 grammi di riso
sale q.b.
500 grammi di pomodori
2 uova
200 grammi di provola napoletana
4 cucchiai di parmigiano grattugiato

Con un coltellino portate via il torsolo ai peperoni facendo un taglio circolare intorno ad esso; vuotate dai semi i peperoni che risulteranno in tal modo come una tasca, e poneteli sulla fiamma del gas per bruciacchiare la pellicola esterna, che poi toglierete accuratamente. Asciugate i peperoni con uno strofinaccio e preparate intanto il ripieno. Mettete in una casseruola la cipolla tritata, il burro e un cucchiaio d'olio. Fate cuocere a fuoco basso e quando la cipolla sarà appassita aggiungete il riso e una buona presa di sale. Fate insaporire il riso e portatelo a cottura aggiungendo man mano qualche mestolo di acqua calda. Mentre il riso cuoce, togliete la pelle e i semi ai pomodori, riduceteli in pezzi e poneteli in una padella con qualche cucchiaiata di olio, sale e fateli cuocere su fuoco vivace e senza troppo mescolarli.

Lessate le uova e tagliatele in dadini; tagliate in dadini anche la provola, mettendo il tutto in una scodella. Quando il riso sarà cotto, conditelo con parmigiano grattugiato e aggiungete i dadini di uova sode e di provola, e mescolate delicatamente. Prendete i peperoni e, servendovi di un cucchiaio, riempiteli con il composto di riso e chiudete l'apertura con uno stecchino. Allineate i peperoni imbottiti in una teglia unta di olio, ricopriteli con la salsa di pomodoro preparata e passate il tutto in forno moderato per una decina di minuti.

Pomodori ripieni di riso

(per 6 persone)

6 grossi pomodori maturi
100 grammi di riso
3 cucchiai d'olio
sale q.b.
pepe q.b.
3 cucchiai di parmigiano grattugiato
1/2 spicchio d'aglio tritato
3 acciughe diliscate tritate
25 grammi di capperi tritati
1 ciuffo di prezzemolo tritato
1 ciuffo di basilico tritato
3 cucchiaiate d'olio

Lavate i pomodori, tagliate alla sommità un coperchietto, svuotateli dei semi e tenete da parte il sugo, filtrato naturalmente dai semi. Condite il riso crudo con il sugo ricavato dai pomodori, l'olio, poco sale, una spolverata di pepe, il parmigiano, l'aglio, le acciughe, i capperi, il prezzemolo e il basilico. Salate leggermente l'interno di ogni pomodoro, riempite con il composto i pomodori, rimettete su ognuno il coperchietto e disponeteli, ben distanziati, in una teglia con l'olio e un bicchiere abbondante di acqua. Fate cuocere in forno a fuoco molto basso (circa 160°) per un'oretta. Nello stesso modo si possono preparare anche i peperoni.

Peperonata

(per 6 persone)

1 chilo di peperoni gialli
500 grammi di pomodori maturi
500 grammi di cipolle
1 bicchiere di aceto
olio q.b.
sale q.b.

Risciacquate i peperoni, togliete loro il torsolo, privateli dei semi e ritagliateli in asticciole sottili. Private anche i pomodori della pelle e dei semi e uniteli alle listerelle di peperoni. Sbucciate e trinciate le cipolle e aggiungetele agli altri ortaggi. Prendete un ampio tegame il cui coperchio possa chiudere perfettamente, nel tegame ponete le verdure riunite, condite con l'olio e il sale, applicate il coperchio al recipiente e portate il tutto su fuoco moderato. Lasciate cuocere pian piano a recipiente coperto. Dopo circa un'ora di questa lenta ebollizione, la cottura della peperonata sarà a buon punto. Versate allora l'aceto e fate bollire ancora per qualche minuto. Quando vedrete che l'intingolo si è ristretto travasate tutto in un piatto e lasciate raffreddare.

«Crocchè» di patate

(per 6 persone)

1 chilo di patate
sale q.b.
50 grammi di burro (o strutto)
4 cucchiai di parmigiano grattugiato
1 ciuffo di prezzemolo tritato
pepe q.b.
1 uovo e 1 tuorlo
farina q.b.

per indorare

2 albumi e 1 tuorlo
pangrattato q.b.
olio per friggere q.b.

Lessate in poca acqua bollente salata le patate al giusto punto di cottura; sbucciatele ancora calde e passatele immediatamente allo schiacciapatate. Conditele subito con il burro fuso (o lo strutto), il parmigiano, il prezzemolo, un poco di sale, una bella spolverata di pepe e le uova. Formate con le mani leggermente unte delle crocchettine di forma allungata; passatele nella farina e poi negli albumi montati a neve mescolati al tuorlo sbattuto. Rotolatele infine nel pangrattato, scrollatele bene e friggetele, poche per volta, in abbondante olio molto caldo perché l'esterno si consolidi subito e formi una bella crosta dorata. Sgocciolate le «crocchè» su una carta che assorba l'unto e servitele caldissime.

Frittata con la ricotta

(per 6 persone)

per la salsa

300 grammi di pomodori pelati

1/4 di cipolla tritata

1 cucchiaio d'olio

sale q.b.

2 foglie di basilico

per il ripieno

300 grammi di ricotta

2 cucchiai di parmigiano grattugiato

sale q.b.

1 ciuffo di prezzemolo tritato

per le due frittatine

8 uova

2 cucchiai di parmigiano grattugiato

sale q.b.

pepe q.b.

40 grammi di strutto (o burro)

In una casseruolina cuocete a fuoco vivace i pomodori con l'olio, la cipolla, un pizzico di sale e il basilico, per circa mezz'ora. Lavorate in una terrina la ricotta con il parmigiano, un pizzico di sale e il prezzemolo, finché sarà diventata una crema omogenea. In una terrina sbattete le uova con il parmigiano e un pizzico di sale e di pepe. Fate scaldare bene una padella con circa la metà dello strutto (o burro); versate poi la metà delle uova sbattute e, quando saranno rapprese e ben colorite da una parte, farcite la frittata con la metà del ripieno di ricotta; formate un rotolo e cuocetelo ancora per pochi minuti. Cuocete poi allo stesso modo l'altra frittata e, quando saranno pronte entrambe, servitele bollenti, ricoperte della salsa di pomodoro caldissima.

Pastiera napoletana

per cuocere il grano

200 grammi di grano lasciato a bagno 2-3 giorni

1/2 litro abbondante di latte

la scorza di 1/2 limone

un pizzico di sale

la scorza grattugiata di 1/2 arancia

un pizzico di cannella

un pizzico di vaniglia

per la pasta frolla

300 grammi di farina

150 grammi di zucchero

150 grammi di strutto (o burro)

3 tuorli d'uovo

un pizzico di sale

per il ripieno

300 grammi di ricotta

250 grammi di zucchero

5 tuorli d'uovo

50 grammi di acqua di fior d'arancio

50 grammi di cedro candito tritato

50 grammi di scorzetta d'arancia candita tritata

50 grammi di zucca candita tritata

5 albumi montati a neve

zucchero al velo q.b.

La pastiera è il dolce tipico del periodo pasquale e diventa assai più buona dopo 8-10 giorni dalla sua preparazione.

Bisogna ricordarsi di bagnare il grano, dopo averlo mondato, lasciandolo a bagno in acqua fredda per 2-3 giorni. Dopo tale bagno il grano deve corrispondere a 200 grammi di peso. Cuocete il grano, ben sgocciolato dall'acqua, nel latte con la scorza del limone e un pizzico di sale per circa 4 ore a fuoco basso, ben coperto. Quando sarà cremoso e denso, profumatelo con la scorza dell'arancia, la cannella e la vaniglia. Poi mettetelo in una terrina e togliete la scorzetta intera del limone. Sulla spianatoia impastate la farina con lo zucchero, lo strutto (o il burro), i tuorli d'uovo e un pizzico di sale; appena gli ingredienti della pasta saranno amalgamati, raccogliete la pasta e fatela riposare fra due piatti in frigorifero per un'oretta. Lavorate in una terrina la ricotta con lo zucchero, i tuorli d'uovo, l'acqua di fior di arancio, i canditi e il grano. Da ultimo, aggiungete con delicatezza gli albumi montati a neve. Dividete la pasta frolla in due pezzi disuguali. Con il più grande foderate una tortiera dai bordi alti del diametro di circa 25 cm, bene imburrata e infarinata. Farcitela con il ripieno preparato e formate con la rimanente pasta una bella grata a strisce larghe circa 2 cm. Passate in forno caldo (circa 180°) per circa 45 minuti. La pasta deve risultare biscottata e il ripieno si deve asciugare bene. Quando la pastiera è fredda, capovolgetela due volte su un piatto, in modo che la grata resti sopra, e spolveratela con abbondante zucchero al velo. Servite dopo almeno un paio di giorni.

Struffoli alla napoletana

per la pasta

500 grammi di farina

8 uova e 2 tuorli

1 pizzico di sale

60 grammi di burro (o 50 grammi di strutto)

la scorza grattugiata di 1/2 limone

la scorza grattugiata di 1/2 arancia

olio per friggere q.b.

per condire

250 grammi di miele

50 grammi di zucchero

100 grammi di scorzette di arancia candite tagliate a dadini

100 grammi di cedro candito tagliato a dadini

50 grammi di zucca candita (cocozzata) tagliata a dadini

50 grammi di diavolilli (confettini colorati)

Impastate sulla spianatoia tutti gli ingredienti della pasta insieme; lavorate bene e, quando la pasta sarà liscia, lasciatela riposare un'oretta in una terrina, ben coperta. Formate con essa dei bastoncini piuttosto sottili come un dito mignolo e tagliateli trasversalmente della lunghezza di 1/2 cm. Friggeteli, pochi per volta, in abbondante olio bollente e sgocciolateli, appena saranno dorati, su una carta che assorba l'unto. Mettete in una casseruolina il miele con lo zucchero e un poco d'acqua; lasciate bollire finché la schiuma sarà scomparsa e il composto sarà giallo e limpido. Abbassate il fuoco, versate gli struffoli con circa la metà dei canditi, mescolate e rovesciate subito in un piatto rotondo. Con le mani umide d'acqua fredda, date loro la forma di una ciambella (o di una cupola conica), poi spargetevi sopra i diavolilli e decorate con i rimanenti canditi. Servite dopo un paio d'ore o, meglio, il giorno dopo.

Zeppole

(per 12 zeppole)

1 bicchiere d'acqua
1 pizzico di sale
1 bicchierino di cognac
1 bicchiere di farina
olio abbondante
zucchero al velo q.b.

Misurate un bicchiere d'acqua e versatelo in una casseruolina con un pizzico di sale e un bicchierino di cognac. Asciugate il bicchiere e riempitelo raso di farina. Mettete la casseruolina sul fuoco e, appena l'acqua avrà raggiunto l'ebollizione, tirate indietro la casseruolina, versate d'un colpo il bicchiere di farina e mescolate energicamente. Rimettete il recipiente sul fuoco e, sempre mescolando, lasciate bene asciugare l'impasto che dovrà diventare molto duro, elastico e staccarsi con facilità dal fondo della casseruola. Ungete abbondantemente di olio una piccola parte del tavolo di marmo o di formica della cucina e rovesciatevi sopra l'impasto che lascerete raffreddare un poco. Battete quindi la pasta con un pestello di legno come se la pestaste nel mortaio, sovrapponendola man mano che si spianerà e tornando a spianarla. Dopo qualche minuto, quando la pasta sarà elastica e ben unta, impastatela un pochino e allungatela dandole la forma di un cannello grosso come un dito che taglierete in pezzi lunghi una quindicina di centimetri. Ravvicinate le due estremità di ogni pezzo sovrapponendole per ottenere delle ciambelle ovali.

Punzecchiate leggermente ogni ciambellina con i denti di una forchetta; passatele man mano in una padella con abbondante olio ben caldo facendole cuocere fino a quando avranno acquisito un bel colore dorato e saranno diventate rigonfie e croccanti. Debbono risultare leggere e vuote all'interno. Sistematele su un piatto e spolverizzatele abbondantemente di zucchero al velo.

Sfogliatelle frolle

(per 12 sfogliatelle)

per la pasta

200 grammi di farina
80 grammi di zucchero
40 grammi d'acqua
un pizzico di sale
80 grammi di strutto
per spennellare la pasta: 1 o 2 tuorli d'uovo

per il ripieno

450 grammi d'acqua
150 grammi di semolino
un pizzico di sale
150 grammi di ricotta
165 grammi di zucchero
1 uovo
100 grammi di canditi misti (cedro, scorzette d'arancia, zucca...)
un pizzico di vaniglina
un pizzico di cannella
zucchero al velo q.b.

Mettete la farina a fontana sulla spianatoia; mescolatevi lo zucchero e poi versate, a poco a poco, l'acqua fredda in cui avrete sciolto un pizzico di sale; infine unite lo strutto a fiocchetti. Lavorate, non troppo a lungo, con le mani la pasta, senza stracciarla e raccoglietela in una terrina appena sarà liscia e omogenea. Lasciatela riposare ben coperta per una mezz'oretta in luogo fresco. Intanto in una casseruolina, fate bollire l'acqua; appena bolle, versate a pioggia il semolino, salate un poco e lasciate cuocere a fuoco vivo, mescolando energicamente con un cucchiaio di legno, per 5 minuti. Stendete il semolino sul tavolo di marmo umido (o in un largo piatto) e lasciatelo raffreddare. In una terrina lavorate la ricotta con lo zucchero, l'uovo, i canditi tagliati a piccolissimi dadini, il profumo della vaniglina e della cannella e il semolino. Mescolate finché il composto sarà ben omogeneo. Fate scaldare il forno. Dividete la pasta in 12 pezzi uguali e formate degli ovali dell'altezza di circa 1/2 cm. Distribuite sulla metà di ogni ovale un poco del ripieno e richiudete la pasta, pigiando bene i bordi. Con un bicchiere ritagliate la pasta in modo da ottenere delle perfette sfogliatelle rotonde. Mettetele sulla placca del forno bene imburrata; spennellatele leggermente con il tuorlo d'uovo e passatele nella parte alta del forno, perché non abbiano troppo calore sotto. Toglietele, quando saranno ben dorate, dopo circa un quarto d'ora. Spolveratele di zucchero al velo e servitele tiepide o fredde.

CALABRIA-LUCANIA

Una veduta di Maratea, sulla costa della Basilicata, terra di antiche tradizioni gastronomiche, la cui cucina di sapore contadino vanta molti formaggi, carni di maiale e salumi, pane impastato artigianalmente, vini robusti ad alto tenore alcolico e di colore intenso.

*I*l tempo si è fermato: una sensazione che soltanto poche zone della terra sanno ancora dare. Guardare la riva del mare, gli scogli, il terreno bruciacchiato dal sole, la vegetazione ridotta all'essenziale, il colore incredibilmente blu dell'acqua, e poi chiudere gli occhi. Riaprirli e vedere una nave greca che getta le ancore, i coloni achei che prendono terra, un tempio dall'ampia scalinata e dal superbo colonnato, gli atleti che si allenano a torso nudo per le prossime olimpiadi: tutto questo è un sogno, ma anche un viaggio a ritroso nel tempo, facilitato dai paesaggi della Basilicata e della Calabria (l'antica Magna Grecia) che non portano alcuna traccia della civiltà moderna e che, anzi danno l'esatta sensazione che qui gli ultimi venti secoli non siano mai trascorsi. Eppure queste coste hanno visto approdare decine e decine di popoli diversi: i Fenici, i Greci, gli Arabi a ondate diverse, gli Albanesi, i Normanni, i pirati turchi, gli Spagnoli; insomma un calderone di popoli e di razze che hanno lasciato tracce, costumi e usi indelebili, in un paesaggio che conserva intatta tutta la sua primitività, la sua selvaggia naturalezza.

La popolazione in Basilicata ha costruito le città in alto, lontano dal mare, al riparo dalla malaria e dalle scorrerie dei pirati turchi: a Matera fino a pochi anni fa, si viveva in grotte scavate nella pietra, nei famosi «sassi», dove povertà, credenze e costumi ancestrali, atteggiamenti tribali e un invincibile talvolta magico colore locale tenevano le popolazioni fuori dal tempo e dall'evoluzione della società. Anche la Calabria, pur sotto aspetti diversi, ha analoghe caratteristiche: gli Appennini dominano la regione e ne condizionano la vita; la Sila è una foresta di pini

Un caratteristico ambiente contadino calabrese con le verdure di prima qualità coltivate in alcune fertili zone agricole, come quella attorno a Reggio Calabria, nella piana di Sibari, Sant'Eufemia e Rosarno, ricche di agrumi, ulivi, peperoni e melanzane.

e di querce dove le tradizioni continuano a imperare: costumi severi, artigianato primitivo, un paesaggio difficile che dà poco respiro all'agricoltura e che solo negli ultimi anni è stato scoperto dal turismo. In quelle poche terre dove i contadini lavorano, si hanno però dei prodotti magnifici: le piane di Santa Eufemia e di Sibari, quella di Rosarno e la zona agricola intorno a Reggio Calabria sono fertilissime. Qui cresce verdura di primissima qualità (specialmente peperoni e melanzane), agrumi eccellenti (la produzione del bergamotto, impiegato in tutti i profumi, raggiunge qui la metà della produzione mondiale), ulivi che formano boschi smisurati, e poi una stupenda fioritura di gelsomini, rose, gaggie, lavande (base anche questi per un'industria di essenze che non ha eguali in Italia). Al di fuori di queste oasi, però, Basilicata e Calabria sono regioni primitive e povere; terre di pastori e, fino a pochi decenni fa, di briganti, dove si è fatta nei secoli grande razzia di alberi considerati «ladri di terra» col risultato di rovinare interi territori.

In molte zone l'avvenimento più importante dell'anno è l'uccisione del maiale; metà della cucina di queste terre è imperniata sul prodotto suino. Gli antichi Romani già conoscevano e apprezzavano la salsiccia locale, che Cicerone e Marziale ci tramandano col nome di «lucanica» (appunto dalla Lucania) e che ancora oggi in molte regioni italiane (nella Lombardia e nel Veneto, ad esempio) viene chiamata «luganega». È una salsiccia formata da un impasto aromatizzato con pepe nero e peperone rosso dolce e piccante che può essere consumata fresca, arrostita o fritta, oppure secca dopo averla affumicata. In tema di salumi la scelta è notevole: la «soppressata» è composta di carne magra e lardo, insaporiti con sale, pepe nero, peperone, e quindi insaccata nell'intestino del maiale. Il nome deriva dal fatto che questo salume, non appena insaccato, viene sottoposto alla pressione di forti pesi che ne amalgamano i componenti; per stagionarla, viene appesa intorno al focolare dove le correnti di aria calda e il fumo la portano a perfetta maturazione. Il «capocollo» è composto invece di carne ricavata dal collo e dalla spalla dell'animale, insaccata nella vescica e quindi affumicata; molti usano poi conservarla immersa nell'olio. Oggi è diventato famoso anche un altro salame lucano e calabro: la «pezzente», che, come si arguisce dal nome, era il salume dei poverissimi, dei pezzenti; composto di scarti della macellazione, tra cui nervi, fegato e polmone, viene confezionato con gli avanzi tritati finemente e poi insaccati con pepe ed aglio abbondanti. Dal maiale si ottengono anche eccellenti prosciutti, le cotiche e i ciccioli che sono una deliziosa sorpresa per i bimbi nelle grandi feste annuali che accompagnano l'uccisione del maiale.

Un altro elemento essenziale della cucina di questi posti è il pane: esiste ancora il pane di una volta, enormi forme rotonde pesanti fino a dieci chili che bastano a una famiglia per una settimana. I calabresi sono poi famosi per tutta una serie di prodotti collegati al pane: per le focacce, ad esempio, focacce di tutti i tipi che vengono qui chiamate «pitte», dal latino *pictae*, cioè dipinte. Sono focacce fantasia, piene di sapori e di colori, secondo gli ingredienti adoperati: dai pomodori alle sardine, dai peperoni alle erbette. Le pitte hanno origini antichissime e venivano considerate una volta cibi rituali, risalenti a chissà quale delle molte civiltà appprodate dal mare su queste rive. Maiale e pane si incontrano nel «morseddu», una normale focaccia che viene tagliata a metà e farcita di un succoso intingolo di baccalà, oppure di triglie o di frattaglie di maiale, il tutto condito con parecchio pepe; la focaccia si mangia poi a gran morsi e di qui viene il nome di «morseddu».

I pastori di queste zone sono numerosissimi, e questo dà modo alla cucina calabro-lucana di contare su un buon numero di formaggi: caciocavallo, pecorino, caciotte confezionate nella Sila con imbottitura di burro, tutti prodotti genuini che vengono preparati direttamente dai pastori nei lunghi periodi trascorsi in perfetta solitudine nei grandi pascoli di montagna. Il mare che abbraccia queste regioni fornisce l'altra metà degli ingredienti dei piatti locali (quella cioè non fornita dal maiale), e in tema di pesce, la fantasia dei cuochi di qui è davvero senza briglie! Cucina, dunque, piccante e saporitissima: non c'è piatto nel quale il peperoncino rosso piccante, seccato e polverizzato, non compaia, in compagnia del pepe nero.

A far da contraltare a questi sapori, Basilicata e Calabria hanno vini robusti, di tenore alcolico alto e di colori intensi. La Basilicata produce nelle zone di Barile, Melfi e Rionero, intorno al vulcano spento del Vulture, l'Agliatico, un vino rosso che raggiunge i 14 gradi e che, sottoposto all'invecchiamento, si rivela ideale per i cibi piccanti e per gli arrosti. In Calabria, invece,

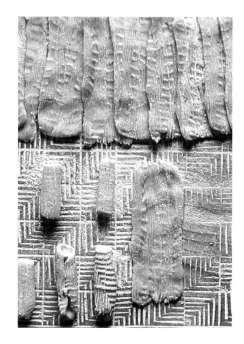

Una fase di preparazione degli strascinati, una pasta che si ottiene adagiando la sfoglia su un tagliere che ne disegna la forma. Nella pagina a destra, il riso con i gamberi, e i caratteristici spaghetti con il pomodoro e il basilico.

impera il Cirò delle coste ioniche, un vino antico che, secondo le leggende, era il protagonista dei festeggiamenti a Bacco consumati sulla costa catanzarese: sapore gradevolissimo, aroma intenso questo vino rosso è eccellente da gustare con i formaggi della zona. Sempre sulla costa ionica della Calabria, il Greco, il Gerace e il Montonico sono dei vini liquorosi che possono essere invecchiati fino a vent'anni. Sulla costa tirrenica abbiamo due vini bianchi prelibati: il Nicastro e lo Squillace.

Ed eccoci ai dolci: anche qui tradizioni antichissime e ingredienti d'eccezione, dal miele ai fichi, alle mandorle e a tutte le altre frutte secche che invadono dalla Calabria il mondo intero. I «mostaccioli», ad esempio, sono di origine araba: grandi biscotti fatti di farina, miele e vino bianco, ai quali i pasticcieri danno forme umane, immagini di santi, di cavalieri, oppure di pesci, di animali e di canestri.

Il tempo si è fermato un po' anche nella cucina, molto primitiva di queste due regioni che ancora oggi ci riserbano la sorpresa di luoghi rimasti come li videro i coloni greci.

Cullurelli
Cuzzupe di Pasqua
Pagnottine brusche
Pitta inchiusa
Pizza calabrese
Maccheroni alla pastora
Pasta e finocchiella
Maccheroni alla calabrese
Pasta ammuddicata
Sagne chine
Zuppa di cipolle
Strascinati
Salsicce arrosto
Capretto alla paesana
Capretto e carciofi
Pollo ripieno alla lucana
Coniglio alla cacciatora
Morseddu
Aringhe alla calabrese
Sarde all'olio e origano
Alici al limone
Tortiera di alici
Triglie alla calabrese
Anguille stufate
Calamaretti piccanti
Tranci di pesce spada lessati
Triglie stufate
Melanzane sott'olio
Crocchettini di patate
Zucchine e peperoni
Zucchine gratinate
Cannariculi
Fichi al cioccolato
Prugne farcite
Mostaccioli
Cicirata
Torta di noci
Torta di frutta secca

Cullurelli

(per 40 pizzette)

500 grammi di farina
20 grammi di lievito di birra
2 patate lessate
sale q.b.
zucchero q.b.
olio per friggere

I cullurelli sono pizzette caratteristiche della vigilia di Natale.
In una scodella unite il lievito di birra con 50 grammi di farina e, diluendolo con un pochino di acqua tiepida impastate il miscuglio fino a ottenere una pasta consistente che metterete a lievitare in luogo tiepido, coperto con un tovagliolo. Quando la pasta di lievito sarà aumentata di volume, rovesciatela sulla tavola dove avrete posto a fontana il rimanente quantitativo di farina. Aggiungete due patate, precedentemente lessate, pelate e ridotte in purea, e un pizzico di sale. Lavorate bene la pasta, aggiungendo se necessario ancora un po' di acqua tiepida, poi formate delle pizzette che friggerete, poche per volta, in abbondante olio bollente. Quando le pizzette saranno ben cotte e dorate, spruzzatele di zucchero e servitele subito calde.

Cuzzupe di Pasqua

(per 6 persone)

600 grammi di pasta di pane
50 grammi di strutto
sale q.b.
1 pizzico di peperoncino rosso piccante
6 uova crude, con il guscio

Queste ciambelle o trecce con la caratteristica guarnizione delle uova cotte nel guscio sono tradizionali di Pasqua e fatte per regalare l'uovo ai bambini.
Condite la pasta di pane con lo strutto, aggiungete un po' di sale e un pizzico di peperoncino piccante in polvere. Lavorate l'impasto fino a quanto sarà diventato elastico, quindi formate una palla e mettetela a lievitare in luogo tiepido per 1 ora circa, coperta con un tovagliolo. Quando la pasta sarà ben lievitata, dividetela in sei pezzi e formate delle ciambelle o delle trecce al centro delle quali lascerete uno spazio sufficiente a inserirvi un uovo crudo, come se fossero dei portauova. Guarnite ogni ciambella con il suo uovo intero crudo, ancora nel guscio, e mettetele in forno a cuocere fino a quando le ciambelle saranno dorate e le uova sode.

Pagnottine brusche

(per 40 pagnottine)

80 grammi di strutto
sale q.b.
150 grammi di farina
4 uova
100 grammi di salame
100 grammi di formaggio caciocavallo

In una piccola casseruola ponete un quarto di litro d'acqua, un pizzico di sale e lo strutto. Mettete il recipiente sul fuoco e quando l'acqua bollirà, tiratelo indietro e gettateci d'un colpo 150 grammi di farina. Mescolate con un cucchiaio di legno e rimettete la casseruola sul fuoco. Farina, grasso e acqua formeranno ben presto una palla che dopo qualche minuto si staccherà dalla casseruola. Mescolate ancora un poco, togliete la casseruola dal fuoco e lasciate raffreddare la pasta. Aggiungete quindi nella casseruola un uovo intero, lavorando energicamente la pasta con un cucchiaio di legno. Dopo il primo uovo aggiungetene un altro e quando anche questo si sarà bene amalgamato alla pasta, un terzo e un quarto uovo. Alla fine la pasta farà qua e là delle bolle e si staccherà in più punti. Uniteci allora il salame e il formaggio caciocavallo, ambedue tagliati a dadini. Mescolate un poco per unire anche questi ultimi ingredienti, poi prendete con la punta di un cucchiaio una porzione di pasta equivalente a una grossa noce e, aiutandovi con la punta di un altro cucchiaio, datele una forma sferica. Ottenuta una specie di pagnottina disponetela su una piastra da forno leggermente unta.
Sempre aiutandovi con due cucchiai, uno per mano, continuate ad allineare queste pagnottine di pasta a una certa distanza fra loro, poi fatele cuocere in forno piuttoso caldo per 15 minuti circa. Le pagnottine devono gonfiarsi rimanendo vuote all'interno.

Pitta inchiusa

(per 6 persone)

800 grammi di pasta da pane già lievitata
100 grammi di strutto
2 uova intere
sale e pepe q.b.
1 uovo sbattuto
300 grammi di frittoli (grasso, ciccioli e nervetti di maiale)

Si dice «pitta» la pizza preparata con la pasta da pane lievitata. Mettete sulla spianatoia la pasta da pane già lievitata, apritela al centro, battetela un poco con le mani per sgonfiarla e unite lo strutto, leggermente ammorbidito e ridotto a fiocchetti, e le uova sbattute (meno un poco che servirà per spennellare la «pitta»). Aggiungete un pizzico di sale e una bella spolverata di pepe e lavorate bene la pasta finché sarà di nuovo liscia, elastica e si staccherà in un sol pezzo dalla spianatoia. Fatene quindi una palla e raccoglietela in una terrina leggermente infarinata, copritela e lasciatela lievitare un'oretta in luogo tiepido. Per preparare i frittoli tagliuzzate il grasso, i ciccioli e i nervetti e metteteli in una padellina lasciandoli cuocere nel loro grasso con qualche cucchiaiata d'acqua tiepida, a fuoco lento, per circa due ore poi salateli leggermente. Dividete la pasta in due pezzi disuguali: con il più grande foderate una teglia di circa 30 cm di diametro dai bordi alti, unta di strutto. Stendete sopra uno strato regolare di frittoli e ricoprite con la rimanente pasta. Pigiate bene i bordi con le dita, spennellatela con un poco d'uovo sbattuto e passate la pizza in forno già caldo (180°) per circa mezz'ora, finché avrà preso un bel colore dorato. La «pitta» si può farcire oltre che con i frittoli con bietole, erbette, spinaci lessati ecc. oppure con le sarde cotte in umido al pomodoro, o anche con pezzetti di peperoncino rosso. Servitela caldissima.

Pizza calabrese

(per 6 persone)

700 grammi di pasta da pane
100 grammi di strutto
sale q.b.
pepe q.b.
1 chilo di pomodori maturi
4 cucchiaiate d'olio
sale q.b.
200 grammi di tonno sott'olio
50 grammi di acciughe diliscate
150 grammi di olive nere snocciolate
40 grammi di capperi
strutto q.b.

Mettete la pasta da pane sulla spianatoia, apritela al centro e ponetevi lo strutto leggermente ammorbidito, un pizzico di sale e una bella spolverata di pepe. Impastate bene la pasta finché avrà assorbito il condimento. Intanto fate cuocere a fuoco vivo i pomodori, pelati, tagliati a pezzi e privati dei semi, con un pizzo di sale nell'olio caldo per un quarto d'ora; la fiamma deve essere alta perché i pomodori non si disfino. Dividete la pasta in due parti disuguali: con la più grande foderate una tortiera dai bordi alti, di circa 30 cm di diametro, bene unta di strutto. Riempite questa scatola di pasta con il pomodoro, mescolato al tonno sminuzzato, alle acciughe tagliuzzate, alle olive nere tagliate a metà e ai capperi. Ricoprite con l'altro pezzo di pasta, pigiate bene i bordi perché chiudano perfettamente, ungete la pizza con un poco di strutto sciolto e passate in forno caldo (180°) per un'ora finché la pizza avrà preso un bel colore dorato. Servitela calda o anche fredda.

Maccheroni alla pastora

(per 6 persone)

400 grammi di ricotta fresca
sale q.b.
pepe q.b.
250 grammi di salsiccia (facoltativo)
500 grammi di maccheroni
80 grammi di formaggio pecorino grattugiato

Portate all'ebollizione una pentola con abbondante acqua salata. Intanto lavorate in una terrina la ricotta con un poco di sale e una spolverata di pepe. Se volete, unite anche la salsiccia sbriciolata e soffritta con un poco d'olio. Appena l'acqua bolle, cuocetevi i maccheroni, toglieteli al dente, non scolateli troppo e conditeli con la ricotta diluita con un poco d'acqua di cottura dei maccheroni, con il pecorino e un poco di pepe. Mescolate bene e servite subito.

Pasta e finocchiella

(per 6 persone)

400 grammi di finocchiella
sale q.b.
600 grammi di spaghetti

Vi occorrerà della finocchiella verde selvatica o coltivata. Mondate e lavate la finocchiella, fatela lessare in acqua leggermente salata, sufficiente a cuocere la pasta. Quando la verdura sarà cotta, scolatela conservando il liquido di cottura. Tagliate a pezzi o a strisce la finocchiella e tenetela a parte in caldo. Riportate a ebollizione l'acqua di cottura della verdura e cuocetevi gli spaghetti, o altra pasta, al dente. Scolate la pasta e aggiungete ad essa la finocchiella senza alcun condimento. Mescolate e servite caldo.

Maccheroni alla calabrese

(per 6 persone)

1 spicchio d'aglio schiacciato
1 pezzetto di peperoncino rosso tritato
1/2 bicchiere d'olio (o strutto)
1 cipolla tritata
150 grammi di prosciutto crudo tritato
1 chilo di pomodori maturi
sale q.b.
pepe q.b.
600 grammi di maccheroni (o ziti spezzettati)
120 grammi di formaggio caciocavallo grattugiato

In una casseruolina soffriggete l'aglio e il peperoncino con l'olio; appena l'aglio imbiondisce, toglietelo, unite la cipolla e lasciatela diventare trasparente a fuoco molto basso, poi aggiungete anche il prosciutto. Dopo un paio di minuti, versate i pomodori, pelati, tagliati a pezzi e privati dei semi; salate, pepate e lasciate cuocere a fuoco vivo per mezz'oretta.
Versate in abbondante acqua salata in ebollizione i maccheroni, scolateli al dente e conditeli con un poco della salsa preparata. Stendete uno strato di maccheroni in un piatto da portata ben caldo, spolverate con abbondante caciocavallo e mettete due cucchiaiate di sugo; continuate a formare strati in questo modo fino a esaurimento degli ingredienti e servite subito molto caldo.

Pasta ammuddicata

(per 6 persone)

1 bicchiere abbondante d'olio
7 acciughe diliscate
150 grammi di pangrattato
paprica q.b.
600 grammi di bucatini
sale q.b.

Versate la metà circa dell'olio in una casseruolina e quando sarà caldo stemperate in esso le acciughe, ben lavate e tritate. In una padellina a parte fate abbrustolire il pangrattato (grattugiato grossolanamente) con il rimanente olio, poi spolverate con abbondante paprica e versate la salsa in una salsiera. Cuocete i bucatini in abbondante acqua salata in ebollizione, scolateli al dente e conditeli subito con l'olio e le acciughe. Servite a parte la salsa di pane abbrustolito, senza formaggio grattugiato.

Sagne chine

(per 6-8 persone)

per le polpettine

200 grammi di lombo di maiale
2 cucchiai d'olio
3 cucchiaiate di formaggio pecorino grattugiato
1 uovo
sale q.b.
pepe q.b.
olio per friggere q.b.
1/2 cipolla tritata
1 carota tritata
1 costola di sedano tritata
1/2 bicchiere d'olio
300 grammi di funghi porcini freschi (o 30 grammi di funghi secchi)
sale q.b.
3 carciofi
un limone
3 cucchiaiate d'olio
sale q.b.

per la pasta

600 grammi di farina di grano duro
sale q.b.
acqua q.b.

una tazza di sugo d'arrosto (o di pomodoro)

4 uova sode tagliate a spicchi

200 grammi di provola fresca (o mozzarella) tagliata a dadini

80 grammi di pecorino grattugiato

Fate rosolare il lombo di maiale, passato due volte alla macchinetta, nell'olio caldo, poi toglietelo dal fuoco e mescolatevi il pecorino, l'uovo, un pizzico di sale e una bella spolverata di pepe. Formate delle palline della grandezza di un cece, o poco più, e friggetele in abbondante olio bollente. Quando saranno ben colorite, sgocciolatele su una carta che assorba l'unto. In una casseruolina soffriggete a fuoco lento il trito di cipolle, carota e sedano con l'olio; appena le verdure saranno morbide, unite i funghi, ben puliti, lavati e tagliati a pezzetti (se usate i funghi secchi, ammorbiditeli in acqua tiepida, lavateli bene, strizzateli e tagliuzzateli), salate leggermente e lasciate cuocere a fuoco lento per una decina di minuti.
Togliete le foglie più dure ai carciofi, lavateli in acqua acidulata con il succo di limone e tagliateli a spicchi. Cuoceteli nell'olio caldo con un pizzico di sale, a fuoco lento, per circa 20 minuti, bagnandoli con qualche cucchiaiata d'acqua calda (o di brodo). Impastate sulla spianatoia la farina con un pizzico di sale e tanta acqua quanta ne occorre per ottenere una pasta consistente. Lavoratela con energia per circa mezz'ora fino a quando la pasta sarà liscia ed elastica e formerà delle bollicine d'aria. Tirate con il mattarello una sfoglia sottilissima, ritagliate dei pezzi quadrati di 7-8 cm circa di lato e lessate le lasagne, poche per volta, in abbondante acqua salata in ebollizione, fino a quando verranno alla superficie della pentola; scolatele al dente con un ramaiolo e stendetele subito su un canovaccio bagnato d'acqua e ben strizzato. (Se la pasta è stata seccata a lungo, richiede qualche minuto in più di cottura.) Bagnate il fondo della teglia, possibilmente di terracotta, dai bordi alti di circa 30 cm di diametro, con due cucchiaiate di sugo d'arrosto (o sugo di pomodoro) ben caldo; stendete uno strato di lasagne, conditelo con una cucchiaiata di sugo d'arrosto, qualche polpettina, un poco di funghi e di carciofi cotti, qualche spicchio d'uovo sodo, alcuni dadini di provola (o mozzarella) e una bella spolverata di pecorino. Continuate in questo modo fino a esaurimento degli ingredienti. Ultimate con uno strato di pasta, qualche cucchiaiata di sugo d'arrosto (o di pomodoro) e una bella spolverata di pecorino. Passate in forno già caldo (160°) a gratinare per circa mezz'ora. Servite caldissimo direttamente nella teglia di cottura.

Zuppa di cipolle

(per 6 persone)

1 chilo di cipolle

60 grammi di burro

sale q.b.

1 cucchiaio di zucchero

1 litro e mezzo di brodo caldo

6 fette di pane abbrustolite

2 bicchierini di acquavite

parmigiano grattugiato (facoltativo)

Sbucciate, risciacquate e tagliate a fette le cipolle e mettetele in una casseruola con il burro, un pizzico di sale e un cucchiaio di zucchero. Fate soffriggere a fuoco moderato e, quando le cipolle saranno lggermente imbiondite, bagnatele con il brodo e fate bollire per circa mezz'ora. Aggiungete quindi nella casseruola le fette di pane e fate rialzare il bollore per pochi minuti. Prima di scodellare la zuppa, versate nella casseruola due bicchierini di acquavite. È facoltativa l'aggiunta di formaggio parmigiano.

Strascinati

(per 6 persone)

per il ragù

1 cipolla tritata

1 cucchiaio d'olio

1 cucchiaiata di strutto

250 grammi di carne di maiale (o di vitello)

1/2 bicchiere di vino rosso

500 grammi di pomodori maturi

sale q.b.

pepe q.b.

1/2 peperoncino rosso tritato

2 spicchi d'aglio schiacciati

2 cucchiai d'olio

per la pasta

600 grammi di farina di grano duro

1 cucchiaiata di strutto

sale q.b.

acqua q.b.

100 grammi di formaggio pecorino grattugiato

Mettete la farina a fontana sulla spianatoia con lo strutto e un pizzico di sale; impastate con tanta acqua calda quanta ne occorre per ottenere una pasta consistente. Lavorate la pasta finché sarà liscia ed elastica per circa mezz'ora. Tiratela in una sfoglia dell'altezza di un centimetro circa e tagliatela a strisce larghe quattro dita, lunghe altrettanto. Una per volta appoggiate queste strisce sulla «cavarola», una speciale tavoletta scannellata: strisciatele pressando leggermente con le dita per dare alla pasta la caratteristica forma di lasagna rettangolare con le rigature. Lasciate asciugare per un paio d'ore. In una casseruolina soffriggete la cipolla a fuoco basso con l'olio e lo strutto; appena comincerà a imbiondire, unite la carne, passata alla macchinetta due volte; lasciatela rosolare un paio di minuti, mescolandola bene. Innaffiate con il vino e fatelo evaporare.
Aggiungete i pomodori passati al setaccio, salate, pepate, coprite e lasciate cuocere a fuoco lento per circa due ore. In un padellino a parte soffriggete l'aglio e il peperoncino tritato nell'olio e poi togliete l'aglio appena sarà biondo e tenete l'olio in caldo. Cuocete gli strascinati ancora freschi in abbondante acqua in ebollizione per circa 5 minuti. Scolateli al dente e conditeli subito con un poco di ragù bel caldo. Mettete poi un poco di ragù nel piatto da portata ben riscaldato, versate un poco di pasta, spolveratela con abbondante pecorino e continuate a formare strati di pasta, ragù e pecorino. Versate sopra l'olio caldo con il peperoncino e servite immediatamente.

Salsicce arrosto

(per 6 persone)

800 grammi di salsiccia lucana

Tagliate la salsiccia a pezzi di circa 15 cm, arrotolateli a spirale e avvolgeteli, uno per volta, in un foglio di carta oleata leggermente bagnata d'acqua, chiudete bene e mettete gli involtini sotto la cenere calda del focolare per circa 20 minuti. Servite subito la salsiccia calda su fette di pane casereccio.

Capretto alla paesana

(per 6 persone)

1 chilo di capretto

2 grosse cipolle

600 grammi di pomodori ben maturi

600 grammi di patate
sale q.b.
pepe q.b.
origano
1 bicchiere di olio
100 grammi di pecorino grattugiato

Tagliate la carne di capretto in pezzetti regolari e mettetele a cuocere in un tegame di terracotta con le cipolle affettate sottilmente, le patate (meglio se novelle) tagliati a spicchi, i pomodori sbucciati, privati dei semi e tagliati a filetti. Condite con il pecorino grattugiato, un po' di sale, pepe e origano. Innaffiate con un bicchiere d'olio.

Intanto avrete scaldato il forno: mettete a cuocere a calore moderato il tegame ben chiuso. Il capretto è pronto in un'ora o poco più. Togliete il coperchio solo al momento di portare in tavola.

Capretto e carciofi

(per 6 persone)

1 chilo e mezzo di capretto (coscia o sella)
1 bicchiere d'olio
80 grammi di prosciutto tritato
1 cipolla media tritata
1 chiuffo di prezzemolo tritato
1 cucchiaiata abbondante di farina
1/4 di vino bianco secco
sale q.b.
pepe q.b.
6 carciofi
3 limoni
4 tuorli d'uovo
maggiorana q.b.

Tagliate il capretto a pezzi regolari e mettetelo in una casseruola con l'olio e il trito di prosciutto, cipolla e prezzemolo. Fate rosolare molto lentamente e, quando la carne avrà preso un bel colore dorato, spruzzatela con la farina e, dopo circa 10 minuti, bagnatela con il vino e lasciatelo evaporare a fuoco vivace. Condite con sale e pepe, coprite e fate cuocere a fuoco basso per una mezz'ora abbondante. Intanto togliete le foglie più dure ai carciofi, spuntate le estremità, tagliateli a spicchi non molto sottili e lavateli in acqua acidulata con il succo di limone. Aggiungete quindi i carciofi ben sgocciolati al capretto, salateli e lasciateli cuocere lentamente per mezz'ora, mescolandoli di tanto in tanto. Se l'intingolo si asciugasse troppo, aggiungete un poco di brodo caldo (o acqua). Al termine della cottura la salsa non dovrà essere troppo liquida. Mettete allora in una terrinetta i tuorli d'uovo, sbatteteli con un pizzico di sale e di pepe e il succo di un limone e mezzo; unite una cucchiaiata abbondante di prezzemolo tritato e un pizzico di maggiorana. Versate le uova nell'intingolo di capretto e carciofi, mescolate bene e togliete subito dal fuoco, affinché le uova raggiungano una consistenza cremosa senza stracciarsi.

Pollo ripieno alla lucana

(per 4 persone)

1 bel pollo di circa 1 chilo
4-5 fegatini di pollo
1 cucchiaiata di strutto
sale q.b.
pepe q.b.
2 uova
3 cucchiaiate di formaggio pecorino grattugiato
1 ciuffo di salvia (facoltativo)

un rametto di rosmarino (facoltativo)
40 grammi di strutto
sale q.b.
pepe q.b.

Pulite il pollo, fiammeggiatelo, lavatelo e asciugatelo bene. Cuocete i fegatini di pollo nello strutto ben caldo; salateli, pepateli e lasciateli sul fuoco per 5 minuti rigirandoli da tutte le parti, poi tritateli finemente. In una terrina sbattete le uova con il pecorino e un pizzico di sale; in ultimo unite i fegatini. Salate leggermente all'interno il pollo e poi farcitelo con il composto preparato; cucite l'apertura con un filo di refe, legate il pollo con uno spaghino perché non perda la forma e, se volte, inserite, nello spaghino, anche la salvia e il rosmarino. Spalmate il pollo con un poco di strutto, poi salatelo e pepatelo da tutte le parti. Mettetelo in una teglia a misura con il rimanente strutto e fatelo cuocere in forno (180°) per circa un'ora, rigirandolo di tanto in tanto e irrorandolo con il suo grasso di cottura.

Togliete lo spaghino, tagliate il pollo a grossi pezzi e servitelo ben caldo con il sugo di cottura.

Coniglio alla cacciatora

(per 6 persone)

un bel coniglio di circa 1 chilo e mezzo
1/2 bicchiere d'olio
un ciuffo di salvia
2 spicchi d'aglio
sale q.b.
pepe q.b.
2 bicchieri d'aceto
70 grammi di capperi
un'acciuga e mezza diliscata
1/2 cucchiaio di fecola di patate

Pulite il coniglio, fiammeggiatelo, tagliatelo a pezzi regolari, lavatelo e asciugatelo bene. Mettetelo in una padella con l'olio, le foglie di salvia e l'aglio; fate rosolare a fuoco vivace, poi conditelo con un poco di sale e una bella spolverata di pepe. Innaffiate con un bicchiere abbondante di aceto e altrettanta acqua calda. Coprite la padella e fate cuocere a fuoco lento per 45 minuti, aggiungendo, man mano, un poco d'acqua calda e aceto, se l'intingolo si asciugasse troppo. Quando il coniglio sarà cotto, mettetelo in un piatto da portata caldo. Aggiungete al sugo di cottura nella padella i capperi e l'acciuga tritata e la fecola, sciolta in mezzo bicchiere d'aceto. Riportate all'ebollizione e lasciate addensare la salsa poi versatela bollente sul coniglio.

Morseddu

(per 6 persone)

300 grammi di fegato di maiale (o di vitello)
200 grammi di polmone di maiale (o di vitello)
200 grammi di cuore di maiale (o di vitello)
1 bicchiere d'olio (o strutto q.b.)
2 spicchi d'aglio tritati
500 grammi di pomodori maturi
sale q.b.
pepe q.b.
un pezzetto di peperoncino rosso tritato

Il nome «morseddu» deriva dal fatto che questo piatto si mangia appunto a morsi. Tagliate a piccole fette il fegato e tritate il polmone e il cuore. Rosolate la carne nell'olio (o strutto) ben caldo, aggiungete poi l'aglio e i pomodori, pelati, tagliati a pezzi e privati dei semi; salate, pepate e unite il peperoncino. Coprite e lasciate cuocere a fuoco lento per circa mezz'ora. Distribuite il composto su fette di pane abbrustolito, oppure farcite una «pitta», che farete cuocere in forno a 180° per circa mezz'ora.

Aringhe alla calabrese

(per 6 persone)

1 chilo di aringhe fresche
1/2 bicchiere d'olio
1 spicchio d'aglio tritato
1/2 peperoncino rosso tritato
poco sale
una dozzina di fettine di pane

Pulite le aringhe, privatele della testa e della spina e riducetele in filetti; lavatele in abbondante acqua salata e asciugatele bene. Mettete le aringhe in una padella con l'olio e il trito di aglio e peperoncino; conditele con poco sale e cuocetele a lungo, circa un'ora, a fuoco moderato, finché saranno ridotte in poltiglia. Ritagliate la crosta alle fette di pane e spalmatevi sopra il composto di aringhe caldo, poi servite.

Sarde all'olio e origano

(per 6 persone)

1 chilo di sardine
sale q.b.
1 bicchiere di olio d'oliva
1 peperoncino rosso piccante
1 cucchiaino di origano
il succo di 1 limone

Pulite le sarde, levate loro la testa, apritele senza dividerle, togliete loro la spina e risciacquatele accuratamente. Ungete di olio una teglia, disponete sul fondo uno strato di sarde e conditele con sale, un po' di peperoncino tritato e origano. Innaffiate le sarde con un filo d'olio e continuate a fare strati di sarde e condimento. Sgocciolate ancora un poco di olio e passate la teglia in forno. Quando le sarde saranno cotte, levatele dal forno e spremeteci sopra il succo di un limone.

Alici al limone

(per 6 persone)

1 chilo di grosse alici fresche
sale q.b.
80 grammi di pangrattato
pepe q.b.
1 cucchiaio di origano
peperoncino in polvere
1/2 bicchiere di olio d'oliva
il succo di 1 limone

Togliete la testa alle alici, risciacquatele, asciugatele e mettetele in un solo strato in una teglia in cui possano entrare di giusta misura, quindi spruzzatele di sale. Ricoprite il pesce con il pangrattato, condite con origano, pepe e peperoncino in polvere e innaffiate con mezzo bicchiere d'olio e il succo di un limone.
Lasciate cuocere le alici nel forno fino a quando il pane avrà fatto una bella crosticina dorata. Questa pietanza può essere servita sia calda che fredda.

Tortiera di alici

(per 6 persone)

1 chilo di alici
250 grammi di pangrattato
80 grammi di formaggio pecorino grattugiato (facoltativo)
circa 1 bicchiere d'olio
1 ciuffo di prezzemolo tritato
1 spicchio d'aglio tritato
una dozzina di olive verdi snocciolate
una cucchiaiata di capperi

Pulite le alici, apritele, senza dividerle, togliete loro la spina e disponetene uno strato sul fondo di una teglia spolverata di pangrattato. In una terrina impastate il pangrattato e, se volete, il pecorino con circa mezzo bicchiere d'olio, il prezzemolo e l'aglio, le olive e i capperi tritati. Lavorate il composto finché sarà bene amalgamato e distribuitene un poco sulle alici. Formate un altro strato di alici e spolveratele con un poco del composto di pangrattato. Continuate in questo modo fino all'esaurimento degli ingredienti. Irrorate la tortiera con il rimanente olio e passatela in forno già caldo (160°) per circa 40 minuti, finché le alici saranno cotte e il pane avrà preso un leggero colore. Servitele tiepide o anche fredde. Alcuni ricoprono la tortiera di fettine di pomodoro fresco, leggermente salato, prima di infornarla.

Triglie alla calabrese

(per 3 persone)

600 grammi di triglie
sale q.b.
1 cucchiaio di origano
3 cucchiaiate di olio d'oliva
il succo di 1 limone

Occorrono triglie del peso di circa un etto l'una. Calcolatene due per persona, pulitele e sciacquatele. Ricoprite d'olio il fondo di una teglia, o meglio di un tegame di porcellana da forno; nel recipiente allineate le triglie in un solo strato, conditele con sale, il succo di un limone e abbondante origano sminuzzato. Sulle triglie versate un filo d'olio in modo che tutte ne siano unte.
Dieci minuti prima di andare in tavola, mettete il tegame in forno vivace e fate cuocere rapidamente le triglie, le quali dovranno risultare non asciutte, ma nuotanti in una liquida salsetta che esse stesse avranno prodotto. Servite in tavola nel recipiente di cottura.

Anguille stufate

(per 6 persone)

1 chilo di anguille
farina q.b.
1 cipolla tritata
2 cucchiaiate di olio d'oliva
1 bicchiere di vino bianco secco
500 grammi di pomodori
2-3 ciuffi di prezzemolo tritati
1 spicchio d'aglio schiacciato
1 foglia di alloro
sale q.b.
pepe q.b.

Sventrate le anguille, togliete loro la testa, risciacquatele e tagliatele in pezzi regolari di circa 10 centimetri. Immergete i pezzi di anguilla per pochi minuti in acqua bollente, poi passateli nell'acqua fredda, asciugateli e infarinateli. In un tegame di terraglia mettete una cipolla tritata e pochissimo olio. Fate soffriggere la cipolla dolcemente e quando sarà dorata, aggiungete i pezzi di anguilla infarinati e friggeteli sempre a fuoco basso, voltandoli di tanto in tanto. Annaffiate con il vino e lasciatelo evaporare. Pelate, tagliate a pezzi ed eliminate i semi dei pomodori e metteteli in casseruola con l'anguilla. Condite con sale, pepe macinato fresco e aggiungete l'aglio schiacciato, il prezzemolo tritato e la foglia di alloro. Coprite il recipiente e fate cuocere dolcemente per altri 30 minuti, finché l'anguilla sarà tenera. Servite la pietanza calda nel suo recipiente di cottura.

Calamaretti piccanti

(per 6 persone)

1 chilo e mezzo di piccoli calamaretti
1/2 bicchiere abbondante d'olio
2 spicchi d'aglio schiacciati
1/2 bicchiere di vino bianco secco
1 pizzico di peperoncino rosso in polvere
il succo di 1/2 limone
1 ciuffo di prezzemolo tritato

Pulite i calamaretti, lavateli in abbondante acqua salata e asciugateli bene. Mettete in una larga padella l'olio con gli spicchi d'aglio, fate scaldare a fuoco basso e, quando l'aglio comincerà a imbiondire toglietelo e versate i calamaretti nella padella. Fateli cuocere a fuoco vivace per una decina di minuti, innaffiateli con il vino e lasciatelo evaporare. Conditeli con un poco di sale e una bella spolverata di peperoncino. Ultimate con il succo di limone e il prezzemolo tritato. Servite i calamaretti bollenti.

Tranci di pesce spada lessati

(per 6 persone)

6 fette di pesce spada di circa 100 grammi l'una
sale q.b.
1/2 cipolla
1 costola di sedano
1 ciuffo di prezzemolo
1 carota
olio q.b.
1 spicchio d'aglio tritato
paprica q.b.

Togliete la pelle intorno alle fette di pesce spada, ponetele in una teglia e copritele con acqua fredda. Salate e aromatizzate con la cipolla, il sedano, il prezzemolo e la carota. Portate lentamente all'ebollizione e fate cuocere adagio per 5 minuti. Scolate dall'acqua le fette di pesce, sistematele in un piatto, irroratele con abbondante olio, e conditele con l'aglio tritato e una bella spolverata di paprica. Se volete, potete aggiungere un pizzico di prezzemolo tritato, dell'aceto oppure dei sottaceti tritati o dell'insalatina.

Triglie stufate

(per 6 persone)

6 triglie di circa 200 grammi l'una
1 spicchio d'aglio tritato
1 ciuffo di prezzemolo tritato
2 cucchiai di salsa concentrata di pomodoro
1 pizzico di peperoncino in polvere
sale q.b.
farina q.b.
4-5 cucchiai d'olio
2 cucchiai di vino bianco secco

Pulite, lavate e asciugate le triglie. Mondate uno spicchio d'aglio, tritatelo assieme al ciuffo di prezzemolo e mettete il trito in una padella con due cucchiai d'olio e fatelo soffriggere dolcemente finché sarà appassito, poi aggiungete la salsa di pomodoro diluita con un mestolo di acqua e condite con sale e un pizzico di peperoncino in polvere. Lasciate a cuocere la salsa a fuoco basso fino a quando sarà ristretta. A parte, infarinate le triglie e allineatele in un tegame di terraglia resistente al fuoco, nel cui fondo avrete fatto scaldare qualche cucchiaiata di olio. Lasciate rosolare le triglie, voltandole delicatamente, spruzzatele di sale, bagnatele con il vino bianco, fatelo evaporare e poi coprite la vivanda con la salsa di pomodoro. Mettete il tegame in forno caldo per pochi minuti, quindi servite le triglie in tavola nel recipiente di cottura.

Melanzane sott'olio

1 chilo di melanzane
sale q.b.
circa 1/2 litro d'aceto
3-4 spicchi d'aglio
1 ciuffo di foglie di basilico
1/2 peperoncino rosso tritato
olio d'oliva q.b.

Scegliete delle melanzane fresche e sane; non togliete loro la buccia, ma lavatele in acqua corrente, tagliatele a fettine verticali e salatele leggermente. Stendete le melanzane sotto un piatto capovolto, pressatele con un peso e lasciatele per 24 ore in salamoia. Dopo questo tempo strizzate bene le melanzane, sistematele a strati in una terrina ricoprendole con l'aceto e lasciatele marinare per altre 24 ore. Quindi disponete le melanzane in vasi di vetro a chiusura ermetica, stese a strati regolari. Su ogni strato distribuite qualche fettina d'aglio, uno o due foglie di basilico, un poco di peperoncino tritato. Pigiate ben gli strati in modo che non restino spazi vuoti. Versate poi l'olio riempiendo fino all'orlo il vaso. Chiudetelo molto bene. Sarà opportuno aggiungere altro olio dopo qualche giorno, poiché le melanzane potranno averlo lentamente assorbito. Conservate le melanzane in dispensa. Allo stesso modo si preparano anche le altre verdure, tagliate a piccoli pezzi.

Crocchettini di patate

(per 4-6 persone)

1 chilo di patate
100 grammi di scamorza o mozzarella
100 grammi di salame
2 ciuffi di prezzemolo tritato
1 pizzico di pepe
sale q.b.
5 uova sbattute
3-4 cucchiai di parmigiano grattugiato
pangrattato
olio per friggere
spicchi di limone

Fate lessare le patate e quando sono cotte sbucciatele e riducetele in purea. Impastatele con la scamorza o la mozzarella tagliata a pezzettini, unite tre uova sbattute, il salame tritato, pepe, sale, tre o quattro cucchiai di parmigiano grattugiato e il prezzemolo tritato finemente. Amalgamate bene tutti gli ingredienti e formate con il composto delle crocchette a forma allungata. Fate scaldare abbondante olio per friggere in una padella; sbattete due uova e passate le crocchette di patate prima nell'uovo poi nel pangrattato prima di farle friggere poche per volta nell'olio caldo. Quando le crocchette saranno dorate, levatele e lasciatele sgocciolare su carta da cucina, poi sistematele su un piatto di servizio tenuto in caldo e servitele ancora calde, guarnite con spicchi di limone.

Zucchine e peperoni

(per 6 persone)

6 zucchine di media grandezza
sale q.b.
olio q.b.
2 peperoni gialli
5 pomodori maturi
1 spicchio d'aglio schiacciato
1 ciuffo di foglie di basilico
12 fettine di formaggio caciocavallo
3 acciughe diliscate

Tagliate via le estremità alle zucchine, dividetele a metà nel senso della lunghezza, scavatele leggermente all'interno e tuffatele in acqua salata in ebollizione per due minuti. Scolatele subito perché le zucchine non si devono disfare e allineatele in una teglia unta d'olio. Bruciacchiate sulla fiamma del fornello la pellicina dei peperoni, toglietela, apriteli a metà, levate il torsolo e i semi e tagliateli a listerelle. Immergete in acqua bollente per un minuto i pomodori, pelateli, tagliateli a pezzi e privateli dei semi. Mettete i pomodori in una casseruolina con lo spicchio d'aglio e una cucchiaiata d'olio; condite con un pizzico di sale e poche foglie di basilico tagliuzzate. Lasciate cuocere a fuoco vivo per una ventina di minuti. Quando il pomodoro sarà cotto, mettetene una cucchiaiata su ogni mezza zucchina, poi stendete qualche filetto di peperone, una fettina di caciocavallo e mezza acciuga lavata e ben sgocciolata. Irrorate con un filo d'olio e passate la teglia in forno caldo (160°) per circa un quarto d'ora, finché il formaggio si sarà sciolto e le zucchine leggermente colorite. Servite caldo o freddo.

Zucchine gratinate

(per 6 persone)

6 zucchine di media grandezza
farina bianca
olio d'oliva q.b.
sale q.b.
1 chilo di pomodori maturi
pepe q.b.
250 grammi di mozzarella tagliata a fette sottili

Lavate le zucchine, togliete le estremità, tagliatele per il lungo in filetti e mettetele in un piatto, cospargendole di sale e pepe. Lasciatele riposare e dopo circa mezz'ora infarinatele e friggetele, poche alla volta, in una padella con abbondante olio. Quando avrete fritto le zucchine, fatele sgocciolare su una carta che assorba l'unto e tenetele in caldo.
Intanto scottate, pelate, tagliate a pezzi e private dei semi i pomodori, poi passateli nel passaverdure. Levate dalla padella l'eccesso di olio, lasciandone circa due, tre cucchiai, aggiungete il pomodoro, condite con sale e pepe e fate cuocere su fuoco vivace per 20 minuti circa.
Scaldate due cucchiai di olio in una teglia di terracotta, unite le zucchine fritte con la salsa di pomodoro e fatele cuocere un attimo a fuoco dolcissimo per insaporirle. Togliete dal fuoco, coprite le zucchine con uno strato di fettine di mozzarella, bagnate con un filo d'olio e passate qualche minuto in forno caldo a gratinare.

Cannariculi

250 grammi di farina bianca
1 bicchiere di vino bianco secco
1 pizzico di sale
1 cucchiaio di zucchero semolato
olio per friggere
miele q.b.

Setacciate la farina e disponetela a fontana sul tavolo di cucina, unite lo zucchero, il sale e bagnate con il vino. Mescolate l'impasto, aggiungendo un po' di vino se necessario, e lavoratelo energicamente fino a ottenere una pasta morbida ed elastica. Formate una palla, coprite con un telo e fate riposare in luogo fresco per 2 ore. Stendete poi la pasta lievitata a uno spessore di circa 1 centimetro, tagliatela in quadrati di circa dieci centimetri di lato. Arrotolate i quadratini di pasta attorno a cannucce di metallo; se ciò non fosse possibile, formate invece con la pasta dei bastoncini dello spessore di una matita, lunghi circa sette, otto centimetri.
Scaldate in una padella abbondante olio d'oliva e friggete pochi alla volta i dolcetti. Quando saranno dorati, togliete i cannariculi dalla padella e fateli scolare su carta da cucina. Se avete usato le cannucce di metallo, sfilatele appena possibile. Spalmate i dolcetti con abbondante miele e serviteli subito.

Fichi al cioccolato

500 grammi di grossi fichi secchi
150 grammi di mandorle tostate in forno
100 grammi di cedro candito tritato
2 chiodi di garofano tritati
100 grammi di cacao (o cioccolato fondente grattugiato)
100 grammi di zucchero al velo

Aprite i fichi a metà e imbottiteli con una mandorla e qualche pezzetto di cedro candito e di garofano. Poi richiudete bene i fichi, stendeteli su una teglia e passateli in forno (160°) per circa un quarto d'ora, fino a quando cominciano a prendere un bel colore dorato. Allora toglieteli e rotolateli caldissimi in un miscuglio di cacao e zucchero. Oppure immergeteli nel cioccolato sciolto in una casseruolina con un poco d'acqua e lo zucchero. Questi fichi si conservano a lungo in cassettine di legno o scatole di latta.

Prugne farcite

500 grammi di grosse prugne secche
100 grammi di noci sgusciate
150 grammi di cioccolato amaro grattugiato

Scegliete una buona qualità di prugne per questa ricetta. Immergetele in acqua bollente per 5 minuti, poi risciacquatele bene. Asciugate e praticate in ogni prugna un taglio appena sufficiente a estrarre il nocciolo. Allargate i bordi del taglio per facilitare l'introduzione della farcia. Tritate grossolanamente le noci e mescolatele con la cioccolata grattugiata. Riempite con il composto ottenuto le prugne, chiudete l'apertura riavvicinando i bordi e ridate ai frutti la loro forma originaria. Le prugne farcite possono essere presentate nei piccoli cestelli di carta pieghettata usati per i canditi o semplicemente disposte a piramide su un piatto.

Mostaccioli

250 grammi di mandorle
125 grammi di miele

un pizzico di cannella

1 chiodo di garofano tritato

150 grammi di cacao

1/2 tazzina di caffè molto leggero

100 grammi di farina

ostie q.b.

per la glassa

200 grammi di zucchero al velo

1 albume d'uovo

qualche goccia di succo di limone (o liquore d'anice)

oppure
50 grammi di cioccolato fondente

100 grammi di zucchero al velo

acqua q.b.

confettini colorati (diavolicchi) q.b.

Mettete per qualche minuto in acqua bollente le mandorle, scolatele e pelatele subito. Fatele asciugare stese su una teglia in forno (160°) per pochi minuti, poi tritatele finemente fino a ridurle in polvere. Mettetele in una terrina, mescolatele al miele, profumatele con la cannella e il garofano, poi unite, a poco a poco, il cacao sciolto nel caffè. Impastate il tutto con la farina. Tirate questo composto bene amalgamato con il mattarello in una sfoglia di circa 1,5 cm di spessore e da essa ricavate dei «mostaccioli» di varie forme: corone, fantocci, animali e forme stilizzate. Allineate i mostaccioli in una teglia unta e infarinata (o meglio su delle ostie). Passateli in forno caldo (180°) per un quarto d'ora, finché saranno un po' coloriti. Fateli raffreddare bene.

Intanto preparate la glassa a freddo sciogliendo lo zucchero al velo con l'albume e il succo di limone (o il liquore d'anice); quando sarà bene amalgamata, stendetela con la lama di un coltello leggermente inumidita sui mostaccioli. Se invece preferite la glassa al cioccolato, fate sciogliere il cioccolato in una casseruolina con qualche cucchiaiata d'acqua, unite lo zucchero e appena la crema sarà pronta, versatela ancora calda sui mostaccioli, spalmandola con la lama di un coltello bagnata d'acqua. Lasciate raffreddare e guarnite i mostaccioli con i confettini. I mostaccioli si preparano anche più semplicemente con ugual quantità di farina e miele e un poco di liquore d'anice. Questi dolcetti si conservano a lungo e migliorano dopo un paio di giorni.

Cicirata

250 grammi di farina

1-2 uova

un cucchiaio di strutto

un cucchiaio d'olio

un cucchiaio di zucchero

olio per friggere q.b.

miele q.b.

Versate la farina a fontana sulla spianatoia, rompete al centro uno o due uova, unite lo strutto ammorbidito, l'olio e lo zucchero; lavorate energicamente fino a quando otterrete una pasta liscia ed elastica e che si stacchi in un sol pezzo dalle mani e dalla spianatoia. Dividetela quindi in tanti bastoncini della grossezza di un dito; tagliateli poi con il coltello a pezzettini regolari dello spessore di un cece.

Avrete intanto preparato una padella con abbondante olio; quando sarà caldo, tuffateci i pezzettini di pasta, pochi per volta, finché saranno dorati, si gonfieranno leggermente e verranno ad assomigliare a tanti ceci, da cui il nome del dolce. Sgocciolateli bene su

una carta che assorba l'unto e mescolateli subito in una casseruola con un poco di miele caldo finché si attaccheranno fra di loro formando una massa simile a un mandorlato. Mettete la «cicirata» su un piatto e, con le mani bagnate di acqua, datele la forma di una ciambella bassa, oppure di tanti piccoli dolcetti. Alcuni aggiungono al miele anche un cucchiaio di rhum e un pizzico di cannella in polvere.

Torta di noci

250 grammi di noci sgusciate

burro e farina q.b. per la tortiera

4 tuorli

4 albumi

250 grammi di zucchero semolato

la scorza grattugiata di 1 limone

zucchero al velo q.b.

Tritate o pestate in un mortaio i gherigli delle noci fino a ridurli quasi in polvere. Metteteli in una terrina. Ungete una tortiera dai bordi alti di circa 30 centimetri di diametro e spoverizzatela leggermente di farina.

Sbattete i tuorli d'uovo, aggiungete lo zucchero e sbattete di nuovo, quindi unite anche la scorza grattugiata di un limone. Sbattete a parte gli albumi montandoli a neve ferma e unitene qualche cucchiaio ai tuorli, per rendere il composto più soffice. Aggiungete quindi ai tuorli le noci tritate, sempre mescolando e da ultimo gli albumi montati a neve.

Rovesciate il composto nella tortiera e fate cuocere in forno a calore moderato per 1 ora circa, finché la torta sarà ben dorata. Lasciate raffreddare la torta, prima di servirla abbondantemente spolverizzata con lo zucchero al velo.

Questa torta è anche ottima tagliata a metà orizzontalmente, spalmata con glassa al limone e richiusa: si manterrà morbida per diversi giorni.

Torta di frutta secca

150 grammi di nocciole sgusciate

60 grammi di mandorle

150 grammi di fichi secchi

100 grammi di cioccolato amaro

150 grammi di farina bianca

15 grammi di lievito in polvere

burro q.b.

farina q.b.

3 uova

125 grammi di zucchero semolato

150 grammi di frutta candita (cedro e arancia)

Tostate nel forno le nocciole sgusciate. Mentre sono ancora calde togliete loro la pellicola bruciacchiata e spezzettatele. Levate la pelle alle mandorle e quando saranno pronte, taglitele in filettini e unitele alle nocciole. Riducete in pezzetti anche i fichi secchi, la frutta candita e il cioccolato amaro.

In una terrina mescolate le uova con lo zucchero, sbattendole energicamente finché le uova saranno chiare e soffici; aggiungete tutta la frutta e la farina mescolata al lievito in polvere. Mescolate gli ingredienti amalgamandoli bene, imburrate una teglia della capacità di un litro e versatevi il composto. Mettete la teglia in forno a calore moderato e lasciatele cuocere per circa 45 minuti, finché la torta avrà assunto un color bruno scuro. Non aprite il forno prima che sia trascorsa una mezz'ora per non interrompere la lievitazione. Lasciate raffreddare la torta prima di sformarla.

PUGLIA

I trulli ad Alberobello, una delle zone più note della Puglia. Questa terra ha una delle sue massime attrattive culinarie nella pasta e nella verdura. Ottima anche la cucina di mare, condita con olio robusto. Nella pagina successiva, una festa di paese rallegrata da luminarie e, in primo piano, le torte, i gelati, i dolcetti e la frutta squisita di questa regione.

Siamo ormai nel Sud: il paesaggio è all'opposto di quello incontrato nella pianura padana. Qui comanda il sole, la vegetazione è scarsa, un po' per il clima e molto per gli uomini che nel corso dei secoli hanno perseguitato le piante tagliandole senza ragione, quasi non gradissero la loro ombra. Fino a cent'anni fa, qui comandavano i pastori e tutto questo territorio che copre quasi l'intera Puglia era di proprietà comune, con i greggi pascolanti in lungo e in largo. Arrivò poi il grano e tutta la regione prese l'aspetto di una enorme tovaglia a zone verdi e d'oro. In quel verde le Puglie coltivano oggi i loro ortaggi: cime di rapa, cavolfiori, cavoli, broccoli, verze, cavoli neri, cipolle, melanzane, fave, fagioli, rapanelli, peperoni e pomodori, una materia prima insostituibile per una cucina che è fatta essenzialmente di un continuo incontro tra pasta e verdura. La pasta viene dal grano e i pugliesi sono, tra gli italiani, quelli che più ne consumano. Si passa dalla normale pasta alimentare, in tutte le forme, alle lasagne e a una serie di piatti dai nomi dialettali: ci sono le «recchietelle», a forma di conchiglia, che vengono confezionate con semola di grano lavorata e ridotta a bastoncini grossi un dito, che vengono tagliati a pezzetti, poi schiacciati col pollice fino ad assomigliare a gusci di ostrica. Ci sono i «minuicchi», gnocchetti di farina, e le «laganelle», piccole lasagne riempite. I maccheroni, è ovvio, hanno il loro posto d'onore e vengono cucinati in diverse maniere. La pasta entra anche in tutta una serie di pizze o derivati; tra questi, i «calzoni» (involti di pasta riempiti di verdure lessate, cipolle, acciughe o sgombri, formaggio e pomodori, e passati al forno dopo essere stati unti d'olio

d'oliva) e i «panzerotti», altri involtini con ripieni a piacere, dalla ricotta alla mozzarella, al formaggio o alle cipolle.

Una cucina, dunque, quella pugliese, di pretto carattere casalingo, nella quale la massaia ha il suo bel lavoro, ma anche eccellenti soddisfazioni perché le materie prime non mancano affatto. Abbiamo parlato delle verdure che hanno nel Tavoliere le loro coltivazioni migliori, ma la cucina pugliese deve molto anche all'olio, quell'olio prodotto particolarmente a Bitonto, Adria, Barletta e Molfetta, caratterizzato da un brillante colore dorato con alcune venature di verde e da un profumo di mandorle amare. È un olio che gli italiani del Settentrione considerano pesante, ma che i meridionali sanno adoperare perfettamente nei loro mille conditissimi piatti. Non è del tutto casuale che l'olio qui sappia di mandorle, considerato che le mandorle sono uno dei maggiori prodotti agricoli che i pugliesi esportano con successo in tutto il mondo e che impiegano per i dolci. L'economia di questa regione, infatti, era fino a ieri completamente agricola; oggi l'industria vi ha messo piede e l'intervento pubblico sta creando le infrastrutture per fondare un'economia moderna che non sia messa in pericolo da un'annata agricola scarsa.

Dal mare questa regione alimenta tutto un settore della sua cucina. Il pesce pugliese è eccellente e quanto mai variato; non è solo quello portato dalle paranze e dai pescherecci delle grandi società, c'è anche quello pescato dai locali che si spingono con le loro barche e con le loro lenze a poche centinaia di metri dalla costa, o addirittura quello «coltivato» quasi come in una serra nei bacini e tra i moli. È il caso di Taranto, dove le ostriche e tanti altri frutti di mare nascono e crescono nel Mar Piccolo e nel Mar Grande, dove vengono messe a cultura per diciotto mesi fino alla loro completa maturazione. A Bari la specialità locale sono i polpi arricciati, a Polignano a Mare le triglie «coi baffi», e un po' dovunque, le zuppe di pesce, le pastasciutte ai frutti di mare, le cozze ripiene, i calamari in umido.

Nel settore dei vini, le Puglie sono tra le regioni più ricche d'Italia. Famosi i vini da taglio di Cerignola, Squinzano, Canosa, Andria e Barletta, che grazie alla loro corposità e al loro alto tenore zuccherino vengono usati per tagliare e rendere perfetti molti altri vini italiani. Specialità locali sono il Sansevero del Tavoliere (bianco paglierino secco) e nella stessa zona il Santo Stefano, di un rosso brillante. Dalla zona di Cerignola viene il Torre Quarto che dopo cinque o sei anni di invecchiamento raggiunge i 13-14 gradi, mentre Gioia del Colle produce il rosso

Taralli e frise, dolci tipici del sud. Nella pagina a destra, la spiaggia di Purità, a Gallipoli, e in primo piano, paste, verdure e pesci. Uno dei protagonisti della cucina pugliese è il formaggio, in particolare provola, scamorza, ricotta e caciocavallo.

Primitivo del Castel del Monte una intera varietà di vini bianchi, rossi e rosati. Ogni paese ha il suo vino famoso, da Ruvo a Castellana, a Conversano, a Martina Franca e ad Alberobello; Malvasia, Aleatico e Moscato completano la lunga lista delle produzioni locali.

Nelle Puglie non ci sono in un pranzo molte portate: si punta essenzialmente su un solo piatto, sia esso felice incontro tra pasta e verdura, oppure un saporoso piatto di pesce o semplicemente un antipasto variato (ad esempio lo «stuzzica appetito», composto interamente di verdure sott'olio o sott'aceto), o del formaggio (che qui non è solo un *dessert*), o della semplice «coratella» (parte dell'intestino) di agnello messa ad arrostire in squisiti spiedini. Il formaggio, anzi, è uno dei protagonisti della cucina pugliese: le provole di bufala, le mozzarelle, le scamorze, i bocconcini di latte di vacca, la ricotta fresca e il caciocavallo: altrettanti temi per piatti genuini che ci riconducono alle tradizioni dei pastori che un tempo con le loro greggi dominavano queste terre.

Calzoni pugliesi
Panzarotti
Pizza con uova e cipolle
Torta tarantina di patate
Pizza lievitata di verdure
Bucatini al cavolfiore
Orecchiette al pomodoro
Orecchiette e cime di rapa
Spaghetti ai frutti di mare
Crema di ceci
Agnello al forno con patate e pomodori
Costolette di agnello ai peperoni
Spiedini di capretto
Gnummerieddi (o Torcinelli)
Testina di vitello alle olive
Coniglio ai capperi
Sarde in tortiera
Frittura di pesce spada
Baccalà con le olive verdi
Zuppa di cozze alla tarantina
Zuppa di pesce alla tarantina
Cozze al riso
Ostriche alla tarantina
Melanzane alla foggiana
Fritto di melanzane filanti
Involtini di peperoni
Peperoni e cipolle
Pomodori ripieni
Timballo di cardi
Frittelle di ricotta
Carteddate
Pinoccate
Zeppole di San Giuseppe
Bocconotti

Calzoni pugliesi

(per 6 persone)

500 grammi di pasta da pane già lievitata

3 cucchiai d'olio

500 grammi di cipolle

4 cucchiai d'olio

40 grammi di filetti di acciuga

2 cucchiaiate di capperi

100 grammi di olive snocciolate

oppure
200 grammi di filetti di pomodoro

100 grammi di formaggio pecorino (o caciocavallo)

300 grammi di cipolle

30 grammi di filetti di acciuga

olio q.b.

Mettete sulla spianatoia la pasta da pane (o vedi ricetta seguente) e lavoratela di nuovo con l'olio. Quando l'olio sarà ben assorbito, tirate la pasta con il mattarello in una sfoglia di circa 2-3 mm di altezza e ritagliatela in tanti quadrati di circa 8 cm di lato.
Tagliate a fettine non troppo sottili le cipolle, fatele ammorbidire in una padella con l'olio, senza che prendano colore; tagliate a metà le olive snocciolate. Distribuite su ogni quadrato di pasta un poco di cipolle, un pezzetto di acciuga, qualche cappero, qualche pezzetto di oliva e un filo d'olio. Ripiegate la pasta su se stessa a rettangolo, premete bene i bordi con le punte di una forchetta in modo che aderiscano perfettamente, stendete i calzoni sulla piastra del forno unta d'olio e spennellateli d'olio. Passate i calzoni in forno molto caldo (240°) per un quarto d'ora, finché la pasta sarà leggermente colorita. Serviteli caldi. Potete variare il ripieno mettendo qualche filetto di pomodoro, formaggio grattugiato, fettine di cipolla ammorbidita nell'olio, e qualche pezzetto di acciuga.

Panzarotti

(per 6 persone)

per la pasta

300 grammi di farina

1/2 bicchiere abbondante d'olio

2 tuorli d'uovo

sale q.b.

per il ripieno

250 grammi di mozzarella fresca

2 uova

4 cucchiaiate di parmigiano grattugiato

sale q.b.

100 grammi di salame (o prosciutto) a dadini (facoltativo)

olio per friggere q.b.

Sulla spianatoia impastate la farina con l'olio, i tuorli d'uovo, un pizzico di sale e tanta acqua quanta basta per avere una pasta di giusta consistenza. Lavoratela finché sarà liscia ed elastica; raccoglietela a palla in una terrina leggermente infarinata, copritela e lasciatela riposare per una mezz'oretta. (Alcuni invece di preparare questa pasta usano la pasta da pane già lievitata, condita con qualche cucchiaiata d'olio.) Tirate poi la pasta in una sfoglia sottile di pochi millimetri e ritagliatela in tanti dischi di circa 6 cm di diametro.
In una terrina mescolate la mozzarella tagliata a dadini piccolissimi con le uova intere, il parmigiano, un pizzico di sale e, se volete, il salame (o il prosciutto) tritato grossolanemente. Distribuite un poco del ripieno (circa una noce) sui dischi di pasta e chiudeteli bene a mezzaluna, bagnando il bordo della pasta con un poco d'acqua (o uovo sbattuto) e premendolo poi con le punte di una forchetta. Friggete i panzarotti, pochi per volta, in abbondante olio bollente; sgocciolateli ben dorati e croccanti su una carta che assorba l'unto e serviteli caldissimi.

Pizza con uova e cipolle

(per 6 persone)

300 grammi di farina

15 grammi di lievito di birra

sale q.b.

5-6 cipolle

olio q.b.

sale q.b.

pepe q.b.

3 uova

2-3 ciuffi di prezzemolo tritato

Ponete la farina sul tavolo della cucina, disponetela a fontana e nel centro mettete un pizzico di sale, un cucchiaio d'olio, il lievito di birra e diluite il tutto con circa mezzo bicchiere di acqua tiepida. Impastate e lavorate bene la pasta, formatene una palla che porrete a lievitare in un luogo tiepido.
Tagliate le cipolle a fette sottili e mettetele a cuocere in una padella con qualche cucchiaio d'olio. Badate che il fuoco sia debolissimo e che le cipolle cuociano senza colorire: debbono infatti risultare leggermente imbiondite. Perché ciò avvenga aggiungerete durante la cottura qualche cucchiaio d'acqua fino a che le cipolle si saranno trasformate in una poltiglia appassita. Conditele allora con una presa di sale e di pepe.
Lessate nel frattempo le uova, facendole bollire per sette minuti, poi toglietele dall'acqua, lasciatele raffreddare, sgusciatele quindi e tagliatele in rondelli.
Stendete con il mattarello la pasta che avete messo a lievitare, e coprite con essa il fondo di una teglia bassa da forno, precedentemente unta. Sulla pasta stendete uno strato di cipolle e infornate la teglia. Dopo una ventina di minuti di cottura a fuoco vivace la pasta sarà cotta. Toglietela allora dal fuoco e sopra le cipolle allineate le rotelline di uovo, sulle quali sgocciolerete un filo d'olio e che guarnirete con il prezzemolo tritato. Questa pizza rustica può essere servita tanto calda che fredda.

Torta tarantina di patate

(per 6 persone)

200 grammi di patate farinose

100 grammi di farina

olio d'oliva q.b.

sale q.b.

100 grammi di mozzarella o altro formaggio fresco

60 grammi di parmigiano grattugiato

un pizzico di pepe

1 cucchiaio di origano

1-2 pomodori maturi (facoltativo)

Fate lessare le patate e quando saranno cotte, sbucciatele e schiacciatele sulla tavola, unendo loro la farina e un pizzico di sale. Impastate e lavorate il composto fino a ottenere una pasta che stenderete su una piastra da forno o in una tortiera piuttosto larga, formandone uno strato di mezzo centimetro di spessore. La piastra o la tortiera vanno leggermente unte. Spianato l'impasto, versateci sopra la mozzarella o un altro formaggio fresco tagliato a dadini, il parmigiano grattugiato, il pepe e l'origano. Durante la stagione estiva, se volete, potete aggiungere qualche filetto di pomodoro fresco, privato della pelle e dei semi. Su tutto sgocciolate un filo d'olio d'oliva e mettete la tortiera in forno a fuoco piuttosto vivace affinché possa ben colorirsi e diventare croccante.

Pizza lievitata di verdure

(per 6 persone)

350 grammi di farina
25 grammi di lievito di birra
sale q.b.
pepe q.b.
1 chilo di verdure (indivia, scarola, lattuga, ecc.)
1 spicchio d'aglio schiacciato
olio d'oliva q.b.
2 cucchiai di capperi
1 dozzina di olive nere

Disponete a fontana sulla tavola 350 grammi di farina, sgretolateci nel centro 25 grammi di lievito di birra, diluite con cucchiaiate di acqua tiepida, condite con sale e pepe e, aggiungendo ancora un mestolo di acqua tiepida, impastate il tutto. Vi risulterà una pasta da pane, morbida e liscia, che metterete in una terrina coperta con un tovagliolo, in un luogo tiepido perché possa raddoppiare il suo volume.

Mondate la verdura, risciacquatela, trinciatela grossolanamente e mettetela in una casseruola con quattro cucchiai d'olio, l'aglio, sale e pepe quanto basta. Coprite il recipiente e fate cuocere lentamente fino a quando le verdure saranno tenere. Togliete l'aglio dal recipiente e lasciate quindi raffreddare la verdura.

Dividete in due parti la pasta lievitata, spianate il primo pezzo di pasta a forma di disco in una sfoglia sottile e foderate una teglia unta d'olio. Accomodate in essa la verdura privata dell'aglio, spargeteci sopra i capperi e le olive, ricoprite il ripieno con l'altra pasta spianata anch'essa a forma di disco. Pigiate pian piano con le dita intorno per far combaciare i due dischi e pareggiateli poi con un coltellino. Sgocciolate sopra la pizza un filo d'olio e mettetela in forno caldo per una ventina di minuti finché sarà ben dorata. Servitela calda o fredda.

Bucatini al cavolfiore

(per 6 persone)

1 piccolo cavolfiore
1/2 bicchiere d'olio
1 spicchio schiacciato d'aglio
1 chilo di pomodori passati al setaccio
sale q.b.
pepe q.b.
1 ciuffo di prezzemolo tritato
600 grammi di bucatini

Togliete le foglie al cavolfiore, riducetelo a cimette, lavatelo e sgocciolatelo. Soffriggete in una casseruola l'aglio con l'olio; appena l'aglio comincerà a colorirsi, toglietelo, unite la salsa di pomodori passati e le cimette crude del cavolfiore. Bagnate con un mestolo abbondante d'acqua calda, condite con un poco di sale e lasciate cuocere ben coperto, a fuoco moderato, per circa 40 minuti, finché le cimette si disfaranno un poco e la salsa si sarà ristretta. Ultimate con una bella macinata di pepe e una spolverata di prezzemolo. Portate all'ebollizione in una pentola abbondante acqua salata, cuocetevi i bucatini, scolateli al dente e conditeli con la salsa preparata. Serviteli con abbondante parmigiano grattugiato o un poco di formaggio pecorino.

Orecchiette al pomodoro

(per 6 persone)

per la pasta

200 grammi di farina di semola di grano duro
400 grammi di farina bianca
un cucchiaino raso di sale fino
acqua tiepida q.b.

per il sugo

1 spicchio d'aglio schiacciato
1/2 bicchiere d'olio
250 grammi di carne di agnello (o di maiale) macinata
1 cipolla affettata
500 grammi di pomodori maturi
sale e pepe q.b.
1 ciuffo di prezzemolo tritato
1 ciuffo di basilico tritato
circa 100 grammi di ricotta dura grattugiata

Le orecchiette sono dei caratteristici dischetti concavi a forma di piccolo orecchio che si preparano di preferenza con una parte di farina di semola di grano duro, due parti di farina bianca, acqua tiepida e sale. In mancanza della farina di semola si può usare anche il semolino. Sulla spianatoia disponete a fontana le due farine mescolate e tanta acqua tiepida, in cui avrete sciolto il sale, quanta ne occorre per ottenere una pasta della consistenza di quella del pane. Lavorate molto bene la pasta finché sarà diventata liscia ed elastica. Riducetela in cannelli alti circa 2,5 cm, ritagliate dei dischetti dello spessore di pochi millimetri e date la forma un po' concava di un piccolo orecchio pigiando al centro di ognuno con il pollice (o la punta arrotondata di un coltello), poi rovesciate le conchigliette ottenute sul dito pollice in modo da avere tanti piccoli cappelli tondi (cappelli da prete). Lasciate asciugare le orecchiette ben stese sulla spianatoia. Intanto preparate il sugo nel seguente modo: soffriggete in una casseruolina l'aglio nell'olio; appena comincia a imbiondire, toglietelo e unite la carne e fatela rosolare un poco a fuoco basso. Unite la cipolla e i pomodori, pelati e tagliati a pezzi. Salate, pepate e lasciate cuocere a fuoco moderato per circa un'ora, finché il sugo si sarà addensato. Ultimate con il prezzemolo e il basilico. Versate le orecchiette in una pentola d'acqua salata in ebollizione e scolatele al dente (dopo circa 5 minuti di cottura da quando affioreranno alla superficie, se sono del giorno; cuocetele più a lungo se sono state seccate o preparate solamente con la farina di semola). Scolate bene le orecchiette dall'acqua e conditele subito con il sugo preparato e la ricotta grattugiata.

Orecchiette e cime di rapa

(per 6 persone)

600 grammi di orecchiette
600 grammi di cime di rapa
sale q.b.
2 spicchi d'aglio schiacciati
1 bicchiere abbondante d'olio
4 filetti di acciuga tritati
pepe q.b.
parmigiano (o formaggio pecorino) grattugiato q.b.

Preparate le orecchiette come è descritto nella ricetta precedente e lasciatele asciugare.

Pulite e lavate in abbondante acqua corrente le cime di rapa. Lessatele in una pentola con acqua salata in ebollizione; quando sono cotte, scolatele bene, ma raccogliete l'acqua di cottura. In una padella soffriggete gli spicchi d'aglio con abbondante olio; appena l'aglio colorisce, toglietela e unite i filetti di acciuga. Stemperateli nell'olio e lasciateli cuocere pochi minuti su fiamma bassa, poi unite e fate insaporire le cime di rapa per 5 minuti. Riportate intanto all'ebollizione l'acqua di cottura delle cime di rapa e cuocetevi le orecchiette; scolatele al dente e mettetele a strati in una terrina alternandole con le cime di rapa già condite. Completate il condimento con un filo d'olio crudo e una bella macinata di pepe. Servite con parmigiano o formaggio pecorino grattugiato.

Spaghetti ai frutti di mare

(per 6 persone)

300 grammi di gamberetti

1 chilo e 200 grammi di frutti di mare assortiti (cozze, vongole, datteri, tartufi ecc.)

2 spicchi d'aglio tritati

1/2 bicchiere d'olio

2 pomodori maturi

sale q.b.

pepe q.b.

1 ciuffo di prezzemolo tritato

500 grammi di spaghetti

Lavate i gamberetti e lessateli in acqua salata, poi sgusciateli. Raschiate con uno spazzolino i frutti di mare, lavateli e fateli aprire in padella con due cucchiaiate d'olio a fuoco moderato e scuotendo di tanto in tanto la padella perché si aprano tutti. Dopo circa 5 minuti, toglieteli dalla padella e, con un cucchiaino, asportate i molluschi e teneteli da parte. Non forzate i gusci che sono rimasti chiusi ma eliminateli perché non sono freschi. Soffriggete l'aglio in abbondante olio, unite i pomodori, pelati, tagliati a pezzi e privati dei semi; salate, pepate e lasciate cuocere per una decina di minuti a fuoco vivo. Intanto lessate in abbondante acqua salata gli spaghetti. Fate scaldare nel sugo il pesce soltanto per pochi minuti perché non indurisca; scolate al dente gli spaghetti e conditeli subito con la salsa preparata.

Crema di ceci

(per 6 persone)

600 grammi di ceci già bagnati

sale q.b.

1 rametto di rosmarino

1/2 bicchiere di olio d'oliva

1 spicchio d'aglio tritato

3 acciughe diliscate

2-3 cucchiai di salsa concentrata di pomodoro

200 grammi di bavette

Mettete a bagno i ceci per una notte; alla mattina fateli cuocere in abbondante acqua condita con sale e un rametto di rosmarino. Quando i ceci saranno cotti, passateli dal setaccio e aggiungete sei mestoli dell'acqua di cottura dalla quale avrete tolto il rametto di rosmarino. In una casseruola versate mezzo bicchiere di olio d'oliva e aggiungete uno spicchio d'aglio tritato, le acciughe lavate, diliscate e fatte in pezzi. Fate soffriggere questo pesto e unite la salsa di pomodoro diluita in poca acqua. Fate restringere e versate nella casseruola la purea di ceci. Mescolate con un cucchiaio di legno, aggiungete ancora poca acqua di cottura e appena bollirà unite le bavette. Lasciate cuocere e poi lasciate riposare una decina di minuti prima di servire in tavola.

Agnello al forno con patate e pomodori

(per 6 persone)

1 chilo e mezzo di agnello (cosciotto e lombata)

50 grammi di burro

1/2 bicchiere d'olio

1 cipolla affettata

2 rametti di rosmarino

1 bicchiere di vino bianco secco

sale q.b.

500 grammi di pomodori maturi

700 grammi di patatine novelle

pepe q.b.

Tagliate a pezzi regolari l'agnello. Fate imbiondire in una casseruola con il burro e l'olio la cipolla a fuoco basso; appena sarà diventata trasparente unite l'agnello e i rametti di rosmarino tagliuzzati. Fate dorare a fuoco moderato in modo uniforme, poi spruzzate con il vino e lasciatelo evaporare. Salate e aggiungete i pomodori pelati, tagliati a pezzi e privati dei semi; fate cuocere a fuoco vivace per circa mezz'ora senza il coperchio. Unite le patatine sbucciate, un poco di sale e una bella spolverata di pepe e passate la casseruola in forno già caldo (180°) a finire di cuocere, per circa 40 minuti. Rivoltate di quando in quando l'agnello e staccate bene il fondo di cottura; servite appena le patate saranno colorite e ben cotte.

Costolette di agnello ai peperoni

(per 6 persone)

12 costolette di agnello

3 peperoni

8 cucchiai di olio

sale q.b.

pepe q.b.

3-4 filetti di acciughe

1/2 spicchio d'aglio tritato

3 ciuffi di prezzemolo tritato

Bruciacchiate i peperoni, privateli della pellicola, del torsolo e dei semi e divideteli in due parti. Allineate i mezzi peperoni in una teglia unta di olio, spruzzateli di sale, versateci sopra quattro cucchiai d'olio e metteteli in forno a calore moderato per 10 minuti, giusto per ammorbidirli.
Scaldate in una padella il rimanente olio e fatevi rosolare le costolette a fuoco moderato; conditele con sale e pepe.
Disponete i pezzi di peperone nel piatto di servizio, innaffiandoli con un po' del loro olio di cottura. Su ogni peperone appoggiate una costoletta. Staccate il fondo di cottura delle costolette mescolandovi due o tre cucchiai d'acqua, aggiungete le acciughe, l'aglio e il prezzemolo e fate sobbollire mescolando fino a quando la salsa sarà un po' ristretta e i filetti di acciughe sciolti. Condite ogni costoletta con un po' di questa salsa.

Spiedini di capretto

(per 6 persone)

1 chilo di polpa di capretto (coscia o lombo)

sale q.b.

pepe q.b.

30 fettine quadrate di pane

48 fettine quadrate di prosciutto

1/2 bicchiere d'olio

Tagliate la carne di capretto in 24 dadi, più o meno delle stesse dimensioni delle fettine di pane e di prosciutto che avrete preparato. Conditeli con sale e pepe. Prendete sei spiedini e incominciate a infilzare una fettina di pane, una di prosciutto e un dado di carne, una fetta di pane e una di prosciutto, calcolando per ogni spiedino quattro pezzetti di carne, cinque di pane e otto di prosciutto. Quando avrete terminato di preparare gli spiedini, metteteli in una teglia unta d'olio, sgocciolate su di essi ancora un filo d'olio, spruzzateli di sale e poneteli in forno caldo per mezz'ora circa rigirandoli due o tre volte fino a quando saranno coloriti e croccanti. Sfilate quindi gli spiedini e sistemate la vivanda su un piatto di servizio tenuto in caldo.

Gnummerieddi (o Torcinelli)

(per 6 persone)

600 grammi di coratella di agnello o di capretto (cuore, fegato e polmone)
400 grammi di budelline di agnello (o di caporetto)
1 ciuffo di salvia
1/2 bicchiere d'olio
sale q.b.
pepe q.b.
50 grammi di lardo
1 limone)

Tagliate a pezzi della grandezza di una noce, il cuore, il fegato e il polmone. Pian piano dipanate le budelline senza romperle, spremetele, facendole passare fra il pollice e l'indice, poi risciacquatele e asciugatele. Prendete ora uno spiedo (o tanti spiedini) e alternate un pezzetto di fegato, uno di polmone e uno di cuore, ponendo tra ogni due o tre pezzi, una fogliolina di salvia fresca. Quando avrete infilzato tutta la coratella prendete le budelline e fissatene un capo all'estremità dello spiedo mediante un pezzetto di spago, formando delle spirali molto allungate: arrivate all'altra estremità dello spiedo, tornate indietro, formando così sulla coratella una specie di rete. Continuate ad avvolgere le budelline fino alla fine, passandole e ripassandole sulla coratella e fermate anche l'altra estremità del budello con un po' di spago.

Ungete poi tutto con l'olio, condite con sale e pepe e mettete lo spiedo (o tanti spiedini) sulla brace, possibilmente di legno di ulivo; girate continuamente e irrorate con l'olio. La cottura deve farsi a fuoco moderato, in modo che la coratella possa cuocersi bene anche all'interno. Quando sarà cotta, dopo circa un quarto d'ora, prendete il pezzo di lardo, avvolgetelo in una carta spessa e infilzatelo sulle punte di un forchettone. Fate scaldare questo lardo fino a quando la carta si sarà ben unta e poi datele fuoco. Il lardo cadrà in grosse gocce incandescenti, che voi farete piovere sulla coratella. Allora togliete la coratella dallo spiedo, sistematela in un piatto e spremeteci sopra il succo di un limone. Servite caldissimo.

Testina di vitello alle olive

(per 6 persone)

1 chilo e mezzo di testina di vitello
1 cipolla
1 carota
1 costola di sedano
1 ciuffo di prezzemolo
sale q.b.
200 grammi di olive verdi
1 cipolla tritata
2 carote tritate
2 costole di sedano tritate
1 mestolo di brodo

Raschiate e risciacquate in più acqua la testina e ponetela in una pentola con la cipolla, la carota, il sedano e il prezzemolo interi e un poco di sale. Coprite con abbondante acqua la testina, mettete il coperchio e lasciate bollire a fuoco lento per un'ora abbondante, finché la carne si staccherà facilmente dalle ossa. Allora disossatela accuratamente e tagliatela a fette sottili. Snocciolate tutte le olive e pestatene circa la metà al mortaio. Mettete in una casseruola il trito di cipolla, carota e sedano con qualche cucchiaiata di brodo di cottura della testina. Le verdure devono leggermente imbiondire a fuoco lento. Unite poi la polpa tritata delle olive e la testina. Lasciate insaporire per pochi minuti, bagnate con un mestolo di brodo ben caldo e ultimate la preparazione con le olive snocciolate rimaste. Aggiustate di sale e lasciate stufare a fuoco basso per una decina di minuti, scuotendo di tanto in tanto la casseruola perché il sugo di cottura non attacchi. Servite ben caldo.

Coniglio ai capperi

(per 6 persone)

1 chilo e mezzo abbondante di coniglio (lombata)
1 cipolla affettata
40 grammi di strutto (o olio)
4 acciughe diliscate
2 cucchiaiate d'olio
50 grammi di capperi sotto sale
1 ciuffo di prezzemolo tritato
1 cucchiaio di farina

per la marinata
1 bicchiere d'aceto
1 bicchiere abbondante di vino rosso
1 cipolla affettata
1 costola di sedano tagliata a dadini
1 carota tagliata a dadini
sale q.b.
pepe q.b.

Scegliete la parte della lombata del coniglio perché è la più carnosa; lavatela, asciugatela e mettetela a marinare in una terrina con l'aceto, il vino, la cipolla, il sedano, la carota e un pizzico di sale e di pepe. Coprite e lasciate marinare al fresco (ma non in frigorifero) per una notte. Sgocciolate poi la carne dalla sua marinata, asciugatela e fatela rosolare in una casseruola con la cipolla e lo strutto (o l'olio), a fuoco molto basso. Bagnatela con la metà della marinata passata al colino per liberarla delle verdure. Coprite e lasciate cuocere a fuoco molto basso per una mezz'oretta. A parte sciogliete nell'olio ben caldo le acciughe, lavate e tritate; appena saranno ridotte a una poltiglia, unite i capperi, ben lavati e sgocciolati, e il prezzemolo. Versate sull'intingolo l'altra metà della marinata; aggiungete un cucchiaino di farina sciolto in un poco d'acqua tiepida e fate bollire lentamente per circa 20 minuti.

Togliete la carne dalla casseruola, tagliatela a pezzi, mettetela di nuovo nella casseruola e versatevi sopra la salsa. Lasciate insaporire a fuoco basso per una decina di minuti prima di servire.

Sarde in tortiera

(per 6 persone)

1 chilo di sarde
10 cucchiai di pangrattato
1 spicchio d'aglio tritato
3 ciuffi di prezzemolo tritato
sale q.b.
pepe q.b.
olio d'oliva
il succo di 1-2 limoni

Pulite le sarde, togliete loro la testa, apritele senza dividerle, asportate la spina, risciacquatele e ricomponetele come se fossero intere. Impastate in una scodella il pangrattato con sale, pepe, prezzemolo tritato, olio, aglio, in modo da ottenere un composto denso. Ungete una teglia e disponete nel fondo di essa uno strato di sarde. Su questo spalmate uno strato del composto di pangrattato, poi un nuovo strato di sarde e così di seguito terminando con uno strato di pangrattato. Sgocciolateci sopra ancora un filo d'olio e infornate la teglia a calore moderato fino a quando il pane avrà preso un bel colore dorato scuro. All'uscita dal forno spremete sulle sarde del succo di limone.

Frittura di pesce spada

(per 4-6 persone)

1 chilo di pesce spada
3 cucchiai di olio
2-3 ciuffi di prezzemolo tritato
1 limone
sale e pepe
farina q.b.
2 uova
pangrattato q.b.
olio per friggere
1-2 limoni

Spellate e tagliate a fette il pesce spada; dopo aver lavato e asciugato i pezzi di pesce, metteteli in una terrina e conditeli con tre cucchiai di olio, sale, pepe e il succo di un limone. Lasciate marinare per un'ora o due, per dar modo al pesce di insaporirsi nella marinata. Togliete quindi le fette di pesce dalla marinata, asciugatele e passatele nella farina, poi nelle uova sbattute e leggermente salate, quindi nel pangrattato. Mettete quindi subito il pesce in abbondante olio caldo. Abbassate la fiamma appena avrete messo il pesce nell'olio e fatelo friggere a calore moderato fino a quando le fette saranno ben dorate da ambo i lati; fatele poi sgocciolare su carta da cucina perché perdano gran parte dell'unto.
Sistemate il pesce su un piatto di servizio e guarnitelo con spicchi di limone.

Baccalà con le olive verdi

(per 6 persone)

1 chilo di baccalà già bagnato
farina q.b.
olio d'oliva q.b.
1 barattolino di salsa concentrata di pomodoro
1/2 cipolla tritata
2 cetriolini sottaceto
1 cucchiaio di capperi
100 grammi di olive verdi snocciolate
pepe q.b.
1 cucchiaio di prezzemolo tritato

Togliete la pelle al baccalà già bagnato, spinatelo e dividetelo in pezzi quadrati di circa sei centimetri di lato. Lavate e asciugate questi pezzi di pesce, passateli nella farina e metteteli allineati uno accanto all'altro a formare un solo strato in un tegame nel quale avrete versato precedentemente un po' di olio in modo da ungerne il fondo. Quando le fette di baccalà saranno leggermente imbiondite da una parte le volterete dall'altra. Scolate quasi tutto l'olio dal tegame e versate sulle fette una salsa di pomodoro che avrete ottenuto soffriggendo mezza cipolla in un po' d'olio e aggiungendo un barattolino di salsa di pomodoro. A questa salsa aggiungete un paio di cetriolini tagliati a fettine, una cucchiaiata di capperi, le olive verdi private del nocciolo, un pizzico di sale e pepe. La salsa deve risultare di media consistenza. Dopo aver versato la salsa sul

baccalà, fatelo sobbollire ancora per un momento, poi con un cucchiaio prendete un po' di salsa dal fondo del tegame e innaffiate con essa i pezzi di baccalà. Passate infine il tegame nel forno a calore moderato per una decina di minuti per dar modo al baccalà di insaporirsi bene e alla salsa di addensarsi ancora un poco. Sistemate i pezzi di baccalà su un piatto di servizio e ultimate con una cucchiaiata di prezzemolo tritato.

Zuppa di cozze alla tarantina

(per 6 persone)

1 chilo e mezzo di cozze
3 cucchiai d'olio
1 spicchio d'aglio schiacciato
1/4 di peperoncino rosso piccante
400 grammi di pomodori maturi (o 3 cucchiaiate di salsina di pomodoro)
sale q.b.
1 bicchiere di vino bianco secco (facoltativo)
1 spicchio d'aglio tritato
crostini di pane q.b.

Raschiate con uno spazzolino le cozze e lavatele più volte nell'acqua corrente. In una larga padella soffriggete con l'olio lo spicchio d'aglio intero e il peperoncino; appena l'aglio comincerà a colorirsi, toglietelo assieme al peperoncino e unite i pomodori, pelati, tagliati a pezzi e privati dei semi (oppure la salsina di pomodoro sciolta in un poco d'acqua tiepida). Dopo circa dieci minuti, mettete le cozze nell'intingolo e fatele cuocere a fuoco vivace, scuotendo di quando in quando la padella, fino a che saranno tutte aperte. Poi bagnate con il vino bianco, lasciatelo evaporare e spolverate in ultimo con il trito d'aglio. Servite la zuppa direttamente con crostini di pane abbrustolito. Oppure togliete con un cucchiaino le cozze dai loro gusci e servitele con il loro sugo di cottura e i crostini di pane.

Zuppa di pesce alla tarantina

(per 6 persone)

1 capitone (grossa anguilla) di circa 500 grammi
1 cernia di circa 500 grammi
400 grammi di seppioline
300 grammi di gamberi
1 chilo di frutti di mare (cozze, vongole, tartufi, ecc.)
1 spicchio d'aglio schiacciato
1/2 bicchiere abbondante d'olio
5 pomodori maturi
sale q.b.
pepe q.b.
1 ciuffo di prezzemolo tritato
crostini di pane abbrustolito q.b.

Pulite, lavate in acqua salata e tagliate a grossi pezzi il capitone e la cernia. In una larga casseruola soffriggete l'aglio con l'olio; appena comincerà a imbiondire toglietelo e unite i pomodori, pelati, tagliati a pezzi e privati dei semi, e le seppioline intere. Salate, pepate e bagnate con qualche cucchiaiata d'acqua calda. Coprite e fate cuocere lentamente per una ventina di minuti. A parte, in una padella, mettete i frutti di mare, ben lavati e sgocciolati; coprite la padella e lasciate che i gusci si aprano al calore del fuoco. Scuotete di tanto in tanto la padella e lasciatela sul fuoco per circa dieci minuti, poi tenetela in caldo, da parte. Aggiungete all'intingolo con le seppie i pezzi di capitone e di cernia e bagnate con il brodo di cottura dei frutti di mare ben filtrato. Dopo circa 5 minuti, unite anche i gamberi, aggiustate di sale e di pepe e cospargete con il prezzemolo tritato. Lasciate cuocere ancora una decina di minuti a fuoco moderato, mescolando di tanto in tanto con delicatezza. Ultimate con i frutti di mare, mescolate e servite la zuppa fumante nelle scodelle con crostini di pane abbrustolito.

Cozze al riso

(per 6 persone)

1 chilo di cozze
500 grammi di riso
2 cucchiai di olio
sale q.b.
pepe q.b.
500 grammi di pomodori
1 spicchio d'aglio

Dopo aver ben raschiato le cozze, risciacquatele e poi mettetele in una padella asciutta. Portate la padella sul fuoco, fate aprire le cozze, toglietele dal guscio e raccoglietele in una ciotola con il brodo di cottura passato al setaccio.
In una casseruola fate rosolare l'aglio in due cucchiai di olio e appena avrà preso colore, toglietelo e versate i pomodori passati al setaccio e il brodo delle cozze. Condite con sale e pepe e fate cuocere. In acqua bollente leggermente salata fate cuocere il riso, scolatelo a metà cottura e versatelo nella casseruola dove sta cuocendo il pomodoro. Lasciate finire di cuocere mescolando spesso e aggiungete in ultimo le cozze.

Ostriche alla tarantina

(per 6 persone)

36 ostriche freschissime
sale q.b.
1 ciuffo di prezzemolo tritato
3 cucchiai di pangrattato
pepe q.b.
olio d'oliva q.b.
1-2 limoni

Scegliete delle ostriche di Taranto freschissime. Usando l'apposito coltellino, apritele, risciacquatele in abbondante acqua salata e sistemate le mezze ostriche contenenti i molluschi in una pirofila. Cospargete le ostriche con abbondante prezzemolo, una spolverata di pangrattato e una bella macinata di pepe fresco. Irrorate con un filo d'olio e passate in forno già caldo (160°) per un quarto d'ora. Servite le ostriche calde accompagnandole con spicchi di limone.

Melanzane alla foggiana

(per 6 persone)

6 melanzane non troppo grosse
sale q.b.
1 spicchio d'aglio schiacciato
4 cucchiai d'olio
500 grammi di pomodori maturi
sale q.b.
pepe q.b.
1 ciuffo di basilico tritato
1 pizzico di zucchero
3 cucchiaiate di pangrattato

300 grammi di pomodori maturi tagliati a filetti
sale q.b.
1/2 bicchiere d'olio

Lavate le melanzane, togliete loro il torsolo, tagliate via una calotta di un paio di dita e tenetela da parte. Vuotate con un coltellino le melanzane estraendo la polpa, spolveratele all'interno con un pizzico di sale e lasciatele rovesciate sopra un piatto inclinato per un'oretta perché perdano tutta l'acqua amara. Intanto soffriggete in una casseruolina lo spicchio d'aglio nell'olio caldo; appena comincerà a imbiondire, toglietelo e unite i pomodori, pelati, tagliati a pezzi e privati dei semi, e la polpa delle melanzane. Salate, pepate e profumate con il trito di basilico e di prezzemolo e un pizzico di zucchero. Lasciate cuocere a fuoco vivace per una ventina di minuti, poi togliete la salsa dal fuoco e unitevi il pangrattato. Asciugate le melanzane, riempitele con un poco di salsa, richiudetele con i coperchietti e sistematele in una casseruola, ben pigiate una accanto all'altra (cuocendo diminuiscono di volume e potrebbero cadere e vuotarsi). Ricoprite le melanzane con gli altri pomodori tagliati a filetti, conditele con un mezzo bicchiere abbondante d'olio e un pizzico di sale, mettete il coperchio alla casseruola e lasciate cuocere a fuoco molto basso, scuotendo di tanto in tanto la casseruola, per circa un'ora.

Fritto di melanzane filanti

(per 6 persone)

6 melanzane di media grandezza
farina bianca q.b.
olio per friggere
3 tuorli
200 grammi di mozzarella
3 cucchiai di parmigiano grattugiato
sale q.b.
2 uova sbattute
pangrattato q.b.

Nettate le melanzane, sbucciatele e tagliatele per il lungo in fette di mezzo centimetro circa di spessore; cospargetele di sale e lasciatele riposare per circa un'ora per privarle della loro acqua amarognola. Quindi risciacquatele, asciugatele accuratamente con un canovaccio, infarinatele e friggetele nell'olio bollente.
Mescolate in una terrina i tuorli d'uovo, la mozzarella tagliata a pezzettini, il parmigiano grattugiato, un pizzico di sale e lavorate il composto in modo da ottenere una pasta densa.
Riunite a due a due le fette di melanzane fritte, mettendo nel mezzo una cucchiaiata del composto preparato. Immergete le fette, così unite, nell'uovo sbattuto e nel pangrattato e friggetele in abbondante olio bollente.

Involtini di peperoni

(per 6 persone)

6 peperoni gialli
mollica di pane fresco q.b.
6 acciughe diliscate
50 grammi di capperi
40 grammi di pinoli
2 cucchiaiate d'uvetta sultanina

sale q.b.

pepe q.b.

1 ciuffo di prezzemolo tritato

1/2 bicchiere abbondante d'olio

Lavate i peperoni, scottateli sulla fiamma del fornello per togliere la pellicina, poi tagliateli a metà nel senso della lunghezza e togliete loro i semi. In una terrina mescolate la mollica di un panino, le acciughe, lavate e tritate finemente e i capperi tritati; unite i pinoli e l'uvetta, ammorbidita nell'acqua tiepida, un poco di sale e di pepe e il prezzemolo fresco. Farcite con un poco di questo ripieno i mezzi peperoni e sistemateli in una teglia. Irrorate i peperoni con l'olio e passateli in forno già caldo a fuoco moderato (180°) per circa mezz'ora.

Peperoni e cipolle

(per 6 persone)

5-6 cipolle tagliate a fettine

2 cucchiai di olio d'oliva

500 grammi di pomodori

6 peperoni verdi, gialli o rossi

sale q.b.

Nettate le cipolle, che devono essere di qualità dolce; tagliatele a fette sottili e, dopo averle risciacquate e strizzate, mettetele a cuocere a fuoco dolce in una padella senza prendere colore. Aggiungete quindi i pomodori, dopo averli scottati, pelati, privati dei semi e fatti a pezzi. Condite con sale e fate cuocere a fuoco moderato per restringere il pomodoro.

Fiammeggiate intanto i peperoni, levate loro la pellicola bruciacchiata, il torsolo e i semi, riduceteli in strisce e poneteli nella padella dove il pomodoro è già pronto. Aggiustate di sale, mescolate, coprite la padella e, sempre a fuoco moderato, lasciate che i peperoni si insaporiscano nella salsa per una buona mezz'ora.

Pomodori ripieni

(per 6 persone)

12 pomodori maturi di media grandezza

4 cucchiai di pangrattato

3 cucchiai di latte

1 ciuffo di prezzemolo tritato

1 spicchio d'aglio tritato

2 tuorli d'uovo

3 cucchiai di parmigiano grattugiato

sale q.b.

pepe q.b.

1/2 bicchiere d'olio

Lavate i pomodori, tagliateli a metà nel senso della larghezza, privateli dei semi e scavateli leggermente per preparare un poco di posto al ripieno. In una terrina mescolate bene il pangrattato, bagnato nel latte, il prezzemolo e l'aglio; aggiungete i tuorli d'uovo, il parmigiano e condite con un pizzico di sale e di pepe. Con questo composto riempite i mezzi pomodori e disponeteli in un solo strato in una teglia unta d'olio. Sgocciolate ancora un filo d'olio sopra ai pomodori e passate la teglia in forno già caldo (180°) per circa mezz'ora. Serviteli caldi o freddi.

Timballo di cardi

(per 6 persone)

1 chilo di cardi

1 limone

sale q.b.

per la salsa besciamella

50 grammi di burro

3 cucchiaiate di farina

1/2 litro di latte

sale q.b.

2 cucchiaiate di parmigiano grattugiato

noce moscata q.b.

1 uovo

fette di pane q.b.

2 uova

3-4 cucchiai di latte

Togliete le foglie esterne ai cardi e i filamenti con un coltellino. Lavateli in acqua acidulata con il succo di un limone e riduceteli a pezzi regolari di circa 5 cm di lunghezza. Lessate poi i cardi in una pentola con abbondante acqua bollente salata e scolateli al giusto punto di cottura.

In una casseruola, fate sciogliere il burro, unite la farina e, sempre mescolando, il latte e un poco di sale. Continuate a mescolare e portate all'ebollizione. Abbassate il fuoco e lasciate cuocere per circa 20 minuti, sempre rimestando, finché sarà scomparso il sapore della farina. Togliete la salsa besciamella dal fuoco, conditela con il parmigiano, l'odore della noce moscata e un uovo intero. In un piatto fondo, sbattete le uova con il latte e immergetevi leggermente alcune fettine di pane. Foderate con esse uno stampo rotondo dai bordi alti, bene imburrato, in modo che rimangano ben serrate le une con le altre. Riempite questa scatola di pane con i cardi mescolati alla besciamella, coprite con altre fette di pane inzuppate nell'uovo sbattuto. Passate in forno già caldo (180°) e lasciate cuocere per circa mezz'ora, finché il pane avrà preso un bel colore dorato. Togliete il timballo dal forno, lasciatelo assestare per un paio di minuti e sformatelo su un piatto. Servite subito.

Frittelle di ricotta

(per 20 frittelle)

200 grammi di ricotta

50 grammi di mollica di pane

latte q.b.

50 grammi di zucchero

2 tuorli d'uovo

1 arancia

fariba q.b.

2 uova sbattute

strutto o olio per friggere

zucchero al velo q.b.

Mettete in una terrina la ricotta e lavoratela un poco con un cucchiaio di legno per scioglierla bene. Aggiungete la mollica di pane, ammorbidita nel latte e poi strizzata, lo zucchero, i tuorli d'uovo e un po' di raschiatura di buccia d'arancia. Mescolate il composto per amalgamarlo bene.

In una padella per fritti fate scaldare abbondante olio o strutto. Prendete delle mezze cucchiaiate del composto di ricotta, passatele nella farina e nelle uova sbattute, poi fatele friggere poche per volta nell'olio bollente. Quando le frittelle avranno acquistato un bel colore chiaro dorato, toglietele dalla padella, lasciatele sgocciolare su carta da cucina, poi sistematele su un piatto di portata, spolverizzatele con lo zucchero al velo e servitele calde.

Carteddate

200 grammi di farina
2 cucchiaiate d'olio
1/2 bicchiere di vino bianco
un pizzico di sale
strutto (o olio) per friggere q.b.
miele q.b.

Mettete la farina sulla spianatoia e impastatela con l'olio, il vino e un pizzico di sale. Lavorate molto bene la pasta e, quando sarà liscia ed elastica, raccoglietela a palla in una terrina. Copritela e lasciatela riposare una mezz'oretta. Tirate la pasta in una sfoglia sottile di circa 2-3 mm e con l'apposita rotella dentata ritagliate tante strisce larghe circa 2 cm e modellate a nodi, cerchi, triangoli, come si fa per i dolci detti «chiacchiere» di carnevale. Friggete le carteddate in abbondante strutto (o olio) bollente oppure sistematele sulla lastra unta del forno e passatele in forno già caldo (180°) finché avranno preso un bel colore dorato, per una ventina di minuti. Lasciate raffreddare le carteddate e cospargetele di miele prima di servirle.

Pinoccate

200 grammi di pinoli già sgusciati
400 grammi di zucchero
50 grammi di scorzetta di arancia candita
ostie q.b.

Fate asciugare i pinoli nel forno tiepido (160°) per 3-4 minuti, rigirandoli ogni tanto. Mettete poi in una casseruola 300 grammi di zucchero, bagnatelo con mezzo bicchiere circa d'acqua, ponetelo sul fuoco e portatelo dolcemente a ebollizione. Dopo qualche minuto immergete in esso uno stecchino e prendendo la goccia tra il pollice e l'indice, bagnati d'acqua, constaterete, stringendo e allargando le dita, che si forma un filo, allora lo zucchero sarà pronto. Togliete la casseruola dal fuoco e con un cucchiaio di legno incominciate a girare sulla parete interna della casseruola. Facendo così vedrete che man mano lo zucchero imbianchirà. A questo punto versateci i pinoli e la scorza d'arancia tagliata a filetti sottili. Mescolate e distribuite il composto prima che si raffreddi sulle ostie, ben allineate sul tavolo da cucina. Lasciate raffreddare e conservate in una scatola di latta o in un vaso di vetro.

Zeppole di San Giuseppe

1 chilo di farina bianca
30 grammi di lievito di birra
latte q.b.
3 uova
150 grammi di zucchero semolato
100 grammi di burro
scorza grattugiata di 1 limone
zucchero al velo q.b.

Preparate il lievito facendolo sciogliere in un po' di latte appena tiepido, poi mescolatelo alla farina senza troppo lavorarlo, raccogliendo la pasta, che deve riuscire piuttosto dura, in una palla che conserverete in luogo tiepido e coperta con un tovagliolo per tutto il tempo della lievitazione.

Quando la pasta si sarà un po' gonfiata, unite le uova, lo zucchero, il burro e un po' di scorza grattugiata di limone. Se la pasta risultasse appiccicosa, continuate a lavorarla fino a quando si staccherà dalle mani e dal tagliere, che avrete infarinati leggermente, lasciandoli perfettamente puliti. Dopo avere di nuovo infarinato il tagliere, modellate delle ciambelline di circa dieci centimetri di diametro che disporrete allineate su un tovagliolo e terrete in luogo tiepido per una seconda lievitazione. Friggete quindi le ciambelline a tre – quattro per volta in una padella con abbondante strutto bollente. Controllate il calore dello strutto facendo dorare per prova un pezzetto di pane. Mettete ad asciugare le zeppole su carta da cucina e spolverizzatele con zucchero al velo mentre sono ancora calde. Oppure ricopritele di crema pasticcera o di miele e cospargetele di minuscoli confetti colorati.

Bocconotti

per la crema pasticcera

125 grammi di zucchero
5 tuorli
30 grammi di farina
1/2 litro di latte
un pizzico di vaniglina
la scorza di 1/2 limone

per la pasta

500 grammi di farina
3 cucchiaiate d'olio d'oliva
40 grammi di zucchero
un pizzico di sale
1 bicchiere di vino bianco dolce
marmellata di amarene q.b.
un uovo

Sbattete con la frusta in una casseruola preferibilmente di rame con il fondo arrotondato (chiamata polsonetto) i tuorli con lo zucchero. Aggiungete la farina e, sempre mescolando, versate il latte freddo, profumato con la vaniglina e il limone. Ponete la casseruola su fuoco molto basso e, sempre mescolando, portatela lentamente a ebollizione. Allora togliete la crema, versatela in una terrina e lasciatela raffreddare. Quando sarà fredda togliete la scorza del limone. Sulla spianatoia impastate la farina con l'olio, lo zucchero, il sale, il vino e un poco d'acqua, finché avrete ottenuto una pasta di giusta consistenza. Tirate con il mattarello una sfoglia sottile, distribuite, su una metà, a distanza di circa 10 cm l'una dall'altra, una cucchiaiata di crema pasticcera e un po' di marmellata di amarene. Ricoprite il ripieno con l'altra metà della sfoglia, quindi pigiate delicatamente con le dita tra un mucchietto e l'altro per far attaccare i due pezzi di pasta. Con una rotellina dentata separate i bocconotti dando loro la forma di mezzaluna. Continuate in questo modo con tutta la pasta riutilizzando man mano anche i ritagli. Spennellate i bocconotti con l'uovo sbattuto, sistemateli ben distanziati sulla teglia unta del forno e passateli in forno già caldo (180°) per una ventina di minuti. Serviteli tiepidi o freddi.

SICILIA

Uno scorcio del tempio di Solunto verso
Santa Flavia e il mare. La Sicilia, ricchissima
di pesce, di verdure e di agrumi, ha anche
molti dolci a base di mandorle, gelati
e granite con la panna. Anche i suoi vini e i
suoi liquori sono famosi nel mondo.

Capo Faro, Capo Passero e Capo Lilibeo: sono i tre vertici della leggendaria Trinacria, una terra ancora piena di segreti e di primitive suggestioni, dal profumo delle zagare e degli agrumi ai templi di Agrigento, immersi nella fioritura dei mandorli ai primi di febbraio, all'ultimo grande bandito dei tempi moderni, alle cruente «tonnare» che si svolgono al largo di Trapani. La tonnara può fare egregiamente da introduzione al nostro discorso sulla cucina siciliana, la cucina di una terra che vanta piatti prelibati ereditati da secoli di storia trascorsi a fare da collegamento tra mondi contrastanti: prima tra quello romano e quello cartaginese, poi tra cristiani e arabi, poi ancora tra francesi e spagnoli. Il tonno è uno dei protagonisti di questa cucina: i siciliani lo pescano in primavera quando questo grosso pesce nuota in superficie a grossi banchi, alla ricerca della sposa. Allora si organizza la tonnara; i tonni vengono costretti a passare attraverso varie zone recintate di mare e quindi condotti fino alla cosiddetta «camera della morte», una vera e propria piscina in mare aperto che ha per pareti le barche dei pescatori e per fondo una robusta rete. La sanguinosa caccia è diretta dal «rais», il capo che dà ordini secchi. Lentamente, sui quattro lati, la rete viene tirata a bordo e i pesci, costretti a venire a galla nella poca acqua rimasta a loro disposizione, vengono colpiti e issati sulle barche. La scena è violenta e drammatica tra i canti dei pescatori, le urla del «rais» e la disperata agonia dei tonni. Anche la caccia al pescespada, praticata intorno allo stretto di Messina che separa il continente dalla Sicilia, ha tradizioni altrettanto cruente: qui il pesce viene bloccato mentre ritorna dal-

l'Atlantico per raggiungere, attraverso lo stretto di Messina le coste africane del Mediterraneo dove consumerà le sue nozze. Il pesce, non appena avvistato, è inseguito a forza di remi finché non viene raggiunto. Tonnara e caccia al pescespada ricordano un po' le emozioni del «vecchio» di Hemingway; il paesaggio della vicenda è lo stesso meraviglioso mare, in questo caso il Mediterraneo. Tonno e pescespada offrono ai siciliani l'estro per alcuni piatti famosi: il tonno «alla cipollata» (pesce fritto con abbondante cipolla affettata) e il pescespada «alla messinese», quest'ultimo cucinato «alla ghiotta», con olio, pomodoro, cipolla, sedano, olive, capperi e patate. Sempre in tema di pesce, le sardine sono un'altra voce importante; vengono cucinate fritte, oppure «a beccaficu», cioè riempite di pane e formaggio grattati, con pinoli e uva passa; con le sardine si fa anche un famoso primo piatto palermitano, la «pasta con le sarde». C'è poi lo stoccafisso, qui denominato «stocco alla messinese», che prima di essere ammollato viene bollito per cinque minuti per portargli via il sapore della salsedine e dell'invecchiamento. Brilla infine una eccellente zuppa di pesce di origine araba, il «cuscusu», che si prepara a Trapani: si tratta di un impasto di semolino gonfiato con l'olio e cotto a vapore, unito poi al pesce di scoglio in un umido succulento e saporitissimo.

Se il pesce è così abbondante in Sicilia, la carne non lo è altrettanto, e la cucina ne risente (le uniche ricette riguardano il coniglio e il maiale). La terra però non è avara né di frutta né di cereali; il grano, ad esempio, è sempre stato uno dei prodotti più importanti, tant'è che la pasta alimentare è nata proprio qui in Sicilia, anche se poi ha trovato a Napoli la sua maggiore industria. «Maccaruni» fu il primo nome inventato per indicare la pasta e fu coniato in Sicilia dal verbo latino *maccare*, cioè schiacciare per impastare. Ci sono documenti che dimostrano come di «maccaruni» già si parlasse nel 1250. Una leggenda indica in Guglielmo l'Eremita il protagonista di un miracoloso episodio: invitato a pranzo da un signorotto siciliano, gli vennero serviti in tavola dei «maccaruni», che, anziché essere farciti di ricotta, nascondevano della pura terra. Guglielmo prima di mangiare benedisse il cibo e per miracolo la terra diventò ricotta, così come prescriveva la ricetta. Oggi quel piatto esiste ancora: sono i «cannelloni» di Catania, riempiti come allora di ricotta e di carne macinata e serviti in un ricco sugo abbondantemente cosparso di formaggio grattugiato. La pasta viene in Sicilia utilizzata in svariatissimi modi, spesso in comunione col pesce, sempre arric-

Il saporito tonno alla siciliana, uno dei piatti più comuni della cucina di mare isolana. Qui sopra, triglie, aguglie, orate, scorfani e alici che sono alla base di manicaretti squisiti. Nella pagina successiva, una grigliata di melanzane, verdura molto comune al sud.

chita di olio e di salsa di pomodoro. Oltre alla «pasta con le sar-de» tipica di Palermo (le sardine vengono lessate e spinate, uni-te a finocchi selvatici, uva passa e zafferano e quindi mescolate nella pasta), abbiamo la «pasta con le melanzane» di Catania, un piatto noto anche come «pasta alla Norma», in onore del com-positore Vincenzo Bellini che proprio a Catania ebbe i suoi na-tali. Un piatto di curioso effetto è infine quello degli spaghetti con le seppie cucinate con tutto il loro naturale sugo nero.

Il riso invece, che caratterizza gran parte delle cucine regio-nali italiane, qui è quasi sconosciuto; eppure proprio attraverso la Sicilia è giunto in Italia, portato dagli arabi. Fino a non molti anni fa era considerato un cibo per ammalati, tanto che lo si po-teva trovare in vendita solo presso i farmacisti. L'unica ricetta che prevede l'impiego del riso è quella degli «arancini», polpette fatte di riso bollito mescolato a pezzi di formaggio e a un sapo-

Due scorci di Taormina: qui sopra, la spiaggia di Isola Bella e, nella pagina a destra, il teatro Greco. La cucina siciliana, che ha uno dei suoi piatti caratteristici nella pasta con il pesce, fa invece pochissimo uso del riso, impiegato quasi esclusivamente nella preparazione dei saporiti "arancini".

rito ragù. Gli arancini vengono poi impanati e fritti e costituiscono il tradizionale spuntino dei siciliani.

Tra i condimenti usati in Sicilia, brilla per la sua assenza il
burro; la scarsità degli allevamenti di bovini fa sì che il poco latte non consumato fresco sia destinato alla fabbricazione dei formaggi indispensabili per la pastasciutta. I formaggi da grattugiare sono qui piuttosto saporiti: il «canestrato» (detto così perché viene fatto stagionare in caratteristici canestri di giunco) è
abbondantemente salato, mentre il «piacentino» contiene addirittura del pepe. Il «caciocavallo» è uno dei più diffusi e deve
il suo nome al fatto che le forme sono legate a due a due e poste
a stagionare «a cavallo» di robusti bastoni.

La cucina siciliana risente dell'influenza dei molti popoli che
da tremila anni a questa parte hanno abitato l'isola. Le immense coltivazioni di agrumi, la vegetazione mediterranea, il profu-

mo dell'asfodelo e della zagara ci dicono che siamo veramente e definitivamente nel «paese del sole». Sole significa uva, uva significa vino: i vini della Sicilia sono famosi nel mondo intero. Il Marsala è stato praticamente inventato dagli inglesi: verso la fine del settecento, John Woodhouse sbarcò nel piccolo porto di Marsala (famoso anche per l'impresa dei Mille di Garibaldi) con la convinzione che dalle uve della zona potesse essere tratto un vino liquoroso e fortemente aromatico sul tipo di quelli prodotti dagli spagnoli e dai portoghesi. Tra i primi clienti di Woodhouse ci fu l'ammiraglio Nelson seguito dalle migliori famiglie londinesi. Giunse così a Marsala un secondo inglese, Mister Ingham, e poi altri vennero tra cui l'italiano Vincenzo Florio, un pioniere dell'automobilismo: tutti abilissimi produttori di questo vino. In provincia di Palermo i vini celebrati sono: il bianco Corvo ideale per il pesce, il Partinico e il Monreale. Nella provincia di Siracusa eccellono il bianco Eloro insieme al Pachino, all'Albanello e al Moscato, giunto dalla Tracia ai tempi della fondazione di Roma. A Messina si producono il Capo Bianco, raccomandato con il pescespada alla griglia, il Milazzo e il Barcellona. Intorno a Catania sono prodotti i vini etnei: la presenza del maggiore vulcano italiano conferisce alla terra una fertilità ideale per i vigneti che vi sono numerosi; tra i migliori, il Val di Lupo, adatto al pesce, con gradazione intorno ai 12 gradi. Sempre in tema «vulcanico», di tutto riguardo è la Malvasia delle isole Eolie, un vino dal sapore vellutato e dolce, prodotto nelle isole di Lipari, Salina e Stromboli. Dalla lontana Pantelleria, un'isola a poca distanza dalle coste africane, viene infine il Moscato, prodotto con la dolcissima uva zibibbo.

I siciliani eccellono anche nei dolci, alla base dei quali ci sono le meravigliose frutta di queste terre, il miele e le radici di piante aromatiche. Famosi sono i «frutti di marturana», fabbricati con pasta di mandorle e modellati e vivacemente dipinti come imitazione di frutta vera. E ancora, la famosa «cassata», le granite con panna e i mille altri tipi che i siciliani hanno fatto conoscere nel mondo intero, primo fra tutti quel Procopio Coltelli che verso il 1630 faceva conoscere il gelato ai francesi, fondando quel *Café Procope* che sarebbe stato frequentato da Voltaire, Balzac e Baudelaire.

Sulla tavola siciliana dominano infine, naturalmente, gli agrumi, integrati nel paesaggio al punto da identificarsi con esso. Goethe pensava alla Sicilia quando scriveva: «*Kennst du das Land, wo die Zitronen blühn...*».

Crostata di frutta e dolcetti tipici della Sicilia. Nella pagina a destra, un'aromatica insalata di limoni a cui sono stati aggiunti l'aglio, la menta e il vino cotto. Gli agrumi, alla cui coltivazione sono dedicate distese immense, rappresentano una delle ricchezze dell'isola.

Caciocavallo al fumo
Formaggio all'Argentiera
Sfincione di San Vito
Spaghetti con le melanzane
Pasta 'ncaciata
Pasta con le sarde
Vermicelli alla siciliana
Cuscusu trapanese
Arancini di riso
Pallottoline in brodo
Spaghetti al tonno
Minestra di piselli freschi e carciofi
Farsumagru (Falso magro)
Agnellino al forno
Bistecche alla siciliana
Vitello con melanzane
Scaloppe di maiale al marsala
Pollo spezzato e melanzane
Pernici alle olive
Coniglio in agrodolce
Ragù di tonno
Zuppa di pesce siracusana
Triglie alla siciliana
Involtini di pesce spada
Pescestocco alla messinese
Sarde «a beccaficu»
Sarde al vino bianco
Tonno fresco alla marinara
Insalata siciliana
Pomodori alla siciliana
Peperoni imbottiti
Piatto freddo di ortaggi
Melanzane alla trapanese
Caponata
Zucchine in agrodolce
Frittedda
Broccoli alla siciliana
Melanzane «a quaglie»
Cassata alla siciliana
Casssata gelata
Spuma gelata di crema
Gelato di cocomero
Cannoli alla siciliana
Cannoli alla crema di caffè
Dolce di castagne e riso
Frittedde di frutta
Sfincioni di riso
Spumette di nocciole
Mustazzoli di Erice
Dolcetti di pasta di mandorle

Caciocavallo al fumo

(per 6-8 persone)

600 grammi di caciocavallo
3-4 cucchiai di olio d'oliva
1 cucchiaino di origano

Tagliate il formaggio in listerelle alte mezzo centimetro, disponete-le su un piatto fondo, aggiungete l'olio e l'origano e mettete il piatto su un tegame con acqua costantemente in ebollizione, per circa 15 minuti, finché il formaggio non diventa morbido. È bene coprire il piatto con un coperchio. Servite caldo.

Formaggio all'Argentiera

(per 6 persone)

900 grammi di caciocavallo o di canestrato
3-4 cucchiai di olio d'oliva
qualche spicchio d'aglio
3-4 cucchiaini di aceto
un pizzico di zucchero
1 cucchiaino di origano fresco

Dividete il formaggio in listerelle. Mettete l'olio in un tegame con l'aglio e fate scaldare. Non appena l'aglio si scurisce toglietelo, aggiungete il formaggio e fatelo soffriggere, senza che si colorisca troppo, da tutte le parti. Infine spruzzatelo con l'aceto e aggiungete lo zucchero e l'origano. Fate cuocere ancora un poco e badate che non indurisca. Servite caldissimo.

Sfincione di San Vito

(per 4 persone)

400 grammi di pasta da pane già lievitata (o 300 grammi di farina e 15 grammi di lievito di birra)
4 cucchiaiate d'olio
500 grammi di pomodori maturi
1 cipolla tritata (o uno spicchio d'aglio tritato)
1/2 bicchiere d'olio
sale q.b.
pepe q.b.
300 grammi di sarde salate
80 grammi di formaggio caciocavallo tagliato a dadini
olio q.b.

Lo «sfincione di San Vito» è una pizza in uso specialmente nel palermitano. Impastate sulla spianatoia la pasta da pane con l'olio (oppure lavorate la farina con il lievito sciolto in un poco d'acqua tiepida, l'olio e un pizzico di sale; quando la pasta sarà liscia ed elastica raccoglietela a palla in una terrina, copritela e lasciatela lievitare in luogo tiepido per circa 2 ore). Immergete i pomodori un minuto in acqua bollente, pelateli, tagliateli a pezzi e privateli dei semi. In una casseruola rosolate a fuoco molto basso la cipolla (o l'aglio) nell'olio; appena il soffritto comincerà a imbiondire, unite i pomodori, salate leggermente, pepate e lasciate cuocere a fuoco basso per una mezz'oretta. Lavate le sarde, togliete via la testa, apritele e diliscatele; aggiungetene la metà alla salsa di pomodoro e lasciate insaporire per una decina di minuti. Stendete la pasta in una tortiera di circa 25 cm di diametro, unta d'olio, versateci sopra metà della salsa preparata con le sarde e il caciocavallo e passate in forno già caldo (180°) per una ventina di minuti. Versate sopra la rimanente salsa e distribuite le altre sarde. Irrorate con un poco d'olio e infornate per una decina di minuti. Servite lo «sfincione» caldissimo.

Spaghetti con le melanzane

(per 6 persone)

6 melanzane
sale q.b.
olio per friggere q.b.
1/2 bicchiere d'olio
2 spicchi d'aglio schiacciati
1 chilo di pomodori maturi
pepe q.b.
un ciuffo di basilico tritato
80 grammi di formaggio pecorino grattugiato

Lavate le melanzane, tagliatele a fette dello spessore di pochi millimetri, conditele con un poco di sale e lasciatele sgocciolare in un piatto inclinato per un'oretta finché perderanno tutta l'acqua amara. Asciugatele e friggetele, poche per volta, in abbondante olio bollente. Scolatele su una carta che assorba l'unto. Mettete mezzo bicchiere d'olio in una casseruolina con gli spicchi d'aglio; quando l'aglio comincerà a imbiondire, toglietelo e unite i pomodori, pelati, tagliati a pezzi e privati dei semi, lasciate cuocere a fiamma viva per una ventina di minuti. Condite con un poco di sale, una bella spolverata di pepe e il basilico. Portate a ebollizione abbondante acqua salata, versatevi gli spaghetti, mescolate e sco-lateli al dente. Conditeli subito con le melanzane, il sugo di pomodoro e il formaggio pecorino. Oppure al posto del sugo di pomodoro, preparate un buon umido; tritate finemente due grosse fette della carne d'umido appena cotta, mescolatela al sugo di cottura e unite le melanzane fritte; con questo sugo condite gli spaghetti, scolati al dente, e serviteli ben caldi con abbondante ricotta salata grattugiata.

Pasta 'ncaciata

(per 6 persone)

4-6 melanzane
sale q.b.
olio per friggere q.b.
2 bicchieri di olio d'oliva
700 grammi di pomodori maturi
1 spicchio d'aglio
1 cucchiaiata di basilico tritato
sale e pepe q.b.
600 grammi di maccheroni
50 grammi di salame
50 grammi di mozzarella
100 grammi di parmigiano grattugiato
2 uova sode tagliate a fettine

Il numero delle melanzane dipende dalla loro grandezza. Lavate e tagliate a fette le melanzane, spruzzatele di sale e lasciatele in una terrina per un'ora, affinché perdano un poco della loro acqua amarognola. Quindi friggetele in abbondante olio, fatele sgocciola-re su carta da cucina e foderatene una teglia di circa 20 centimetri di diametro, sovrapponendole in modo che coprano il fondo. Pelate i pomodori, togliete i semi, divideteli in pezzi e metteteli in una casseruola dove avrete fatto scaldare l'olio d'oliva e colorire l'aglio. Condite con sale e pepe e fate sobbollire per circa 20 minuti. Aggiungete il basilico tritato e spegnete il fuoco. Mettete a lessare i maccheroni, scolateli quando saranno cotti al dente e unite il salame e la mozzarella tagliati a pezzetti, metà del parmigiano grattugiato e la salsa di pomodoro. Versate il composto nella teglia dopo aver sistemato sul fondo le fettine di uova sode. Mettete in forno a calore moderato per circa 20 minuti. Rovesciate la pietanza su un piatto di portata, cospargetela di abbondante parmigiano grattugiato e servitela calda.

Pasta con le sarde

(per 6 persone)

300 grammi di finocchietti selvatici
sale q.b.
500 grammi di sarde fresche
2 cipolle affettate
2 bicchieri abbondanti d'olio
5 acciughe diliscate
pepe q.b.
100 grammi di pinoli
100 grammi di uvetta sultanina
800 grammi di maccheroncini

Pulite i finocchietti eliminando le foglie dure, lavateli bene e metteteli in una pentola con circa due litri d'acqua fredda salata. Portateli a ebollizione e lessateli per una decina di minuti, poi scolateli, strizzateli bene e tritateli. Conservate l'acqua di cottura dei finocchietti. Pulite le sarde, aprite il ventre, ma lasciate le due metà unite e togliete la testa e la spina. Lavatele in abbondante acqua salata e asciugatele su un canovaccio. In una casseruola, soffriggete a fuoco lento la cipolla con un bicchiere d'olio; non appena comincerà a imbiondire, unite metà delle sarde e pestatele con un cucchiaio di legno in modo da ridurle in poltiglia, unite quindi le acciughe, lavate, sgocciolate e sciolte in un padellino a fiamma bassa con un filo d'olio; condite con un poco di sale e una bella macinata di pepe; unite i pinoli, l'uvetta, ammorbidita in acqua tiepida e poi strizzata, e il finocchietto. Coprite e lasciate insaporire pochi minuti. Se la salsa fosse troppo densa, aggiungetevi un poco d'acqua di cottura del finocchietto. Tenete poi la salsa in caldo. Cuocete a fuoco lento in una padella con un poco d'olio caldo l'altra metà delle sarde intere, giratele, senza romperle, con un cucchiaio di legno, conditele con un pizzico di sale e toglietele dal fuoco dopo circa 10 minuti. Portate a ebollizione l'acqua di cottura dei finocchietti allungata con abbondante acqua salata, versatevi i maccheroncini, mescolate, fateli cuocere al dente e scolateli. Conditeli subito con circa la metà della salsa preparata. In una pirofila fate uno strato di pasta, disponete sopra un poco di sarde intere e qualche cucchiaiata di salsa e continuate in questo modo fino all'esaurimento degli ingredienti. Terminate con i maccheroncini ricoperti di salsa. Coprite la pirofila e passate in forno già caldo (160°) a stufare per 20 minuti. Potete servire la pasta con le sarde calda o anche fredda.

Vermicelli alla siciliana

(per 6 persone)

1 melanzana piuttosto grande
sale q.b.
1/2 bicchiere di olio d'oliva
2 spicchi d'aglio
6 grossi pomodori maturi
2 peperoni gialli dolci
3-4 filetti d'acciuga
100 grammi di olive nere snocciolate
4 cucchiaini di capperi
1 cucchiaio di basilico tritato
600 grammi di vermicelli

Mettete sul fuoco una casseruola con mezzo bicchiere di olio e due spicchi d'aglio e appena l'aglio comincia a colorire toglietelo, aggiungete i pomodori, privati della pelle e dei semi e fatti a pezzi, e la melanzana con la buccia e tagliata a dadini. Quando la melanzana sarà cotta, mettete nella casseruola i peperoni già abbrustoliti, puliti e tagliati a listerelle, le olive senza nocciolo, i filetti d'acciuga fatti a pezzetti, il basilico tritato e i capperi. Coprite e lasciate cuocere ancora qualche minuto. Intanto mettete a cuocere i vermicelli, scolateli e conditeli con l'intingolo preparato, aggiungendo un buon pizzico di pepe.

Cuscusu trapanese

(per 6 persone)

300 grammi di semolino a grana grossa (o150 grammi di semolino a grana fine e 150 grammi di semolino a grana grossa)
una puntina di zafferano (facoltativo)
1/2 bicchiere d'olio
sale q.b.
pepe q.b.
1 spicchio d'aglio tritato
1 piccola cipolla tritata

per la «ghiotta» di pesce

1 chilo e 200 grammi di pesce assortito (anguille, pesci di scoglio e una piccola aragosta)
1 bicchiere abbondante d'olio
2 spicchi di aglio tritati
un ciuffo di prezzemolo tritato
1 piccola cipolla tritata
un pomodoro maturo (facoltativo)
2 litri d'acqua
sale e pepe q.b.

Questo piatto, di origine araba, è assai laborioso da preparare e necessita di utensili speciali: la «pignata di cuscusu», usata nel trapanese, è come il «keskès» arabo, una pentola di terraglia verniciata, a fondo convesso e bucherellato, che si può adattare su una qualsiasi pentola di uguali dimensioni; la «mafaradda» (l'araba «djefnà») è invece una specie di catino di terraglia verniciata, a fondo piatto di un diametro di circa 45 cm e con le pareti alte e svasate. Il cuscusu trapanese si accompagna esclusivamente con il pesce: pesce di scoglio misto, tipico per la zuppa, o anche con le sole anguille e volendo si può aggiungere una piccola aragosta divisa in pezzi. Il procedimento per ottenere il semolino in granelli è identico a quello del «kuskus» arabo: il kuskus infatti è anzitutto l'arte di rimestare la semola in modo da renderla il meno collosa possibile e scorrevole come sabbia. Versate nella mafaradda un paio di pugni di semolino e spruzzateli con un poco d'acqua, in cui avrete sciolto una puntina di zafferano. Mescolate bene il semolino per inumidirlo tutto, poi roteando la mano destra, lavoratelo con le dita distese in modo da ridurlo in granellini. Fate attenzione a non bagnarlo troppo altrimenti il semolino si agglomera in grosse masse umide che è difficile ridurre in granelli. In tal caso aggiungete ancora un poco di semolino asciutto, mescolate e riprendete l'operazione. A mano a mano che otterrete un buon quantitativo di granelli di semolino, versateli in un setaccio e scuoteteli, poi distribuiteli su un tovagliolo e lasciateli asciugare. Fate bollire un litro d'acqua in una pentola piuttosto alta nella quale si possa inserire la pignatta bucherellata. Chiudete il punto di collegamento fra le due pentole con una fascia di tela umida per impedire la fuoriuscita del vapore durante la cottura, avendo cura di bagnarla ogni tanto. Nel frattempo versate i granelli di semolino nella mafaradda e conditeli con l'olio, un poco di sale e di pepe e il trito d'aglio e di cipolla, mescolateli e versate il composto nella pignatta bucherellata. Coprite e lasciate cuocere a vapore per circa un'ora e mezza, con fuoco molto basso. Durante la cottura con un lungo ferro accertatevi che i fori del fondo della pignatta si mantengano aperti. Mentre il semolino cuoce preparate la «ghiotta» di pesce. Pulite i pesci e lavateli in acqua salata. Mettete in una larga casseruola un bicchiere d'olio con il trito d'aglio e cipolla. Fate imbiondire il soffritto a fuoco lento, unite il prezzemolo e il pesce senza sovrapporlo e, se volete, il pomodoro, pelato, tagliato a pezzi e privato dei semi. Bagnate con l'acqua calda e condite con un poco di sale e di pepe. Lasciate bollire a fuoco basso per una ventina di minuti, poi ritirate il recipiente dal fuoco e tenete il pesce in caldo. Quando anche il semolino sarà cotto, versatelo di nuovo nella mafaradda, scioglietelo bene con una forchetta e bagnatelo con abbondante brodo di pesce in modo da ottenere una minestra densa. Coprite la mafaradda con un panno di lana, ponetela in un luogo caldo e non scoprìte il recipiente prima di mezz'ora. Trascorsa la mezz'ora, sciogliete di nuovo il semolino (che avrà assorbito tutto il brodo e si sarà leggermente gonfiato) con un altro po' di brodo caldo e mescolate bene con una forchetta. Il semolino risulterà così saporitissimo e ben sgranato. Versate il cuscusu nelle scodelle, bagnatelo con un poco di brodo di pesce caldo, condite con una spolverata abbondante di pepe e sistemateci sopra il pesce.

Arancini di riso

(per 6 persone)

300 grammi di riso

1 litro di brodo di carne

una puntina di zafferano (facoltativo)

40 grammi di burro

50 grammi di parmigiano grattugiato

1 uovo (o 2 cucchiaiate di salsa di pomodoro già cotta)

per il ragú

1/2 cipolla tritata

3 cucchiaiate d'olio

30 grammi di burro

100 grammi di polpa di vitello macinata

100 grammi di regaglie di pollo

150 grammi di piselli già sgranati

1 cucchiaiata di salsina di pomodoro

sale q.b.

pepe q.b.

80 grammi di formaggio provola tagliato a dadini

1 uovo sbattuto

pangrattato q.b.

olio (o strutto) per friggere q.b.

Fate cuocere il riso in una casseruola con circa la metà del brodo; quando il brodo si sarà asciugato, versatene dell'altro bollente in cui avrete sciolto, se volete, lo zafferano; mescolate e spegnete il risotto, dopo circa un quarto d'ora, quando sarà al dente e ben asciutto. Conditelo sùbito con il burro, il parmigiano e l'uovo (o la salsa di pomodoro calda) e lasciatelo intiepidire. Intanto in una casseruolina soffriggete a fuoco basso, la cipolla con l'olio e il burro; unite la carne di vitello e le regaglie tagliate a pezzettini; appena saranno rosolate, aggiungete i piselli e la salsina di pomodoro sciolta in un poco d'acqua calda (o brodo); salate, pepate e fate cuocere a fuoco lento per una ventina di minuti, fino a quando la salsa si sarà ben addensata. Con il riso formate delle crocchette a forma di arancia. Fate in ognuna un piccolo incavo e in esso ponete un poco di ragú e di dadini di provola. Richiudetele bene con ancora un poco di riso e passatele prima nell'uovo sbattuto, poi nel pangrattato. Friggete gli arancini in una padella con abbondante olio (o strutto) bollente, finché avranno preso un bel colore dorato da tutte le parti. Sgocciolateli su una carta che assorba l'unto e serviteli immediatamente (oppure teneteli in caldo in forno per qualche minuto).

Pallottoline in brodo

(per 6 persone)

200 grammi di carne di manzo macinata

1 uovo

4 cucchiai di parmigiano grattugiato

2 cucchiai di pangrattato

sale q.b.

pepe q.b.

2-3 ciuffi di prezzemolo tritato

1 spicchio d'aglio tritato finemente

1/2 litro scarso di brodo di carne

300 grammi di tagliolini

parmigiano grattugiato q.b.

Mettete in una terrina la carne macinata, l'uovo intero, il parmigiano grattugiato, il pangrattato, il sale e il pepe, il prezzemolo e l'aglio tritati e amalgamate bene. Prendete a cucchiaiate il composto e con le mani fate delle pallottoline poco più grandi di una noce. Portate a ebollizione il brodo di carne e tuffate, poche alla volta, le pallottoline. Dopo cinque minuti aggiungete i tagliolini e fateli cuocere al dente. Servite con abbondante parmigiano grattugiato.

Spaghetti al tonno

(per 6 persone)

1 spicchio d'aglio schiacciato

1/2 bicchiere abbondante d'olio

1 chilo di pomodori maturi

sale q.b.

pepe q.b.

100 grammi di tonno sott'olio

1 cucchiaino abbondante di origano

600 grammi di spaghetti

In una casseruolina soffriggete l'aglio nell'olio; appena l'aglio comincerà a imbiondire, toglietelo e unite i pomodori, pelati, tagliati a pezzi e privati dei semi. Salate leggermente, pepate e lasciate cuocere a fuoco vivo per una ventina di minuti. Aggiungete il tonno sminuzzato con una forchetta e spolverate con l'origano. Mescolate e lasciate sul fuoco a insaporire ancora 5 minuti. Cuocete in abbondante acqua salata in ebollizione gli spaghetti, scolateli al dente e conditeli subito con la salsa ben calda. Serviteli senza formaggio oppure con formaggio pecorino grattugiato.

Minestra di piselli freschi e carciofi

(per 6 persone)

500 grammi di piselli

3 carciofi teneri

1 limone

1 spicchio d'aglio schiacciato

3 cucchiaiate d'olio

un pizzico di bicarbonato

sale q.b.

un ciuffo di prezzemolo tritato

un cucchiaino di estratto di carne (facoltativo)

parmigiano grattugiato (o pecorino) q.b.

crostini di pane q.b.

Sgranate i piselli; togliete le foglie dure ai carciofi, tagliateli a spicchi piccolissimi e lavateli in acqua acidulata con il succo di limone. Mettete l'aglio in una casseruola con l'olio, a fuoco basso;

appena sarà imbiondito, toglietelo e aggiungete i piselli, i carciofi e il prezzemolo; fate rosolare un minuto, poi versate circa un litro e mezzo d'acqua in cui avrete sciolto il bicarbonato, un poco di sale e, se volete, l'estratto di carne. Lasciate cuocere con il coperchio, a fuoco moderato, per una mezz'ora abbondante e servite la minestra caldissima nel recipiente di cottura con abbondante parmigiano grattugiato e crostini di pane abbrustoliti.

Farsumagru (Falso magro)

(per 6-8 persone)

500 grammi di polpa magra di manzo macinata

2 uova intere

2 tuorli

3 cucchiaiate di formaggio caciocavallo grattugiato

sale q.b.

pepe q.b.

noce moscata q.b.

un ciuffo di prezzemolo tritato

maggiorana q.b. (facoltativo)

timo q.b. (facoltativo)

1 spicchio d'aglio tritato (facoltativo)

una larga fetta sottile di polpa-magra di manzo (circa 400 grammi)

2 uova sode

100 grammi di caciocavallo

una fetta di prosciutto crudo (circa 100 grammi)

una fetta di lardo (circa 150 grammi)

60 grammi di strutto

2 cipolle tritate

1/2 bicchiere abbondante di vino rosso

sale q.b.

pepe c.b.

una tazza abbondante di salsa di pomodoro fresco già cotta (facoltativo)

Mettete la polpa di manzo macinata in una terrina e mescolatela con le uova e i tuorli, il caciocavallo grattugiato, un pizzico di sale, una bella macinata di pepe, l'odore della noce moscata, il prezzemolo e, se volete, anche un pizzico di maggiorana e di timo e l'aglio. Impastate bene tutti gli ingredienti e tenete il composto da parte. Battete bene la fetta di carne per darle la forma di un rettangolo e tagliuzzatela lungo i bordi leggermente perché non si arricci durante la cottura; tagliate le uova sode a fettine, il caciocavallo ad asticciole e il prosciutto e il lardo a striscioline. Stendete sopra la fetta di carne, spianata sul tagliere, il composto di carne preparato, aiutandovi con le mani leggermente bagnate d'acqua, lasciando liberi i bordi. Sul ripieno di carne disponete le fettine di uova, il caciocavallo, il prosciutto e il lardo. Arrotolate il rettangolo di carne partendo dal lato più corto e legatelo come fosse un polpettone. Mettete lo strutto in una casseruola con le cipolle e il farsumagru e fate rosolare a fuoco molto lento, mescolando di tanto in tanto. Appena la cipolla e la carne cominceranno a prendere colore, innaffiate con il vino e lasciatelo evaporare. Salate, pepate, coprite e fate cuocere a fuoco moderato per un'ora e mezza. Il «farsumagru» si serve freddo o caldo tagliato a fette, con l'aggiunta facoltativa di salsa di pomodoro calda.

Agnellino al forno

(per 6 persone)

1 chilo di cosciotto d'agnello

200 grammi di prosciutto crudo

1 rametto di rosmarino

5 cucchiai di lardo

sale q.b.

pepe q.b.

4 cucchiaiate di pangrattato

4 cucchiai di pecorino o di parmigiano grattugiato

Strofinate la carne con un canovaccio umido e praticate alcune incisioni sulla superficie del cosciotto, abbastanza profonde per sistemare in ciascuna un pezzetto di prosciutto e qualche ago di rosmarino. Mettete la carne in una teglia, unite il lardo, condite con sale e pepe, e cospargete con il parmigiano e il pangrattato mescolati insieme. Rosolate in forno a calore moderato per circa 40 minuti, assicuratevi che la carne sia tenera e servite accompagnando con il sugo di cottura.

Bistecche alla siciliana

(per 6 persone)

6 bistecche di manzo (lombo o filetto)

2 spicchi d'aglio schiacciato

1/2 bicchiere d'olio

100 grammi di olive siciliane snocciolate

100 grammi di peperoncini sottaceto

1/2 costola di sedano tagliata a dadini

50 grammi di capperi

5 pomodori maturi

sale q.b.

pepe q.b.

1 cucchiaino di origano

Soffriggete l'aglio in una padella con l'olio; appena comincerà a imbiondire, toglietelo e al suo posto mettete le bistecche. Fate cuocere a fuoco vivace la carne per due minuti da una parte e altrettanto tempo dall'altra. Aggiungete le olive, i peperoncini, divisi a metà e privati dei semi, il sedano, i capperi, i pomodori, pelati, tagliati a pezzi, privati dei semi e ben scolati. Condite con un poco di sale, una bella macinata di pepe e l'origano. Lasciate sul fuoco ancora un paio di minuti, poi ricoprite la carne con il sugo di cottura e servite.

Vitello con melanzane

(per 6 persone)

6 fettine di fesa di vitello di circa 100 grammi l'una

2 melanzane di qualità rotonda

sale q.b.

olio per friggere q.b.

5 pomodori maturi

3 cucchiaiate d'olio

100 grammi di olive verdi (o nere) snocciolate

3-4 foglie di basilico tritato

farina q.b.

40 grammi di burro

Togliete la buccia alle melanzane, tagliatele a fettine rotonde di pochi millimetri di spessore, salatele leggermente e stendetele in un piatto inclinato. Lasciatele riposare così per un'oretta perché perdano tutta l'acqua amara. Poi asciugatele bene e friggetele, poche per volta, in abbondante olio bollente. Appena saranno cotte, sgocciolatele su una carta che assorba l'unto. Immergete un attimo in acqua bollente i pomodori, pelateli, tagliateli a pezzi e privateli dei semi. Mettete i pomodori in una casseruolina con l'olio e un bel pizzico di sale e fateli cuocere a fuoco vivo per una decina di minuti. Unite poi le olive, il basilico e le melanzane fritte e fate insaporire a fuoco lento per un paio di minuti. Infarinate le fettine di vitello e disponetele in una teglia con il burro. Cuocetele a fuoco vivace da entrambe le parti per 6 minuti circa, conditele con un pizzico di sale, e, quando saranno ben rosolate, allineatele in un tegame di terracotta, versatevi sopra la salsa e passate in forno già caldo (160°) per pochi minuti a insaporire. Servite caldo.

Scaloppe di maiale al marsala

(per 6 persone)

circa 800 grammi di filetto di maiale
50 grammi di strutto
sale q.b.
pepe q.b.
1/2 bicchiere abbondante di marsala
1 cucchiaino di farina
50 grammi di burro

Togliete via con un coltellino il grasso al filetto di maiale, poi fategli un'incisione da un capo all'altro in modo che il taglio arrivi soltanto alla metà del filetto e non sia troppo profondo da farne due pezzi. Aprite allora il filetto come fareste di un libro e con il pestacarne, leggermente bagnato, spianate un po' il filetto in modo da ottenere una grossa fetta. Da questa fetta ritagliate tante bistecchine lunghe una decina di centimetri e larghe un paio di dita, che poi batterete una alla volta per renderle sottili. In una padella fate scaldare lo strutto, allineatevi le fettine di carne e fatele cuocere a fuoco vivo un paio di minuti da una parte e altrettanti dall'altra. Conditele con un poco di sale ed una bella spolverata di pepe e sistematele in un piatto da portata in modo che ognuna si appoggi all'altra. Tenetele in caldo. Intanto versate nella padella assieme al sugo di cottura delle scaloppe, il marsala, poi aggiungete la farina e, mescolando bene con un cucchiaio di legno, fate addensare a fuoco basso, per un minuto; unite il burro a pezzetti e versate la salsa bollente sulla carne.

Pollo spezzato e melanzane

(per 4 persone)

Un pollo di circa 1 chilo e mezzo
5 melanzane di media grandezza
sale q.b.
1 bicchiere di olio d'oliva
1 spicchio d'aglio
pepe q.b.
1 bicchiere di vino bianco secco
500 grammi di pomodori maturi
200 grammi di prosciutto tritato
brodo o acqua q.b.
2-3 ciuffi di prezzemolo tritato

Lavate le melanzane e riducetele a dadini, senza privarle della pelle, e ponetele in una terrina cospargendole di sale per far perdere loro un poco dell'acqua amarognola. Pulite e fiammeggiate il pollo, quindi lavatelo, asciugatelo e tagliatelo in pezzi regolari. Scaldate in una padella qualche cucchiaiata d'olio e fate dorare lo spicchio d'aglio, togliete l'aglio e friggete i pezzi di pollo. Condite con il sale e un pizzico di pepe e bagnate col vino bianco. Non appena il vino sarà evaporato, unite i pomodori pelati, privati dei semi e tagliati a pezzetti, e il prosciutto tritato. Se necessario, aggiungete poco alla volta del brodo caldo.
Intanto, in un tegame di terraglia fate rosolare a fuoco vivace le melanzane per circa 10 minuti, conditele con sale e pepe e cospargetele di prezzemolo tritato. Pochi minuti prima che la cottura del pollo sia terminata mettete il pollo nel tegame di terraglia, versate sopra la salsa e coprite. Lasciate stufare per qualche minuto e servite in tavola nel recipiente di cottura.

Pernici alle olive

(per 6 persone)

6 pernici
sale q.b.
pepe q.b.
qualche foglia di salvia
12 fettine di prosciutto crudo
1/2 bicchiere di olio d'oliva
2 tazze di vino bianco secco
250 grammi di olive verdi o nere snocciolate
1 tazza di brodo o di acqua

Pulite le pernici tenendo da parte il fegato quindi strofinatele con un canovaccio umido. Spruzzate l'interno delle pernici con sale e pepe e inserite in ciascuna una o due foglioline di salvia. Spruzzate leggermente di sale anche la superficie esterna delle pernici quindi bardatele con un paio di fettine di prosciutto e imbrigliatele con spago da cucina.
Scaldate in una casseruola l'olio e fate rosolare le pernici su ogni lato, poi annaffiatele con il vino bianco e fate evaporare. A questo punto aggiungete i fegatini tritati, le olive snocciolate e una tazza di brodo caldo. Coprite e fate cuocere per circa 30 minuti. Disponete le pernici su un piatto da portata, dopo aver tolto lo spago da cucina, e bagnatele con il loro sugo di cottura.

Coniglio in agrodolce

(per 4 persone)

un chilo e mezzo di spezzato di coniglio
2-3 cucchiaiate di olio d'oliva
60 grammi di burro
50 grammi di strutto
1 cipolla tritata finemente
farina q.b.
sale q.b.
pepe q.b.
1 tazza di brodo
2-3 cucchiai di zucchero
1/2 bicchiere di aceto
4 cucchiai di uvetta sultanina
4 cucchiai di pinoli
per la marinata
2 bicchieri di vino rosso
1 cipolla piccola tagliata a fettine
2 spicchi d'aglio
un ciuffo di prezzemolo tritato
1 foglia d'alloro
un pizzico di timo
4-5 grani di pepe nero
sale q.b.

Pulite il coniglio e strofinatelo con un canovaccio umido. Riunite gli ingredienti della marinata in una casseruola, mettete sul fuoco a calore moderato e portate a ebollizione, quindi ritirate la casseruola dal fuoco e lasciate intiepidire. Disponete i pezzi di coniglio in una terrina e versateci sopra la marinata. Dopo un paio d'ore togliete i pezzi dalla marinata, asciugateli e infarinateli. Fate imbiondire la cipolla con l'olio in un tegame e metteteci a rosolare i pezzi di coniglio, quindi versateci sopra la marinata e fate cuocere a fuoco moderato, senza coperchio, per circa 20 minuti. Quando il vino sarà evaporato, condite con sale e pepe, aggiungete una tazza di brodo caldo o di acqua, mettete il coperchio e fate cuocere per altri 20 minuti, finché la carne è tenera e il sugo di cottura abbastanza ristretto.

In una casseruola, sciogliete lo zucchero con un cucchiaio d'acqua a fuoco dolce e non appena lo zucchero si scurisce aggiungete l'aceto, mescolando con un cucchiaio di legno, e l'uvetta sultanina e fate sobbollire per qualche minuto. Versate questo intingolo sul coniglio già cotto, mescolate accuratamente per unirlo al sugo di cottura e infine aggiungete i pinoli e servite caldo.

Ragú di tonno

(per 6 persone)

1 chilo di tonno fresco (parte della coda detto «tarantello»)
1 ciuffo di foglie di menta
1 spicchio d'aglio tritato
sale q.b.
pepe q.b.
farina q.b.
1 bicchiere d'olio
1 spicchio d'aglio schiacciato
2 cipolle affettate
1/2 bicchiere di vino bianco secco
700 grammi di pomodori maturi

Prendete il tonno in un sol pezzo e lungo le parti laterali fate qualche incisione con la punta di un coltello; in ognuna introducete una foglia di menta fresca, un poco di aglio, di sale e di pepe. Condite con sale e pepe anche l'esterno del tonno, passatelo nella farina e fatelo rosolare in una casseruola con l'olio caldo. Rigiratelo con una paletta di legno, da tutte le parti finché avrà preso un bel colore dorato. Allora innaffiatelo con il vino e lasciate evaporare. Togliete il tonno dalla casseruola, nel suo sugo di cottura mettete le cipolle e l'aglio. Fate rolosare a fuoco molto basso finché il soffritto avrà preso un bel colore dorato, unite ad esso il pezzo di tonno, rigiratelo da tutte le parti sul fuoco per 5 minuti, poi aggiungete i pomodori, pelati e passati al setaccio; lasciate insaporire per pochi minuti e bagnate con un bicchiere abbondante d'acqua calda (o di brodo). Aggiustate di sale, coprite la casseruola e fate cuocere a fuoco molto lento per una ventina di minuti. Infine togliete il tonno dalla casseruola, tagliatelo a fette non troppo sottili e ammorbiditelo con qualche cucchiaiata del suo sugo ben caldo e servitelo subito. La rimanente salsa potete utilizzarla per condire dei maccheroni o per preparare un buon risotto.

Zuppa di pesce siracusana

(per 6 persone)

1 chilo di pesce assortito
sale q.b.
una cipolla tagliata a fettine
2 spicchi d'aglio
2 costole di sedano
2-3 ciuffi di prezzemolo tritato
1 foglia di alloro
1/2 bicchiere di olio d'oliva
300 grammi di pomodori maturi
1 bicchiere di vino bianco secco
pepe q.b.
fette di pane abbrustolite

Qualsiasi tipo di pesce va bene, ma più le qualità saranno assortite e meglio risulterà la zuppa. Pulite il pesce, tagliatelo a pezzi regolari, non troppo piccoli, e lavatelo in acqua tiepida salata. Mettete i pezzi in una casseruola con la cipolla, il prezzemolo tritato, due spicchi d'aglio interi, il sedano tagliuzzato, la foglia di alloro e i pomodori privati della pelle e dei semi e tagliati a pezzi. Bagnate il tutto con mezzo bicchiere di olio, un bicchiere di vino

bianco e tanta acqua in modo che arrivi all'altezza del pesce ma non lo ricopra. Completate con sale e pepe, coprite la casseruola e mettete in forno preriscaldato e fate cuocere a calore moderato per circa mezz'ora.

Sistemate il pesce in un piatto da portata, dopo aver tolto la foglia di alloro e gli spicchi d'aglio, e a parte servite una zuppiera con fette di pane abbrustolite bagnate col brodo del pesce.

Triglie alla siciliana

(per 6 persone)

6 triglie del peso di circa 200 grammi l'una
sale q.b.
pepe q.b.
2-3 cucchiaiate di olio d'oliva
la scorza di 2 arance
2 cucchiai di sugo di carne o 1 cucchiaino di estratto di carne
1/2 bicchiere di vino bianco
175 grammi di burro
il succo di 2 arance e di 1 limone

Private le triglie delle scaglie, con delicatezza perché la pelle è fragile, lavatele senza togliere le interiora; conditele con sale e pepe, innaffiatele di olio e lasciatele marinare per circa 10 minuti. Poi arrostite le triglie sulla griglia, cinque minuti per parte. Togliete la scorza a due arance facendo in modo di portar via solo la parte gialla senza traccia di bianco, tagliatela finemente e gettatela per un minuto in acqua bollente. Scolate la scorza d'arancia e mettetela in una piccola casseruola con tre cucchiaiate di sugo di carne (o in alternativa, con un cucchiaino di estratto di carne diluito con un poco d'acqua) e mezzo bicchiere di vino bianco. Fate bollire per un minuto, ritirate la casseruola dal fuoco e incorporate, poco a poco, il burro, il succo di due arance e il succo di 1 limone. Accomodate le triglie nel piatto di portata e ricopritele con la salsa appena preparata e servitele in tavola calde.

Involtini di pesce spada

(per 6 persone)

200 grammi di pesce spada (pezzetti di scarto)
1 cipolla tritata
3 cucchiaiate d'olio
2 cucchiaiate di brandy
sale q.b.
2 cucchiaiate di pangrattato
6 fettine di pesce spada di circa 150 grammi l'una
6 fettine di mozzarella (circa 100 grammi)
un ciuffo di basilico tritato
timo q.b.
pepe q.b.
1 o 2 limoni

per la salsa (facoltativo)
il succo di un limone
1/2 bicchiere d'olio d'oliva
1 cucchiaino abbondante di origano
sale q.b.
prezzemolo q.b.

Lavate i pezzetti di pesce spada, sgocciolateli poi mescolateli alla cipolla tritata. Fate rosolare tutto a fuoco lento con l'olio; appena la cipolla comincerà a imbiondire, innaffiate con il brandy e salate leggermente. Quando il liquore sarà evaporato, togliete via dal fuoco e amalgamate al composto il pangrattato. Lavate bene le fette di pesce spada, asciugatele e mettete al centro di ognuna un poco del composto preparato, una fettina di mozzarella, un pizzico di basilico e di timo e una macinata di pepe. Arrotolate le fette di pesce su se stesse per formare sei involtini e legateli con uno spaghino; fate cuocere sulla griglia, ben calda, a fuoco moderato, per circa un quarto d'ora. Serviteli subito con spicchi di limone oppure accompagnateli con la salsa tipica chiamata «sammurigghiu» (salmoriglio) che potrete facilmente preparare amalgamando bene, con un cucchiaio di legno, succo di un limone, olio, sale, origano e prezzemolo.

Pescestocco alla messinese

(per 6 persone)

1 chilo di pescestocco (stoccafisso) già bagnato
2 cipolle affettate
2 costole di sedano tagliate a dadini
1 bicchiere abbondante d'olio
500 grammi di pomodori maturi
500 grammi di patate già pelate
50 grammi di capperi
100 grammi di olive «bianche» snocciolate
50 grammi di pinoli
50 grammi di uvetta sultanina (facoltativo)
poco sale
pepe q.b.

Questo piatto si chiama anche «pescestocco (o stoccafisso) alla ghiotta». In una padella soffriggete a fuoco lento le cipolle e il sedano nell'olio; appena il soffritto comincerà a imbiondire, aggiungete i pomodori, pelati, tagliati a pezzi e privati dei semi e allungate la salsa con circa mezzo bicchiere di acqua calda. Appena il liquido prenderà il bollore, unite lo stoccafisso tagliato a grossi pezzi, le patate tagliate a spicchi, i capperi, le olive, i pinoli e, se volete, l'uvetta ammorbidita in un poco d'acqua tiepida e poi strizzata. Condite con poco sale, pepate abbondantemente e fate cuocere a fuoco lento per una mezz'ora. Durante la cottura, mescolate di tanto in tanto il pesce e le patate con un cucchiaio di legno e, se la salsa risulterà presto troppo asciutta, aggiungete ancora un poco d'acqua calda. Servite in tavola il «pescestocco alla messinese» ben caldo, possibilmente nel suo recipiente di cottura.

Sarde «a beccaficu»

(per 6 persone)

1 chilo di sarde fresche

per il ripieno

1 bicchiere abbondante d'olio
4 cucchiaiate di pangrattato
100 grammi di uvetta sultanina
100 grammi di pinoli
1/2 cucchiaino di zucchero
sale q.b. (o 6 acciughe diliscate)
pepe q.b.
1 ciuffo di prezzemolo tritato
1/2 cipolla tritata

per la cottura

1 bicchiere scarso d'olio
2-3 foglie di alloro
1 cucchiaiata abbondante di pangrattato
il succo di 1 o 2 limoni (o di arance)

Pulite le sarde, togliete loro la testa, apritele dalla parte del ventre per togliere la spina, ma senza dividerle, lavatele in acqua salata e asciugatele bene. In una padellina scaldate l'olio, versatevi il pangrattato, mescolate e lasciatelo rosolare finché sarà diventato di un bel colore biondo scuro. Versate poi il pangrattato con il suo olio in una terrina, mescolatevi l'uvetta, ammorbidita in acqua tiepida e poi ben strizzata, i pinoli, lo zucchero, il sale (o le acciughe lavate e tritate finemente), una bella spolverata di pepe e il trito di prezzemolo e cipolla. Con il ripieno preparato riempite il ventre delle sarde e poi richiudetele. Quando avrete imbottito tutte le sarde, prendete una teglia, ungetela con un poco d'olio e allineatevi le sarde in vari strati regolari inframmezzandoli con qualche pezzettino di foglia di alloro. Infine cospargete le sarde di pangrattato e irroratele con il rimanente olio. Passate in forno già caldo (160°) per una mezz'ora. Quando le sarde saranno cotte e il pane ben colorito, toglietele dal forno e spremeteci sopra il succo di limone (o di arancia), poi servite immediatamente.

Sarde al vino bianco

(per 6 persone)

1 chilo di sarde
100 grammi di burro
3 acciughe diliscate
1 bicchiere di vino bianco
sale q.b.
pepe q.b.

Tagliate la testa alle sarde, apritele dalla parte del ventre, ma senza dividerle, privatele della spina dorsale e della coda. Risciacquate e asciugate il pesce con uno strofinaccio.
Mettete il burro in un mortaio insieme alle acciughe lavate e diliscate e pestate burro e acciughe fino a ottenere un composto che spalmerete sulle sarde aperte. Accoppiate quindi le sarde facendo combaciare il burro e allineatele in un tegame imburrato. Distribuite il rimanente burro, a piccoli fiocchi, sopra le sarde. Condite con sale e pepe e spruzzate con vino bianco. Coprite con un foglio di carta oleata o d'alluminio e ponete il tegame nel forno caldo. Cuocete a calore moderato per circa dieci minuti e servite caldo.

Tonno fresco alla marinara

(per 6 persone)

6 fette di tonno fresco (circa 1 chilo)
1 bicchiere d'olio
1 ciuffo di basilico tritato
100 grammi di olive snocciolate (verdi o nere)
50 grammi di capperi
600 grammi di pomodori ben maturi
sale q.b.
pepe q.b.
2 cucchiaiate di pangrattato

Lavate bene le fette di tonno, togliete loro la pelle, poi sgocciolatele dall'acqua. Versate in una pirofila la metà dell'olio circa, sistematevi le fette di tonno ben stese, conditele con il basilico, le olive tritate, i capperi, i pomodori pelati e tagliati a pezzi, scolati e privati dei semi, un poco di sale, una bella spolverata di pepe e il pangrattato. Irrorate con il rimanente olio e passate la pirofila in forno già caldo (160°) per una buona mezz'ora, finché il pesce si sarà cotto e la salsa asciugata. Servite immediatamente.

Insalata siciliana

(per 6 persone)

6 grossi pomodori non troppo maturi

sale q.b.

200 grammi di funghi sott'olio

200 grammi di sottaceti misti

25 olive snocciolate

1 cucchiaiata di capperi

200 grammi di piselli lessati

200 grammi di fagiolini lessati

1 tazza di maionese

pepe q.b.

Lavate i pomodori e asportate la calotta superiore, poi svuotateli accuratamente privandoli dei semi, salateli e metteteli capovolti per far perdere loro un po' d'acqua.

Preparate una ricca insalata in cui devono entrare i funghi sott'olio, i sottaceti, le olive prive del nocciolo, i capperi, i piselli e i fagiolini lessati e fatti a pezzetti. Legate tutti questi ingredienti con abbondante salsa maionese e mescolate bene. Riempite i pomodori con questo composto. Se ne avanzerà, fate una cupolina in mezzo al piatto di portata e disponete attorno i pomodori.

Pomodori alla siciliana

(per 6 persone)

12 pomodori maturi di media grandezza

sale q.b.

4 acciughe diliscate

1 cipolla tritata finemente

3 ciuffi di prezzemolo tritati

pepe q.b.

un pizzico di noce moscata

1 cucchiaiata di capperi

1 tazza di pangrattato

1 bicchiere abbondante di olio d'oliva

Lavate i pomodori e togliete la calotta superiore, svuotateli dei semi, salateli e metteteli capovolti per privarli dell'acqua. Ponete in una casseruola la cipolla tritata con mezzo bicchiere di olio, fatela imbiondire a fuoco dolce quindi, fuori del fuoco, aggiungete le acciughe lavate, spinate e fatte a pezzi, il prezzemolo tritato, i capperi e parte del pangrattato. Condite con sale, pepe e un pizzico di noce moscata e mescolate bene.

Con questo composto riempite i pomodori, mettete in una padellina il rimanente olio e in esso fate imbiondire, sempre mescolando, due cucchiai di pangrattato, quindi spruzzatene mezzo cucchiaio su ogni pomodoro. Versate un po' di olio in una teglia, allineate i pomodori, sgocciolate un filo d'olio e mettete in forno caldo per mezz'ora. Serviteli caldi o freddi.

Peperoni imbottiti

(per 6 persone)

6 peperoni dolci

6 melanzane tagliate in dadini

sale q.b.

olio d'oliva q.b.

4 cucchiaiate di salsa densa di pomodoro

25 olive siciliane snocciolate e tritate

2 cucchiaiate di capperi

Abbrustolite i peperoni, privateli della pellicola brucciacchiata, del torsolo e dei semi, badando a non intaccare la polpa perché i peperoni devono risultare come dei sacchetti.

Lavate le melanzane e tagliatele in dadini senza togliere la buccia,

quindi salatele e lasciatele per un'ora in un colabrodo per privarle della loro acqua. Friggete le melanzane, poche alla volta, in un tegame con olio caldo, senza infarinarle, poi sgocciolatele su carta da cucina. Mettetele in una terrina, unite la salsa di pomodoro, le olive e i capperi e mescolate bene. Spruzzate di sale l'interno dei peperoni e riempiteli con questo composto facendo in modo che il ripieno non debordi. Allineate i peperoni in una teglia, cospargeteli d'olio e metteteli in forno caldo. Fate cuocere a fuoco moderato per circa un'ora, bagnandoli di tanto in tanto con il loro sugo. Serviteli caldi o freddi.

Piatto freddo di ortaggi

(per 6 persone)

5 melanzane di media grandezza

sale q.b.

3 peperoni gialli dolci

3 peperoni rossi dolci

1 bicchiere abbondante di olio d'oliva

1 bicchiere d'acqua

2 cipolle di media grandezza tagliate a fettine

1 spicchio d'aglio schiacciato

un pizzico di timo

1 foglia di alloro

1/2 bicchiere d'aceto

pepe q.b.

Ritagliate in dadini le melanzane senza sbucciarle, abbrustolite, pulite e ritagliate in filetti i peperoni, affettate le cipolle, mettete gli ortaggi in una casseruola e copriteli con metà olio e metà acqua. Aggiungete lo spicchio d'aglio, un pizzico di timo, la foglia di alloro e mettete sul fuoco.

Appena il liquido leverà il bollore, coprite la casseruola con un foglio di carta oleata o d'alluminio, applicate il coperchio e mettete in forno a calore moderato per un'ora e mezza. Trascorso questo tempo, spruzzate gli ortaggi con l'aceto, aggiustate di sale e pepe, trasferite su un piatto di portata e lasciate raffreddare.

Melanzane alla trapanese

(per 6 persone)

6 melanzane di media grandezza

sale q.b.

olio d'oliva q.b.

2 spicchi d'aglio

1 rametto di rosmarino

2 cucchiai di salsa concentrata di pomodoro

pepe q.b.

2 cucchiai d'aceto

1/2 cucchiaio di farina

Sbucciate le melanzane e tagliatele a fette nel verso della lunghezza. Mettetele in una terrina e cospargetele di sale per far loro perdere un po' d'acuqa. Poi scolatele, asciugatele, infarinatele e fatele friggere, poche alla volta, in abbondante olio.

In una casseruola scaldate qualche cucchiaiata d'olio con due spicchi d'aglio. Quando l'aglio avrà preso colore toglietelo e mettete il rosmarino, due cucchiai di salsa diluita con poca acqua e un pizzico di sale e di pepe. Fate sobbollire qualche minuto, mescolando sempre, poi aggiungete due cucchiaiate d'aceto e mezzo cucchiaio di farina. Mescolate per amalgamare bene e fate cuocere altri cinque minuti, quindi versate la salsa sulle melanzane che avrete allineato sul piatto di portata. Aspettate qualche minuto prima di servire per dar tempo alle melanzane di intridersi di salsa.

Caponata

(per 6 persone)

1 chilo di melanzane
sale q.b.
olio per friggere q.b.
un sedano bianco
una cipolla affettata
100 grammi di salsina di pomodoro (o 300 grammi di pomodori maturi)
1 cucchiaiata abbondante di zucchero
1 bicchiere scarso di aceto di vino rosso
50 grammi di capperi
100 grammi di olive verdi dolci
pepe q.b.

Lavate le melanzane, tagliatele a dadini senza sbucciarle, spolveratele con un pizzico di sale e stendetele in un piatto inclinato per un'oretta perché perdano tutta l'acqua amara. Asciugatele bene e friggetele in abbondante olio bollente. Appena saranno dorate, sgocciolatele su una carta che assorba l'unto. Scegliete le costole bianche e tenere del sedano, raschiatele bene con un coltellino, togliete i filamenti, tagliatele ad asticciole lunghe 3-4 cm e lavatele in acqua fresca. Asciugate bene il sedano e friggetelo nell'olio delle melanzane; quando sarà biondo e croccante scolatelo bene. Mettete in una padella un bicchiere circa dell'olio in cui sono state fritte le melanzane e le costole di sedano, e fatevi rosolare la cipolla a fuoco basso finché avrà preso un leggero colore biondo; unite la salsina di pomodoro sciolta in un poco d'acqua calda (o i pomodori, pelati, tagliati a pezzi e privati dei semi). Salate e lasciate cuocere un quarto d'ora a fuoco moderato, poi aggiungete lo zucchero, l'aceto, i capperi, le olive snocciolate, le melanzane e il sedano. Aggiustate di sale, pepate abbondantemente e fate bollire a fuoco molto basso per una decina di minuti. Versate la caponata in un piatto e servitela fredda.

Zucchine in agrodolce

(per 4-6 persone)

6 zucchine di media grandezza
2-3 cucchiaiate di olio d'oliva
1 spicchio d'aglio
2-3 cucchiai d'aceto
20 grammi di pinoli
2 cucchiaiate di uvetta sultanina
2 acciughe diliscate
sale q.b.

Spuntate le zucchine, tagliatele in pezzi nel verso della lunghezza ricavandone dei bastoncini e eliminate i semi.
In una casseruola fate scaldare l'olio con lo spicchio d'aglio e quando l'aglio sarà colorito toglietelo e aggiungete le zucchine ben risciacquate.
Coprite la casseruola e lasciate rosolare leggermente le zucchine, bagnandole con qualche cucchiaiata d'acqua e d'aceto.
Fate cuocere circa 10 minuti a fuoco moderato quindi aggiungete i pinoli, l'uvetta privata del gambo e le acciughe lavate, spinate e ridotte in filetti. Lasciate insaporire qualche minuto, poi sistemate nel piatto di portata le zucchine e il condimento.

Frittedda

(per 6 persone)

6-8 carciofi teneri
il succo di un limone
1/2 cipolla tritata
1/2 bicchiere di olio d'oliva
500 grammi di piselli sbucciati
1 chilo di fave fresche sbucciate
sale q.b.
pepe q.b.
un pizzico di noce moscata
3-4 foglie di menta fresca (facoltativo)
1 cucchiaino d'aceto (facoltativo)
4 cucchiaini di zucchero (facoltativo)

Per realizzare questa ricetta occorrono dei carciofi ben teneri, ma se la stagione è avanzata badate di togliere il fieno e di farli cuocere più a lungo.
Pulite i carciofi, lavateli in acqua acidulata con il succo di un limone e tagliateli a spicchi. Tritate mezza cipolla e fatela imbiondire con un po' d'olio, unite i carciofi e lasciateli insaporire per qualche minuto, poi bagnate con un mestolo d'acqua e fate cuocere per 5 minuti. Aggiungete i piselli e le fave, condite con sale, pepe e un pizzico di noce moscata. Continuate la cottura a fuoco moderato per circa 20 minuti aggiungendo, se necessario, qualche cucchiaiata d'acqua.
La frittedda può essere servita calda oppure fredda dopo aver aggiunto e amalgamato bene un trito di foglie di menta, poco aceto e qualche cucchiaino di zucchero.

Broccoli alla siciliana

(per 6 persone)

un broccolo di circa 1 chilo
1 bicchiere d'olio
una grossa cipolla affettata
100 grammi di olive snocciolate
3 acciughe diliscate
50 grammi di caciocavallo piccante
poco sale
1 bicchiere di vino rosso
crostini di pane fritto nel burro (o olio) q.b.

Eliminate le foglie dure del broccolo e riducetelo in cimette; lavatele in acqua fresca e lasciatele sgocciolare. In una casseruola versate un paio di cucchiaiate d'olio, un poco di cipolla tritata e qualche pezzetto di acciuga, lavata e tagliata a pezzetti; stendete poi uno strato di broccoli, conditeli con un poco di caciocavallo tagliato a fettine sottili, poco sale e un filo d'olio, un poco di cipolla e di acciughe. Continuate a formare strati in questo modo fino all'esaurimento degli ingredienti. Versate su tutto ancora un poco d'olio e il vino rosso. Coprite la casseruola e fate cuocere a fuoco molto basso affinché i broccoli possano ben stufarsi. A cottura completa, dopo circa un'oretta, il vino si deve essere asciugato; in caso contrario, alzate un poco la fiamma del fornello e fatelo evaporare. Non mescolate mai i broccoli durante la cottura e, quando saranno pronti, serviteli con crostini di pane fritto.

Melanzane «a quaglie»

(per 6 persone)

6 belle melanzane
sale q.b.
olio per friggere q.b.

Le melanzane cucinate intere sono dette «a quaglie» e sono una specialità di Palermo.
Spuntate le melanzane dalla parte del torsolo ma non sbucciatele.

Partendo dall'estremità opposta tagliate ogni melanzana in tre fette parallele, senza arrivare fino in fondo, quindi incidete ogni fetta con tagli equidistanti in modo da ottenere tante listerelle, ma sempre unite alla punta, quasi fosse un fiocco. Spolverate le fette di melanzane con un poco di sale e sistemate le melanzane intere su un piatto inclinato. Lasciatele un'oretta finché avranno perso tutta l'acqua amara. Asciugatele bene e friggetele senza infarinarle in abbondante olio bollente, fino a quando avranno preso un bel colore dorato scuro. Sgocciolatele e servitele calde o fredde.

Cassata alla siciliana

800 grammi di ricotta
400 grammi di zucchero
1 pizzico di cannella in polvere
150 grammi di cioccolato fondente tagliato a pezzettini
500 grammi di frutta candita
50 grammi di pistacchi già pelati (o pinoli)
1 bicchiere di maraschino
circa 500 grammi di pan di Spagna

per la glassa

200 grammi di zucchero
un bicchiere d'acqua
il succo di 1/2 limone scarso

Lavorate molto bene in una terrina la ricotta per ridurla in una crema liscia. Mettete lo zucchero in una casseruola con un poco d'acqua e fatelo diventare uno sciroppo limpido; prima che imbiondisca, versatelo nella terrina della ricotta, mescolate bene e profumate con un poco di cannella. Unite il cioccolato, circa 200 grammi di frutta candita tagliata a dadini piccolissimi (tenete da parte i canditi interi migliori), i pistacchi tagliati a pezzetti e metà del liquore. Tagliate a fette alte circa un dito il pan di Spagna, spruzzatele con il rimanente maraschino, foderate con alcune fette una tortiera di circa 26 cm di diametro e dai bordi alti; al centro stendete la crema di ricotta, pareggiandola con la lama di un coltello e ricoprite con le rimanenti fettine di pan di Spagna. Ponete la tortiera in frigorifero per almeno 3 ore. Sformate il dolce su un cartone, rivestito di un centro di carta. In una casseruolina mettete lo zucchero con l'acqua e il limone. Portate la glassa all'ebollizione, mescolando con un cucchiaio di legno e quando, prendendo un poco di composto tra il pollice e l'indice, lo zucchero formerà il filo, versate la glassa sulla cassata, pareggiandola con la lama di un coltello, bagnata in acqua fresca. Quando il fondente si sarà ben asciugato, sistemate la cassata su un piatto da portata e guarnitela con la frutta candita. Oppure non preparate la glassa e spolverate la cassata semplicemente con zucchero al velo e guarnitela sempre con i canditi. Servitela subito.

Cassata gelata

per il mantecato di crema

5 tuorli d'uovo
150 grammi di zucchero
la scorza di mezzo limone (o un pizzico di vaniglina)
1/2 litro di latte
1/4 di litro di panna montata zuccherata
50 grammi di canditi tagliati a dadini
50 grammi di mandorle pralinate tagliate a filetti

La cassata siciliana esige un po' di cura e uno speciale stampo detto «stampo da spumone», che è formato da una specie di cupola con relativo coperchio. La cassata si compone di due parti distinte: un involucro di crema e un ripieno di panna montata al quale si aggiungono dei pezzi di canditi e dei filetti di mandorle. Mettete i tuorli d'uovo in una casseruola, preferibilmente di rame con il fondo arrotondato (detta polsonetto), sbatteteli energicamente con la frusta assieme allo zucchero, finché il composto sarà diventato soffice e spumoso, poi aggiungete la scorza del limone (o un pizzico di vaniglina oppure entrambe) e il latte tiepido. Mettete la crema sul fuoco a fiamma bassa (meglio se a bagno-maria) e, sempre mescolando, fatela cuocere, facendo attenzione però che non raggiunga mai il bollore. Appena la crema si sarà leggermente addensata e velerà il cucchiaio, toglietela dal fuoco, travasatela in una terrina e lasciatela raffreddare mescolandola di tanto in tanto. Versate quindi la crema nelle speciali vaschette del frigorigero e lasciatela nel freezer ben coperta con un foglio di carta per circa 2 ore. Mescolatela ogni mezz'ora circa con una spatola di legno. Mettete a gelare nel freezer anche lo stampo da spumone della capacità di 3/4 di litro. Quando la crema gelata sarà pronta, distribuitela sul fondo e sulle pareti dello stampo da spumone freddo, in modo da lasciare un vuoto al centro. In questo vuoto, versate la panna montata con i canditi e le mandorle. Battete leggermente lo stampo perché non rimangano dei vuoti, pareggiate la superficie della cassata e copritela con un disco di carta oleata, poi chiudete lo stampo con il suo coperchio. Mettete lo stampo nel freezer per almeno 3-4 ore. Trascorso questo tempo, togliete lo stampo, immergetelo un attimo in acqua tiepida e sformate il gelato.

Spuma gelata di crema

4 tuorli d'uovo
4 cucchiai di zucchero
la scorza intera di mezzo limone
un pizzico di vaniglia
1 cucchiaio di farina
1/2 litro di latte
50 grammi di scorzetta di cedro candita
50 grammi di ciliegine candite
2 albumi
1 cucchiaiata di zucchero al velo

In una casseruola, preferibilmente di rame, con il fondo arrotondato (polsonetto), sbattete i tuorli d'uovo con lo zucchero; unite la scorza del limone e la vaniglina e, quando il composto sarà ben montato «a nastro», versate a poco a poco, sempre mescolando con la frusta, la farina e poi il latte tiepido. Portate la casseruola sul fuoco, a fiamma molto bassa, continuate a mescolare e fate cuocere per qualche minuto la crema, senza farla bollire. Prima che alzi il bollore, toglietela via dal fuoco, versatela in una terrina e mescolatela energicamente. Togliete la scorza del limone e aggiungete il cedro e le ciliegine, tagliati a dadini piccolissimi. Quando la crema sarà fredda, montate a neve ben ferma in una terrina gli albumi con lo zucchero e amalgamate delicatamente la meringa ottenuta alla crema. Ponete il tutto ben coperto in frigorifero nella parte fredda (ma non nel freezer). Ricordatevi di mescolare energicamente di tanto in tanto la crema perché risulti ben mantecata e spumosa. Servitela quando sarà ben ghiacciata.

Gelato di cocomero

500 grammi di polpa di cocomero
300 grammi di zucchero

2 cucchiai di acqua di gelsomino

120 grammi di cioccolato fondente tagliato a pezzetti

50 grammi di pistacchi già pelati

120 grammi di zucca candita tagliata a dadini

cannella in polvere q.b.

Passate al setaccio la polpa di cocomero, eliminando i semi. Mescolate il passato di cocomero con la metà dello zucchero e l'acqua di gelsomino. Versatelo quindi nella sorbettiera da gelati, mescolate delicatamente e lasciate congelare; aggiungete quindi l'altra metà dello zucchero, il cioccolato, i pistacchi tritati finemente, la zucca candita e un cucchiaino di cannella. Mescolate ancora con molta delicatezza e versate il composto in uno stampo rotondo (meglio se foderato con una carta oleata), copritelo bene e mettetelo nel freezer per almeno un paio d'ore. Stampate il gelato e spolverizzatelo con un poco di cannella.

Cannoli alla siciliana

(per 12 cannoli)

per la pasta

150 grammi di farina

1 cucchiaino di cacao

1 cucchiaino scarso di polvere di caffè

1 pizzico di sale

1 cucchiaiata di zucchero

30 grammi di strutto (o burro)

un bicchiere circa di vino rosso o bianco (o Marsala)

olio per frigere q.b.

per il ripieno

250 grammi di ricotta

175 grammi di zucchero al velo

1 cucchiaiata di acqua di fiori d'arancio

50 grammi di arancia, cedro e zucca canditi (o pistacchi tritati)

30 grammi di cioccolato fondente tagliato a pezzettini

1 cucchiaiata di cacao (facoltativo)

12 ciliegine candite

zucchero vanigliato q.b.

Per preparare i cannoli alla siciliana bisogna provvedersi di alcuni cannelli di latta, del diametro di 2 cm e della lunghezza di circa 15 cm, molto simili ai cannelli che si usano per cuocere i cannoncini di pasta sfogliata. I cannoli sono composti di un involucro di pasta speciale che vien detta «scorza» e da un ripieno di crema di ricotta. Mettete la farina sulla spianatoia, mescolatela al cacao, al caffè, al sale e allo zucchero; ponete al centro lo strutto (o il burro) a fiocchetti e versate tanto vino (o Marsala) quanto ne occorre per ottenere una pasta piuttosto dura.
Lavorate la pasta finché sarà liscia ed elastica, raccoglietela a palla e fatela riposare al fresco per circa un un'ora, coperta con un tovagliolo. Tiratela con il mattarello in una sfoglia dello spessore di 2-3 mm e ricavatene una dozzina di quadrati di circa 8 cm di lato. Appoggiate su ogni quadrato, nel senso della diagonale, un cannello di latta e intorno ad esso avvolgete le altre due punte del quadrato. Pigiate un poco la pasta con un dito per chiudere il cannolo e friggete un cannolo o due per volta, in una padella con abbondante olio bollente. Quando «le scorze» saranno di un bel colore biondo scuro e ben croccanti, sgocciolatele su una carta che assorba l'unto e, appena si saranno raffreddate un poco, sfilate con delicatezza il cannello di lata e aspettate che le scorze si raffreddino completamente. Man mano che avrete fritto le prime scorze servitevi dei cannelli per friggere le altre. In una terrina lavorate bene la ricotta, unite lo zucchero, l'acqua di fiori di arancio, l'arancia, il cedro e la zucca canditi (o i pistacchi) e il cioccolato tritati. Se volete, mescolate la metà di questo composto con la polvere di cacao. Con un cucchiaino (o una tasca da pasticceria) riempite di crema «le scorze» (naturalmente se avete preparato due creme diverse, riempite una metà del cannolo con la crema bianca e l'altra metà con la crema al cacao). Pareggiate bene la crema e dividete a metà le ciliegine candite. Sistemate mezza ciliegina su ogni estremità dei cannoli, allineate quindi i cannoli preparati su un piatto e spolverizzateli con abbondante zucchero vanigliato.

Cannoli alla crema di caffè

(per 6 persone)

12 cannoli (vedi ricetta precedente)

1 tuorlo d'uovo

2 cucchiai di zucchero semolato

1 cucchiaio di farina

1 bicchiere di latte

1 pizzico di scorza grattugiata di limone

250 grammi di ricotta

120 grammi di zucchero semolato

50 grammi di caffè in polvere

zucchero al velo q.b.

Preparate la pasta delle «scorze», modellatele e friggetele come descritto nella ricetta precedente per i «cannoli alla siciliana».
Per il ripieno, fate prima una crema pasticcera, mettendo in una casseruola il tuorlo d'uovo, la farina e due cucchiai di zucchero semolato; sciogliete gli ingredienti con un bicchiere di latte freddo e, sempre mescolando, fate addensare la crema a fuoco moderato, lasciandola poi raffreddare. Preparate quindi un composto di ricotta e caffè, mettendo in una terrina la ricotta, 120 grammi di zucchero semolato, il caffè in polvere e mescolate per amalgamare bene gli ingredienti. Unite quindi la crema pasticcera al composto di ricotta e caffè e passatela al setaccio. Procedete ora come descritto nella ricetta «cannoli alla siciliana», riempiendo con la crema al caffè i cannoli e spolverizzandoli con abbondante zucchero al velo.

Dolce di castagne e riso

(per 6 persone)

150 grammi di castagne secche

5 tazze di latte o di acqua

sale q.b.

300 grammi di riso

100 grammi di zucchero

75 grammi di uvetta sultanina

100 grammi di burro

Mettete le castagne in una terrina, versateci sopra acqua tiepida e lasciatele a bagno per almeno una nottata. La mattina seguente togliete qualche pezzetto di pellicina rimasta ancora aderente alle castagne, asciugatele e ponetele in una casseruola, copritele con latte o acqua, salate e fate bollire a fuoco dolce, per mezz'ora. Quando le castagne saranno a metà cottura, aggiungete il riso, l'uvetta rinvenuta e pulita e lo zucchero. Lasciate cuocere sempre mescolando per altri 20-25 minuti: dovrà risultare una specie di risotto che condirete alla fine con il burro. Date una mescolata, versate il tutto in una ciocotla e lasciatela raffreddare.

Frittedde di frutta

(per 6 persone)

2 tuorli d'uovo

2-3 cucchiaiate di olio d'oliva

la scorza grattugiata di 1/2 limone

un pizzico di vaniglina

un pizzico di sale

1/2 bicchiere di vino bianco

2-3 cucchiaiate di farina

500 grammi di frutta fresca matura

olio per friggere q.b.

2 albumi

zucchero al velo q.b.

Sbattete i tuorli con l'olio e unite la scorza grattugiata di mezzo limone, la vaniglina, un pizzico di sale e il vino bianco. Versate la farina in una terrina e unite gradatamente le uova sbattute continuando a mescolare per qualche minuto con un cucchiaio di legno, quindi lasciate riposare in luogo tiepido per circa 2 ore.
Intanto preparate e pulite la frutta, tagliatela in dadini e se necessario asciugatela. Montate a neve ferma gli albumi, quindi uniteli al composto di farina e uova. Aggiungete anche la frutta.
Scaldate abbondante olio in una padella e versateci il composto a cucchiaiate, badando a tenere staccate le frittelle le une dalle altre. Friggete a fuoco vivace, quindi togliete e mettete a sgocciolare le frittelle su carta da cucina; spolverizzate con abbondante zucchero al velo e servite calde.

Sfincioni di riso

200 grammi di riso

sale q.b.

3 bicchiere di latte

1 cucchiaino di lievito

2 cucchiai di farina

2 cucchiai abbondanti di zucchero

olio per friggere q.b.

zucchero al velo q.b.

un pizzico di cannella

Fate lessare il riso in abbondante acqua salata per circa 8-10 minuti, poi scolatelo. Rimettetelo in una casseruola con il latte e portate lentamente a ebollizione quindi fatelo cuocere, mescolando di tanto in tanto, finché il riso non ha assorbito tutto il latte. Mettete il riso in una terrina, unite il lievito e lasciate riposare tutta la notte. La mattina seguetne unite la farina e lo zucchero, quindi prendendo il composto a cucchiaiate, formate dei bastoncini di circa 7 centimetri di lunghezza e alti un paio di centimetri. Friggete i bastoncini in abbondante olio, pochi alla volta, finché sono ben dorati e fateli sgocciolare su carta da cucina. Spolverizzate gli sfincioni di riso con zucchero al velo e con un pizzico di cannella e serviteli caldi o freddi.

Spumette di nocciole

200 grammi di nocciole

4 albumi

200 grammi di zucchero al velo

la scorza grattugiata di un limone

burro e farina per la teglia

Tritate le nocciole senza privarle della loro pellicola. Montate a neve fermissima gli albumi e incorporatevi, poco alla volta, lo zucchero al velo continuando a mescolare perché non si smontino. Unite le nocciole tritate e la scorza grattugiata di un limone.

Distribuite a mucchietti il composto sopra una teglia imburrata e mettete in forno caldo. Cuocete le meringhe a fuoco dolcissimo per circa 30 minuti.

Mustazzoli di Erice

100 grammi di mandorle dolci

1 chilo di farina

400 grammi di zucchero

10 grammi di cannella

1 chiodo di garofano

1 cucchiaio di lievito in polvere

burro e farina per la teglia

Mettete la farina sulla tavola disponendola a fontana e al centro ponete le mandorle tostate con la buccia e tritate finemente, la cannella, il chiodo di garofano tritato e lo zucchero sciolto in un bicchiere d'acqua insieme con il lievito. Impastate fino a ottenere una pasta liscia ed elastica, aiutandovi se necessario con un bicchiere scarso d'acqua. Formate con la pasta dei bastoncini di 12 centimetri di lunghezza e larghi due centimetri, e con i denti di una forchetta tracciate su ogni biscotto un reticolato. Imburrate e infarinate una teglia, allineate i biscotti e passateli in forno caldo per 10-15 minuti.

Dolcetti di pasta di mandorle

500 grammi di mandorle

500 grammi di zucchero in zollette

250 grammi di zucchero al velo

5 albumi

la scorza grattugiata di un limone

30 grammi di burro per imburrare la teglia

200 grammi di canditi assortiti (cedro, arancia, ciliegine)

Mettete le mandorle in una casseruola e ricopritele d'acqua. Portate l'acqua a ebollizione, poi scolate subito le mandorle, passatele man mano sotto l'acqua fredda e sbucciatele immediatamente. Stendete le mandorle sulla teglia del forno e passatele in forno moderato (160°) ad asciugare. Rigiratele di tanto in tanto con un cucchiaio di legno: le mandorle non devono colorirsi, ma semplicemente asciugarsi. Mettete in un mortaio un pugnetto di mandorle con un poco di zucchero e pestate leggermente facendo attenzione a non strisciare troppo le mandorle lungo le pareti del mortaio perché in questo caso le mandorle farebbero olio. Man mano che otterrete la farina di mandorle, passatela al setaccio e mettete di nuovo nel mortaio la granella non passata. Continuate in questo modo fino all'esaurimento delle mandorle e dello zucchero (oppure passate le mandorle all'apposita macchineta tritamandorle e poi mescolatele a zucchero semolato). Mettete la polvere di mandorle zuccherata sulla spianatoia, mescolatela allo zucchero al velo e aggiungete gli albumi e la scorza di limone. (La quantità di albumi è un po' elastica, secondo la grandezza delle uova, dovrete comunque ottenere una pasta di giusta consistenza.) Lavorate bene con le mani e poi mettete questa pasta in una tasca di tela per pasticceri, munita di bocchetta di latta di 1 cm di diametro. Imburrate la teglia del forno, spolveratela di farina e, premendo sulla tasca, ricavate delle pastine. Sistematele ben distanziate, e mettete su ognuna un pezzetto di candito o una ciliegina intera candita. Lasciate riposare le pastine per una notte, poi passatele in forno caldissimo (200°) per una decina di minuti, fino a quando gli orli di esse avranno preso un bel colore dorato. Lasciatele raffreddare bene e poi servitele.

SARDEGNA

La rada di Porto Cervo, meta privilegiata del turismo estivo internazionale. Le acque della Sardegna sono ricche di aragoste e di altri pesci pregiati che alimentano un'ottima cucina di mare. Nell'interno, invece, si usano soprattutto la carne e il pecorino, un formaggio che ha conquistato il gusto di molti italiani anche al di fuori dei confini dell'isola.

I nuraghi, a distanza di parecchi secoli, continuano a far parte del paesaggio della Sardegna che, probabilmente, se si eccettuano i centri abitati della costa e le minuscole cittadine dell'interno, è rimasto esattamente come allora: pietroso, popolato di una vegetazione scarna e ridotta all'essenziale dal sole e dal vento, tra le rocce e i prati che poco offrono oltre all'erba. E in questo paesaggio, è naturale, è scontato, che vi siano dei pastori con le loro greggi sempre alla ricerca di foraggio, dalla collina alla montagna, da una pianura all'altra.

È tra questi pastori che è nata e che vive la cucina della Sardegna. I pastori stanno lontani per mesi dalla loro casa e dalle loro famiglie; si creano un mondo tutto particolare, popolato di invidie, di povertà, di solitudine e di violenza; vivono di quel po' di cacciagione che riescono a catturare, della carne dei loro agnelli, del latte e del formaggio delle loro pecore e delle poche provviste portate da casa, praticamente solo pane. Dormono negli anfratti delle rocce, accanto agli antichi nuraghi, oppure in rozze capanne circolari ricoperte di frasche e con un'unica apertura. Quando è inverno accendono un fuoco al centro e si mettono a riposare sdraiati con i piedi rivolti verso la fiamma; uno di loro deve fare la guardia alle pecore con il cane fedelissimo e con l'ancor più fedele fucile. La Sardegna vera è ancora questa dei pastori e della violenza: una terra primitiva dove i problemi umani e sociali si affollano turbinosamente riempiendo i giornali di cronaca nera. È la terra in cui c'è ancora selvaggina abbondante e dove i cacciatori sanno di poter agevolmente riempire i carnieri.

C'è poi, come abbiamo detto, la seconda cucina sarda, quella delle mogli che attendono a casa i mariti e i figli pastori. Il pane è l'unica cosa che faccia parte delle provviste degli uomini quando partono da casa con le pecore, e il pane è il capolavoro della donna sarda. Se ne conoscono due tipi principali, ambedue adatti a essere conservati per lungo tempo: il «chivarzu» e il «carasau» o «carta di musica». Il «chivarzu» è confezionato in forme grandi e morbide che richiedono una delicata cottura eseguita nei grandi forni di cui ogni casa è dotata; i pani possono pesare fino a dieci chili e rimangono freschi per lunghissimo tempo. Il «carasau», denominato anche «carta da musica» per la sua sottigliezza e per la sua leggerezza, è completamente diverso: si tratta di fogli sottili, quasi trasparenti, croccanti, secchi e durissimi più di un biscotto, che devono essere conservati in panni

Carta da musica, un tipo di pane in fogli durissimi e secchi, molto croccanti, conservato avvolto in panni umidi e messo a mollo prima d'essere consumato. Nella foto a destra, i papassinas, dolcetti tipici di forma romboidale cosparsi di pezzetti di zucchero colorato.

umidi e, al momento di consumarli, ammollati in acqua bollente per farli rinvenire. Questo tipo di pane è molto diffuso nella Barbagia, una zona montagnosa e popolata quasi esclusivamente da pastori. Il pane è in queste terre il simbolo dell'unità familiare interrotta durante l'anno da periodi di lunga lontananza, ma — proprio per questo motivo — più salda e più sacra che altrove.

È, insomma, una terra di pionieri, e la cucina inevitabilmente risente di questa situazione. Esistono due tipi di cucina: quella del pastore che, solo sui monti, si arrangia con ciò che ha a disposizione, e quella invece governata dalla donna di casa, condannata anch'essa alla solitudine, in attesa del marito e dei figli in giro col gregge. Naturalmente la prima è la più colorita, e il rito più importante è l'arrosto fatto all'aperto. I pastori sono gli specialisti dello spiedo: la vittima è di solito il porcellino allo stato brado che, catturato e ucciso, viene infilzato nello spiedo e piantato per terra di fianco al fuoco. Per il fuoco si usa della legna secca aromatica (i pastori raccolgono rami di ginepro, di lentischio e di olivo) che conferisce alla carne sapori robusti e sconosciuti alla cucina delle grandi città. C'è anche il sistema di fare l'arrosto «a carraxiu»: si scava una buca per terra, ci si accende un fuoco e, quando questo si è consumato, vi si colloca il porcellino o l'agnello avvolto in erbe aromatiche; si riempie la buca di terra e vi si accende sopra un bel fuoco da alimentare a lungo. La cottura è più lenta, ma i risultati sono veramente eccellenti. L'arrosto è il piatto principale dei pastori, che però si nutrono anche di ottimo prosciutto ricavato facendo affumicare cosce di cinghiale e di maiale selvatico e, naturalmente, di formaggio fabbricato alla meglio giorno per giorno nella solitudine dei pascoli. I formaggi sono una delle specialità della Sardegna e il pecorino di questa regione è ormai presente nella cucina internazionale come uno dei prodotti più genuini.

Pastori sardi intenti ad arrostire un porcellino sul fuoco, uno dei loro cibi preferiti. La legna che usano di solito è secca e aromatica e conferisce alle carni sapori robusti, molto diversi da quelli cittadini. Nella foto a destra, croccanti spiedini d'agnello.

C'è, oltre alla Sardegna delle montagne, anche la Sardegna del mare: è un mondo tutto diverso, un mondo stupendo e meraviglioso con spiagge fatte di sabbia finissima e bianchissima e scogli favolosamente belli. Su queste coste vivono popolazioni venute da tutta l'Europa: c'è un paese in cui si parla quasi esclusivamente il miglior dialetto spagnolo (il catalano); ce ne sono altri in cui si parla soltanto il genovese. E in tutti i casi gli abitanti delle coste sono grandi pescatori ed è quindi naturale che la loro cucina risenta di questa presenza del mare. Famosa è «sa cassola», una zuppa di pesce della zona di Cagliari che ha origini spagnole, mentre nella zona settentrionale dell'isola si prepara «sa buridda», di origine ligure, la cui base è il gattuccio di mare. In tema di aragoste, molto abbondanti nel mare che circonda la Sardegna, è inutile dilungarsi; basta pensare che gran parte delle aragoste che nobilitano i più grandi ristoranti europei vengono proprio da qui.

Anche i vini sono famosi: in testa la Vernaccia, dal colore d'ambra, che può essere invecchiata fino a trent'anni, raggiungendo un'alta gradazione alcolica e un profumo di fiori di mandorlo quanto meno eccezionale. È consigliata specialmente con i piatti di pesce e in particolare con l'aragosta. Famosi sono anche la Malvasia (rosso, prodotto nella Barbagia), il Moscato e il Nasco (nella zona di Cagliari), il Torbato e l'Anghelu Ruju (della zona di Sassari).

Culingiones
«Malloreddus»
Pillas
Spaghetti al formaggio
Zuppa sarda
Vitello al vino rosso
«Cordula» o «Corda»
Favata
Involtini di maiale al forno
Bistecchine di cinghiale
«Porceddu» arrostito
Pernici in salsa d'aceto
Piccioni in salmì
Salmì di coniglio
Monzettas
Buridda
La «cassola»
Zuppa di arselle
Calamaretti ripieni
Trote alla vernaccia
Acciughe ripiene
Sardine al finocchio
Aragosta arrosto
Uova alla sarda
Melanzane alla sarda
Piselli all'uso sardo
Carciofi ripieni di ricotta
Zucca ripiena
Aranciata nuorese
Amaretti d'Oristano
Gesminus
Candelaus (o «Scandelaus»)
Pabassinas
Sebadas
Biscottini con il miele

Culingiones

(per 6 persone)

per la pasta

500 grammi di farina di semola

5 uova

un pizzico di sale

per il ripieno

400 grammi di bietole (o spinaci)

sale q.b.

40 grammi di burro

400 grammi di pecorino fresco

3 uova

100 grammi di parmigiano (o pecorino) grattugiato

un pizzico di zafferano

pepe q.b.

noce moscata q.b. (facoltativo)

per condire

abbondante ragú di carne o sugo di pomodoro

formaggio pecorino grattugiato q.b.

Mettete la farina a fontana sulla spianatoia, rompeteci le uova al centro, aggiungete un pizzico di sale e, se occorre, anche un poco d'acqua. Impastate bene e lavorate energicamente la pasta finché sarà liscia; poi raccoglietela a palla, mettetela in una terrina, copritela con un tovagliolo e lasciatela riposare per una mezz'oretta. Intanto pulite e lavate bene le bietole (o gli spinaci); non sgocciolatele troppo e lessatele a vapore con la sola acqua rimasta dalla lavatura e un pizzico di sale. Appena cotte, toglietele dal fuoco, strizzatele bene e tritatele finemente. Mettete in una padellina con una grossa noce di burro liquefatta e lasciatele insaporire sul fuoco qualche minuto. Lavorate bene in una terrina con un cucchiaio di legno il pecorino, unite poi le uova, il formaggio grattugiato, le bietole (o gli spinaci), un pizzico di zafferano, una bella spolverata di pepe e, se volete, l'odore della noce moscata. Mescolate bene il composto. Dividete la pasta in due parti uguali. Tirate con il mattarello due sfoglie sottili e uguali. Sulla prima sfoglia distribuite a mucchietti ben distanziati il ripieno preparato; ricoprite con l'altra sfoglia, pigiando intorno ai mucchietti di ripieno affinché la pasta possa rinchiuderli bene. Infine, con la rotellina o il coltello, ritagliate i ravioli di circa 4 cm di lato. Stendeteli su un canovaccio ad asciugare. Cuoceteli in acqua salata in ebollizione. Scolateli bene, dopo circa un paio di minuti che saranno saliti alla superficie e conditeli con abbondante ragù di carne o salsa di pomodoro e pecorino grattugiato.

«Malloreddus»

(per 6 persone)

600 grammi di farina di semola

un cucchiaino di sale fino

una bustina di zafferano

circa 2 bicchieri d'acqua

abbondante salsa di pomodoro fresco già cotta

formaggio pecorino grattugiato q.b.

Impastate sulla spianatoia la farina con il sale e lo zafferano sciolto in circa un bicchiere d'acqua tiepida. Aggiungete ancora un poco d'acqua e lavorate l'impasto energicamente finché sarà liscio e piuttosto sodo. Ricavate dei bastoncini di circa 1 cm di grossezza, ritagliateli a pezzettini e passateli strisciandoli su un setaccio fittissimo in modo che risultino «quadrettati». Lasciateli asciugare uno o due giorni. Lessate poi i «malloreddus» in abbondante acqua salata in ebollizione per circa mezz'ora; scolateli molto bene e conditeli subito con la salsa di pomodoro e abbondante pecorino. Se volete, potete aggiungere alla salsa di pomodoro, al momento del soffritto, un poco di salamino piccante, tagliato a dadini oppure la carne di maiale o di vitello tritata.

Pillas

(per 6 persone)

1 litro di latte

300 grammi di semolino

sale q.b.

2 tuorli

180 grammi di burro

200 grammi di parmigiano o pecorino grattugiato

200 grammi di carne macinata di manzo o maiale

1 bicchiere di vino bianco secco

sale e pepe q.b.

1/4 di litro di salsa fresca di pomodoro

150 grammi di prosciutto di Parma, tagliato a fette sottili

In una casseruola portate a ebollizione il latte e versate a pioggia il semolino, mescolando di continuo. Salate e continuate la cottura per 20 minuti circa mescolando ogni tanto finché il composto sarà diventato molto denso. Togliete il recipiente dal fuoco e unite i tuorli sbattuti, 60 grammi di burro e altrettanti di formaggio grattugiato. Mescolate bene il composto, poi versatelo sul tavolo di marmo leggermente inumidito della cucina o su un'altra superficie adatta e stendetelo a uno spessore di 1 centimetro e mezzo circa. Lasciate raffreddare bene il semolino.

Scaldate 60 grammi di burro in una casseruola e unitevi la carne macinata, sbriciolandola con una forchetta. Quando la carne sarà rosolata, aggiungete il vino e lasciatelo evaporare. Condite con sale e pepe, bagnate con un po' d'acqua, coprite e continuate la cottura della carne per 30 minuti circa. Tagliate il semolino freddo in rondelli di circa 2 centimetri di diametro. Ungete di burro una teglia e formate sul fondo il primo strato con i rondelli di semolino, il secondo strato con il composto di carne, il terzo con 2 o 3 fette di prosciutto e condite abbondantemente con salsa di pomodoro e formaggio grattugiato. Seguitate così, con uno strato di semolino, uno di carne, poi il prosciutto, la salsa e il formaggio, fino all'esaurimento degli ingredienti. L'ultimo strato deve essere di semolino, che stavolta condirete con fiocchetti di burro e formaggio grattugiato. Passate la pietanza in forno a calore moderato per 30 minuti circa, finché sarà dorata e servite con altro formaggio grattugiato.

Spaghetti al formaggio

(per 6 persone)

1 o 2 spicchi d'aglio tritati

2 cucchiaiate di prezzemolo tritato

1 cucchiaiata di basilico tritato

1 bicchiere scarso d'olio

500 grammi di pomodori maturi

sale q.b.

pepe q.b.

600 grammi di spaghetti

100 grammi di formaggio «fiore sardo»

Soffriggete in un padellino il trito di aglio, prezzemolo e basilico con l'olio a fuoco bassissimo; aggiungete i pomodori, pelati, tagliati

a pezzi e privati dei semi. Salate, pepate e lasciate cuocere a fuoco vivo per un quarto d'ora. Portate all'ebollizione abbondante acqua leggermente salata, cuocetevi gli spaghetti, scolateli al dente e conditeli con la salsa preparata. Mescolate bene la pasta e mettetela in un tegame di terracotta. Ricoprite la pasta con fettine di formaggio «fiore sardo» e passate in forno già caldo (180°) per pochi minuti finché il formaggio si sarà sciolto.
Servite immediatamente.

Zuppa sarda

(per 6 persone)

1 litro e mezzo di brodo
500 grammi di pane casereccio
500 grammi di mozzarella o altro formaggio fresco

Per questa zuppa il brodo deve essere ottenuto da una mescolanza di carni diverse: manzo, vitello, pollo, agnello.
Tagliate a fette il pane e sul fondo di una grande teglia da forno disponetene uno strato. Tagliate a fette molto sottili il formaggio fresco e coprite lo strato di pane con uno strato di formaggio, aggiungete di nuovo uno strato di pane, uno di formaggio e così di seguito. Tenete presente che l'ultimo strato della zuppa deve essere di formaggio, che bucherete con le punte di una forchetta in più punti, scendendo in profondità, in modo che gli ingredienti possano intridersi bene. Da ultimo, coprite la preparazione con il brodo bollente e mettete la teglia in forno caldo per circa 20 minuti. Il brodo dovrà essere in gran parte assorbito dal pane e dal formaggio. Servite la zuppa nel recipiente di cottura.

Vitello al vino rosso

(per 6 persone)

800 grammi di spezzato di vitello senz'osso
90 grammi di burro
1 cipolla
sale q.b.
pepe q.b.
2 bicchieri di vino rosso
1 cucchiaio di estratto di carne
3-4 ciuffi di prezzemolo
1 spicchio d'aglio
1 foglia di lauro
1 rametto di timo
1 cucchiaio di farina

Mettete sul fuoco una casseruola con 50 grammi di burro e una cipolla finemente tritata. Quando la cipolla incomincia a soffriggere aggiungete i pezzi di vitello e fate rosolare. Condite con sale e pepe e bagnate con il vino rosso e un bicchiere d'acqua nel quale avrete sciolto l'estratto di carne. Preparate quindi un mazzolino con il prezzemolo che avvolgerete attorno allo spicchio d'aglio leggermente schiacciato, il lauro e il timo. Legate il mazzolino con un po' di filo e mettetelo nella casseruola. Coprite il recipiente, diminuite il fuoco e fate cuocere lentamente aggiungendo se necessario un poco d'acqua, per circa due ore. Sistematelo quindi in un piatto di servizio e togliete il mazzolino. Impastate sulla tavola 40 grammi di burro con un cucchiaio di farina e aggiungetelo un po' alla volta alla salsa finché questa risulterà ben legata. Versatela infine sul vitello e servite in tavola.

«Cordula» o «Corda»

(per 6 persone)

le budelline di 4-5 agnellini (o di 2 agnelloni)
sale q.b.
pepe q.b.
una fetta di circa 150 grammi di lardo
un pizzico di maggiorana
un pizzico di timo
una foglia di alloro
un ciuffo di salvia

La «cordula» o «corda» è uno dei piatti sardi di chiara origine pastorale di più antica tradizione.
Pulite e lavate bene le budelline di agnello (o di agnellone), avvolgetele a treccia e infilzatele distribuendole in 6 spiedini. Salate, pepate, versate sopra un poco del grasso del lardo liquefatto, profumate con la maggiorana, il timo, la foglia di alloro sbriciolata e un po' di salvia. Cuocete sulla brace, finché gli spiedini saranno ben coloriti da entrambe le parti. Servite la cordula caldissima.
Una variante meno classica consiste nel cuocere la cordula in una padella con un intingolo di pomodoro fresco e piselli.

Favata

(per 6-8 persone)

600 grammi di fave secche
1/2 bicchiere abbondante d'olio
300 grammi di costine di maiale
400 grammi di salsicciotti
un pezzo di circa 200 grammi di pancetta magra
1/2 cavolo verza (o un cardo) tagliato a listerelle
2-3 finocchietti selvatici tagliati a pezzetti
2 cipolle affettate
2 pomodori maturi pelati e tagliati a pezzi
sale q.b.
pepe q.b.
fette di pane abbrustolite q.b.
parmigiano grattugiato q.b.

Mettete a bagno in acqua tiepida le fave per 12 ore. Quindi rosolate con l'olio in una grossa pentola, a fuoco lento, le costine e i salsicciotti già punzecchiati con un grosso ago; quando la carne sarà ben colorita, aggiungete le fave, sgocciolate dalla loro acqua. Bagnate con abbondante acqua calda fino a coprire bene la carne e le fave. Lasciate cuocere a fuoco lento con il coperchio per un'ora. Aggiungete poi il pezzo di pancetta e le verdure, tagliate a pezzi e ben lavate; aggiustate di sale, pepate e continuate la cottura per circa due ore, a fuoco molto lento, aggiungendo ancora un poco d'acqua se è necessaria. La carne deve risultare cotta al punto giusto e la minestra deve essere leggermente brodosa. In ultimo, scolate la carne di maiale, dividete le costine e tagliate a pezzettini la pancetta; quindi mettete di nuovo il tutto nel brodo. Servite la minestra bollente nelle scodelle con fette di pane abbrustolite e parmigiano grattugiato.

Involtini di maiale al forno

(per 6 persone)

800 grammi di lombo di maiale
150 grammi di fegato di maiale
150 grammi di lardo tritato
1 spicchio d'aglio tritato
un ciuffo di prezzemolo tritato
la mollica di mezzo panino
2 tuorli d'uovo (o un uovo intero)

fete di pane q.b.

sale q.b.

pepe q.b.

1/2 bicchiere abbondante d'olio

Tagliate la carne in una dozzina di fettine sottili e battetele con il pestacarne. In una terrina mescolate il fegato tritato e il lardo con l'aglio e il prezzemolo; aggiungete la mollica di mezzo panino bagnato in acqua tiepida e poi ben strizzata e leggermente salata e i tuorli d'uovo (o l'uovo intero); mescolate e distribuite un poco di ripieno sulle fettine di carne. Arrotolate le fettine su se stesse a forma di involtini e cuciteli bene con un filo di refe. Infilzate due involtini in ogni spiedino e, ponete, tra un involtino e l'altro, un crostino di pane. Sistemate gli spiedini in una teglia, irrorateli d'olio, salateli, pepateli e passateli in forno già caldo (160°) per circa mezz'ora, fino a quando saranno ben coloriti e il pane croccante. Serviteli caldissimi.

Bistecchine di cinghiale

(per 6 persone)

100 grammi di lardo tritato

4 cucchiaiate d'olio

1 chilo scarso di bistecchine di cinghiale ritagliate dalla costa

sale q.b.

3 cucchiai di zucchero

4 foglie di alloro

1 bicchiere di aceto

100 grammi di uvetta sultanina ammorbidita in acqua tiepida

100 grammi di prugne secche ammorbidite in acqua tiepida

100 grammi di cioccolato fondente grattugiato

un pizzico di cannella (o l'odore della noce moscata)

1 cucchiaio di farina

1/2 bicchiere d'aceto

In una casseruola fate sciogliere a fuoco basso il lardo tritato con l'olio; poi unite le bistecchine di cinghiale, rosolate da entrambe le parti e conditele con un bel pizzico di sale. Lasciatele cuocere per una decina di minuti. In una casseruolina mettete lo zucchero con le foglie di alloro e l'aceto e, quando lo zucchero sarà ben sciolto, ma ancora bianco e trasparente, unite l'uvetta e le prugne ben strizzate e snocciolate, il cioccolato e la cannella oppure la noce moscata. Mescolate bene e fate bollire lentamente fino a quando la salsa si sarà addensata, per circa 10 minuti.
In una padellina sciogliete la farina con l'aceto e versate questa leggera pastella sulle bistecchine, mescolando e facendo cuocere ancora qualche minuto. Aggiungete quindi anche la salsa agrodolce sulla carne e lasciate insaporire ancora una decina di minuti.

«Porceddu» arrostito

(per 8-10 persone)

un maialino di latte di circa 3-4 chili

una grossa fetta di lardo di circa 200 grammi

sale q.b.

pepe q.b.

foglie di mirto q.b.

Il porchetto di latte è uno dei cibi tradizionali della Sardegna. Occorre scegliere sempre un porchetto che non superi i 5 chili. Toglietegli le interiora, lavatelo, asciugatelo e profumatelo con abbondanti foglie di mirto. Quindi infilzatelo nello spiedo e fatelo cuocere a circa 50 cm di distanza dal fuoco. In Sardegna lo spiedo viene allestito rusticamente all'aperto con l'ausilio di tre bastoni; il fuoco è preparato con legna aromatica, soprattutto ginepro e lenti-

schio, e deve essere vivace. Rivolgete al fuoco la parte delle costole del porchetto e lasciatelo cuocere così fino a quando non avrà raggiunto un bel colore dorato, quindi rigirandolo spesso continuate la cottura per 3-4 ore. Mentre cuoce salatelo e pepatelo e fategli colare sopra il grasso che sgocciola da un pezzo di lardo, infilzato in un ferro e scaldato, volta per volta, sulla fiamma. Potrete arrostire il porchetto anche su pietre roventi, al forno o sulla graticola. Il «porceddu» si può gustare caldo, appena cotto, e tagliato a grosse fette; oppure freddo, ricoperto di foglie di mirto. La carne del porchetto è tenerissima e si mangia tutta, comprese le cotenne, le orecchie, le zampe e la coda.

Pernici in salsa d'aceto

(per 6 persone)

3 pernici, pulite e spennate

1 cipolla

2 costole di sedano

2 carote

sale q.b.

per la salsa

1 bicchiere e mezzo di olio d'oliva

2 cucchiai d'aceto

sale q.b.

1 cucchiaio di prezzemolo tritato

1 cucchiaio di capperi tritati

Mettete le pernici in acqua leggermente salata e aromatizzata con la cipolla, il sedano, le carote, coprite il recipiente e fatele lessare a calore moderato per 45 minuti circa. Quando la carne sarà diventata tenera, togliete le pernici dal recipiente di cottura, dividetele a metà e sistematele su un piatto di portata.
Nel frattempo avrete preparato la salsa mescolando all'olio e all'aceto il prezzemolo e i capperi tritati e un po' di sale. Condite con questa salsa la carne delle pernici e lasciate raffreddare prima di servire in tavola.

Piccioni in salmì

(per 6 persone)

6 piccioni spennati e puliti

4-5 foglie di salvia

2-3 ciuffi di prezzemolo

6 filetti di acciughe

6 spicchi d'aglio

1-2 cucchiai di capperi

3 bicchieri d'olio

1 scorza grattugiata di limone

2 bicchieri di aceto

sale q.b.

pepe q.b.

Disossate i piccioni cercando di mantenere la carne del petto intatta. Tagliate la rimanente carne in pezzetti. Mescolate le interiora con la salvia, il prezzemolo, le acciughe, l'aglio e i capperi e tritateli molto finemente.
In un tegalme scaldate l'olio, disponete i petti dei piccioni, unite la scorza grattugiata di limone e fate rosolare a fuoco moderato fino a quando sarà dorata. Spruzzate con l'aceto e lasciate evaporare, poi aggiungete gli altri pezzetti di carne insieme con il trito delle

interiora e degli aromi. Condite con sale e pepe, coprite il tegame, mettendo sotto il coperchio un foglio di carta oleata o di alluminio perché sia a tenuta stagna, e continuate la cottura per un'ora. Servite caldo.

Pare che i piccioni in salmì se vengono consumati il giorno dopo, riscaldati, siano ancora più saporiti. In questa ricetta l'aceto può essere sostituito da un buon vino rosso secco.

Salmì di coniglio

(per 4 persone)

un coniglio di 1 chilo circa
1/2 bicchiere di aceto
1/2 bicchiere di olio d'oliva
1 cipolla tagliata a fettine
1 limone tagliato a fettine
1 chiodo di garofano
2 foglie di alloro spezzettate
una puntina di estratto di carne
sale q.b.
pepe q.b.
2 acciughe
1 noce di burro

Pulite il coniglio, lavatelo, asciugatelo con uno strofinaccio e tagliatelo in pezzi regolari. Preparate una marinata versando in una terrina mezzo bicchiere d'olio, mezzo bicchiere d'aceto, una cipolla e un limone tagliati a fettine sottili, un chiodo di garofano e foglie di alloro spezzettate. Immergete nella marinata i pezzi di coniglio, rivoltandoli per impregnarli bene, coprite il recipiente e lasciateli riposare per un giorno. Trascorso il tempo di marinatura, travasate il tutto in una casseruola, togliendo solo le fettine di limone e, a fuoco moderato, fate rosolare il coniglio. Bagnate quindi con un mestolo d'acqua nel quale avrete sciolto una puntina di estratto di carne, condite con sale e pepe, coprite il recipiente e fate cuocere, continuando ad aggiungere poca acqua alla volta affinché, portata a termine la cottura della carne, il sugo non risulti troppo denso. Nel frattempo, lavate le acciughe, diliscatele, pestatele nel mortaio e impastatele con una noce di burro. Amalgamate al sugo in casseruola il burro di acciughe e condite con l'intingolo il coniglio, dopo averlo sistemato su un piatto di portata.

Monzettas

(per ogni singola persona)

30 lumache piccole
sale q.b.
aceto q.b.
3 cucchiaiate d'olio
una puntina d'aglio tritato
un ciuffetto di prezzemolo tritato
2 pomodori maturi
pepe q.b.
oppure 15 lumache grosse
2 cucchiaiate di formaggio sardo fresco (o grattugiato)
una puntina d'aglio tritato
un ciuffetto di prezzemolo tritato
un pizzico di sale
2 uova sbattute
1 bicchiere di vino vernaccia
3 cucchiaiate d'olio

Le «monzette» (o lumache) sono una specialità di Sassari e della provincia. Si possono preparare al pomodoro, oppure, usando le lumache più grosse, al forno ripiene.

Per «spurgare» le lumache mettetele per almeno due giorni in un cestino di vimini, ricoperto di foglie di vite (o di insalata), poi passatele in una terrina con acqua, sale e aceto per una decina di minuti, scolatele bene, quindi mettetele di nuovo nella terrina, con altra acqua, sale e aceto. Passatele poi in acqua corrente e lavatele a lungo. Ponetele in una pentola, ricopritele d'acqua fredda e portatele lentamente a ebollizione; appena le lumache escono dal loro guscio, aumentate il calore del fuoco e fatele cuocere una decina di minuti. Poi scolatele e toglietele dai loro gusci. In una padellina soffriggete, a fuoco molto basso, l'olio, l'aglio e il prezzemolo; unite poi i pomodori pelati, tagliati a pezzi e privati dei semi e aggiungete un pizzico di sale. Lasciate cuocere la salsa 15 minuti, quindi passatela al setaccio e immergetevi le lumache. Fatele insaporire a fuoco basso per meno di 10 minuti. Spolveratele con una bella macinata di pepe fresco e servitele bollenti.

Se volete prepararle al forno, spurgatele bene come detto sopra, scottatele e toglietele dai loro gusci. In una terrina mescolate il formaggio sardo, con il trito di aglio e prezzemolo, un pizzico di sale, le uova sbattute e il vino. Prendete le lumache, riempitele con un poco del composto, quindi mettetele in una teglia con l'apertura rivolta in alto, irroratele con l'olio e passatele in forno già caldo (180°) per 5-6 minuti. Servitele subito.

Buridda

(per 6 persone)

3 gattucci di mare di circa 1 chilo
1 razza di circa 500 grammi
un bicchiere abbondante d'aceto
qualche fettina di limone
sale q.b.
un bicchiere abbondante d'olio
2 spicchi d'aglio tritati
60 grammi di pinoli
60 grammi di gherigli di noce
40 grammi di pangrattato
1 cucchiaio d'aceto
pepe q.b.
noce moscata q.b.

Pulite i pesci, togliete via la testa e tagliateli a pezzi. Lavateli in abbondante acqua salata e lessateli in un poco d'acqua salata con l'aceto e qualche fettina di limone. Quando il pesce sarà cotto, scolatelo e lasciatelo raffreddare. Mettete l'olio in una casseruola, soffriggetevi l'aglio, a fuoco molto basso, e, appena comincerà a prendere colore, unite i pinoli e le noci, pestate nel mortaio e ridotti in polvere, il pangrattato, l'aceto, un pizzico di sale, una bella spolverata di pepe e l'odore della noce moscata. Sistemate nella casseruola anche i pezzi di pesce, bagnateli con un poco di brodo di cottura caldo e lasciateli insaporire una decina di minuti a fuoco molto basso scuotendo di tanto in tanto la pentola perché il sugo non attacchi. Servite la buridda caldissima.

La «cassola»

(per 6 persone)

2 chili e mezzo circa di pesce assortito (palombo, anguille, cefalo, spigola, cappone, scorfano, sarago, seppie, polipi, razza, granchi, aragosta)
1 bicchiere scarso d'olio
1 spicchio d'aglio tritato
1 grossa cipolla tritata
un ciuffo di prezzemolo tritato
500 grammi di pomodori maturi
1/2 bicchiere abbondante di vino bianco secco
sale q.b.

un pezzetto di peperoncino rosso tritato

crostini di pane abbrustoliti q.b.

Pulite i pesci, lavateli in abbondante acqua salata e asciugateli. Provate delle teste e tagliate a pezzi i pesci più grossi, tagliate la coda delle aragoste a pezzetti e dividete il tronco in due pezzi. Con le teste dei pesci e un poco di sale e acqua, preparate un brodo che vi servirà da aggiungere alla zuppa.

In un ampio tegame versate l'olio e fatevi soffriggere, a fuoco molto basso, il trito d'aglio, di cipolla e di prezzemolo; appena il soffritto comincerà a prendere colore, unite i pomodori, pelati, tagliati a pezzi e privati dei semi. Innaffiate con il vino e lasciatelo evaporare. A questo punto bagnate la salsa con un mestolo di brodo di pesce caldo; unite poi le seppie, divise in pezzetti e i polipi tagliati a listerelle. Condite con un poco di sale e il peperoncino. Dopo circa 20 minuti, aggiungete i pesci a carni più dure e poi l'aragosta. Lasciate cuocere molto lentamente ancora un quarto d'ora e aggiungete man mano le altre varietà di pesci a carne più tenera, bagnate con un poco di brodo di pesce caldo, coprite e lasciate cuocere ancora un quarto d'ora molto lentamente. Aggiustate di sale e servite la «cassola» caldissima nelle scodelle con i crostini di pane abbrustoliti.

Zuppa di arselle

(per 6 persone)

1 chilo e mezzo di arselle

3 cucchiai di olio d'oliva

2 spicchi d'aglio

2 bicchieri di vino bianco secco

sale q.b.

pepe q.b.

1-2 cucchiai di prezzemolo tritato finemente

fette di pane fritte nell'olio

Risciacquate abbondantemente le arselle e fatele aprire in una padella coperta, messa su fuoco dolcissimo, con l'aggiunta di qualche cucchiaio d'acqua. Ci vorranno all'incirca 8 minuti. Togliete dalla padella le arselle e tenete da parte il loro liquido. Scaldate l'olio e fatevi rosolare uno spicchio d'aglio schiacciato. Appena l'olio prende colore, toglietelo e versate in padella il vino e le arselle. Condite con sale e pepe aggiungendo due bicchieri del liquido delle arselle. Fate cuocere a fuoco dolcissimo per 5 minuti e cospargete di prezzemolo tritato un attimo prima di servire in tavola. Con l'altro spicchio d'aglio, schiacciato o tagliato a metà, sfregate le fette di pane fritte in olio e mettetene una in ogni scodella, prima di versarci sopra la zuppa di arselle.

Calamaretti ripieni

(per 6 persone)

12 calamaretti

1 spicchio d'aglio

2-4 filetti di acciughe

2 uova sbattute leggermente

2-3 ciuffi di prezzemolo

sale q.b.

pepe q.b.

2-3 cucchiai di pangrattato

olio d'oliva

spicchi di limone

Spellate i calamaretti e togliete loro la penna; risciacquateli senza aprirli, staccando solo i tentacoli che triterete minutamente assieme al prezzemolo, all'aglio, ai filetti di acciughe. In una terrina unite al trito le uova sbattute, il pangrattato, un po' di sale, abbondante pepe e un filo d'olio d'oliva. Mescolate tutti questi ingredienti lavorandoli fino a ridurli a impasto adatto a riempire i calamari, a guisa di sacchetti che cucirete poi con un filo grosso. Sistemate i calamaretti ripieni sopra una gratella, conditeli con poco sale e pepe, sgocciolateci sopra un filo d'olio e arrostiteli ungendoli di tanto in tanto e voltandoli spesso. Serviteli ben caldi accompagnati da spicchi di limone.

Trote alla vernaccia

(per 6 persone)

6 trote

3 cucchiaiate d'olio

1 spicchio d'aglio tritato

un ciuffo di prezzemolo tritato

un rametto di rosmarino tritato

un cucchiaio di origano

1/2 carota tritata

sale q.b.

pepe q.b.

1 litro di vino vernaccia

Pulite le trote, lavatele bene e fatele sgocciolare. In una padella, mettete l'olio con il trito di aglio, prezzemolo, rosmarino, l'origano e la carota; fate ammorbidire un poco le verdure a fuoco basso, poi sistematevi le trote, ben stese, salatele e pepatele. Versate poi la vernaccia fino a ricoprire completamente i pesci e fate cuocere a fuoco moderato per una ventina di minuti, fino a quando il vino sarà tutto evaporato. Servite le trote bollenti con la loro salsa calda ben ristretta.

Acciughe ripiene

(per 6 persone)

1 chilo di acciughe fresche non troppo piccole

100 grammi circa di filetti di acciughe sott'olio

200 grammi di formaggio fresco

farina q.b.

3 uova sbattute

pangrattato q.b.

olio per friggere q.b.

1 o 2 limoni tagliati a spicchi

Pulite le acciughe, lavatele in abbondante acqua salata, apritele dalla parte del ventre, togliete via la testa e la spina centrale, senza però dividerle in due. Al posto della spina mettete un filettino di acciuga e un'asticciola sottile di formaggio. Racchiudete l'acciuga come fosse intera, passatela nella farina, poi nelle uova sbattute e infine nel pangrattato. Friggete le acciughe, poche per volta, in una padella con abbondante olio bollente. Appena saranno dorate, fatele sgocciolare su una carta che assorba l'unto e servitele bollenti con spicchi di limone.

Sardine al finocchio

(per 6 persone)

una grossa cipolla affettata

1/2 bicchiere abbondante d'olio

1/2 bicchiere di vino bianco secco

| 500 grammi di pomodori maturi (o in scatola) |
| 1 sale q.b. |
| pepe q.b. |
| 1 chilo di sardine |
| 2 cucchiaiate di pangrattato |
| 1 cucchiaiata di semi di finocchio pestati |
| 2 cucchiaiate d'olio |

In una casseruolina soffriggete la cipolla con l'olio, a fuoco basso; appena sarà leggermente colorita, innaffiatela con il vino e lasciatelo evaporare. Versate poi i pomodori, pelati, tagliati a pezzi e privati dei semi. Salate, pepate e lasciate cuocere la salsa per un quarto d'ora a fuoco vivace. Pulite le sardine, privatele della testa, lavatele in abbondante acqua salata e sgocciolatele bene. Condite le sardine con un pizzico di sale e di pepe, passatele nel pangrattato e cospargetele con i semi di finocchio. In una teglia (o pirofila) versate la salsa di pomodoro, allineatevi le sardine, irroratele con un filo d'olio e passatele in forno già caldo (160°) per una mezz'oretta, fino a quando il pane avrà preso un bel colore dorato. Servite le sardine bollenti con il loro intingolo.

Aragosta arrosto

(per 4 persone)

| un'aragosta di circa 1 chilo |
| 1/2 cucchiaio di senape inglese |
| pepe q.b. |
| 2 cucchiaiate di prezzemolo tritato |
| 1 cucchiaino di origano |
| sale q.b. |
| 1 bicchiere d'olio |
| 40 grammi di burro |
| 2 cucchiaiate di pangrattato |
| 1 o 2 limoni |

Dividete a metà per la lunghezza l'aragosta, togliete con attenzione il budellino terroso che va dall'estremità della coda al tronco, quindi ponete i due pezzi in una teglia, naturalmente con la parte carnosa rivolta in alto. In un tegamino mescolate la senape con una bella spolverata di pepe, il prezzemolo, l'origano e un poco di sale. Diluite la salsa con circa mezzo bicchiere d'olio e la noce di burro e fatela intiepidire sul fornello a fuoco molto basso. Versate poi la salsa sull'aragosta, spolverate con pangrattato, pigiando con la lama di un coltello in modo che il pane aderisca bene. Sgocciolate il rimanente olio e passate in forno già caldo (200°) per circa 25 minuti. Sistemate poi l'aragosta in un piatto, spruzzatela con il succo di limone e servitela caldissima con spicchi di limone.

Uova alla sarda

(per 6 persone)

| 6 uova |
| 3 cucchiaiate d'olio |
| sale q.b. |
| 1 cucchiaiata d'aceto |
| 1 spicchio d'aglio tritato |
| un ciuffo di prezzemolo tritato |
| 1 cucchiaiata di pangrattato |

Rassodate per 7 minuti le uova in acqua in ebollizione, poi passatele sotto l'acqua fredda e sgusciatele. Dividetele a metà per la lunghezza, stendetele in un sol strato in una padella, irroratele con l'olio, conditele con un pizzico di sale e spruzzatele con l'aceto. Fate scaldare la padella su fuoco molto basso e lasciate evaporare l'aceto; dopo circa 5 minuti, sistemate le uova in un piatto con la parte tagliata rivolta verso l'alto. Nella padella mettete il trito d'aglio e di prezzemolo, fatelo scaldare a fuoco basso e uniteci il pangrattato. Lasciate tostare il pane e poi spalmate questa salsa sulle uova preparate. Questo squisito piatto si può gustare sia caldo che freddo.

Melanzane alla sarda

(per 6 persone)

| 6 melanzane di media grandezza |
| sale q.b. |
| 2 cucchiai di pangrattato fresco |
| sale e pepe q.b. |
| 1 spicchio d'aglio tritato finemente |
| 2-3 foglie di basilico tritato |
| 2-3 ciuffi di prezzemolo tritato finemente |
| 3 grossi pomodori maturi, pelati e privati dei semi |
| 1/2 bicchiere di olio d'oliva |

Asportate il torsolo alle melanzane, dividetele a metà nel verso della lunghezza, praticate su ogni melanzana alcune incisioni trasversali e spruzzatele di sale. Le incisioni vanno eseguite con la punta di un coltello sulla parte della polpa. Lasciate che le melanzane perdano, per mezzo del sale, parte della loro acqua amarognola, poi risciacquatele, asciugatele e allineatele in una teglia con la parte incisa rivolta verso l'alto. Grattugiate la mollica di un panino e dopo averla mescolata con un trito di aglio, basilico, prezzemolo, formate con il composto uno strato compatto su ogni mezza melanzana. Distribuite su questo strato di mollica di pane qualche filetto di pomodoro crudo, condite con sale e pepe e sul fondo della teglia versate un bicchiere di acqua e mezzo bicchiere di olio d'oliva. Mettete la teglia in forno a calore moderato, avendo cura di bagnare più volte la superficie delle melanzane con il loro fondo di cottura. Quando le melanzane saranno cotte, sistematele su un piatto di portata e versateci sopra il sugo rimasto nella teglia.

Piselli all'uso sardo

(per 6 persone)

| 1 chilo di piselli freschi |
| 3 cucchiai di olio d'oliva |
| sale q.b. |
| 1 cipolla tagliata a fettine sottili |
| 4 uova |
| 4 cucchiai di parmigiano o pecorino grattugiato |
| pangrattato q.b. |
| latte q.b. |
| olio per ungere q.b. |

Sbucciate i piselli e metteteli a cuocere in una casseruola con tre cucchiai di olio, una cipolla tagliata in fettine e un mestolo scarso d'acqua. Condite con un pizzico di sale e fate cuocere a fuoco vivace e a recipiente scoperto. Rompete le uova in una terrina, conditele con sale e quattro cucchiai di parmigiano o pecorino grattugiato e sbattetele come per fare una frittata. Grattugiate la mollica di un panino raffermo e mettetela quindi a bagno in una ciotola con un pochino di latte. Quando la mollica sarà bene inzuppata, strizzatela tra le mani e unitela alle uova sbattute. Aggiungete infine i piselli cotti, ben asciutti, e mescolate tutti gli ingredienti. Ungete di olio una teglia di venti centimetri di diametro, versateci il composto di piselli e uova e mettete in forno a calore moderato per circa mezz'ora fino a quando la crema di piselli si sarà rassodata e trasformata in una torta. Rovesciatela quindi su un piatto di portata e servitela calda.

Carciofi ripieni di ricotta

(per 6 persone)

6 carciofi

1 limone

200 grammi di ricotta

1 uovo

un pizzico di sale

3 cucchiai di parmigiano o pecorino grattugiato

4-5 fettine di salame

60 grammi di burro

2-3 cucchiai di pangrattato

Togliete ai carciofi le foglie esterne più dure, accorciate un po' il gambo, tornite il girello con un coltellino e spuntate la cima. Stropicciate i carciofi con un po' di limone, poi divideteli in due nel senso della lunghezza. Tuffate quindi i carciofi in abbondante acqua leggermente salata in ebollizione e fateli cuocere badando di tenerli al punto giusto di cottura; toglieteli dall'acqua, lasciateli sgocciolare e allineateli in un tegame da forno, precedentemente unto di burro.

In una terrina mettete la ricotta, e mescolando con un cucchiaio di legno, riducetela a crema; condite con un uovo sbattuto come per fare una frittata, un pizzico di sale, qualche cucchiaiata di parmigiano o pecorino grattugiato e qualche fettina di salame fatta a pezzettini. Mescolate bene tutti gli ingredienti e distribuite il composto sui dodici mezzi carciofi dandogli forma leggermente bombata. Spruzzate sul composto di ricotta due o tre cucchiai di pangrattato, distribuite qua e là delle noccioline di burro e passate il tegame in forno caldo per gratinare la pietanza.

Servite i carciofi ripieni di ricotta nel loro recipiente di cottura.

Zucca ripiena

(per 6 persone)

1 chilo abbondante di zucca verde

3 uova

1 cucchiaiata abbondante di pangrattato

2 cucchiai di formaggio «fiore sardo» grattugiato

4-5 foglie di basilico tritato

2 pomodori maturi

sale q.b.

pepe q.b.

2 bicchieri abbondanti d'olio

1 tazza abbondante di salsa di pomodoro già cotta

Raschiate la zucca, tagliatela trasversalmente in pezzi di circa 8 cm di lunghezza, togliete i semi e tritate la polpa. Sbattete in una terrina le uova intere con il pangrattato, il formaggio «fiore sardo», il basilico e i pomodori, pelati, tagliati a pezzetti e privati dei semi; unite la polpa della zucca, condite con un poco di sale e una bella spolverata di pepe e mescolate bene in modo da ottenere un composto omogeneo. Con questa farcia riempite i pezzetti di zucca svuotati. Versate l'olio in una padella, fatelo scaldare e poi sistematevi i pezzi di zucca in modo che stiano ritti. Quindi, con molta delicatezza, rigirateli in modo che friggano prima alle due estremità, e poi nel mezzo. Scolate i pezzi di zucca fritti e metteteli in una casseruola, ricopriteli con la salsa di pomodoro, fateli bollire a fuoco lento per una decina di minuti e servite caldo.

Aranciata nuorese

500 grammi di scorzette di arancia

100 grammi di mandorle

500 grammi di miele

100 grammi di zucchero

Sono dei gustosissimi canditi a base di scorza di arancia, miele e mandorle. Per tagliare le scorzette usate un coltellino affilatissimo e cercate di non tagliare la parte bianca che è amara. Ritagliatele poi a filettini sottili e mettetele a bagno in acqua fredda per 2-3 giorni, cambiando spesso l'acqua perché perdano tutto l'amarognolo. Poi strizzatele dall'acqua e controllate il peso che deve essere uguale a quello del miele. Immergete in acqua in ebollizione le mandorle per un minuto, poi pelatele, fatele tostare leggermente in forno caldo (160°), rigirandole spesso per circa un quarto d'ora, quindi tagliatele a filettini. Fate sciogliere in una casseruola il miele, unite le scorzette, mescolate bene con un cucchiaio di legno e lasciate cuocere a fuoco molto basso per una mezz'ora. Aggiungete poi le mandorle e lo zucchero, e lasciate sul fuoco ancora 5-10 minuti, sempre mescolando, finché il composto avrà raggiunto il grado del «caramello». Togliete la casseruola dal fuoco e versate il composto su un foglio di carta oleata unta d'olio (o sul tavolo di marmo unto), livellato con la lama di un coltello unto d'olio, ritagliatelo subito a pezzetti e lasciatelo raffreddare bene. Questi dolcetti non si conservano più a lungo di una settimana.

Amaretti d'Oristano

150 grammi di mandorle dolci

150 grammi di mandorle amare

300 grammi di zucchero

2 albumi

zucchero al velo

farina q.b.

burro q.b.

Immergete in acqua bollente in ebollizione le mandorle dolci e quelle amare, quindi spellatele e fatele asciugare in forno tiepido senza che coloriscano.

Pestate le mandorle, poche per volta, nel mortaio insieme con 300 grammi di zucchero per ottenere una farina che farete poi passare al setaccio. In una terrina montate a neve gli albumi e incorporatevi, poca alla volta, la farina di mandorle; mescolate delicatamente per legare gli ingredienti. Mettete quindi il composto, morbido ma non molle, in una tasca di tela con bocchetta liscia. Ungete e infarinate leggermente una placca da forno e, premendo la tasca, deponetevi ad intervalli regolari delle porzioni del composto grandi come una noce, che schiaccerete leggermente. Quando avrete terminato di allineare sulla placca le piccole noci di farina di mandorle, zucchero e albumi, spolverizzatele abbondantemente di zucchero al velo e lasciatele riposare per molte ore. Cuocete infine in forno molto moderato gli amaretti che si allargheranno e si gonfieranno restando vuoti all'interno. Potete conservare questi dolcetti in una scatola di latta ben chiusa.

Gesminus

400 grammi di mandorle dolci

400 grammi di zucchero al velo

3 cucchiai d'acqua di fior d'arancio

1 limone

candelaus (vedi ricetta seguente)

Scottate le mandorle in una casseruola di acqua in ebollizione, quindi spellatele e tagliatele a fettine sottili. In un pentolino unite lo zucchelo al velo a mezzo bicchiere d'acqua e fatelo cuocere dolcemente mescolando fino a quando il composto sarà diventato uno sciroppo denso. Allungatelo quindi con l'acqua di fior d'arancio e unite al composto le fettine di mandorle e la scorza grattugiata di un limone. Mescolate bene per amalgamare gli ingredienti quindi riempite i candelaus con il composto caldo. Lasciate raffreddare e sistemate i dolcetti su un piatto di servizio.

Candelaus (o «Scandelaus»)

600 grammi di mandorle dolci

500 grammi di zucchero

la scorza grattugiata di 2 limoni

1 bicchierino di acqua di fior d'arancia

200 grammi di zucchero al velo

acqua q.b.

Immergete le mandorle in acqua in ebollizione, pelatele e tritatele finemente (o passatele nell'apposita macchinetta). Sciogliete lo zucchero in una casseruola con circa mezzo bicchiere d'acqua; appena sarà sciolto, unite le mandorle, mescolate bene con un cucchiaio di legno e profumate con la scorza del limone e mezzo bicchierino di acqua di fior d'arancia. Togliete dal fuoco dopo un paio di minuti, non appena il composto si staccherà dai bordi della casseruola in un sol pezzo. Lasciatelo leggermente intiepidire e poi con le mani inumidite con il liquore d'arancia allungato con un po' d'acqua, plasmate delle piccole forme a piacere (animali, fiori, figurine). Stendetele e lasciatele asciugare all'aria (o passatele in forno a 160° per pochi minuti). Sciogliete poi in una casseruola lo zucchero con un poco d'acqua, immergetevi i «candelaus» un attimo, scolateli bene e lasciateli asciugare per 4-5 ore all'aria.

Pabassinas

per la pasta

280 grammi di farina

140 grammi di burro (o strutto)

100 grammi di zucchero

2 uova

un pizzico di sale

80 grammi di uvetta sultanina

80 grammi di gherigli di noce

80 grammi di mandorle già pelate

150 grammi di zucchero al velo

La pasta dei «pabassinas» (o «papassinos») è simile a una pasta frolla ben condita e farcita. Mettete la farina a fontana sulla spianatoia, versate al centro il burro (o lo strutto), ammorbidito e tagliato a pezzetti, lo zucchero, le uova e un pizzico di sale. Con una forchetta impastate e non lavorate a lungo la pasta; aggiungete l'uvetta, ammorbidita in acqua tiepida e ben strizzata e le noci con le mandorle, tritate finemente. Appena gli ingredienti saranno bene incorporati, raccogliete la pasta in una terrina, copritela e lasciatela riposare in frigorifero per un'oretta. Tirate poi la pasta con il mattarello leggermente infarinato in una sfoglia dello spessore di circa 1 cm. Ricavate dei piccoli rombi e stendeteli, ben distanziati, in una teglia imburrata e infarinata. Passate in forno già caldo (160°) per circa un quarto d'ora. Quando saranno cotti, sformateli e lasciateli raffreddare. In una casseruolina sciogliete lo zucchero con un poco d'acqua e, quando lo zucchero si sarà ben sciolto, immergetevi i «pabassinas», sgocciolateli e stendeteli su una teglia infarinata. Passateli di nuovo in forno caldo (160°) per pochi minuti ad asciugare. Poi fateli raffreddare.

Per preparare i «papassinos» si aggiunge al medesimo impasto dei pabassinas anche un pizzico di cannella, un cucchiaino di semi d'anice e due chiodi di garofano pestati.

Sebadas

250 grammi di formaggio fresco di pecora o di mucca

250 grammi di farina di semola (o farina bianca)

un pizzico di sale

2 cucchiai d'olio

olio per friggere q.b.

zucchero (o miele) q.b.

Per preparare le «sebadas» occorre del formaggio fresco di due giorni, preferibilmente pecorino, che abbia raggiunto un certo grado di acidità. E, al punto giusto, questo formaggio, tagliato a pezzetti e messo a scaldare in una casseruola con pochissima acqua, ben mescolato con una spatola di legno, si trasforma facilmente in una massa omogenea e filante. Versate l'impasto ancora caldo sulla tavola di marmo leggermente inumidita; finché il formaggio è caldo, formate delle ciambelline di circa 10 cm di diametro e di circa 1/2 cm di spessore e lasciatele raffreddare e riposare per almeno 2 ore, perché eliminino il siero. Sulla spianatoia impastate la farina con un poco d'acqua tiepida (circa mezzo bicchiere) salate e aggiungete anche i due cucchiai d'olio. Lavorate bene la pasta, finché sarà liscia e tirate una sfoglia sottile. Ritagliate dei dischi di circa 10 cm di diametro, mettete su ognuno un pezzo del formaggio preparato, richiudete con un altro disco di pasta, pigiando con le punte di una forchetta come per chiudere dei ravioli. Friggete le «sebadas», una alla volta, in una piccola padella con abbondante olio (o strutto) bollente. Per evitare che la pasta friggendo si gonfi, premete leggermente la «sebada» con il mestolo forato, giratela più volte e toglietela dal fuoco quando avrà preso un bel colore dorato da entrambe le parti. Sgocciolatela su una carta che assorba l'unto e spolveratela subito di zucchero, oppure immergetela in un poco di miele liquefatto. Continuate a friggere le altre in questo modo e servitele calde.

Biscottini con il miele

300 grammi di farina bianca

100 grammi di miele

35 grammi di burro

1 uovo

un pizzico di sale

latte q.b.

10 grammi di lievito in polvere

Mettete sul tavolo della cucina la farina, disponetela a fontana e nel mezzo versate il miele, precedentemente sciolto in un tegamino, e il burro anch'esso liquefatto. Aggiungete l'uovo sbattuto, un pizzico di sale e 2 cucchiai di latte nel quale avrete sciolto il lievito in polvere. Impastate bene e poi con il mattarello stendete la pasta all'altezza di pochi millimetri.

Con un tagliapaste tagliate la sfoglia in tanti biscottini ai quali conferirete la forma che più vi piacerà: rettangoli, cerchi, rombi. Cospargete di farina una larga teglia, allineateci sopra i biscottini, passateli con un pennello intriso di latte per lucidarli e poneteli in forno preriscaldato a cuocere a calore moderato per pochi minuti. Toglieteli dal forno e lasciateli raffreddare.

INDICE ALFABETICO

INDICE ANALITICO

Uova

Pesce

INDICE DELLE REGIONI

Referenze fotografiche

M. Albertini 39; Archivio fotografico Mondadori 6, 12, 13, 15, 30, 34, 35, 58, 61, 62, 96, 97, 101, 103, 146, 182, 202, 226, 238, 242; G. Cavallero 14; F. Fontana 100; M. Galligani 10; M. Jodice 198, 260, 261; R. Marcialis 8, 11, 33, 57, 60, 166, 184, 204, 205, 256; Marka 83, 254, 282; T. Nicolini 48, 142, 187, 206-207, 222, 238; M. Pedone 38; Prima Press 144, 145, 160, 161, 167, 186, 280, 281, 283; Overseas 9, 32, 58, 63, 78, 80, 81, 88, 97, 98-99, 102, 120-121, 122, 123, 124, 126-127, 147, 162, 164, 185, 200, 203, 224-225, 227, 240-241, 243, 257, 258-259, 262, 263, 278; F. Quilici 54, 56; G. Rossi 158; L. Steffenoni 59; Stradella 125.